D0122752

DIE VEREINTEN NATIONEN UND DIE MITARBEIT DER BUNDESREPUBLIK DEUTSCHLAND

SCHRIFTEN DES FORSCHUNGSINSTITUTS

DER DEUTSCHEN GESELLSCHAFT

FÜR AUSWÄRTIGE POLITIK E.V.

Band 32

Die Vereinten Nationen und die Mitarbeit der Bundesrepublik Deutschland

Herausgegeben von

ULRICH SCHEUNER und BEATE LINDEMANN

R. OLDENBOURG VERLAG MÜNCHEN WIEN 1973

Die Deutsche Gesellschaft für Auswärtige Politik hat nach ihrer Satzung die Aufgabe, die Probleme der internationalen, besonders der europäischen Politik und Wirtschaft zu erörtern, ihre wissenschaftliche Untersuchung zu fördern, die Dokumentation zu diesen Forschungsfragen zu sammeln und das Verständnis für internationale Probleme durch Vorträge, Studiengruppen und Veröffentlichungen anzuregen und zu vertiefen. Sie unterhält zu diesem Zweck ein Forschungsinstitut und als Publikationsorgan die Zeitschrift »Europa-Archiv«.

Die Deutsche Gesellschaft für Auswärtige Politik bezieht als solche auf Grund ihrer Satzung keine eigene Stellung zu internationalen Problemen. Die in den Veröffentlichungen der Gesellschaft geäußerten Meinungen sind die der Autoren.

Gesamtherstellung: E. Rieder, Verlagsdruckerei, Schrobenhausen
Umschlagentwurf: G. M. Hotop, München
ISBN 3-486-43961-8

INHALT

ABKÜRZUNGSVERZEICHNIS

AAG	African and Asian Group
ASG	Assistant Secretary-General
CCD	Conference of the Committee on Disarmament
CERD	Committee on the Elimination of Racial Discrimination
ECA	Economic Commission for Africa
ECAFE	Economic Commission for Asia and the Far East
ECE	Economic Commission for Europe
ECLA	Economic Commission for Latin America
ECOSOC	Economic and Social Council
EEG	Eastern European Group
EWG	Europäische Wirtschaftsgemeinschaft
FAO	Food and Agriculture Organization
GATT	General Agreement on Tariffs and Trade
IAEA	International Atomic Energy Agency
ILO	International Labor Organization
INTELSAT	International Telecommunications Satellite
LAG	Latinamerican Group
OAS	Organization of American States
OAU	Organization of African Unity
OECD	Organization for Economic Cooperation and Development
SG	Secretary-General
TAB	Technical Assistance Board
UN	United Nations
UNCDF	United Nations Capital Development Fund
UNCHE	United Nations Conference on the Human Environment
UNCTAD	United Nations Conference on Trade and Development
UNDP	United Nations Development Programme
UNESCO	United Nations Educational, Scientific and Cultural Organization
UNHCR	United Nations High Commissioner for Refugees
UNICEF	United Nations Children's Fund
UNIDO	United Nations Industrial Development Organization
UNITAR	United Nations Institute for Training and Research
UNRWA	United Nations Relief and Works Agency for Palestine Refugees in the Near East
USG	Under-Secretary-General
WEOG	Western European and other States Group
WHO	World Health Organization

UN-DOKUMENTE

ECOSOC Res.	Economic and Social Council Resolution
ESCOR	Economic and Social Council Official Records
GAOR	General Assembly Official Records
GA Res.	General Assembly Resolution
SCOR	Security Council Official Records
SC Res.	Security Council Resolution

VORWORT

Die Annahme der Verträge von Moskau und Warschau im Deutschen Bundestag und das sich anschließende Verfahren der Ratifikation lassen den Zeitpunkt näher rücken, in dem die Bundesrepublik Deutschland einen Antrag auf ihre Aufnahme in die Vereinten Nationen stellen wird und damit der Eintritt der beiden deutschen Staaten in die Organisation stattfindet. In diesem Zeitpunkt wendet sich der hier vorgelegte Band einer Reihe von Problemen im Umkreis der Aufgaben der Vereinten Nationen zu, die für eine künftige Mitarbeit der Bundesrepublik Deutschland von besonderer Bedeutung sein werden und in denen neuere Entwicklungen ein erhöhtes Informationsbedürfnis geschaffen haben. Der Band bringt keine systematische Darstellung der Tätigkeit der Weltorganisation, sondern er stellt einige wesentliche Abschnitte ihrer Betätigung zu näherer Behandlung heraus. Er läßt dabei bewußt zwei zentrale Bereiche aus, den der Wirtschaft und der Entwicklungshilfe, deren Erörterung über den Rahmen dieser Schrift hinausgegangen wäre.

Die einzelnen Beiträge des Bandes sind in einer Arbeitsgruppe unter Leitung von Prof. Ulrich Scheuner, Bonn, diskutiert worden, der neben den Bearbeitern der einzelnen Beiträge auch Sachkenner der Vereinten Nationen aus Behörden, Organisationen und der Presse angehört haben. Die Arbeitsgruppe wurde Anfang 1971 konstituiert und schloß ihre Arbeiten im Juli 1972 ab.

Die Schrift wendet sich sowohl an den unterrichteten und mit den Fragen der Vereinten Nationen befaßten Leser wie an die allgemeine Öffentlichkeit, der eine Unterrichtung über die neuere Entwicklung zentraler Aufgabenbereiche der Vereinten Nationen willkommen sein wird.

Die Deutsche Gesellschaft für Auswärtige Politik hat dem Auswärtigen Amt Dank abzustatten dafür, daß es durch seine Förderung das Erscheinen dieses Bandes ermöglicht hat.

Bonn, im August 1972

Die Herausgeber

EINFÜHRUNG: WANDLUNGEN IN AUFGABENBEREICH UND STRUKTUR DER VEREINTEN NATIONEN

Ulrich Scheuner

I. Veränderungen in der Zusammensetzung der Vereinten Nationen

1. Die Ausdehnung des Mitgliederkreises und ihre Auswirkung

Wenn die Bundesrepublik Deutschland im Zuge ihrer Politik der Entspannung und der internationalen Zusammenarbeit sich anschickt, ihren Eintritt in die Vereinten Nationen vorzubereiten, so sucht sie die Mitgliedschaft in einer Organisation, deren Erscheinung in den 25 Jahren ihres Bestehens erhebliche Wandlungen erfahren hat, und die in der Gegenwart ein von den Vorstellungen der Zeit ihrer Gründung stark abweichendes Bild darbietet. Das gilt sowohl für die Zusammensetzung der allgemeinen Staatenorganisation, die erst im Zuge der Dekolonisation der sechziger Jahre einen wirklich globalen Charakter gewonnen hat, und in der sich demzufolge das Gewicht der Mehrheit merklich verschoben hat wie für den Bereich ihrer Wirksamkeit, der von einer veränderten Mehrheit ihrer Mitgliedstaaten unter veränderten Prioritäten gesehen wird. Endlich ergeben sich auch Umgestaltungen im institutionellen Gefüge der Vereinten Nationen. Die Bundesrepublik hat durch ihre ausgedehnte Mitarbeit in den Sonderorganisationen und den Spezialorganen der Vereinten Nationen sowie durch ihre unmittelbare Beobachtung in New York diese strukturellen Verlagerungen innerhalb der Organisation verfolgen können. Aber sie ist bisher den Auswirkungen dieses Vorgangs infolge ihrer Nichtbeteiligung an der Arbeit der politischen Organe der Vereinten Nationen noch nicht in so unmittelbarer Weise ausgesetzt gewesen wie andere Staaten. Es erscheint daher in besonderem Maße notwendig, daß auch die Öffentlichkeit in der Bundesrepublik Deutschland sich darüber Rechenschaft gibt, auf welchen Gebieten heute das Schwergewicht der Tätigkeit der Organisation liegt, welche neuen Tätigkeitsverlagerungen sich demgemäß in ihrer Aufgabenstellung vollzogen haben.

Eine erste grundlegende Veränderung wird in der Zahl und Zusammensetzung der Mitgliedstaaten sichtbar. Die Anzahl der originären Mitglieder betrug 51. Sie ist inzwischen durch den Beitritt neuer Mitglieder – vor allem der zur Unabhängigkeit gelangten Gebiete – auf 132 angewachsen. Darin kommt aber nicht nur eine quantitative Vermehrung der Mitglieder zum Ausdruck, sondern auch eine qualitative Umgestaltung aus einer begrenzten Gemeinschaft der Siegermächte des

Zweiten Weltkrieges zu einer sämtliche Erdteile umspannenden Staatenvereinigung. Die Vereinten Nationen gingen aus dem Zusammenschluß der Allianz des Zweiten Weltkrieges hervor, und im Kreise der ursprünglichen Mitglieder war daher nur ein Teil der Welt vertreten. Im Zeitpunkt der Errichtung der Organisation wurde die koloniale Abhängigkeit weiter Teile der Erde noch nicht allgemein in Frage gestellt. Der Mitgliederbestand jedenfalls mußte von dem bestehenden Zustand ausgehen, der die kolonial abhängigen Gebiete von der direkten Zugehörigkeit ausschloß. Auch die im Kriege unterlegenen und die neutralen Staaten waren anfangs nicht unter die Mitglieder eingereiht. Während Westeuropa, die sozialistischen Länder, Lateinamerika (mit 20 Mitgliedern) und der Nahe Osten angemessen vertreten waren, zählte man für Asien nur vier, für Afrika nur drei originäre Mitglieder[1].

Die entscheidende Veränderung im Kreise der Mitglieder, der sich in den fünfziger Jahren durch die Mehrzahl der im Kriege besiegten und der neutralen Länder erweiterte, ereignete sich mit der zum Ende der fünfziger Jahre voll einsetzenden Dekolonisation. Erst durch sie erhielten Asien und Afrika eine wirkliche Repräsentation durch unabhängige Staaten im Rahmen der Organisation. Aber zugleich haben sich die Mehrheitsverhältnisse in der Generalversammlung durch den Beitritt der neuen zur Unabhängigkeit gelangten Nationen einschneidend verändert. Das Anwachsen der Mitgliederzahl hat in der Generalversammlung ein entscheidendes Übergewicht der afro-asiatischen Staatengruppe (75 Stimmen) herbeigeführt, demgegenüber andere Gruppen – etwa die westeuropäischen Länder und der sozialistische Block – zahlenmäßig relativ zurücktreten. Auch wenn man berücksichtigt, daß innerhalb der asiatischen und afrikanischen Staaten das Abstimmungsverhalten ein recht differenziertes Bild ergibt[2], so haben die Gemeinsamkeiten, die die Länder der Dritten Welt verbinden – und die Interessen der lateinamerikanischen und der arabischen Staaten weisen oft in die gleiche Richtung –, einen weitreichenden Einfluß auf die Tätigkeit der Vereinten Nationen erlangt, vor allem soweit die Haltung der Generalversammlung und ihrer Ausschüsse in Betracht kommt. Es sind die Interessengebiete dieser Mehrheit innerhalb der Staatengemeinschaft, die in merkbarer Weise in den Vordergrund der Tätigkeit der Organisation gerückt sind[3]. Wenn bis zur Mitte der fünfziger Jahre noch von einem gewissen Übergewicht der Vereinigten Staaten von Amerika innerhalb der Weltorganisation gesprochen werden konnte, und wenn im folgenden

[1] In Asien: China, Indien, Iran, Philippinen. In Afrika: Äthiopien, Liberia und Südafrika. Nicht mitgezählt sind hierbei die originären Mitglieder der arabischen Länder des Nahen Ostens (Ägypten, Irak, Libanon, Saudi-Arabien), die eine besondere Staatengruppe bilden. Vgl. Übersicht bei Leland M. *Goodrich*/Edvard *Hambro*/Anne Patricia *Simons*, Charter of the United Nations, 3. Aufl., New York/London 1969, S. 82.

[2] Vgl. Samaan Boutros *Farajallah*, Le groupe Afro-Asiatique dans le cadre des Nations Unies, Genf 1963, S. 139 ff., 214 ff., 418 ff. Zur Zusammensetzung der regionalen Staatengruppen siehe Beitrag von Beate *Lindemann*, S. 221 f.

[3] Vgl. Geoffrey L. *Goodwin*, The United Nations: Expectations and Experience, in: Kenneth J. *Twitchett* (Hrsg.), The Evolving United Nations, London 1971, S. 40 ff.

Jahrzehnt der Ost-West-Gegensatz weitgehend die Erörterungen und Stellungnahmen bestimmte, so erscheinen die Vereinten Nationen heute eher als Ausdruck der Vielfalt der Staatenwelt gerade gegenüber den Weltmächten. Die Staatenvereinigung ist in stärkerem Maße zum Ausdruck der Stimme der mittleren und kleineren Länder geworden, die hier ihre Interessen und Gemeinsamkeiten zur Geltung bringen.

Dieses Moment tritt nicht in gleicher Stärke innerhalb des Sicherheitsrates in Erscheinung. Daran ändert auch seine 1963 beschlossene und 1965 in Kraft getretene Erweiterung von 11 auf 15 Mitglieder nichts, die das Stimmgewicht der kleineren Länder – einmal abgesehen von der Ausübung des Vetorechts durch die ständigen Mitglieder des Sicherheitsrates – verstärkt hat. Die Notwendigkeit einer Zustimmung der ständigen Ratsmitglieder – oder negativ ausgedrückt ihre Befugnis zum Veto – geben diesen fünf Mächten, die gegenwärtig identisch sind mit den im Besitz nuklearer Waffensysteme befindlichen Staaten, im Rate ein gewisses Übergewicht. Dennoch sucht der Sicherheitsrat auch heute noch eine einhellige Stimmabgabe zu erreichen und ist damit vielfach erfolgreich[4]. Aber diesen Beschlüssen gehen interne Verhandlungen über die Fassung der am Ende beschlossenen Resolutionen voraus. Zudem ist aber auch die Zuständigkeit des Sicherheitsrates grundsätzlich auf die Erhaltung des Friedens und der Sicherheit gerichtet[5], und es fallen daher entscheidende Interessengebiete der Staatenmehrheit, wie die Dekolonisation und die Bekämpfung der Rassendiskriminierung, in den Bereich der Generalversammlung, falls nicht Elemente der Bedrohung des Friedens ins Feld geführt werden können.

Mit der Auswirkung des veränderten Mitgliederbestandes geht Hand in Hand eine gewisse Verlagerung des Tätigkeitsfeldes der Vereinten Nationen in der Richtung auf die besonderen Interessen der Dritten Welt. Zugleich ergeben sich institutionelle Folgerungen innerhalb der Organisation, die sich im Verhältnis der Hauptorgane zueinander und in der zunehmenden Verwendung ständiger Ausschüsse für bestimmte Materien zeigen.

Das Ansteigen der Mitgliederzahl hat innerhalb der Funktionsweise der Vereinten Nationen auch die Herausbildung der Zusammenarbeit in bestimmten Staatengruppen gefördert, die sich – wie auch schon im Völkerbund – im Laufe der Jahre geformt haben. Vor allem für den Zweck der Durchsetzung bei Wahlen in

[4] Siehe die Übersichten der Stimmabgabe im Sicherheitsrat bei Sydney D. *Bailey*, Voting in the Security Council, London 1969, S. 222 ff.

[5] Die Verantwortung des Sicherheitsrates wird durch das Vorliegen eines Streites oder einer Situation begründet, die Frieden und Sicherheit stören oder gefährden kann (Artikel 24 Absatz 1, Artikel 34, 35 der Charter). Vgl. SC Res. 180 (1963) vom 31. Juli 1963, in: Yearbook of the United Nations 1963, S. 489, über die Situation in den portugiesischen Territorien in Afrika; SC Res. 232 (1966) vom 16. Dezember 1966, in: Yearbook of the United Nations 1966, S. 116, über Sanktionen gegen Rhodesien. Beide gehen von einer solchen Gefährdung des Friedens durch die bestehende Situation aus. Siehe zu dieser Zuständigkeitsfrage auch die Hinweise bei Marjorie M. *Whiteman*, Digest of International Law, Vol. 13, Washington 1968, S. 374–393, 422–423, 743 f.

die Organe der Vereinten Nationen haben sich Staatengruppen regionaler Art gebildet, neben denen noch weitere Verbindungen taktisch-politischer Natur stehen. Setzt man diese Situation, die sich aus der Erweiterung des Mitgliederbestandes und aus ihrer inneren Gliederung ergeben hat, in Rechnung, so werden die Bundesrepublik Deutschland und die Deutsche Demokratische Republik bei ihrem Eintritt in die Vereinten Nationen in diese vorgeformten Verhältnisse einbezogen werden. Beide werden ihren Platz in der Zusammenarbeit mit Gruppen finden, denen sie nach ihrer geographischen Lage oder ihrer bisherigen politischen Stellungnahme angehören.

2. *Die Universalität der Vereinten Nationen und die geteilten Länder*

Mit dem Hinzutreten der beiden deutschen Staaten wird innerhalb der Vereinten Nationen erstmals der Fall eintreten, daß eines der Gebiete, die durch die Machtauseinandersetzungen der letzten Jahrzehnte gespalten worden sind, in der Gestalt zweier gesonderter Staaten in die Weltorganisation aufgenommen wird. Das bedeutet im Ergebnis einen weiteren Schritt auf dem Wege zur vollen Universalität der Vereinten Nationen. Es würde danach nur eine Anzahl von Staaten außerhalb der Gemeinschaft verbleiben, deren Nichtzugehörigkeit auf sehr verschiedenen Ursachen beruht. Von den nach 1945 geteilten Ländern beträfe das nur noch zwei, Korea und Vietnam. Die dort bestehende politische Lage machte bis jetzt die Aufnahme in die Vereinten Nationen nicht möglich. Für die Bundesrepublik Deutschland und die Deutsche Demokratische Republik galt lange Zeit hindurch das gleiche, und erst der Vertrag von Moskau hat hier den Weg geöffnet[6]. Ein anderer Fall der bestehenden Teilung in zwei Staatengebilde, derjenige Chinas, zeigt dagegen eine ganz andere Struktur. Die Vorgänge bei der Einführung der Volksrepublik China in die Weltorganisation im Jahre 1971 haben die Tiefe der Probleme sichtbar gemacht, die aus einer Teilungssituation entstehen können. Keines der beiden Staatengebilde, weder die Volksrepublik China noch das unter dem Regime Chiang Kai-sheks verbliebene Taiwan, war bereit, eine Teilung anzuerkennen und den Anspruch auf die Vertretung des gesamten Landes aufzugeben. Daher konnte für die beiden Staaten nicht zugleich ein Platz in den Vereinten Nationen gefunden werden; der Einzug Pekings führte den Verlust der bisher geführten Vertretung des Landes durch Taiwan herbei, das nunmehr außerhalb der Vereinten Nationen steht[7].

[6] In dem Vertrag zwischen der Sowjetunion und der Bundesrepublik Deutschland selbst vom 12. August 1970 (Bundesgesetzblatt 1972, Teil II, S. 353) werden die Vereinten Nationen nicht genannt. In dem nicht zum verbindlichen Vertragstext gehörenden Bahr-Papier (Punkt 7) wird indes der Beitritt der beiden deutschen Staaten ins Auge gefaßt (zur rechtlichen Bedeutung dieses Dokuments siehe Helmut *Steinberger*, Völkerrechtliche Aspekte des deutsch-sowjetischen Vertragswerks vom 12. August 1970, in: *Zeitschrift für ausländisches öffentliches Recht und Völkerrecht*, Bd. 31, 1971, S. 80 f.).

[7] Vgl. GA Res. 2758 (XXVI) vom 25. Oktober 1971, die mit der Einnahme des chinesischen Sitzes durch die Vertreter der Volksrepublik China die Verweisung der Vertreter

Auf einem ganz anderen Gesichtspunkt beruht die bisherige Zurückhaltung der Schweiz. Hier bildet der eigene Entschluß, die überlieferte Neutralität festzuhalten, den Grund des Fernbleibens[8]. Es ist indes nicht unwahrscheinlich, daß diese Haltung der Schweiz im Laufe der kommenden Jahre eine Änderung erfährt[9]. Wieder ein anderer Fall sind die kleinen europäischen Staaten wie Liechtenstein und Monaco. Nachdem einst der Genfer Völkerbund am 17. Dezember 1920 das Aufnahmegesuch Liechtensteins zurückgewiesen hatte, hat die Auffassung Geltung gewonnen, daß diese Staaten durch ihre geringe Größe oder durch fehlende Unabhängigkeit die Voraussetzungen einer aktiven Mitgliedschaft nicht zu gewährleisten imstande seien. Ob die neuerliche Aufnahme sehr kleiner und bevölkerungsschwacher Territorien außerhalb Europas diese Haltung im Falle Liechtensteins noch begründet erscheinen läßt, kann freilich fraglich sein.

Im Hinblick auf die besondere Lage der beiden deutschen Staaten können gewisse Probleme indes nicht übersehen werden, die sich aus ihr bei der Aufnahme der Bundesrepublik Deutschland und der DDR ergeben. Grundsätzlich bedeutet ihr Beitritt, daß beide Staaten – welche Möglichkeiten einer besonderen Verbindung auch zwischen ihnen bestehen mag – als selbständige Staaten eintreten und in der Wahrnehmung ihrer Mitgliedschaftsrechte völlig unabhängig sind. Doch besteht für beide Staaten in den aus den Vorgängen am Kriegsende erwachsenen alliierten Rechten, den Vereinbarungen der Siegermächte untereinander und ihren späteren vertraglichen Vorbehalten eine Beschränkung und eine Klammer, die anläßlich des Beitritts eine Feststellung und Klarstellung notwendig machen wird. Dieser völkerrechtliche Rahmen, der auch den Status von Berlin einschließt, weist neben den gemeinsamen Positionen des Kriegsausgangs auch besondere vertragliche Abmachungen auf, die die westlichen Mächte in den Verträgen vom 26. Mai 1952/23. Oktober 1954 (Artikel 2) mit der Bundesrepublik Deutschland niedergelegt haben[10] und die sich zwischen der Sowjetunion und der DDR in ähnlicher Weise in der Erklärung der Sowjetunion anläßlich der Erklärung der Selbständigkeit der Deutschen Demokratischen Republik vom 25. März 1954 wie in späteren Vertragsvereinbarungen niedergeschlagen haben[11]. Nicht zuletzt wirkt auf diese

---

Taiwans verbindet (Text in: Europa-Archiv, Jg. 27, 1972, S. D 45). Dazu auch M. K. *Nawaz,* Chinas Representation in the United Nations, in: *The Indian Journal of International Law,* Vol. 11, 1971, S. 459 ff.

[8] Siehe »Die Schweiz und die Vereinten Nationen«, hrsg. Schweizerische Gesellschaft für die Vereinten Nationen, Bern 1970, S. 49 ff.

[9] Die Ablehnung wurde nicht mit der geringen Größe begründet, hat aber im Ergebnis die europäischen Kleinstaaten von der universalen Organisation ferngehalten. Vgl. Otto *Göppert,* Der Völkerbund (Handbuch des Völkerrechts IV, 1), Stuttgart 1938, S. 77, 83 und F. P. *Walters,* A History of the League of Nations, Reprint, London 1960, S. 123.

[10] Zu den Grundlagen des Viermächte-Status und den vertraglichen Vorbehalten der westlichen Verbündeten gegenüber der Bundesrepublik siehe Helmut *Steinberger* (Anm. 6), S. 121 ff.

[11] Die Sowjetunion hat in der Erklärung über die Gewährung der Souveränität an die Deutsche Demokratische Republik vom 25. März 1954 in Ziffer 2 einen Vorbehalt zugunsten der Viermächte-Abkommen aufgenommen und dies in der Präambel ihres Ver-

Lage auch das Viermächte-Abkommen über Berlin vom 3. September 1971 ein, das zwar die beiderseitigen Standpunkte zu dem Status der Stadt und ihrer Sektoren unberührt gelassen hat, das aber in der Bestimmung über die Wahrnehmung der Interessen der Westsektoren Berlins durch die Bundesrepublik in internationalen Organisationen auch eine für den Beitritt bedeutsame rechtliche Aussage enthält[12]. In jedem Falle wird es notwendig sein, daß anläßlich des Beitritts besondere Erklärungen der Vier Mächte die Aufrechterhaltung ihrer Position und die damit verbundenen Zusammenhänge klarstellen[13].

Auch nach der Aufnahme wird das Verhältnis der beiden deutschen Staaten zueinander von ihnen eine Rücksicht auf das Interesse der Vereinten Nationen verlangen. Die Weltorganisation zählt gewiß unter ihren Mitgliedern auch Staaten, die untereinander — wie Israel und seine arabischen Nachbarn — in politischen Gegensätzen leben und diese nicht nur in Erörterungen innerhalb der Vereinten Nationen zum Ausdruck bringen, sondern die auch wiederholt die zuständigen Organe der UN damit befaßt haben. Es dürfte aber das Interesse der Vereinten Nationen sein, eine solche Situation hinsichtlich der Mitgliedschaft der beiden Teile Deutschlands zu vermeiden. In der Tat hat das Problem der deutschen Frage die Organisation offiziell nur in einer frühen Phase beschäftigt. Das gilt für die Zeit der Berlin-Blockade 1948/49 — deren Beilegung zwar in New York, aber außerhalb der Einwirkung der Vereinten Nationen vor sich ging — und für den 1951 unternommenen Versuch, eine Kommission der Vereinten Nationen in beide deutsche Teilgebilde zur Untersuchung der Bedingungen für gemeinsame Wahlen zu entsenden[14]. Seither ist die Lage Deutschlands zwar oft im Rahmen der Debatten der Generalversammlung zur Sprache gekommen, aber die Bundesrepublik hat von einer Befassung der universalen Staatengemeinschaft mit den Problemen Deutschlands seither abgesehen[15]. Die Entwicklung der deutschen Frage ist in den Bereich der regionalen Verhältnisse und der friedlichen Beziehungen der Staaten Europas eingebettet. Nach Auffassung der Bundesregierung bleibt es das politische Ziel der Bundesrepublik Deutschland, auf einen Zustand des Friedens in Europa hinzuwirken, in dem das deutsche Volk in freier Selbstbestimmung seine Einheit wiedererlangt[16]. Künftige Entwicklungen in dem Verhältnis

trages mit der DDR vom 20. September 1955 (Gesetzblatt der DDR 1955, Teil I, S. 918) und im Freundschaftsvertrag vom 20. September 1964, Artikel 9 (Gesetzblatt der DDR 1964, Teil I, S. 132) inhaltlich wiederholt. Vgl. Helmut *Steinberger* (Anm. 6), S. 129 f.

[12] Zu der Außenvertretung Berlins siehe Beitrag von Wilhelm *Kewenig*, S. 325 ff.

[13] Zu den Problemen der Viermächte-Verantwortung und dem Beitritt der BRD und der DDR zu den Vereinten Nationen siehe Beitrag von *Kewenig*, S. 320 ff.

[14] Vgl. zu diesen Vorgängen Heinz *Dröge*/Fritz *Münch*/Ellinor von *Puttkamer*, The Federal Republic of Germany and the United Nations (Carnegie Endowment for International Peace), New York 1967, S. 38—45; Ernst-Otto *Czempiel*, Macht und Kompromiß. Die Beziehungen der BRD zu den Vereinten Nationen 1956—1970, Düsseldorf 1971, S. 38 ff.

[15] Vgl. hierzu *Czempiel* (Anm. 14), S. 99 ff.

[16] Siehe den »Brief zur deutschen Einheit«, den Außenminister Scheel anläßlich der Paraphierung des Moskauer Vertrages am 12. August 1970 an den sowjetischen Außenminister richtete (Bundesgesetzblatt 1972, Teil II, S. 356).

der Teile Deutschlands bleiben daher innerhalb des Rahmens der europäischen Friedensordnung. Es wird daher auch nach der Aufnahme der beiden deutschen Staaten in die Vereinten Nationen ihrer Stellung und der durch die Verträge von Moskau und Warschau gesicherten friedlichen Natur der Auseinandersetzungen in der deutschen Frage angemessen sein, daß die Weltorganisation nicht mit Problemen befaßt wird, die den Gegensatz der politisch-sozialen Ordnung und das gegenseitige Verhältnis der beiden deutschen Staaten betrifft. Daß beide Staaten nach ihrer verfassungsrechtlichen Grundlage und ihren außenpolitischen Verbindungen sehr verschiedene Anschauungen haben und sich bei Stellungnahmen nicht selten in entgegengesetzten Lagern finden werden, stellt im Rahmen der allgemeinen Unterschiede innerhalb des Mitgliederkreises der Vereinten Nationen keine besondere Situation dar. Für die Stellung der Bundesrepublik innerhalb der Organisation werden daher diese in den regionalen Zusammenhängen des europäischen Friedens und der europäischen Sicherheit gestellten Fragen zurücktreten hinter den Verpflichtungen ihrer Kooperation an den Aufgaben der Staatengemeinschaft.

II. Verlagerungen im Aufgabenfeld der Vereinten Nationen

1. Zielsetzungen und Prioritäten

Der Völkerbund und die Vereinten Nationen sind beide am Ausgang zerstörender Kriege geschaffen worden, und daher nimmt der Auftrag zur Erhaltung und Sicherung des Friedens unter ihren Aufgaben den ersten Platz ein. Im Laufe der Zeit sind indes neben dieses fundamentale Ziel der Staatengemeinschaft, zumal im Hinblick auf die Schwierigkeit einer effektiven Verwirklichung der globalen Sicherheit, andere Tätigkeitsbereiche gerückt, in denen sich die friedliche Zusammenarbeit der Staatengemeinschaft manifestiert. Die Grundanlage der Vereinten Nationen war in erster Linie auf die Erhaltung des bestehenden territorialen Zustandes und die Verhinderung gewaltsamer Änderungen gerichtet, ohne daß die Charter den noch in Artikel 19 der Satzung des Völkerbundes enthaltenen – freilich dort unwirksam gebliebenen – Ansatz zur Fortbildung der internationalen Ordnung und zur friedlichen Veränderung (peaceful change) aufgenommen hätte[17]. Erst mit dem Einsetzen der Dekolonisation und mit dem steigenden Einfluß der unterentwickelten Länder der Dritten Welt sind die auf Veränderung und Reform des Besitzstandes in territorialer und wirtschaftlicher Hinsicht gerichteten Tendenzen sehr viel stärker geworden. Nicht nur sehen sich die kolonialen Mächte der Forderung nach Gewährung der Unabhängigkeit für alle abhängigen

[17] Zum Fehlen von Methoden der friedlichen Änderung siehe im Zusammenhang der Dekolonisation Gaetano *Arangio-Ruiz,* Development of Peaceful Settlement and Peaceful Change in the United Nations System, in: *Proceedings of the American Society of International Law,* Vol. 59, 1965, S. 126 f.

Territorien ausgesetzt, sondern auch die industriell führenden Nationen – und hier ist auch die Bundesrepublik berührt – finden sich dem Verlangen nach Bezeigung größerer Solidarität und ausgleichender Gerechtigkeit in ihren wirtschaftlichen Beziehungen zu den Ländern der Dritten Welt gegenübergestellt. Ebenso wie schon der Völkerbund in begrenztem Umfange die internationale Zusammenarbeit auf dem Gebiete der Wirtschaft oder des Minderheitenschutzes zu fördern suchte[18], haben die Vereinten Nationen sich neuen Materien zugewandt, in denen sie den wirtschaftlichen Ausgleich unter den Nationen zu fördern und die sozialen Gegensätze unter ihnen zu mindern streben. Dabei wiesen die in der Charter vorgesehenen ursprünglichen Zielsetzungen nur teilweise den Weg; in anderen Punkten hat die Organisation neue Wege beschritten.

Die Charter der Vereinten Nationen zählt in Artikel 1 drei Hauptaufgabenbereiche auf: in erster Linie die Erhaltung des Friedens und der Sicherheit, einschließlich der Einrichtung eines Systems der kollektiven Sicherheit und der Förderung der Streitschlichtung. Sodann die Unterstützung der Zusammenarbeit der Nationen zur Pflege wirtschaftlicher, sozialer, kultureller und humanitärer Zwekke. Endlich aber der Schutz der Menschenrechte und Grundfreiheiten für alle ohne Unterschied der Rasse, des Geschlechts oder der Sprache.

Da die gesamte Konzeption der Weltorganisation in entscheidender Weise mit der Konzeption der Friedenswahrung zusammenhängt, ist diese Aufgabe auch in der tatsächlichen Entwicklung das wichtigste Anliegen der Organisation und der Maßstab für ihre Beurteilung in der Öffentlichkeit geblieben. Freilich haben, wie noch zu zeigen sein wird, die angewandten Methoden der Friedenssicherung eine eingreifende Wandlung erfahren: von der Garantie der Sicherheit durch Sanktionen zu einer Friedenspolitik beweglicher Art durch gewaltlose Mittel der Beobachtung, Vermittlung und Verhandlung und der Verhinderung gewaltsamer Auseinandersetzungen durch die Interzession von Friedenstruppen.

Daneben aber sind in der Gegenwart die grundlegenden Ziele, die aus der afro-asiatischen Welt stammen, wie Dekolonisation und Bekämpfung der Rassendiskrimination, an eine entscheidende Stelle in der Tätigkeit der Vereinten Nationen gerückt. Die Verfasser der Charter betrachteten den Weg zur Unabhängigkeit der kolonialen Gebiete noch als eine zeitlich entfernte Möglichkeit und nahmen in Artikel 76 (b) unter die Ziele der Treuhandschaft nur die fortschreitende Entwicklung zu Autonomie oder Unabhängigkeit in einer Form auf, die nur eine unbestimmte Aussicht eröffnete[19]. Der Antrag der Sowjetunion, in den Treuhand-

---

[18] Vgl. F. P. *Walters* (Anm. 9) zur Weltwirtschaftskonferenz 1922/23 S. 517 ff. und zum Minderheitenschutz S. 414 ff.

[19] Die heutige auf einem englischen Entwurf beruhende Umschreibung der Aufgabe der Treuhandschaft in den Vereinten Nationen, die sich zudem nur auf einen kleinen Teil der abhängigen Gebiete erstreckte, wenn auch die Unterstellung anderer Gebiete in Artikel 75 der Charter ermöglicht ist, fand in dem Treuhandschaftskomitee der Konferenz in San Francisco weithin Annahme. Frankreich wies sogar auf den Grundsatz der Nicht-Intervention in innere Angelegenheiten hin [III. Meeting der Kommission II/4 vom 12. Mai 1945 (Documents of the United Nations Conference on International Organiza-

schaftsartikeln das Ziel auszusprechen, daß die Erreichung der vollen Unabhängigkeit der Gebiete unter Treuhandschaft beschleunigt werden sollte, fand keine Annahme[20]. Die Dekolonisation hat sich vielmehr in ihren Anfängen außerhalb der Vereinten Nationen durchgesetzt, teils auf Entschließungen der bisherigen Inhaber der Oberherrschaft beruhend – die Freigabe Indiens durch Großbritannien ist hier ein entscheidender Anstoß –, teils hervorgehend aus dem Kampfe der abhängigen Völker um ihre Unabhängigkeit wie in Indonesien oder später in Algerien. Als sich seit dem Ende der fünfziger Jahre und im folgenden Jahrzehnt dann in raschem Zuge und mit elementarer Kraft der Übergang zur Unabhängigkeit in den meisten kolonialen Territorien – fast überall auf friedlichem Wege – durchsetzte, haben die Vereinten Nationen diese Realisation als eine wesentliche Aufgabe ergriffen, die heute noch in ihrer Aktivität einen wichtigen Platz einnimmt[21]. Zugleich hat der Gedanke der Bekämpfung aller rassischen Diskrimination im Rahmen des Eintretens der Vereinten Nationen für den Schutz der Menschenrechte eine herausragende Rolle gewonnen und hat in den letzten Jahren in enger Verbindung mit dem Prinzip der Selbstbestimmung im Sinne der Lösung von kolonialer Fremdherrschaft die Haltung der Weltorganisation vor allem in Afrika gegenüber der Politik der Apartheid in der Republik von Südafrika und gegenüber der Festhaltung kolonialen Besitzes durch Portugal – auch in der Form einer Eingliederung in das nationale Territorium – maßgebend bestimmt.

Ein starker Einfluß der Auseinandersetzungen um die Dekolonisation zeigt sich auch in den Bemühungen der Vereinten Nationen im Bereich des Schutzes der Menschenrechte. Diese Bestrebungen haben über die im Laufe der Jahre zu grundlegender rechtlicher Geltung erstarkte[22] Deklaration der Menschenrechte vom 10. Dezember 1948 zur Ausarbeitung der beiden Konventionen über die bürgerlichen und politischen Rechte und über die wirtschaftlichen, sozialen und kulturellen Rechte durch die Organe der Vereinten Nationen im Jahre 1966 geführt. Auf diesem Felde hat sich aber ein gewisser Wandel der Prioritäten ergeben. Nicht nur ist der in der Zeit des Völkerbundes so stark betonte Schutz von sprachlichen oder religiösen Minderheiten ganz zurückgetreten[23], auch das Eintre-

---

tion, San Francisco 1945, Bd. 10, S. 433)]. Nur Ägypten und der Irak versuchten stärker auf eine Fortentwicklung des gegebenen Zustandes zu drängen.

[20] Vgl. den Antrag, gerichtet auf »accélérer la réalisation de leur pleine indépendance«, in: Doc. 2/926 vom 11. Mai 1945, Documents of the Conference of San Francisco (Anm. 19), Vol. 4, S. 881. Siehe zu dem sowjetischen Antrag in San Francisco auch Grigory *Tunkin*, The Legal Nature of the United Nations, in: Recueil des Cours de l'Académie de Droit International, Vol. 119, 1966, S. 15.

[21] Vgl. Rupert *Emerson*, The United Nations and Colonialism, in: *Twitchett* (Anm. 3), S. 83 ff.; Rudolf von *Albertini*, Dekolonisation, Köln 1966, S. 249 ff.

[22] Zur Entwicklung der Grundsätze der Deklaration der UN über Menschenrechte vom 10. Dezember 1948 zu allgemeinem Völkerrecht siehe die Dissenting Opinion des Richters Tanaka in dem vom Internationalen Gerichtshof entschiedenen Fall »South West Africa Cases«, Reports of the Intern. Court of Justice, 1966, S. 287 ff.

[23] Zum Minderheitenschutz im Rahmen der UN siehe Felix *Ermacora*, Der Minderheitenschutz in der Arbeit der Vereinten Nationen, Wien/Stuttgart 1964; Johann W. *Brügel*,

ten für die Menschenrechte im allgemeinen zeigt eher den Einfluß der Länder der Dritten Welt, für die hierbei die Lösung vom Kolonialismus und die Beseitigung rassischer Diskrimination im Vordergrund stehen. Im Grunde begegnen sich in den Vereinten Nationen heute drei verschiedene Anschauungen von Wesen und Gehalt menschenrechtlicher Schutzbestimmungen. Für die westliche Staatengruppe steht im Einklang mit ihrer Verfassungsentwicklung die Gewährleistung individueller Freiheiten im Vordergrund. Für die Sowjetunion und die Auffassung der kommunistischen Länder hingegen liegt der Schwerpunkt der Sicherung der Menschenrechte nicht in der Garantie individueller Positionen, sondern in der progressiven Entwicklung der gesellschaftlichen Ordnung durch Verwirklichung solcher Rechte wie der Selbstbestimmung, der Gleichheit von Männern und Frauen, der Rassengleichheit und der Teilnahme aller an Erziehung und sozialer Sicherheit sowie eines Rechtes auf Arbeit. Die wirtschaftlichen und sozialen Rechte sind demnach für diese Ansicht das eigentliche Mittel progressiver Gestaltung der menschlichen Sphäre[24]. Für die weniger entwickelten Länder, vor allem die ehemals abhängigen Völker, stehen hingegen der Gedanke der Selbstbestimmung und die Forderung der Überwindung der Rassendiskrimination so stark im Vordergrund, daß sie die individuellen Rechte zurücktreten lassen. Auch dieser Staatengruppe scheinen die sozialen Grundrechte bedeutsamer zu sein als die individuellen Freiheitsrechte. Die Unterschiede in der Grundauffassung wirken sich notwendig auch in der Prioritätensetzung aus und geben damit der heutigen Debatte um die Menschenrechte in den Vereinten Nationen ihre besondere Note[25].

Endlich hat auch das Ziel der wirtschaftlichen Kooperation in der Gegenwart mit dem Streben nach einer Unterstützung für die weniger entwickelten Staaten und der Forderung eines gewissen Maßes an wirtschaftlichem Ausgleich in der Welt einen erweiterten dynamischen Sinn erhalten. Im ganzen haben sich damit nicht unerhebliche Gewichtsverlagerungen im Tätigkeitsfeld der Vereinten Nationen ergeben. Ohne daß die zentrale Bedeutung der Friedenssicherung eine Änderung erfahren hätte, hat sich die Arbeit der Organisation auf anderen Gebieten in einem weiten Umfang entfaltet. Das Gewicht ihrer Aktivität liegt nun nicht allein auf der Erhaltung des bestehenden Bestandes der Staatenwelt, sondern es nimmt sich im Rahmen der Dekolonisation auch der Veränderung territorialer Verhältnisse an, und es setzt sich in der Zuwendung zu den weniger entwickelten Ländern eine Umgestaltung der wirtschaftlichen und sozialen Lage der Völker

---

Internationaler Minderheitenschutz nach dem Zweiten Weltkrieg, in: *Europa-Archiv*, Jg. 27, 1972, S. 421 ff.

[24] Vgl. zu dieser Interpretation der Menschenrechte in der kommunistischen Anschauung A. P. *Movchan*, The Human Rights Problem in Present Day International Law, in: Grigory *Tunkin* (Hrsg.), Contemporary International Law, Moskau 1969, S. 216 ff.; I. *Szabo*, The Theoretical Foundations of Human Rights, in: Asbjörn *Eide*/August *Schou* (Hrsg.), International Protection of Human Rights (Nobel Symposium 7), Stockholm 1968, S. 35 ff.

[25] Zum Schutz der Menschenrechte und zur Bekämpfung der rassischen Diskriminierung siehe Beitrag von Karl Josef *Partsch*, S. 109 ff.

zum Ziel. Auch diese anderen Bereiche, denen sich die Vereinten Nationen zugewandt haben, stehen im Dienste der Sicherung des Friedens, indem sie aus der Vergangenheit überkommene und nicht mehr begründete Herrschaftsansprüche auflösen und indem sie das drängende Problem der tiefen Unterschiede des sozialen Lebensstandards unter den Völkern aufgreifen, aus dem in Zukunft sich weitreichende Spannungen ergeben könnten. Die Bundesrepublik hat schon in ihrer bisherigen Mitarbeit im Rahmen der Vereinten Nationen der Entwicklungspolitik ein besonderes Gewicht gegeben. Sie wird auch als Mitglied der Organisation auf dem Felde der wirtschaftlichen Förderung der noch nicht industrialisierten Länder Möglichkeiten des Einsatzes sehen können, in denen sie ihre Bedeutung als Wirtschaftsmacht in der Kooperation zur Geltung bringen kann.

2. *Methoden der Friedenssicherung*

Es kann nach den enttäuschenden Erfahrungen des Völkerbundes mit einem System der kollektiven Sicherheit erstaunlich erscheinen, daß die Verfasser der Charter für ihr System der Friedenssicherung auf die gleichen Grundkonzeptionen zurückgegriffen haben. Der Grund hierfür liegt wohl darin, daß die öffentliche Meinung bis in die Gegenwart an der Idee einer Gewährleistung des Friedens durch gemeinsame kollektive Aktion gegen Friedensstörer festhält, und daß man hoffte, durch Verbesserungen gegenüber der Zeit der Covenant – Verpflichtung der Mitglieder durch die Maßnahmen des Sicherheitsrates, Zulassung der Selbstverteidigung – eine größere Wirksamkeit der Friedensgarantie zu erreichen. Auf der Grundlage dieser Vorstellung von einem Zusammenstehen der Staatenwelt gegen den Verletzer des Völkerrechts und der Überlegenheit dieser gemeinsamen Aktion, die durch die Anwendung auch militärischer Sanktionen gewährleistet sein sollte, ist das System der Charter in den Kapiteln VI und VII entworfen worden. Es legt die Erhaltung des Friedens in die Hand des Sicherheitsrates, der mit besonderen Vollmachten für die Schlichtung von Streitigkeiten und bei Gefahr für den Frieden auch mit der Befugnis zum Erlaß verbindlicher Empfehlungen und zur Anwendung von Zwangsmitteln ausgestattet worden ist. Die Entwicklung hat die Schwierigkeiten in der Anwendung dieses Systems, die schon in der Zeit des Völkerbundes sichtbar wurden, erneut erwiesen. Sie liegen in der Problematik einer unzureichenden Definition des Angriffs, über die bis heute keine Einigkeit hat erzielt werden können[26], in der mangelnden Bereitschaft der Mitgliedstaaten, die Durchsetzung wirtschaftlicher Sanktionen auch unter eigenen Nachteilen wirksam zu sichern oder sich gar an militärischen Operationen zu beteiligen und end-

[26] Siehe die Resolution eines zur Definition des Angriffs eingesetzten Sonderausschusses, in: *UN Monthly Chronicle,* April 1971, S. 44. Ferner Rolf M. *Derpa,* Das Gewaltverbot der Satzung der Vereinten Nationen und die Anwendung nichtmilitärischer Gewalt, Bad Homburg 1970, S. 82 ff. In der fehlenden Klarheit über den Begriff der Aggression liegen auch Gefahren für die Ermöglichung einer Einwirkung der Staatengemeinschaft auf die inneren Verhältnisse der Staaten. Vgl. dazu Beitrag von Jochen Abr. *Frowein,* S. 53 f.

lich in den Gegensätzen, die in der Staatenwelt in der Beurteilung einzelner Konfliktsituationen – es genügt auf Vietnam oder den Nahen Osten zu verweisen – bestehen können und die ein Eingreifen der Staatenorganisation verhindern[27].

In der Tat haben politische, wirtschaftliche oder militärische Sanktionen nur ganz ausnahmsweise in der Geschichte der Vereinten Nationen Anwendung gefunden. Der Antrag, politische Sanktionen (Abbruch der diplomatischen Beziehungen) gegen Spanien zu verhängen, scheiterte im Sicherheitsrat im Jahre 1946[28]. Ebenso wurde ein sowjetischer Antrag abgelehnt, mit Sanktionen gegen Belgien wegen seiner Intervention im Kongo 1961 vorzugehen[29]. Die militärischen Operationen in Korea wurden vom Sicherheitsrat durch eine Empfehlung gemäß Artikel 39 der Charter ermächtigt, aber die Verbindlichkeit dieses Beschlusses ist im Hinblick auf die Abwesenheit des sowjetischen Vertreters nicht unumstritten geblieben[30]. Der einzige Fall der Verhängung wirtschaftlicher Sanktionen durch Beschluß des Sicherheitsrates gemäß Artikel 39 und 41 stellt die Resolution vom 16. Dezember 1966 über die wirtschaftlichen Sperrmaßnahmen gegen Rhodesien dar[31]. Das Eingreifen des Sicherheitsrates in diesem Falle setzte aber eine weite Definition des Begriffes der Bedrohung des internationalen Friedens und der Sicherheit voraus, die bereits in der inneren Situation des Gebietes und der Vorenthaltung politischer und menschenrechtlicher Gleichheit von der Mehrheit der Bevölkerung gesehen wurde[32]. In einer solchen Ausdehnung des Begriffs der Friedensgefährdung können indes für kleinere Staaten auch Gefahren liegen, indem innere Spannungen und Gegensätze zu einer Intervention der Staatengemeinschaft führen können, wenn die Befürchtung des Hinausgreifens dieser Gegensätze auf den internationalen Frieden angenommen wird[33].

Die Ausbildung nuklearer Waffensysteme hat die Aussichten einer kollektiven Sicherheit im herkömmlichen Sinne weiter vermindert. Sind die großen Mächte einig, so können sie allerdings durch ihr Übergewicht den Frieden sicherstellen und

---

[27] Zur fehlenden Verwirklichung eines Systems der kollektiven Sicherheit nach 1945 siehe A. V. *Levontin,* The Myth of International Security, Jerusalem 1957, S. 184 ff. und Ernst B. *Haas,* Collective Security and the Future of the International System, in: Richard A. *Falk*/Cyril B. *Black* (Hrsg.), The Future of the International Legal Order, Princeton 1969, S. 255 ff., 282 ff.

[28] *Goodrich/Hambro/Simons* (Anm. 1), S. 312.

[29] *Goodrich/Hambro/Simons* (Anm. 1), S. 312.

[30] *Goodrich/Hambro/Simons* (Anm. 1), S. 315. Zu den rechtlichen Problemen dieser Stellungnahme des Sicherheitsrates siehe Julius *Stone,* Legal Controls of International Conflict, 2. Aufl., London 1959, S. 230 ff.

[31] SC Res. 232 (1966) vom 16. Dezember 1966, in: Yearbook of the United Nations 1966, S. 116. Dazu *Whiteman* (Anm. 5), S. 433 f.

[32] Siehe zu dieser Auslegung des Begriffs der Friedensbedrohung Rudolf L. *Bindschedler,* Schweiz und UN-Sanktionen, besonders im Falle Rhodesien, in: *Zeitschrift für ausländisches öffentliches Recht und Völkerrecht,* Bd. 28, 1968, S. 10 f. Zur Auswirkung der Sanktionen auf die Bundesrepublik siehe Dedo *von Schenck,* Bundesrepublik Deutschland und UN-Sanktionen, besonders im Falle Rhodesien, in: *Zeitschrift für ausländisches öffentliches Recht und Völkerrecht,* Bd. 29, 1969, S. 157 ff.

[33] Siehe hierzu Beitrag von *Frowein,* S. 59 f.

sogar Lösungen von Streitigkeiten erzwingen. Fehlt es daran, so kann nicht nur die Aktion des Sicherheitsrates durch ihr Veto blockiert werden, sondern es ist auch ein militärisches Vorgehen gegen eine der Weltmächte unvorstellbar. Ebenso wird bei einer indirekten Beteiligung der großen Mächte an kleineren Konflikten eine Anwendung von militärischen Sanktionen unmöglich. In der Tat ruht heute der Weltfriede nicht auf einem System kollektiver Sicherheit, sondern auf dem Gleichgewicht des nuklearen Potentials unter den beiden Weltmächten, und er ist auch in anderen Bereichen durch besondere Vorkehrungen im Rahmen der Politik der Weltmächte gesichert. Das gilt besonders für den die Bundesrepublik Deutschland berührenden Bereich der europäischen Sicherheit. Hier werden der Friede und der territoriale Bestand durch die beiden auf Artikel 51 der Charter gestützten Bündnissysteme der NATO und des Warschauer Paktes und deren Ausgleich gewährleistet. Für die Bundesrepublik ist tatsächlich dieses regionale, in der Relation der Sowjetunion und der USA gegründete Sicherheitssystem, nicht aber eine globale im Rahmen der Vereinten Nationen bestehende Garantie, für ihre Sicherheit maßgebend.

Das Eintreten eines auf Machtgleichgewicht und Bündnisse gestützten politisch-militärischen Systems in die Lücke, die die Nichtverwirklichung der kollektiven Sicherheit läßt, hat neben der Gefahr seiner Unsicherheit auch die negative Folge, daß sich unter dem Dach der nuklearen Balance kleinere lokale Konflikte und Bürgerkriege, häufig mit internationaler indirekter Beteiligung, entfalten können[34]. Ihnen kann von seiten der Staatengemeinschaft nur durch die Entwicklung neuer über die Charter hinausführender Methoden der Herstellung und Erhaltung des Friedens begegnet werden. Im Hinblick auf die örtlichen Konflikte erscheint es von weitreichender Bedeutung, daß im Kreise der Vereinten Nationen keine einheitliche Auffassung über die völkerrechtliche Legitimation der Anwendung von Gewalt in manchen Fällen, vor allem bei sog. Befreiungskriegen, besteht. Während die herkömmliche, von den westlichen Staaten festgehaltene Auffassung die Beteiligung anderer Staaten an inneren Erhebungen in einem Lande, etwa in der Form der Zulassung oder Förderung eines Einfalls bewaffneter Kräfte von ihrem Territorium aus, als unerlaubte Einmischung ansieht, geht die von der sowjetischen Lehre vertretene Ansicht dahin, daß nationale Befreiungskriege nicht als Angriffshandlungen angesehen werden können, da sie der Verwirklichung des anerkannten Grundsatzes der Selbstbestimmung, vor allem der Lösung von kolonialer Abhängigkeit, dienen[35]. Die Tragweite dieses Gegensatzes läßt sich daran ermessen, daß er auch unausgetragen die wichtige von der Generalversammlung am

---

[34] Siehe Louis *Henkin*, Force, Intervention and Neutrality in Contemporary International Law, in: *Proceedings of the American Society of International Law*, Vol. 57, 1963, S. 147 ff.

[35] Zur sowjetischen Auffassung des Befreiungskrieges siehe M. N. *Andrjuchin*, in: D. B. *Lewin*/D. P. *Kalnushnaja*, Völkerrecht (deutsche Übersetzung), Berlin 1967, S. 145 ff.; B. *Staroshenko*, Abolition of Colonialism and International Law, in: Grigory *Tunkin* (Anm. 24), S. 91 f.; dazu K. *Grzybowski*, Soviet Public International Law, Leyden 1970, S. 42 f.

24. September 1970 verabschiedete Erklärung über freundschaftliche Beziehungen und Kooperation unter den Staaten[36] durchzieht. Hier wird an einigen Stellen ausdrücklich das Verbot der bewaffneten Intervention und der subversiven Tätigkeit gegen das Regime eines anderen Staates ausgesprochen. Andere Stellen dieses Textes betonen indes das Recht auf Selbstbestimmung und erklären die Gewaltanwendung, die gegen die Verwirklichung dieses Prinzips gerichtet ist, als illegal[37]. Die Mehrheit der Generalversammlung neigt in neuerer Zeit dazu, im Zuge ihrer Verurteilung der Fortsetzung kolonialer Regime die Aufrechterhaltung solcher Herrschaft als Verletzung der Menschenrechte und als ein Verbrechen gegen die Menschheit zu bezeichnen. In diesem Lichte erscheint der Kampf der betreffenden Völker um die Erringung ihrer Selbstbestimmung als legitim und seine Unterstützung durch andere Staaten daher als zulässig[38]. Hier scheint sich eine Rückkehr zur älteren Lehre des gerechten Krieges anzubahnen, die in der Entwicklung der völkerrechtlichen Ordnung, ungeachtet des Verständnisses für den moralischen Hintergrund des Unabhängigkeitsstrebens, nicht ohne Bedenken betrachtet werden kann. Der Blick auf eine bessere internationale Ordnung verdeckt, daß sich hier eine Durchbrechung des Friedensgedankens zugunsten bestimmter — als legitim erachteter Gewalthandlungen — vollzieht[39].

Ein letzter wichtiger Punkt in der Wahrnehmung der Friedensaufgabe der Vereinten Nationen wird durch ihre Neigung dargestellt, in gewissen Zonen der Erde der durch regionale Organisationen gewährleisteten kollektiven Sicherheit einen gewissen Vorrang zu lassen. Das ist in Hinsicht auf die Aktionen der Streitschlichtung der Organisation der Amerikanischen Staaten wiederholt geschehen[40], und eine ähnliche Tendenz zeigt sich auch hinsichtlich der Friedensbe-

---

[36] GA Res. 2625 (XXV) vom 24. Oktober 1970.

[37] In diesem Sinne wird der Text der Erklärung in einer (vor dem indisch-pakistanischen Krieg geschriebenen) Note der Herausgeber des Indian Journal of International Law interpretiert, in: *Indian Journal of International Law,* Vol. 2, 1971, S. 156 f.; sie leitet daraus für Pakistan eine »negative obligation« ab, nicht gegen das Verlangen der Bevölkerung von Bangladesh gewaltsam einzugreifen.

[38] Für die Legitimität des Kampfes der Völker Afrikas um ihre Unabhängigkeit siehe GA Res. 2548 (XXIV) vom 11. Dezember 1969, in: *United Nations Monthly Chronicle,* Januar 1970, S. 117, und GA Res. 2708 (XXV) vom 14. Dezember 1970, in: *UN Monthly Chronicle,* Januar 1971, S. 60. Gegenschläge der Portugiesen gegen Gebiete, aus denen portugiesische Besitzungen bedroht werden, werden dagegen verurteilt (z. B. für den Senegal), siehe SC Res. 284 (1971) vom 15. Juli 1971, in: *UN Monthly Chronicle,* August 1971, S. 15. Es muß freilich bemerkt werden, daß diese Resolutionen in der Generalversammlung wie im Sicherheitsrat gegen nicht unbeträchtliche Gegenstimmen und Enthaltungen zustande kamen.

[39] Siehe Beitrag von Jost *Delbrück,* S. 90 ff.

[40] Dies gilt insbesondere für die Vorgänge in Guatemala 1954, die Beschwerde Kubas gegen die OAS 1960 und die Vorfälle in Panama 1964. Vgl. *Whiteman* (Anm. 5), S. 444 ff.; Charles O. *Lerche,* Development of Rules relating to Peacekeeping by the Organization of American States, in: *Proceedings of the American Society of International Law,* Vol. 59, 1965, S. 60 ff.; Ann van *Wynen-Thomas*/A. J. *Thomas* Jr., The Organization of the American States, Dallas 1963, S. 298 ff.; Gerhard *Kutzner,* Die Organisation der Ameri-

mühungen der Organisation für Afrikanische Einheit[41]. Aus einem anderen Grunde bleibt der Weltorganisation tatsächlich eine Einwirkung auf Vorgänge innerhalb der kommunistischen Staatengruppe versagt[42]. Im Ergebnis dürfte, und hier zeigt sich die Bedeutung dieses Zusammenhanges für die Bundesrepublik, eine Zurückhaltung der Vereinten Nationen auch gegenüber europäischen Streitfällen bestehen, die durch die Wirksamkeit der in Europa bestehenden Bündnisse und der an ihnen beteiligten Weltmächte geregelt werden können. In dieser Haltung lassen sich Elemente einer Aushöhlung der Position der Vereinten Nationen nicht übersehen. Auch wenn die künftige Konferenz über Sicherheit und Zusammenarbeit in Europa, deren Vorschlag von der Sowjetunion ausgegangen ist, in diesem Sinne eine Entlastung für die Vereinten Nationen darstellen kann, so bleibt es doch wesentlich, daß ihre Aufgabe der Friedenswahrung sich auch auf die europäischen Zusammenhänge erstreckt.

Das System der kollektiven Sicherheit, wie es die Charter vorzeichnet, und die in ihm vorgesehenen Zwangsmaßnahmen bleiben rechtlich bestehen, und sie können, wie die Entschließung über die wirtschaftlichen Sanktionen gegen Rhodesien zeigt, auch praktisch zur Anwendung gelangen. Aber der Schwerpunkt der Friedensbemühungen der Vereinten Nationen liegt nicht bei diesen Formen der Erzwingung, sondern die Organisation hat sich neuen Mitteln und Methoden zugewandt, die stärker auf Vermittlung und friedlichen Ausgleich abzielen. In erster Linie gehört hierher die Verwendung des Instruments der Vermittlung (Mediation), wie sie in den letzten Jahren in dem Auftrag des Mittlers der Vereinten Nationen, des Botschafters Jarring, im israelisch-arabischen Konflikt zu beobachten war. Generalsekretär U Thant hat in seinem Abschiedsbericht über die Tätigkeit der Weltorganisation auf erfolgreiche Fälle der Vermittlung – West-Irian[43],

---

kanischen Staaten (OAS), (Veröffentlichung des Instituts für Internationales Recht an der Universität Kiel, Bd. 62), Hamburg 1970, S. 95 ff.; 123 ff.; Rainer *Gerold*, Die Sicherung des Friedens durch die Organisation Amerikanischer Staaten, Berlin 1971, S. 178 f. Einen Fall gleichzeitiger Betätigung der OAS und der UN bildete die Dominikanische Republik 1965. Siehe dazu *Whiteman* (Anm. 5), S. 448.

[41] Über die vielfach erfolgreichen Vermittlungen der OAU siehe Zdenek *Cervenka*, The Organization of African Unity and its Charter, London 1968, S. 87 ff., 192 ff. (Nigeria); Robert O. *Matthews*, Interstate Conflicts in Africa: A Review, in: *International Organization*, Vol. 24, 1970, S. 335 ff.

[42] Im Jahre 1968 wurden zwar die Vorgänge bei dem sowjetischen Einrücken in die Tschechoslowakei bei dem Sicherheitsrat am 21. August 1968 anhängig gemacht, obwohl die Sowjetunion widersprach; doch die dann ausgearbeiteten Resolutionen des Sicherheitsrates fanden keine Mehrheit und scheiterten am sowjetischen Veto. Am 27. August wurde die von der tschechoslowakischen Regierung ursprünglich ausgegangene Anrufung des Sicherheitsrates zurückgezogen (vgl. Yearbook of the United Nations 1968, S. 298–304).

[43] Zur Regelung in West-Irian siehe H. *von Mangoldt*, Die West-Irian-Frage und das Selbstbestimmungsrecht der Völker, in: *Zeitschrift für ausländisches öffentliches Recht und Völkerrecht*, Bd. 31, 1971, S. 197 ff. Das erzielte Übereinkommen zwischen den Niederlanden und Indonesien vom 15. August 1962 schloß eine vorübergehende Treuhandschaftsverwaltung der Vereinten Nationen ein (Artikel 2) und sah einen Akt der Selbstbestimmung (act of free choice) der Bevölkerung vor, der bis 1969 erfolgen sollte und

Indien/Pakistan 1965, Schiedsspruch Bahrein 1971 – hingewiesen[44]. In den Fällen, in denen offene gewaltsame Auseinandersetzungen ausgebrochen waren, haben die Organe der Vereinten Nationen auf Feuereinstellung gedrungen und dieses Ziel in der Regel auch erreicht. Dies gilt schließlich auch für den Krieg zwischen Indien und Pakistan 1971/72[45]. Als ein neues Mittel der Erhaltung des Friedens ist die Methode der Entsendung von Beobachtern (Libanon 1958, Jemen 1963)[46] oder von Peace Forces (Suez 1956, Kongo 1960, Zypern 1964), die durch ihre Anwesenheit und auch durch ihre räumliche Placierung den Ausbruch von Feindseligkeiten verhüten oder andere Friedensaufgaben durchführen sollen, anzusehen. In der stärkeren Hinwendung zur Verwendung gewaltloser Methoden der Beilegung und des Ausgleichs kommt eine Erweiterung und Erneuerung des Instrumentariums der Organisation für die Friedenssicherung zum Ausdruck[47].

In nahem Zusammenhang mit den Bestrebungen zur Förderung des Friedens stehen auch die Bemühungen der Vereinten Nationen um die Abrüstung. Sie können hier nicht näher verfolgt werden[48]. Wenn die Vereinten Nationen auch nicht an allen Stadien der Abrüstung und Rüstungskontrolle beteiligt waren, sondern wichtige Vorgänge aus unmittelbaren Verhandlungen der beiden Weltmächte oder einer Gruppe der großen Mächte hervorgingen – dies gilt für den Vertrag über die Einstellung der Kernwaffenversuche vom 25. Juli 1963[49] und die SALT-Verhandlungen –, so nehmen sie doch durch die Genfer Konferenz der 25 Nationen

---

auch von Indonesien in diesem Jahr durchgeführt wurde. Er bestätigte die Eingliederung des Gebietes in Indonesien.

[44] Siehe *UN Monthly Chronicle*, Oktober 1971, S. 93 f., 120; zur Mediation der UN siehe ferner Arthur W. *Rovine*, The First Fifty Years. The Secretary General in World Politics 1920–70, Leyden 1970, S. 298 ff., 362 ff., 375 ff. Über die beträchtliche Vermittlungstätigkeit der OAU siehe Robert O. *Matthews* (Anm. 41), S. 351 ff.

[45] Nachdem der Sicherheitsrat die Angelegenheit an die Generalversammlung verwiesen hatte, forderte diese mit der GA Res. 2793 (XXVI) vom 7. Dezember 1971 zur Feuereinstellung auf, *UN Monthly Chronicle*, Januar 1972, S. 91. Siehe Beitrag von *Frowein*, S. 61.

[46] Über diese Beobachtergruppen: *Goodrich/Hambro/Simons* (Anm. 1), S. 164, 238; *Rovine* (Anm. 44), S. 375 ff. Ferner zum Libanon und Jemen Malcolm *Kerr* und Dana *Schmidt*, in: Evan *Luard* (Hrsg.), The International Regulation of Civil Wars, London 1972, S. 65 ff., 125 ff.

[47] Zum Wandel der Methoden der Friedenssicherung in den Vereinten Nationen siehe die Ansprache des Generalsekretärs U Thant in Harvard am 13. Juni 1963, wiedergegeben bei *Whiteman* (Anm. 5), S. 586 ff. und *Goodwin* (Anm. 3), S. 51 f.

[48] Siehe hierzu die Veröffentlichungen der Deutschen Gesellschaft für Auswärtige Politik: Charles *Planck*, Sicherheit in Europa. Die Vorschläge zur Rüstungsbeschränkung und Abrüstung 1955–1965, München 1968; Erhard *Forndran*, Probleme der internationalen Abrüstung, Frankfurt/Berlin 1970; Beate *Kohler*, Der Vertrag über die Nichtverbreitung von Kernwaffen und das Problem der Sicherheitsgarantien, Frankfurt 1972; Albert *Legault*/George *Lindsey*, Dynamik des nuklearen Gleichgewichts, Frankfurt 1973.

[49] Die Vorbereitung dieses Vertrages ist freilich weitgehend im Rahmen der Genfer Abrüstungskonferenz erfolgt. Siehe *Forndran* (Anm. 49), S. 17 ff., 104 ff. Enger noch war die Verbindung zu dem Nichtverbreitungsvertrag. Der Abschluß des Vertrages wurde durch die GA Res. 2373 (XXII) vom 12. Juni 1968, in: Yearbook of the United Nations 1968,

in der Gegenwart entscheidenden Anteil am Fortgang von Rüstungskontrollbestrebungen. Für die Bundesrepublik könnte es von besonderem Wert sein, eine Teilnahme an diesen Verhandlungen zu erreichen.

Überblickt man die Entwicklung in diesem Bereich der Verteidigung des Friedens, so werden sich für die Bundesrepublik auch künftig die wesentlichen Fragen der Sicherheitspolitik im regionalen Rahmen der europäischen Sicherheit ergeben. Wie andere europäische Länder mittlerer Macht, ist sie an über diesen regionalen Rahmen hinausgehenden Konflikten nicht unmittelbar beteiligt. Probleme werden sich für die Bundesrepublik in diesem Zusammenhang vor allem in der Stellungnahme der Weltorganisation zu dem kolonialen Restbesitz in Afrika stellen, in denen sie vor gewissen Optionen steht, und in denen die Frage einer Mitwirkung der europäischen Mächte an Maßnahmen des wirtschaftlichen Druckes auftreten kann[50].

3. Dekolonisation und wirtschaftliche Entwicklung

In der Entwicklung der Vereinten Nationen bildet die Dekolonisation einen entscheidenden Vorgang, der ihren Umkreis und ihren Aufgabenbereich grundlegend verändert hat. Die Erlangung der Unabhängigkeit für zahlreiche Völker der außereuropäischen Erdteile bestimmt das – gegenüber dem überwiegend westlich orientierten Völkerbund – neu geformte Bild der Vereinten Nationen als einer globalen Vereinigung, in der alle Erdteile durch ihre unabhängigen Nationen vertreten sind. Es ist bereits darauf hingewiesen worden, daß diese Ausweitung des Mitgliederkreises nicht von Anfang an in der Charter angeregt war, die zunächst noch bestrebt war, diese Probleme durch die Idee der Treuhandschaft für abhängige Gebiete zu lösen. Es stellte sich aber schon im Laufe der fünfziger Jahre heraus, daß das Verlangen der abhängigen Völker nach Freiheit eine unwiderstehliche Kraft besaß. Abgesehen von einigen bedeutsamen Fällen – Indonesien, Indochina und Algerien – hat sich die Verselbständigung der bisher kolonialen Gebiete durch die freiwillige Aufgabe der Herrschaft seitens der bisherigen Herrschaftsmächte vollzogen. Indien und Pakistan machten schon 1947 den Anfang, dem bald andere asiatische Länder folgten (Birma, Ceylon, Indonesien, Malaysia und 1954 Vietnam, Laos und Kambodscha), und in den fünfziger Jahren erhielten auch die Länder vom Sudan bis Marokko ihre Unabhängigkeit. In Afrika machte Ghana 1957 den Beginn, und bis Mitte der sechziger Jahre war hier die Veränderung wesentlich durchgeführt[51].

Die Vereinten Nationen haben sich mit dem Beginn der sechziger Jahre, vor allem durch die grundlegende Erklärung über die Gewährung der Unabhängigkeit

---

S. 16, und die SC Res. 255 (1968) vom 19. Juni 1968, in: Yearbook of the United Nations 1968, S. 21, begrüßt. Vgl. Georges *Fischer,* The Non-Proliferation of Nuclear Weapons, London 1971, S. 1 f.; *Forndran* (Anm. 48), S. 257 ff., S. 297 ff.

[50] Siehe Beitrag von *Delbrück*, S. 89 ff.

[51] Hierzu Rudolf *von Albertini,* Dekolonisation, Köln 1966, S. 259 ff., 314 ff.

an koloniale Länder und Völker vom 14. Dezember 1960[52], an die Spitze dieser Bewegung gestellt. Durch die Einsetzung des Ausschusses der 17 (seit 1962: 24) für die Durchführung dieser Erklärung wurde diesen Bestrebungen Nachdruck verliehen[53]. Seither ist in stets erneuerten Resolutionen durch nahezu jede Generalversammlung die Erfüllung dieser Forderung auf Unabhängigkeit aller kolonialen Völker und abhängigen Territorien in mit steigender Schärfe abgefaßten Entschließungen verlangt worden. Die neueren dieser Entschließungen betrachten die Aufrechterhaltung eines kolonialen Regimes als illegal, als Verstoß gegen die Menschenrechte und bezeichnen sie sogar als Verbrechen gegen die Menschheit (crime against humanity) sowie als eine Bedrohung für Frieden und Sicherheit[54]. In den Abstimmungen hierüber hat sich freilich ein Teil der westlichen Staaten durch ein negatives Votum oder eine Stimmenthaltung von diesen Auffassungen distanziert. Nach ihrer Natur als Empfehlungen stellen sie jedenfalls keine rechtlich verbindlichen Aussagen dar; aber sie legen in ihrer steten Wiederholung einen politischen Kurs der Vereinten Nationen fest[55]. Die Bundesrepublik Deutschland wird sich nach ihrer Aufnahme über diese prinzipiellen Fragen eine Meinung zu bilden haben, die sie ihrem Abstimmungsverhalten zugrunde legen kann. Sie wird dabei, wie Delbrück in diesem Bande näher darlegt[56], sich von Erwägungen leiten lassen, die der Bedeutung des Selbstbestimmungsrechts im allgemeinen wie im besonderen Gesichtsfeld der Bundesrepublik entsprechen, ohne zu verkennen, daß in der tatsächlichen Stellungnahme der Staatenmehrheit der Vereinten Nationen dies Prinzip nur auf die koloniale Lage bezogen wird[57].

Der Vorgang der Dekolonisation ist nun in der Hauptsache vollendet. Die

---

[52] GA Res. 1514 (XV) vom 16. Dezember 1960.

[53] Einsetzung des Ausschusses durch GA Res. 1654 (XVI) vom 27. November 1961, in: Yearbook of the United Nations 1961, S. 56; Erweiterung auf 24 Mitglieder durch GA Res. 1810 (XVII) vom 17. Dezember 1962, in: Yearbook of the United Nations 1962, S. 65. Vgl. *Whiteman* (Anm. 5), S. 703, 706.

[54] Vgl. die zusammenfassende Resolution GA Res. 2548 (XXIV) vom 11. Dezember 1969, in: *UN Monthly Chronicle,* Januar 1970, S. 117 (Abstimmungsverhältnis 78:5:16); GA Res. 2708 (XXV) vom 14. Dezember 1970, in: *UN Monthly Chronicle,* Januar 1971, S. 60 (Abstimmungsverhältnis 93:5:22), mit Betonung der Legitimität des Kampfes der kolonialen Völker für ihre Unabhängigkeit und mit der Richtung gegen »non-representative Regimes«; GA Res. 2784 (XXVI) vom 6. Dezember 1971, in: *UN Monthly Chronicle,* Januar 1972, S. 182 (Abstimmungsverhältnis 97:3:15), die in Ablehnung der rassischen Diskrimination die Apartheid als »crime against humanity« bezeichnet.

[55] Das Gutachten des Internationalen Gerichtshofs vom 21. Juni 1971 über die rechtlichen Folgen für Staaten, die sich aus der fortgesetzten Anwesenheit Südafrikas in Namibia (Südwestafrika) entgegen der SC Res. 276 (1970) vom 30. Januar 1970 ergeben, führt die GA Res. 1514 (XV) vom 14. Dezember 1960 neben dem Text der Charter als »a further important stage in this development« in Annäherung an eine rechtliche Aussage auf (International Court of Justice Reports 1971, S. 31). Das Sondervotum des Richters Amoun in dieser Sache hebt im Anschluß an GA Res. 2396 (XXIII) vom 2. Dezember 1968 die Legitimität des Kampfes der unterdrückten Völker hervor (a. a. O., S. 79).

[56] Siehe unten S. 73 f.

[57] Siehe zu dieser Begrenzung der Selbstbestimmung Rupert *Emerson,* Self-Determination, in: *American Journal of International Law,* Vol. 65, 1971, S. 463 ff.

tiefe Problematik, die noch im Süden des afrikanischen Kontinents mit dem Fortbestand der portugiesischen Herrschaft und der Aufrechterhaltung minoritärer Regime in der Republik von Südafrika und Rhodesien verbleibt[58], übt freilich auf die Haltung der Vereinten Nationen einen bestimmenden Einfluß aus, und sie ist es vor allem, die dem weiteren Drängen auf Verwirklichung der Unabhängigkeit für alle abhängigen Territorien seine Dringlichkeit und Leidenschaft verleiht. Die außerhalb dieses Bereiches verbleibenden Fragen der Dekolonisation sind indes fraglos von geringerem Gewicht. Sie betreffen nur eine begrenzte Anzahl von Territorien, von denen manche eine zahlenmäßig geringe Bevölkerung aufweisen[59]. Der 24er Ausschuß drängt auch für diese Gebiete, unter denen sich auch kleinere Inselgruppen und Gebiete sehr kleiner Ausdehnung befinden, auf Gewährung voller Unabhängigkeit. Es kann demgegenüber zweifelhaft sein, ob in allen Fällen dem Verlangen nach Selbstbestimmung die Herstellung voller Unabhängigkeit entsprechen muß[60], ob nicht eine Autonomie mit einer wirtschaftlichen Angliederung für kleinere Territorien gleiche, wenn nicht bessere Entfaltungsmöglichkeiten sichern kann. Im Schoße der Vereinten Nationen selbst hat der Generalsekretär U Thant die Frage aufgeworfen, ob für kleinere Territorien, die nicht die vollen Pflichten eines Mitgliedes erfüllen können, ein besonderer Status der Assoziation vorgesehen werden könnte, der ihrem Bedürfnis entsprechen könnte[61]. Auch ist ein besonderer Ausschuß zum Studium der Lage kleiner Staaten eingesetzt worden.

Die eigentliche mit der Dekolonisation geschaffene Veränderung kommt aber in ihrem ganzen Gewicht zum Ausdruck vornehmlich im wirtschaftlichen Bereich. Auch hier hat sich die Situation der früher abhängigen Gebiete, nun freilich in Verbindung mit der Lage auch zahlreicher anderer längst unabhängiger, aber industriell noch weniger entwickelter Länder zu einem für die Orientierung der Staatenvereinigung bestimmenden Faktum entwickelt. In ihren Anfängen waren die wirtschaftlichen Bestrebungen der Weltorganisation noch im Zuge der schon am Kriegsende entworfenen wirtschaftlichen Planungen der westlichen Staaten auf die Herstellung eines freien Verkehrs und Handels zwischen den Staaten ausgerichtet. Einrichtungen wie die Weltbank, der Internationale Währungsfonds und die Errichtung regionaler Wirtschaftskommissionen wiesen in diese Richtung. Es hat sich indes ergeben, daß die wichtigsten Verbindungen der westlichen Welt, die im Kreise der marktwirtschaftlich orientierten Staaten eine wirtschaftliche Zusam-

---

[58] Zu diesen Problemen siehe Beitrag von *Delbrück*, S. 89 ff.

[59] Zu dieser geringeren Bedeutung der abhängigen Territorien (außerhalb Afrikas) siehe Rupert *Emerson*, The United Nations and Colonialism, in: *Twitchett* (Anm. 3), S. 95 ff. sowie D. *Bowett*, Self-Determination and Political Rights in the Developing Countries, in: *Proceedings of the American Society of International Law*, Vol. 60, 1966, S. 131. Zum Problem der micro-states siehe auch Patricia Wohlgemut *Blair*, The Ministate Dilemma (Carnegie Endowment for International Peace), New York 1967.

[60] Siehe dazu Beitrag von *Delbrück*, S. 95 ff.

[61] Abschiedsbericht des Generalsekretärs U Thant, in: *UN Monthly Chronicle*, Oktober 1971, S. 114 f. Er spricht hier von »observer states« zur Bezeichnung der Position der Länder, die das Gewicht der vollen Mitgliedschaft nicht tragen können.

menarbeit im Sinne des freien Austausches begründen, sich weithin auch in besonderen, außerhalb der UN geschaffenen Institutionen realisiert haben: im GATT, in der OECD und in der Zusammenarbeit der Gruppe der Zehn im Währungssystem sowie darüber hinaus in der Europäischen Wirtschaftsgemeinschaft.

Die Welt zerfällt heute in drei unterschiedliche Wirtschaftsbereiche: die in freiem Austausch stehende westliche Welt (einschließlich Japan und einiger anderer industrialisierter Länder, vor allem des Commonwealth), die kommunistische Staatengruppe mit einem strikt gelenkten Staatshandelssystem und die Dritte Welt, die mit sehr unterschiedlichen, oft sozialistisch beeinflußten Wirtschaftssystemen, im ganzen in stärkerer Handelsbeziehung zur westlichen Welt steht. Da sich die sozialistischen Länder dem Einfluß der Vereinten Nationen entziehen und auch die westlichen Nationen zunächst ihren eigenen Weg außerhalb der Weltorganisation verfolgen, ist, anknüpfend an Ansätze des Beginns der Vereinten Nationen, die Beziehung der in Entwicklung begriffenen Länder zu anderen Nationen, vor allem zu der Zone des freien Wirtschaftsaustausches, in den Vordergrund getreten[62]. Die sich daraus ergebenden Fragen der wirtschaftlichen und technischen Unterstützung der noch nicht industrialisierten Völker können hier nicht näher dargelegt werden. Die Bundesrepublik Deutschland hat auch als Nichtmitglied an diesen Tätigkeiten der Staatenvereinigung bereits einen ansehnlichen Anteil genommen. Und auch in der Zukunft wird für sie an diesem Punkte, in der Auseinandersetzung mit den Forderungen der UNCTAD, in der sich die weniger entwickelten Nationen ein Organ ihrer Wünsche und Bestrebungen geschaffen haben, durch Entfaltung der eigenen Wirtschaftshilfe wie durch Teilnahme an multilateralen Programmen der Vereinten Nationen, der wichtigste Beitrag liegen, den sie für die nachkoloniale Epoche und für den in ihr dringlich werdenden Wandel zu einem besseren Ausgleich der wirtschaftlich-sozialen Lage der Völker der Erde zu leisten vermag. Sie wird dabei im besonderen auch auf die Ausübung ihrer Verantwortung in den wirtschaftlichen Zusammenschlüssen, in denen sie Mitglied ist, vor allem in der EWG, angesprochen sein. Denn nicht in der Gewährung von wirtschaftlicher Hilfe allein kann eine Lösung der Spannungen innerhalb der Welt gefunden werden. Es bedarf dazu auch der Öffnung der westlichen Länder für den Austausch mit der Dritten Welt, sei es im Wege der Gewährung von Präferenzen, sei es durch Lenkung der Handelsströme wie auch der Stabilisierung des Preisniveaus für Grundstoffe, deren Preisschwankungen die terms of trade der Länder der Dritten Welt ungünstig beeinflussen.

4. Neue Aufgabenbereiche

Die kommenden Jahre werden den Vereinten Nationen neue Tätigkeitsbereiche zuführen, die gerade auch für die Bundesrepublik von besonderer Bedeutung sein werden, und in denen ihre Mitarbeit für sie von erheblicher Bedeutung sein kann.

[62] Hierzu Susan *Strange*, The United Nations and International Economic Relations, in: *Twitchett* (Anm. 3) S. 100 ff.

In erster Linie mag hier der Umweltschutz erwähnt werden. Die Stockholmer Konferenz des Jahres 1972 hat hier Richtpunkte gesetzt, deren Verwirklichung vielfach nur in einer globalen Zusammenarbeit erreicht werden kann. Die Rolle, die die Vereinten Nationen auf diesem Gebiet spielen können, ist bedeutsam genug, daß die Bundesrepublik bestrebt sein muß, an ihr eine möglichst aktive Beteiligung zu gewinnen. Entsprechendes gilt für die Bestrebungen, im Rahmen der Weltorganisation eine Lösung für die Regelung der international geordneten Ausbeutung der Bodenschätze des Grundes der Ozeane zu finden. Die Vereinten Nationen haben auf diesem Felde durch die Einsetzung einer Studienkommission und durch die Vorbereitung einer für 1973 geplanten Seerechtskonferenz[63] einen wesentlichen Anteil. Auch hier ist für die Bundesrepublik, die sowohl an der Meeresforschung wie an der Entwicklung der technischen Methoden der Ausbeutung der Vorkommen unter der See regen Anteil nimmt, eine Mitwirkung an diesen Arbeiten und Entscheidungen von hoher Bedeutung. Die rechtlichen Grundlagen für eine friedliche Nutzung des Weltraums sind, vorbereitet durch Resolutionen der Vereinten Nationen[64], nun in der Hauptsache vertraglich geregelt[65]. Doch steht auch hier noch die wichtige Frage der Grenzziehung zwischen dem nationalen Luftraum und der Zone der freien internationalen Nutzung der Weltraumsphäre aus, und es wird in Zukunft auch notwendig werden, die Verwendung von Satelliten und anderen Raumkörpern international näher zu regeln und die Nutzung von Satelliten für Nachrichten- und Informationszwecke für alle Nationen offenzuhalten[66].

Das weist auf einen Bereich hin, der hiermit in innerem Zusammenhang steht. Die zunehmende Ausbeutung aller Rohstoffe und Schätze der Erde wird in der näheren oder weiteren Zukunft dahin führen, daß die Staatengemeinschaft — es ist gewiß nicht sicher, ob dies durch die Vereinten Nationen oder besondere, vielleicht vorerst regionale Vertragssysteme geschehen wird — in zunehmendem Maße über die herrschaftsfreien Räume der Erde — insbesondere die Ozeane — eine Kontrolle für die Zwecke der Nutzung (Fischerei), der Reinhaltung und der sonstigen Verwendung übernehmen muß.

---

[63] Zu den Grundlagen der Ausbeutung des Meeresbodens siehe die Deklarationen GA Res. 2749 und 2750 (XXV) vom 17. Dezember 1970, in: *UN Monthly Chronicle,* Januar 1971, S. 27.

[64] Vgl. die Deklaration über rechtliche Grundsätze für die Betätigung der Staaten in der Erforschung und Nutzung des Weltraums, GA Res. 1962 (XVIII) vom 13. Dezember 1963, in: United Nations Yearbook 1963, S. 106 und hierzu J. E. S. *Fawcett,* International Law and the Uses of Outer Space, Manchester 1968, S. 4 ff.

[65] Weltraumvertrag vom 19. Dezember 1966 (Annex zu GA Res. 2222 (XVI). Im Zusammenhang mit der vorhergehenden Deklaration siehe J. E. S. *Fawcett,* General Course of Public International Law, in: Recueil des Cours de l'Académie de Droit International, Vol. 132 (1971 I), S. 410 ff.

[66] Hierzu die Vereinbarungen über ein »Global Commercial Communications System« vom 20. August 1964 von Washington und neuerdings der Vertrag über das Intelsat System für ein weltweites Kommunikationsnetz vom 20. August 1971, in: International Legal Materials 1971, S. 909. Diese Abkommen sind freilich außerhalb der UN geschlossen.

Endlich mag hier ein letzter Bereich angeführt werden, der für die gesamte Welt in den kommenden Jahren rasch von weittragendem Gewicht werden wird. Es handelt sich um die rasche Zunahme der Weltbevölkerung und die Frage der Steuerung dieses Prozesses, der außerordentlich schwerwiegende Probleme für die soziale Lage der steigenden Bevölkerung, namentlich in gewissen tropischen Ländern von jetzt bereits geringem oder gar sinkendem Lebensstandard, mit sich bringt. Die Vereinten Nationen haben sich dieses Problems bereits angenommen[67], aber bislang ist hier noch wenig Fortschritt in einer Lage erzielt worden, die zu explosiven Spannungen in weiten Bereichen der Erde führen kann. Für Europa ist dieses Problem noch nicht fühlbar geworden. Die Bundesrepublik steht sogar in einem eher umgekehrten Prozeß, indem sie allmählich zu einem Lande mit einem erheblichen Anteil ausländischer Arbeitnehmer an ihrem Arbeitspotential und durch das Verbleiben von Teilen dieses Personenkreises auf ihrem Boden zu einem Einwanderungslande wird. Aber dieses Phänomen der Verteilung der Bevölkerung unter den Ländern der Welt, in dem Probleme der Menschenrechte und der Gleichheit mitschwingen, sollte sie über den regionalen Bereich hinaus aufmerksam werden lassen auf das größere und ernstere Problem des Bevölkerungszuwachses in der Welt und der sich anbahnenden Ausdehnung der Erscheinungen der Bevölkerungswanderung[68].

III. Der Einfluss der Vereinten Nationen auf die Fortbildung des Völkerrechts

1. Internationale Rechtsetzung durch Vertrag

Ein Bereich besonderen Interesses für die Bundesrepublik Deutschland bildet die Aktivität der Vereinten Nationen auf dem Gebiet der Fortentwicklung des allgemeinen Völkerrechts. Artikel 13 Absatz 1a der Charter weist der Generalversammlung eine besondere Verantwortung für die fortführende Entwicklung (progressive development) und Kodifikation des Völkerrechts zu. Die Versammlung hat sich dieser Aufgabe in ausgedehnter Weise angenommen. Damit ist im Schoße der Staatengemeinschaft zum ersten Male in ihrer Entwicklung in größerem Maße ein Prozeß geplanter und bewußter Rechtsbildung und Rechtsaufzeichnung in die Wege geleitet worden, der die ältere Entwicklung, die wesentlich auf die langsame Bildung von Gewohnheitsrecht abgestellt war, überholt und der Rechtsentwicklung im Völkerrecht der Gegenwart einen gewissen dynamischen Zug verleiht.

---

[67] Der Generalsekretär U Thant erwähnte in seinem Bericht 1971 ausdrücklich die Bevölkerungsentwicklung unter den Problemen, die eine Änderung der Weltlage bedingen, in: *UN Monthly Chronicle,* Oktober 1971, S. 123. Ferner hierzu Richard W. *Fagley,* The Population Explosion and Christian Responsibility, New York 1960; W. D. *Borrie,* The Growth and Control of World Population, London 1971.

[68] Zu den Problemen der Bevölkerungsverschiebung und Wanderung siehe J. A. *Jackson,* (Hrsg.), Migration, Cambridge 1969.

Für die Tätigkeit der Vereinten Nationen stehen zwei unterschiedliche Formen der Fortbildung des Völkerrechts im Vordergrund. Einmal kann die kodifikatorische Bestätigung bestehender Regeln, ihre Fortentwicklung oder die Herausarbeitung neuen Rechts in der Weise erfolgen, daß die Vereinten Nationen durch ihre Organe — Ausschüsse der Generalversammlung oder des Wirtschafts- und Sozialrates — Konventionsentwürfe erarbeiten, die sie entweder nach Annahme durch die Generalversammlung zur Zeichnung durch die Staaten auflegen oder die sie nach Beschluß der Versammlung einer internationalen Staatenkonferenz zur Beratung, Änderung und Annahme zuweisen. Zum anderen hat aber die Generalversammlung selbst den Weg einer Rechtsfortbildung beschritten, indem sie in Deklarationen oder Resolutionen rechtliche Regeln fixiert, in der Aussicht, ihrer Annahme als Gewohnheit damit den Weg zu bereiten und diese Anerkennung damit zu fördern und zu beschleunigen. An beiden Verfahrensformen hat die Bundesrepublik bisher als Nichtmitglied nicht in vollem Umfang teilnehmen können. Auf den Inhalt der Regeln vermochte sie nur bei der Abhaltung von Staatenkonferenzen als deren Mitglied einzuwirken. Es erscheint aber dringend erwünscht, daß sich für die Bundesrepublik und damit auch für die Völkerrechtslehre in ihr eine engere und unmittelbarere Mitarbeit in der Vorbereitung der Entwürfe von kodifizierenden oder innovierenden Konventionen eröffnet.

Der erste dieser beiden Wege, die Ausarbeitung von Konventionen oder Konventionsentwürfen im Schoße der Vereinten Nationen und ihre nachträgliche vertragliche Annahme durch die Staaten, kann nur mit beschränkter Berechtigung als ein Verfahren internationaler Gesetzgebung bezeichnet werden, als welches man es oftmals ansieht. Denn in der Tat wird nicht durch den Vertrag selbst unmittelbar internationales Recht festgestellt oder neu begründet, weil in der Regel an ihm nur ein Teil der Staatenwelt sich beteiligt. Für die Unterzeichner entsteht mit der Ratifikation gewiß vertraglich bindendes Recht, aber eine allgemeine Annahme der vereinbarten Regeln kann doch erst durch eine akzeptierende Gewohnheit innerhalb der Staatengemeinschaft zustande kommen[69]. Die Vorbereitung solcher Konventionen kann auf zwei Arten vor sich gehen. In einigen Fällen spielt sich

[69] Mit Recht weisen auf die rechtliche Situation hin, daß auch internationale »rechtsetzende« Verträge nicht unmittelbar »Rechtsetzung« sind, sondern erst über den Kreis der Unterzeichner hinaus zu Gewohnheitsrecht werden müssen: Alfred *Verdross*, Kann die Generalversammlung der Vereinten Nationen das Völkerrecht weiterbilden?, in: *Zeitschrift für ausländisches öffentliches Recht und Völkerrecht*, Bd. 26, 1966, S. 694—695; ders., Entstehungsweisen und Geltungsgrund des universellen völkerrechtlichen Gewohnheitsrechts, ebendort, Bd. 29, 1969, S. 648; Daniel P. *O'Connell*, International Law, Bd. 1, 2. Aufl., London 1970, S. 21, 23—24. Der Grundsatz, daß ein internationaler Vertrag noch nicht als internationales Gewohnheitsrecht angesehen werden kann, selbst wenn er einer starken Strömung der Staatenpraxis entspricht, ist auch vom Internationalen Gerichtshof in seiner Entscheidung über den Festlandsockel in der Nordsee betont worden. Dies wirkte sich zugunsten der Bundesrepublik aus, die zwar den Vertrag über den »Continental Shelf« in Genf 1958 unterzeichnet, aber nicht ratifiziert hatte, und die alsbald gegen die in Artikel 6 des Vertrages vorgesehene Abgrenzung des Shelfs durch die Linie gleichen Festlandabstands Bedenken erhoben hatte. Das Gericht hat an strengen Erfordernissen

das Verfahren so ab, daß Ausschüsse der Generalversammlung (oder des Wirtschafts- und Sozialrates) oder Kommissionen eine Konvention entwerfen, die dann von der Generalversammlung gebilligt und von ihr zur Unterzeichnung durch die Staatengemeinschaft aufgelegt wird[70]. Eine zweite förmlichere Methode gründet sich dagegen auf die Vorbereitung des Abkommens durch die für diesen Zweck vorgesehene Kommission für Internationales Recht (International Law Commission). Diese Kommission, die jetzt 25 Mitglieder zählt und aus individuellen Kennern des internationalen Rechts, gewählt aus den verschiedenen Formen der Zivilisation und den großen Rechtssystemen der Welt, besteht, arbeitet im Auftrag der Generalversammlung oder eines anderen Organs der UN Entwürfe über bestimmte Materien des Völkerrechts aus, die nach Beschluß der Generalversammlung dann einer internationalen Staatenkonferenz unterbreitet werden. Die Entwürfe der International Law Commission beruhen auf langjährigen, sehr sorgfältigen Beratungen und vermögen daher ein großes Gewicht zu gewinnen[71]. Auf diesem Wege sind die vier Konventionen über das Recht der See (Genf 1958), die Konvention über diplomatische Beziehungen (Wien 1962), das Abkommen über konsularische Beziehungen (Wien 1963) und endlich die Vereinbarung über das Recht der Verträge (Wien 1969) entstanden.

Die Bundesrepublik konnte jeweils nur an den am Ende des Verfahrens stehenden Staatenkonferenzen, nicht an den vorhergegangenen Arbeiten teilnehmen. Die Wissenschaft der Bundesrepublik hat bei der letzten Konvention über die Verträge den Weg gewählt, durch besondere Veröffentlichungen ihre Stimme zur Geltung zu bringen[72]. Aber es wäre ein wichtiges Anliegen für die Bundesrepublik, nach ihrer Aufnahme mit diesen Bestrebungen zur Fortbildung des Völkerrechts auch organisatorisch enger verbunden zu sein.

Der Weg der Rechtserzeugung durch Staatenkonventionen bildet in den zwei dargelegten Formen ein förmliches Verfahren der Rechtsfortbildung. Auch er führt,

für die Bildung von Gewohnheitsrecht festgehalten (International Court of Justice Reports 1969, S. 41—44).

[70] Zu diesem Verfahren siehe *Goodrich/Hambro/Simons* (Anm. 1), S. 136—137. Beispiele für solche Konventionen bilden die Konvention über die Verhütung und Bestrafung des Völkermords, GA Res. 260 (III) vom 9. Dezember 1948, in: United Nations Treaty Series, Vol. 78, S. 277, die Konvention über die politischen Rechte der Frauen, GA Res. 640 (VII) vom 20. Dezember 1952, in: United Nations Treaty Series, Vol. 193, S. 135, ferner die Konvention über die Beseitigung aller Formen der Rassendiskrimination, GA Res. 1904 (XVIII) vom 20. November 1963. Vgl. zur letzteren E. *Schwelb*, Neue Etappen der Fortentwicklung des Völkerrechts durch die Vereinten Nationen, in: *Archiv des Völkerrechts*, Bd. 13, 1966, S. 32 ff.

[71] Die Einsetzung der International Law Commission beruht auf der GA Res. 174 (II) vom 21. November 1947, zuletzt geändert durch GA Res. 1647 (XVI) vom 6. November 1961. Zur Tätigkeit der Kommission siehe *Goodrich/Hambro/Simons* (Anm. 1), S. 137 ff. und Herbert W. *Briggs*, The International Law Commission, Ithaca 1965.

[72] Vgl. die beiden Sonderhefte der *Zeitschrift für ausländisches öffentliches Recht und Völkerrecht*, Bd. 27, 1967 und Bd. 29, 1969. Die hier vereinten Arbeiten eines internationalen Kreises sind auf der Wiener Konferenz zitiert und verwertet worden.

wie schon erwähnt, nur zur Entstehung verbindlicher Regeln für die Länder, die die Vereinbarungen zeichnen und ratifizieren, nicht aber ohne weiteres zur Bildung allgemeinen Völkerrechts. Denn da die Zahl der Staaten, die diese Konventionen annehmen, begrenzt bleibt[73], kann der Vertrag als solcher Außenstehende nicht binden. Er vermag dies nur, wenn er entweder einen rein deklaratorischen Charakter trägt, durch den bestehendes Recht nur bestätigt wird, oder wenn er nachher durch Annahme und Praxis der Staatengemeinschaft zur Gewohnheit wird[74]. In der Regel verbinden sich in diesen Konventionen deklaratorische und rechtsfortbildende Elemente zu untrennbarer Einheit, so daß sie den Doppelcharakter der Feststellung bestehenden Rechts und der progressiven Fortbildung des Rechts tragen[75]. Tatsächlich nimmt stets das Element der Fortbildung des Rechts einen breiten Raum ein.

2. *Die Resolutionen der Generalversammlung*

Die Grenze einer systematischen Rechtserzeugung im Schoße der Vereinten Nationen wird noch deutlicher sichtbar bei der zweiten Methode, die in der Aufstellung allgemeiner Regeln, nicht durch Heranziehung einer Staatenkonferenz, sondern durch Deklarationen oder Entschließungen der Generalversammlung oder anderer Organe der Organisation, besteht. Solche Resolutionen sind, soweit sie lediglich politischen Inhalt haben, der normale Weg der Entscheidung der Generalversammlung. Sie haben nach der Charter keine rechtsverbindliche Kraft, sondern stellen Empfehlungen an die Mitglieder dar. Die Generalversammlung hat freilich schon seit ihren Anfängen danach gestrebt, durch solche Entschließungen auch allgemeine rechtliche Aussagen vorzunehmen und in der Art förmlicher Deklarationen rechtliche Regeln feststellend oder auch fortbildend niederzulegen[76].

[73] Abgesehen von der weitgehend akzeptierten Konvention über diplomatische Beziehungen erreichte bei den anderen Abmachungen die Zahl der Unterzeichner nicht die Hälfte der unabhängigen Staaten. Angaben bei J. E. S. *Fawcett,* The United Nations and International Law, in: *Twitchett* (Anm. 3), S. 68.

[74] Rein deklaratorische Verträge dürften eher zu den selteneren Gegebenheiten zählen. Vgl. Richard R. *Baxter,* Treaties and Custom, in: Recueil des Cours de l'Académie de Droit International Vol. 129 (1970 I), S. 38; Ibrahim P. J. *Shihata,* The Treaty as a Law developing or Convention making Instrument, in: *Revue Egyptienne de Droit International,* Vol. 22, 1966, S. 51, 63.

[75] Auch Verträge, die sich als deklaratorisch bezeichnen, nehmen in der Regel zugleich das »progressive development« des internationalen Rechts vor. Vgl. *Baxter* (Anm. 74), S. 92 ff.; *Sørensen,* Principes de Droit international public, in: Recueil des Cours de l'Académie de Droit International, Vol. 101 (1960 III), S. 17 ff., 81 ff.; *Fawcett* (Anm. 65), S. 410 f.; Fritz *Münch,* Das Urteil des Internationalen Gerichtshofes vom 20. Februar 1969 über den deutschen Anteil am Festlandsockel in der Nordsee, in: *Zeitschrift für ausländisches öffentliches Recht und Völkerrecht,* Bd. 29, 1969, S. 469 ff.; Krystyna *Marek,* Thoughts on Codification, ebendort, Bd. 31, 1971, S. 504 ff.; Krysztof *Skubiszewski,* Elements of Custom and the Hague Court, ebendort, Bd. 31, 1971, S. 845 ff.

[76] Als Beispiele solcher Erklärungen können angeführt werden: Allgemeine Erklärung der Menschenrechte, GA Res. 217 (III) vom 10. Dezember 1948 [zu ihrer heutigen rechtlichen

Solche Erklärungen der Versammlung können aber, entgegen der zuweilen geäußerten Meinung, die ihnen besonders bei Einstimmigkeit eine Art rechtsbildenden Charakter beilegen möchte, kein unmittelbar geltendes Recht erzeugen und dürften nur in besonders gelagerten Fällen, auch bei einstimmiger Annahme, alsbald gewohnheitsrechtliche Sätze hervorrufen[77]. Anders stände es nur, wenn sie rein deklaratorischer Natur wären; dies wird aber kaum in einem Falle angenommen werden können.

Die rechtliche Bedeutung solcher Erklärungen darf aber auch nicht unterschätzt werden. Die Generalversammlung neigt dazu, ihre grundsätzlichen früheren Deklarationen zu zitieren und sich auf sie wie auf bindende Sätze zu berufen. Und es ist zweifellos, daß Deklarationen, zumal wenn sie ohne Widerspruch sich wiederholen, zur Bildung gewohnheitsrechtlicher Sätze beitragen können. Sicherlich können aber keine Verbindlichkeiten für Staaten begründet werden, die bei der Annahme solcher Entschließungen gegen sie gestimmt oder sich enthalten haben oder die später ihnen rechtzeitig widersprechen[78]. Erst recht gilt dies hinsichtlich

---

Bedeutung siehe *Schwelb* (Anm. 78), S. 14 ff.]; Erklärung über die Gewährung der Unabhängigkeit an koloniale Länder und Völker, GA Res. 1514 (XV) vom 14. Dezember 1960, in: Yearbook of the United Nations 1960, S. 44; Erklärung betreffend Hoheitsrechte über natürlichen Reichtum und Bodenschätze, GA Res. 1803 (XVIII) vom 14. Dezember 1962; Erklärung über das Recht des Kindes, GA Res. 1386 (XIV) vom 20. November 1959, in: Yearbook of the United Nations 1959, S. 198; Erklärung über die Beseitigung der Diskrimination der Frauen, GA Res. 2263 (XXII) vom 7. November 1967, in: Yearbook of the United Nations 1967, S. 521; Erklärung über die Beseitigung aller Formen der Rassendiskriminierung, GA Res. 1904 (XVIII) vom 20. November 1963, in: Yearbook of the United Nations 1963, S. 344; Erklärung über die Betätigung der Staaten bei der Erforschung und Nutzung des Weltraums, GA Res. 1962 (XVIII) vom 13. Dezember 1963; Erklärung über freundschaftliche Beziehungen und Kooperation unter den Staaten, GA Res. 2625 (XXV) vom 24. Oktober 1970; Erklärung über Grundsätze für die Ausbeutung des Meeresgrundes, GA Res. 2749 (XXV) vom 17. Dezember 1970. Vgl. zur rechtlichen Beurteilung dieser Erklärungen Ingrid *Detter,* Law Making by International Organizations, Stockholm 1965; Rosalyn *Higgins,* The United Nations and Law Making, in: *Proceedings of the American Society of International Law,* Vol. 64, 1970, S. 37 ff. Jorge *Castañeda,* Legal Effects of the United Nations Resolutions, New York 1969; *Schwelb* (Anm. 70), S. 1 ff.; Heribert *Golsong*/Felix *Ermacora,* Das Problem der Rechtsetzung durch internationale Organisationen, Berichte der Deutschen Gesellschaft für Völkerrecht, Heft 10, Karlsruhe 1971, S. 1 ff., 51 ff.

[77] Daß die Regeln solcher Beschlüsse nur ein Indiz für Rechtsgeltung sein können und nur durch allgemeine Annahme der Staatenwelt zu Gewohnheitsrecht erstarken können, wenn sie auch dessen Bildung zu beeinflussen und beschleunigen vermögen, dazu siehe *Verdross* (Anm. 69), Bd. 26, 1966, S. 693 f.; ders. dort Bd. 29, 1969, S. 648; W. *Friedmann,* The Changing Structure of International Law, London 1964, S. 135 ff.; *Golsong* (Anm. 76), S. 23—24; *Ermacora,* ebendort, S. 79 f.; Grigory *Tunkin,* Recueil des Cours de l'Académie de Droit International, Vol. 119 (1966 III), S. 36. Die Möglichkeit der rascheren Rechtsbildung aufgrund solcher Deklarationen erkennen an: *Sørensen* (Anm. 75), S. 77 ff.; *Fawcett* (Anm. 65), S. 410 f.; siehe ferner die Äußerung Grigory *Tunkins* in seinem Sondervotum im Falle des Internationalen Gerichtshofs, »South West Africa Cases« vom 18. Juli 1966 im gleichen Sinne (International Court of Justice Reports 1966, S. 291).

[78] Eine bindende Wirkung der Stimmabgabe für eine solche Resolution kann nicht ange-

früherer Resolutionen für Nichtmitglieder wie die Bundesrepublik, die auch durch ihre Aufnahme keine Bindungen gegenüber solchen Beschlüssen übernimmt, an denen sie nicht mitgewirkt hat und die sie nicht durch ihr eigenes späteres Verhalten oder ausdrückliche Zustimmung akzeptiert hat.

Die Entwicklung dieser Praxis der Aufstellung von allgemeinen Regeln des Völkerrechts in Entschließungen der Generalversammlung – mag ihre Geltung im dargelegten Sinne auch begrenzt bleiben – macht es klar, daß in diesem Zusammenhang auch die Bundesrepublik Deutschland nach ihrer Aufnahme Mitwirkungsrechte erlangt, die sie durch ihre Entscheidung über Zustimmung oder Ablehnung vor wichtige Optionen stellen kann. Auch für die Völkerrechtslehre der Bundesrepublik wird die wichtige Aufgabe erwachsen, an dieser Fortbildung des Völkerrechts mitzuwirken, aber auch zu Bestrebungen einer Mehrheit der Mitglieder der Generalversammlung, einseitige Sätze zur Aufstellung zu bringen, ihre Auffassung darzulegen. Sie wird bei dieser Arbeit freilich in dem internationalen Rahmen der Vereinten Nationen dringlicher noch als jetzt vor die Frage gestellt werden, ihren Einfluß auch durch die Sprachenschranke, die mehr und mehr ihre Auswirkung hemmt, in geeigneten Formen zu Gehör zu bringen.

IV. Universale und regionale Tendenzen

Die internationalen Beziehungen der Bundesrepublik haben sich in den beiden letzten Jahrzehnten hauptsächlich im regionalen Rahmen entwickelt. Das gilt für die Frage der Sicherheit, die ihre Lösung im atlantischen Bündnis fand, durch das auch aufziehende Konflikte wie die Berlin-Krise 1958 aufgenommen und erledigt werden konnten. Das gilt aber ebenso für die Eingliederung der Bundesrepublik Deutschland in die wirtschaftliche Zusammenarbeit. Sie ist zwar Teilnehmer globaler Organisationen, vor allem auch der Sonderorganisationen der Vereinten Nationen, aber auch das Schwergewicht ihrer wirtschaftlichen Beziehungen liegt offensichtlich im Rahmen der EWG, deren Entstehen und Aufbau über die ökonomische Seite hinaus für lange Zeit im Europagedanken auch die transnationalen Interessen der deutschen Öffentlichkeit auf sich zog. Endlich gehört die Bundesrepublik im Gefüge des Europarates der Gemeinschaft der Europäischen Menschenrechtskonvention an, innerhalb derer für sie das Problem eines übernationalen Schutzes der Menschenrechte auf ihrem Gebiet eine volle Ausgestaltung und damit auch eine zureichende Lösung gefunden hat. Durch den Eintritt in die Ver-

---

nommen werden. Vgl. *Golsong* (Anm. 70), S. 23. Auch eine Pflicht der Staaten, solche Erklärungen in ihrer Eigenschaft als Mitglieder besonders zu beachten [so Georg *Dahm*, Völkerrecht, Stuttgart 1958, Bd. 1, S. 27; *Friedmann* (Anm. 77), S. 140], kann nur mit Vorbehalt angenommen werden. Den Staaten bleibt der Widerspruch stets offen, sofern er rechtzeitig erfolgt und der Praxis nicht widerspricht. Vgl. Sir Kenneth *Bailey*, Making International Law in the United Nations, in: *Proceedings of the American Society of International Law*, Vol. 61, 1967, S. 235 ff.

einten Nationen würden alle diese Verbindungen nicht in Frage gestellt. Fügen sie sich aber auch in die universale Struktur der Staatengemeinschaft ein?

Das Verhältnis der Vereinten Nationen zu regionalen Verbindungen läßt sich nicht einheitlich behandeln. Es differiert nach den einzelnen Bereichen. Die Charter (Artikel 52) gibt regionalen Zusammenschlüssen Raum, hat aber in ihrer Stellungnahme wohl vorwiegend die Tätigkeit solcher engeren Organisationen auf dem Gebiete der Friedenserhaltung und Sicherheit im Auge. In der Tat sind auf diesem Feld wenig Konflikte hervorgetreten. Die Organe der universalen Vereinigung haben, insbesondere gegenüber der Organisation der Amerikanischen Staaten und der Organisation für Afrikanische Einheit, sich in vielen Fällen bereit gefunden, in Streitfällen zunächst der regionalen Schlichtung und Behandlung Raum zu geben, auch wenn diese wie bei der OAS zuweilen der Entfaltung hegemonialer Züge Gelegenheit bot. Bei Streitfällen innerhalb des kommunistischen Blocks hat die Organisation eine erhebliche Zurückhaltung gezeigt. In der Tat hat sich in den amerikanischen Staaten und in Afrika in der Regel der regionale Rahmen der Streitschlichtung als wirksam erwiesen[79]. Auch für Europa dürfte bei andersliegenden Verhältnissen eine gleiche grundsätzliche Situation vorliegen. Die Vereinten Nationen sind nur selten mit Streitfällen des europäischen Raumes befaßt worden, und nur einer von ihnen (Zypern) beschäftigt sie noch langfristig. Der durch die beiden Bündnissysteme der NATO und des Warschauer Paktes bewirkte Machtausgleich verbürgte die politische Ruhe. Diese Haltung einer gewissen Entfernung von europäischen Fragen der Sicherheit dürfte auch in Zukunft andauern und läßt der Gestaltung eines europäischen Sicherheitssystems im Rahmen der Staatengemeinschaft freien Raum.

Anders sieht es dagegen auf wirtschaftlichem Gebiet aus. Hier haben sich praktisch in den Bereichen der westlichen Marktwirtschaft, der kommunistischen Staaten mit ihrem staatlichen Lenkungssystem und der Dritten Welt regionale Gruppierungen entwickelt, die die wesentlichen übernationalen wirtschaftlichen Entscheidungszentren darstellen und der Tätigkeit der Weltorganisation in mancher Hinsicht nur eine ergänzende und begrenzte Entfaltung ermöglichen. Hier wird man eher davon sprechen können, daß eine latente Spannung zwischen den universalen und den regionalen Bestrebungen besteht. Das gilt nicht in dem Sinne, als ob die Vereinten Nationen einen weitreichenden Einfluß auf die ökonomischen Vorgänge erstrebten. Aber soweit sie auf diesem Gebiet tätig werden — und das Hauptfeld ihrer Aktivität hat sich auf die Förderung der Entwicklung der weniger industrialisierten Länder konzentriert — stoßen sie nicht selten auf Gegensätze, die sich aus ihren Bemühungen und der Wirklichkeit der regionalen engeren Zu-

---

[79] Zu der unterstützenden Wirksamkeit regionaler Organisationen in der Sicherheitsfrage siehe Francis O. *Wilcox*, Regionalism and the United Nations, in: Norman J. *Padelford*/ Leland M. *Goodrich* (Hrsg.), The United Nations in the Balance, New York/Washington/London 1965, S. 425 ff.; Michel *Virally*, L'O.N.U. D'hier à demain, Paris 1961, S. 94 ff.; Ernst B. *Haas*, The United Nations and Regionalism, in: *Twitchett* (Anm. 3), S. 124—130.

sammenarbeit ergeben. Der Gegensatz, der sich hier in verdeckter Form daraus ergibt, daß in den verschiedenen wirtschaftlichen Teilbereichen die wesentlichen Entscheidungen fallen, wird noch dadurch verstärkt, daß die Mehrheit der Mitglieder der UN heute aus Ländern besteht, die unter der starken Verschiedenheit des wirtschaftlich-sozialen Standards zwischen den Industrieländern und den anderen Gebieten der Welt leiden, und daß diese Nationen fürchten, daß die wohlhabenderen Staaten ihren Forderungen mit Zurückhaltung begegnen.

Für die Bundesrepublik Deutschland werden diese Spannungen am stärksten in ihrer Beteiligung an der EWG fühlbar. Im universalen Zusammenhang betrachtet, können einzelne Züge der EWG als Abschließung des größten Austauschmarktes der Welt gegenüber Einfuhren (namentlich agrarischen) aus anderen Erdteilen und kann die Assoziierung einzelner afrikanischer Staaten als eine Art Präferenzsystem für einen kleineren Kreis von Ländern erscheinen. Die Bundesrepublik wird diese Spannung zwischen den Tendenzen eines weiteren Ausbaus der Europäischen Gemeinschaft als eines in sich geschlossenen Systems und den Vorstellungen anderer Kontinente über die Ausformung eines Welthandelssystems, wie bisher schon, aufzunehmen und zum Ausgleich zu bringen bemüht sein müssen. Hier liegt jedenfalls der wichtigste Bereich, in dem zwischen den regionalen Interessen und der Rücksicht auf globale Zusammenhänge Reibungen auftreten können.

In viel geringerem Maße läßt sich ein solches Auseinanderfallen der beiden Tendenzen auf anderen Gebieten beobachten. Mit einer Fortentwicklung des Schutzes der Menschenrechte und der Bekämpfung der rassischen Diskriminierung im Kreise der Weltorganisation — insbesondere auch durch die beiden Konventionen über Menschenrechte von 1966 — ergibt sich ein Nebeneinander von Bestrebungen im europäischen und universalen Rahmen. In bezug auf die Ausgestaltung der materiellen Grundsätze, d. h. des Gegenstandes des Schutzes, besteht kein eigentlicher Gegensatz. Der Umstand, daß sich die Europäische Menschenrechtskonvention vorwiegend auf die eigentlichen Freiheitsrechte beschränkt und ihre Sätze zurückhaltender formuliert sind, entspricht dem stärkeren Ausbau einer effektiven Durchsetzung der Garantien durch quasi-judizielle und judizielle Verfahren. Er schwächt nicht die im allgemeinen Rahmen gewährten weitergehenden Verbürgungen ab. Auch entspricht diese Einstellung der Europäischen Konvention der Grundauffassung der westlichen Staaten vom Wesen grundrechtlicher Sicherungen, während innerhalb der universalen Deklarationen und Konventionen stärker die Anschauung zur Geltung gelangt, daß in der Verheißung sozialer Rechte der Kern menschenrechtlicher Aussagen zu suchen sei. Überschneidungen im prozessualen Rahmen sind wohl nicht ohne weiteres zu erwarten. Die in dem Zusatzprotokoll zur Konvention über bürgerliche und politische Rechte vorgesehene Individualbeschwerde wird vielleicht nicht von einer ausreichenden Zahl von Signataren angenommen werden, um in Kraft zu treten, und ähnliches könnte sich von der Staatenbeschwerde nach Artikel 41 dieser Konvention sagen lassen. Die Möglichkeit einer doppelten Verfahrensbehandlung von Einzelfällen dürfte also im wesentlichen nur im Rahmen der in Artikel 40 der Konvention über bürgerliche und politische Rechte und Artikel 16–20 der Konvention über wirtschaftliche, soziale und kulturelle Rechte vorgesehenen Berichterstattung der Staaten und der etwa daran sich anschließenden Überprüfung durch Organe der Vereinten Nationen möglich werden. Sie ließe sich aber durch geeignete Bestimmungen über die Zuständigkeit in solchen Fällen ausräumen. Eine Konkurrenz der weltweiten Bestrebungen mit engeren regionalen Einrichtungen könnte sich vielleicht auch auf anderen mehr speziellen Gebieten ergeben, etwa im Gebiet des Fremdenrechts, der Bildung oder der humanitären Bemühungen. Die Bestrebungen des Europarates, zwischen seinen Mitgliedern regionale Abmachungen herbeizuführen, überschneiden sich gelegentlich mit universalen Vorhaben. Diese übergreifenden Vorgänge sind aber von geringerem Gewicht. Das Feld möglicher tieferer Konflikte der beiden Tendenzen wird das Feld von Wirtschaft und Währung bleiben, auf dem einerseits die regionale Zusammenarbeit besonders weit entwickelt ist, andererseits aber ihre Auswirkung bei einem so großen Markt, wie Westeuropa ihn darstellt, unvermeidlich auf globale Zusammenhänge ausgreift.

FRIEDENSSICHERUNG DURCH DIE VEREINTEN NATIONEN

Jochen Abr. Frowein

I. Der Friedensbegriff in der Charter und in der Praxis der Vereinten Nationen

1. Internationaler Friede und Bürgerkrieg

Die Vereinten Nationen verdanken ihre Entstehung dem Zweiten Weltkrieg, der größten kriegerischen Auseinandersetzung zwischen Staaten, die die Geschichte kennt. Gegen eine Wiederholung dieses Vorganges sollte die Satzung Sicherheit bieten. Die Präambel weist in ihrem ersten Satz darauf hin, daß die Völker der Vereinten Nationen entschlossen seien, die kommenden Generationen vor der Geißel des Krieges zu bewahren, die zweimal unsagbares Leid über die Menschheit gebracht habe. Artikel 1 der Satzung nennt in dem ersten Absatz als vorrangiges Ziel der Organisation die Bewahrung des internationalen Friedens und der Sicherheit. Diese Formel kehrt in der Satzung immer wieder und ist die Grundlage für die wichtigsten Zuständigkeiten der Organisation.

Die Formulierung »Internationaler Friede und Sicherheit« scheint darauf hinzuweisen, daß für die Organisation Friede der Zustand ist, in dem zwischen den Staaten, also in ihren »internationalen« Beziehungen, keine Gewalt angewendet wird. Diese Auffassung wird bestätigt, wenn man Artikel 2 Absatz 7 der Satzung betrachtet, wonach die Zuständigkeit der Organisation vor der internen Zuständigkeit der Staaten halt macht. In der Literatur war es zunächst auch ganz allgemeine Meinung, daß Bürgerkriege als solche weder ein Friedensbruch im Rahmen der Satzung seien noch in die Zuständigkeit der Organisation fielen[1].

Vergleicht man allerdings die verschiedenen Formulierungen der Satzung, so fällt es auf, daß an manchen Stellen der Zusatz »international« fehlt. Interessanterweise enthält der erste Teil des Artikels 39, wonach der Sicherheitsrat eine Bedrohung oder einen Bruch des Friedens festzustellen hat, das Adjektiv »international« nicht. Freilich heißt es in der Vorschrift gleich weiter, daß der Sicherheitsrat zu entscheiden hat, welche Maßnahmen getroffen werden sollen, um den »internationalen« Frieden und die Sicherheit wiederherzustellen. Danach liegt es nahe anzunehmen, daß im ersten Teil des Artikels 39 auch nur der internationale Friede gemeint sein kann.

[1] Leland M. *Goodrich*/Edvard *Hambro*/Anne Patricia *Simons,* Charter of the United Nations, London/New York 1949, S. 103; Jochen Abr. *Frowein,* Das de-facto-Regime im Völkerrecht, Köln/Berlin 1968, S. 47 mit Nachweisen.

Die Auslegung dieser Bestimmung hat schon früh zu einer Kontroverse zwischen dem amerikanischen und dem britischen Delegierten im Sicherheitsrat der Organisation geführt. Während der britische Delegierte aus dem zweiten Teil des Artikels 39 den Schluß zog, daß die ganze Bestimmung nur den internationalen Frieden im Auge habe, meinte der amerikanische Vertreter, ein solcher Schluß sei unzulässig, weil man nicht davon ausgehen könne, daß im ersten Teil der Bestimmung zufällig das Wort »international« fehle[2]. Wichtiger als dieses auf der Grundlage der Satzung nicht sehr überzeugende Argument des amerikanischen Vertreters war aber die schon bei den ersten Nachkriegskonflikten gewonnene Erkenntnis, daß bürgerkriegsartige Verwicklungen sehr leicht Rückwirkungen auf andere Staaten und damit auf den Weltfrieden haben können. Wenn sie zu befürchten sind, muß aber eine Zuständigkeit der Organisation vorhanden sein.

Schon anläßlich des Indonesien-Konfliktes im Jahre 1947, der von den Niederlanden als eine rein niederländische Angelegenheit angesehen wurde, gab der französische Delegierte eine klare Begründung für die Zuständigkeit des Sicherheitsrates in derartigen Fällen. Er stellte fest, Voraussetzung der Zuständigkeit des Sicherheitsrates sei eine Bedrohung des Friedens. Eine solche Bedrohung sei einmal dann möglich, wenn man Rückwirkungen der internen Streitigkeit auf andere Staaten befürchten müsse, die zu internationalen Verwicklungen führen könnten. Zum anderen sei eine Zuständigkeit des Sicherheitsrates dann gegeben, wenn man den indonesischen Konflikt in Wahrheit als einen Konflikt zwischen zwei unabhängigen Staaten ansehen müsse[3].

Einigkeit besteht nach der Praxis der Vereinten Nationen darüber, daß kein interner Konflikt vorliegt, wenn zwei selbständige und befriedet nebeneinander bestehende Teilregime eines früher einheitlichen Staates Gewalt gegeneinander anwenden. So hat die Organisation im Korea-Konflikt entgegen der sowjetischen These, daß ein Bürgerkrieg vorliege, einen Bruch des internationalen Friedens angenommen. Es ist heute anerkannt, daß das völkerrechtliche Gewaltverbot, wie es in Artikel 2 Absatz 4 der Satzung der Vereinten Nationen festgelegt ist, auch zwischen selbständigen Herrschaftsorganisationen gilt, ob man sie nun als De-facto-Regime oder Teilstaaten bezeichnet, solange sie nur effektiv unabhängig voneinander und aufgrund welcher Entwicklungen auch immer in Frieden nebeneinander bestehen[4]. Diese Auffassung hat zuletzt ihren Niederschlag in der wichtigen Resolution der Generalversammlung der Vereinten Nationen vom 24. Oktober 1970 gefunden, mit der die Erklärung über die Prinzipien der freundschaftlichen Beziehungen und Zusammenarbeit zwischen den Staaten angenommen

---

[2] SCOR, 3rd year, No. 69, 296th meeting, 18. Mai 1948, S. 2, 7; Marjorie M. *Whiteman*, Digest of International Law, Vol. 13, Washington D. C. 1968, S. 418.

[3] SCOR, 2nd year, Nr. 68, 173rd Meeting, 1. August 1947, S. 1677.

[4] *Frowein* (Anm. 1), S. 35 ff.; Dietrich *Rauschning*, Die Geltung des völkerrechtlichen Gewaltverbots in Bürgerkriegssituationen, in: Wilfried *Schaumann* (Hrsg.), Völkerrechtliches Gewaltverbot und Friedenssicherung, Baden-Baden 1971, S. 75, 77 ff.

wurde. Dort heißt es, daß jeder Staat die Pflicht hat, internationale Demarkationslinien nicht zu verletzen[5].

Die bisher dargestellte Entwicklung des Friedensbegriffes in der Praxis der Vereinten Nationen ist eine konsequente Anpassung der Grundlagen der Charter an die Bedingungen der Staatenwelt nach dem Zweiten Weltkrieg, die durch den verdeckten, in den Formen des Bürgerkrieges auftretenden internationalen Konflikt gekennzeichnet ist.

2. *Die Einbeziehung weiterer interner Verhältnisse in den Friedensbegriff*

Von Anfang an waren indessen in den Vereinten Nationen Bestrebungen wirksam, den Friedensbegriff stärker von dem der zwischenstaatlichen Gewaltanwendung zu lösen und auf das Ziel gerechter Verhältnisse in der Welt zuzuführen. Ansatzpunkte für diese Auffassung können in der Charter gefunden werden, da dort auch die Verwirklichung der Menschenrechte, des sozialen Fortschrittes und eines höheren Lebensstandards erwähnt sind. Freilich werden diese Ziele in der Charter nicht mit dem Begriff des internationalen Friedens verbunden, wie schon die Präambel zeigt.

Im April 1946 brachte Polen gemäß Artikel 35 der Satzung die Verhältnisse in Spanien vor den Sicherheitsrat und behauptete, daß durch die Aktivitäten des Franco-Regimes der internationale Frieden bedroht werde. Ein Unterausschuß stellte damals fest, daß weder ein Friedensbruch noch eine Friedensbedrohung festgestellt werden könnten. Allerdings sei die spanische Situation geeignet, im Sinne von Artikel 34 internationale Spannungen zu erzeugen[6].

In neuerer Zeit haben die Vereinten Nationen vor allem auf Betreiben der Staaten der Dritten Welt die zunächst noch wirksame Zurückhaltung weitgehend aufgegeben. Insbesondere bei der Behandlung des Apartheid-Problems in Südafrika ist ein unmittelbarer Zusammenhang zwischen der Unterdrückung der Menschenrechte, der Rassendiskriminierung und der Friedensbedrohung hergestellt worden. Der Sicherheitsrat hat die Verhältnisse in Südafrika mehrfach als Friedensbedrohung bezeichnet[7]. Die Westmächte enthalten sich hier meist.

Der Internationale Gerichtshof hat die Ausdehnung der Apartheid-Gesetzgebung durch Südafrika auf Namibia (Südwestafrika), das als früheres Mandatsgebiet einen besonderen Status genießt, als flagrante Verletzung der Prinzipien der Charter bezeichnet, ohne aber darin eine Friedensgefährdung zu sehen[8]. Schon in einer früheren Entscheidung hatte er den Schutz der Menschenrechte ebenso wie das Aggressionsverbot als völkerrechtliche Verpflichtung erga omnes, also als strik-

[5] GA Res. 2625 (XXV) vom 24. Oktober 1970, in: *UN Monthly Chronicle*, November 1970, S. 99 ff., 101.

[6] *Whiteman* (Anm. 2), S. 386 f.

[7] Vgl. zuletzt etwa SC Res. 311 (1972) vom 4. Februar 1972, in der es heißt: »Gravely concerned that the situation in South Africa seriously disturbs international peace and security in southern Africa«, in: *UN Monthly Chronicle*, März 1972, S. 51.

[8] International Court of Justice Reports 1971, S. 57.

tes Völkerrecht, angesehen[9]. Diese Entscheidungen zeigen die völkerrechtliche Bedeutung, die der Gerichtshof zutreffend den Menschenrechten beimißt, sie beweisen aber auch, daß er zwischen ihrer Verletzung und der Friedensgefährdung klar differenziert.

In der Erklärung über die Prinzipien der freundschaftlichen Beziehungen und der Zusammenarbeit zwischen den Staaten hat die Generalversammlung der Vereinten Nationen mit Bezug auf die noch vorhandenen abhängigen Gebiete festgestellt, daß die Unterwerfung von Völkern unter fremde Herrschaft ein besonderes Hindernis für die Herstellung des internationalen Friedens und der Sicherheit sei[10]. Noch weitergehend heißt es in der Erklärung über die Verstärkung der internationalen Sicherheit vom 16. Dezember 1970, die ebenfalls von der Generalversammlung angenommen wurde, daß die volle Verwirklichung der Menschenrechte und die Verhinderung ihrer Verletzung notwendig für die Stärkung der internationalen Sicherheit seien. In derselben Resolution wird auch dargelegt, daß so schnell wie möglich die wirtschaftliche Lücke zwischen entwickelten und Entwicklungsländern geschlossen werden müsse. Dieses Ziel sei eng mit der Stärkung der Sicherheit aller Nationen und der Herstellung eines dauerhaften internationalen Friedens verbunden[11]. Hier zeigt sich, daß die Generalversammlung — ihrer Natur als politisches Organ entsprechend — sehr viel weniger geneigt ist, die für eine rechtliche Würdigung notwendigen Unterscheidungen zu beachten.

3. Bedeutung der Entwicklung

Solange man sich klar darüber ist, daß ein Unterschied gemacht werden muß zwischen dem Begriff des internationalen Friedens, wie er als Voraussetzung für Maßnahmen der kollektiven Sicherheit im Rahmen des Kapitels VII der Satzung der Vereinten Nationen verwendet wird, und einem Friedensbegriff, der gerechte Verhältnisse für alle Völker und Menschen in der Welt einschließt, ist die soeben dargestellte Entwicklung nicht als problematisch anzusehen. Die Entwicklung des Völkerrechts seit dem Zweiten Weltkrieg ist durch eine zunehmende Bindung der Staaten auch in ihrem früher internen Bereich gekennzeichnet, etwa durch den völkerrechtlichen Schutz der Menschenrechte. Insofern kann heute die Verletzung der Menschenrechte durch den Staat ein Bruch des Völkerrechts sein, der aber damit noch nicht ein Friedensbruch wird.

Es kann aber kaum ein Zweifel darüber bestehen, daß eine solche Unterscheidung teilweise bewußt abgelehnt wird, um die Möglichkeit der Organisation bei der Friedensgefährdung auf diese Weise für die Einflußnahme auf interne Verhältnisse von Staaten zu nutzen. Diese Entwicklung enthält erhebliche Gefahren. Sie kann zu einer völligen Ideologisierung des Friedensbegriffes führen. Die Verhältnisse eines aus politischen Gründen der Mehrheit eines Organs der UN mißliebigen Staates können dann jeweils als friedensgefährdend gebrandmarkt werden.

[9] Barcelona Traction, International Court of Justice Reports 1970, S. 32.
[10] GA Res. 2625 (XXV) vom 24. Oktober 1970 (Präambel).
[11] GA Res. 2734 (XXV) vom 16. Dezember 1971, Ziff. 21, 22, 23.

Für die Bundesrepublik Deutschland wird es darauf ankommen, den oben erwähnten Unterschied zwischen dem Begriff des internationalen Friedens, wie er in Artikel 39 der Satzung verwendet wird, und einem weiteren Friedensbegriff jeweils deutlich im Auge zu behalten. Sie wird sich dabei der Haltung der westlichen Großmächte anschließen können, die ebenfalls für den Begriff des internationalen Friedens im Sinne von Artikel 39 eine klar restriktive Haltung vertreten. Sicherheitsratsresolutionen, die eine Bedrohung des internationalen Friedens durch Südafrika feststellen, kommen daher meist mit der Enthaltung der drei Westmächte zustande[12].

Die Bundesrepublik muß auch gewärtig sein, daß Auseinandersetzungen mit politischen Extremisten, vor allem etwa mit kommunistischen Gruppen, zum Anlaß für die Behauptung von Friedensgefährdungen durch die Bundesrepublik gemacht werden. Hier wird es notwendig sein, das System einer freiheitlichen Demokratie, die nicht bereit ist, sich selbst in Frage stellen zu lassen, als vom Selbstbestimmungsrecht getragene Entscheidung des in der Bundesrepublik lebenden deutschen Volkes herauszustellen. Die Respektierung derartiger Entscheidungen ist die Grundlage des Friedens zwischen den Staaten.

II. Gewaltverbot und Recht auf Selbstverteidigung

1. Probleme bei Interpretation und Anwendung

Von Bedeutung für die Fähigkeit der Vereinten Nationen zur Friedenssicherung ist der Streit um die Bedeutung der Bestimmungen der Satzung, in denen den Staaten die Gewaltanwendung mit Ausnahme der Selbstverteidigung verboten wird. Hier ist zunächst daran zu erinnern, daß Artikel 2 Absatz 4 der Satzung, der die Gewaltanwendung gegen die territoriale Integrität oder die politische Unabhängigkeit irgendeines Staates verbietet, in verschiedener Hinsicht Interpretationsprobleme aufwirft[13].

Seit Gründung der Vereinten Nationen herrscht ein latenter Streit darüber, ob unter den Begriff Gewalt in Artikel 2 Absatz 4 auch wirtschaftliche Zwangsmaßnahmen fallen. Das war bisher immer die sowjetische Auffassung und die anderer mit ihr verbündeter Staaten. Hier dürfte die zitierte Deklaration der Generalversammlung über die freundschaftlichen Beziehungen von 1970 wohl eine gewisse Klarheit insofern gebracht haben, als der wirtschaftliche Zwang danach ein Verstoß gegen das Prinzip der Nichtintervention sein kann[14]. Daraus muß man wohl entnehmen, daß wirtschaftliche Maßnahmen nicht das Gewaltverbot berühren, da

[12] Vgl. etwa SC Res. 282 (1970) vom 23. Juli 1970, wonach die Apartheid-Politik und der militärische Aufbau in Südafrika »a potential threat to international peace and security« seien, in: *UN Monthly Chronicle*, August–September 1970, S. 3, 26 f.

[13] Allgemein dazu etwa Rolf M. *Derpa*, Das Gewaltverbot der Satzung der Vereinten Nationen und die Anwendung nichtmilitärischer Gewalt, Bad Homburg 1970.

[14] GA Res. 2625 (XXV) vom 24. Oktober 1970, unter »The principle ... not to intervene .. « heißt es: »No state may use or encourage the use of economic, political or any

sie sonst bei dieser spezielleren Norm hätten genannt werden müssen. Das erscheint richtig, weil nur so der Begriff der Gewalt in Artikel 2 Absatz 4 Konturen behalten kann, die eine gewisse Klarheit hinsichtlich der Verletzung des Gebotes ermöglichen.

Bedeutender ist eine Unsicherheit, die sich aus Artikel 2 Absatz 4 im Zusammenhang mit Artikel 51 ergibt. Es geht darum, inwieweit bestimmte Formen der Gewaltanwendung außerhalb beider Vorschriften zulässig sind. Zur Begründung für eine derartige Möglichkeit wird einmal darauf verwiesen, daß Artikel 51 nach seinem Wortlaut das vorher bestehende Recht der Selbstverteidigung nicht berühren wolle, wie der Verweis auf das »inherent right«, das »droit naturel« der Selbstverteidigung zeige. Daher könne auch die Formel »if an armed attack occurs« nicht als Einschränkung des Selbstverteidigungsrechts angesehen werden[15]. Auch wenn kein bewaffneter Angriff vorliegt, müßten danach gewaltsame Selbstverteidigungsmaßnahmen zulässig sein. Praktisch wäre das vor allem eine Aufrechterhaltung des Rechts zu bewaffneten Repressalien.

Organe der Vereinten Nationen haben wiederholt die Nichtexistenz eines Rechtes zu gewaltsamen Repressalien hervorgehoben, und die Deklaration über die freundschaftlichen Beziehungen legt im Rahmen des Gewaltverbotes ausdrücklich fest, daß die Staaten die Pflicht haben, gewaltsame Repressalien zu unterlassen[16]. Damit dürfte nach dem UN-Recht geklärt sein, daß Selbstverteidigungsmaßnahmen nach Artikel 51 nur bei einem bewaffneten Angriff möglich sind. Eine andere Auslegung des Artikels 51 ist auch nicht überzeugend, da sonst die nach der Formulierung deutlich gewollte Eingrenzung der Gewaltanwendung nicht erreicht werden könnte.

Es kann freilich nicht übersehen werden, daß unter gewissen Umständen das Verbot bewaffneter Repressalien Staaten vor eine beinahe ausweglose Lage stellt. Bei organisierter Guerilla- und Sabotagetätigkeit gegen das Gebiet eines Staates wird dieser zu Gegenmaßnahmen gezwungen sein, deren Charakter als Selbstverteidigung immer zweifelhaft ist, wenn ihr Ziel nicht eindeutig die Guerillas sind. So hat der Sicherheitsrat die Aktionen Israels gegen arabisches Gebiet in vielen Fällen als unzulässige Repressalien verurteilt[17]. Israel hat sich dadurch von seiner Politik einer genau geplanten Reaktion auf arabische Terrorakte nicht abhalten

---

other type of measures to coerce another State in order to obtain from it the subordination of the exercise of its sovereign rights and to secure from it advantages of any kind.« Vgl. auch Robert *Rosenstock*, The Declaration of Principles of International Law concerning Friendly Relations: A Survey, in: *American Journal of International Law*, Vol. 65, 1971, S. 713, 724 f.

[15] Nachweise bei Jochen Abr. *Frowein*, Völkerrechtliche Aspekte des Vietnam-Konfliktes, in: *Zeitschrift für ausländisches öffentliches Recht und Völkerrecht*, Bd. 27, 1967, S. 1, 11; vgl. auch Luzius *Wildhaber*, Gewaltverbot und Selbstverteidigung, in: *Schaumann* (Anm. 4), S. 147, 150 ff.

[16] GA Res. 2625 (XXV) vom 24. Oktober 1970: »States have a duty to refrain from acts of reprisal involving the use of force.«

[17] Eingehend Derek *Bowett*, Reprisals involving Recourse to Armed Force, in: *American Journal of International Law*, Vol. 66, 1972, S. 1 ff.

lassen, und man kann schwer sagen, wie anderweitig Selbstverteidigungsmaßnahmen möglich wären. Hier zeigt sich doch, daß ein letzter Rest von Unbestimmtheit dem Prinzip der Selbstverteidigung schwerlich genommen werden kann. Solange die Organe der Vereinten Nationen nicht in der Lage sind, die Beachtung der Charter auch hinsichtlich von indirekten Formen der Gewaltanwendung zu gewährleisten, wird der betroffene Staat nur die Möglichkeit eigener Reaktionen haben, die nicht grundsätzlich als illegal qualifiziert werden können.

Das Recht der Selbstverteidigung nach der Charter wird auch zur Legitimation der Befreiung von Kolonialgebieten verwendet. Zwar ist die völkerrechtliche Zulässigkeit dieser Argumentation von den westlichen Staaten immer bestritten worden, aber sie hat jetzt in der Erklärung über die freundschaftlichen Beziehungen einen gewissen Ausdruck gefunden. Dort heißt es, daß die Völker, die Widerstand gegen gewaltsame Unterdrückungsmaßnahmen leisten, das Recht haben, Unterstützung im Einklang mit den Zielen und Prinzipien der Charter zu erhalten. Der Verweis auf die Grundlagen der Charter ist in diesem Zusammenhang doppeldeutig und zeigt den bestehenden Dissens über die Zulässigkeit von gewaltsamen Hilfsmaßnahmen[18]. Da schon in dem Absatz der Erklärung über das Gewaltverbot die Bestimmung enthalten ist, wonach Völkern nicht gewaltsam die Selbstbestimmung vorenthalten werden darf, erfährt die Argumentation, die das Selbstverteidigungsrecht in diesem Zusammenhang verwendet, durch die Erklärung insgesamt eine gewisse Unterstützung, die in Zukunft wahrscheinlich bei den Erörterungen etwa über die portugiesischen Kolonialgebiete bedeutsam werden wird.

2. Die Deklaration über die »Friendly Relations« als Ausdruck der gegenwärtigen Strömungen

Die Resolution 2625 (XXV) der Generalversammlung vom 24. Oktober 1970, mit der die »Deklaration über die Prinzipien des Völkerrechts hinsichtlich der freundschaftlichen Beziehungen und der Zusammenarbeit zwischen Staaten in Übereinstimung mit der Charter der Vereinten Nationen« angenommen wurde, ist ein deutlicher Ausdruck für die gegenwärtigen Auffassungen über die Bedeutung des Gewaltverbots[19]. Die von der Generalversammlung ohne Abstimmung einmütig angenommene Deklaration umschreibt das Prinzip des Gewaltverbots im Sinne von Artikel 2 Absatz 4 der Charter der Vereinten Nationen. Nach der Feststellung, daß ein Angriffskrieg ein Verbrechen gegen den Frieden darstellt, für das völkerrechtliche Verantwortlichkeit besteht, werden einzelne Ausprägungen

[18] GA Res. 2625 (XXV) vom 24. Oktober 1970, unter »The principle of equal rights and self-determination of peoples«: »In their actions against and resistance to such forcible action in pursuit of the exercise of their rights to self-determination, such peoples are entitled to seek and to receive support in accordance with the purposes and principles of the Charter of the United Nations.« Vgl. *Rosenstock* (Anm. 14), S. 732.

[19] Vgl. dazu *Rosenstock* (Anm. 14), S. 713.

des Gewaltverbots formuliert. Danach besteht eine Verpflichtung zur Unterlassung von Kriegspropaganda. Es wird festgelegt, daß die Gewaltanwendung gegen die bestehenden internationalen Grenzen eines Staates verboten ist. Durch die Einfügung des Wortes »bestehend« werden die effektiv vorhandenen Grenzen ohne Rücksicht auf ihr rechtliches Zustandekommen einbezogen.

Dieses Prinzip wird in dem nächsten Absatz weiter ausgeführt und auf internationale Demarkationslinien erstreckt wie Waffenstillstandslinien, die durch oder auf der Grundlage eines internationalen Vertrages zustande gekommen sind. Dabei ist es nach der Formulierung gleichgültig, ob der betreffende Staat eine Partei des Vertrages ist, oder ob er anderweitig verpflichtet ist, die Linie zu respektieren. Es ist deutlich, daß hier insbesondere an die verschiedenen Waffenstillstandslinien und internationalen Demarkationslinien gedacht worden ist, die sich nach dem Zweiten Weltkrieg gebildet haben und die nicht den Charakter völkerrechtlicher Grenzen erhalten haben. Das galt weitgehend für die Demarkationslinien zwischen den geteilten Staaten, mindestens aus der Sicht derjenigen Staatsteile, die den anderen Teil nicht als selbständigen Staat anerkannten. Es gilt aber weiterhin auch für Linien wie die Grenzen von West-Berlin gegenüber der DDR und zwischen West-Berlin und Ost-Berlin. Die Resolution legt ausdrücklich fest, daß das Verbot der Gewaltanwendung nichts an der Rechtsposition der betreffenden Staaten in bezug auf den Status und die Wirkungen solcher Demarkationslinien ändert. Es zeigt sich daher, daß das Gewaltverbot unabhängig von den sonstigen rechtlichen Wirkungen dieser Grenzlinien ist.

Von wesentlicher Bedeutung ist weiterhin das generelle Verbot von Repressalienakten, die die Anwendung von Gewalt mit sich bringen. Im Zusammenhang mit der Tendenz, Befreiungskriege besonders zu würdigen, ist die Ausprägung des Gewaltverbotes zu sehen, wonach gewaltsame Aktionen verboten sind, die Völker ihres Rechtes auf Selbstbestimmung, Freiheit und Unabhängigkeit berauben. Damit ist die gewaltsame Unterdrückung von kolonialen Selbständigkeitsbewegungen als Verstoß gegen das Gewaltverbot festgelegt, was über das bisherige Völkerrecht hinausgeht. Freilich kann die Generalversammlung der Vereinten Nationen durch die Resolution das Recht nicht ändern. Man wird aber davon ausgehen müssen, daß der hier zum Ausdruck gekommenen Auffassung eine erhebliche Bedeutung zukommt.

Die Frage, inwieweit in indirekter Form gegen das Gewaltverbot verstoßen werden kann, ist in der Resolution ebenfalls behandelt. Danach hat jeder Staat aufgrund des Gewaltverbots die Pflicht, selbst keine irregulären Truppen oder bewaffneten Banden einschließlich von Söldnern zu organisieren oder zu unterstützen, die für den Einmarsch in das Territorium eines anderen Staates vorgesehen sind. Außerdem hat er Organisation, Anstiftung und Unterstützung von der Teilnahme an Bürgerkriegsakten oder terroristischen Aktionen in einem anderen Staat zu unterlassen, wenn diese Akte die Drohung mit oder die Anwendung von Gewalt zum Gegenstand haben. Ebenso ist es dem Staat verboten, organisierte Tätigkeiten innerhalb seines Territoriums, die auf die Begehung solcher

Akte gerichtet sind, stillschweigend zu dulden. Hierin liegt eine bedeutsame Präzisierung des Gewaltverbots in einem heute sehr praktischen Bereich.

Die Resolution legt die seit der Stimson-Doktrin als Sanktion gegen die völkerrechtswidrige Gewaltanwendung gerichtete Nichtanerkennung fest. Danach kann Territorium eines Staates nicht von einem anderen Staat auf der Grundlage der Drohung mit Gewalt oder der Anwendung von Gewalt erworben werden. Keine territoriale Erwerbung, die aus der Drohung mit Gewalt oder der Anwendung von Gewalt resultiert, soll als rechtmäßig anerkannt werden. Allerdings wird das Prinzip dadurch eingeschränkt, daß die Bestimmungen der Charter oder anderer völkerrechtlicher Verträge, die vor Inkafttreten der Charter geschlossen wurden und völkerrechtlich gültig sind, nicht berührt werden. Zum anderen werden die Zuständigkeiten des Sicherheitsrates nach der Charter ausdrücklich ausgeschlossen. Insbesondere in dem Hinweis auf völkerrechtliche Verträge, die vor der Charter entstanden und nach Völkerrecht wirksam sind, muß wohl ein Ausdruck der Auffassung gesehen werden, daß die Probleme der deutschen Grenzen nach dem Zweiten Weltkrieg nicht ohne weiteres von dem Prinzip erfaßt werden.

Aus dem Gewaltverbot leitet die Resolution die Pflicht der Staaten ab, sich an Verhandlungen für einen Vertrag über allgemeine Abrüstung unter effektiver internationaler Kontrolle zu beteiligen und alle angemessenen Maßnahmen zur Reduzierung internationaler Spannungen vorzunehmen.

Der letzte Satz im Rahmen des Gewaltverbotes erinnert noch einmal daran, daß die Resolution keine Veränderung der Charter-Bestimmungen bewirkt, aus denen sich die Rechtmäßigkeit der Gewaltanwendung ergibt. Das ist völkerrechtlich ohnehin eindeutig, da die Generalversammlung zu einer Änderung der Charter nicht in der Lage ist. Dennoch hat die Resolution wesentliche Bedeutung als Ausdruck des gegenwärtigen Verständnisses des Gewaltverbotes durch die Generalversammlung der Vereinten Nationen, und sie wird gewiß in erheblichem Umfang in den Organen der UN zitiert werden.

Die in langen Verhandlungen entstandene Resolution zeigt aber auch, daß in wesentlichen Punkten heute Einigkeit zwischen den Staaten über die Bedeutung des Gewaltverbotes nicht besteht. Das gilt vor allem für politisch streitige Fragen, wie etwa die Befreiungskriege. Das haben der indische Einmarsch in Ost-Pakistan im Dezember 1971 und die Verhinderung eines Tätigwerdens des Sicherheitsrates durch die Sowjetunion auch praktisch wiederum deutlich gemacht[20].

3. Das Problem der Definition der Aggression

Schon seit der Völkerbundszeit bemüht man sich, zu einer Definition des Begriffes der Aggression zu kommen. Diese Bemühungen sind von den Vereinten Nationen wieder aufgenommen worden, da Artikel 39 der Satzung ebenso wie Ar-

[20] Vgl. dazu unten S. 61.

tikel 1 Absatz 1 den Begriff verwenden[21]. Insbesondere im Rahmen von Artikel 39, der die Voraussetzungen für die Anwendung von Zwangsmaßnahmen festlegt, erschiene Klarheit über die Bedeutung der Aggression wesentlich. Sowohl der Erste Hauptausschuß der Generalversammlung als auch die International Law Commission beschäftigten sich mit dem Problem, ohne zu Ergebnissen zu kommen. Dasselbe galt von dem Sechsten Hauptausschuß, der für Rechtsfragen zuständig ist. 1952 setzte die Generalversammlung eine besondere Kommission für die Frage ein. Ihr sind eine Reihe von Vorschlägen von einzelnen Staaten zugeleitet worden. Zu einem endgültigen Ergebnis ist sie bisher nicht gekommen. Es scheint allerdings, als ob sich die Standpunkte in der letzten Zeit angenähert hätten. In seiner Frühjahrssitzung 1972 hat das Gremium den Bericht einer Arbeitsgruppe entgegengenommen, der gewisse Vorschläge enthält[22].

Wesentlich für die Möglichkeit eines Fortschrittes war, daß inzwischen auch Staaten mit Vorschlägen hervorgetreten sind, die lange die Möglichkeit einer Definition des Aggressionsbegriffes verneint hatten. Schon in den fünfziger Jahren war die Mehrheit der Staaten der Ansicht, daß eine Definition möglich und wünschenswert sei, und diese Mehrheit nahm fortwährend zu. Gegen einen Versuch der Umschreibung waren aber bisher vor allem die angelsächsischen Großmächte, die Vereinigten Staaten von Amerika und Großbritannien. Diese beiden Staaten haben auch anläßlich der Vorlage eines Definitionsvorschlages zusammen mit Australien, Kanada, Italien und Japan betont, daß sie ihre grundsätzliche Skepsis gegen eine Definition nicht aufgegeben hätten[23]. Demgegenüber hat die Sowjetunion von Anfang an zu den Staaten gehört, die Definitionen der Aggression befürworten, und sie hat mehrfach Vorschläge hierfür gemacht[24].

Zuletzt sind im Jahre 1969 von der Sowjetunion, von den Vereinigten Staaten und den genannten Staaten sowie von einer 13 Staaten umfassenden Gruppe Definitionen eingebracht worden[25]. Wesentliche Bestandteile dieser Definition sind bereits in die erörterte Resolution der Generalversammlung über die freundschaftlichen Beziehungen eingegangen.

Die sowjetische Definition legt fest, daß die Kriegserklärung und bestimmte Formen der Gewaltanwendung dann eine Aggression sind, wenn sie von einem Staat zuerst vorgenommen werden. Sie stellt damit auf das zeitliche Moment ab,

---

[21] Vgl. dazu Peter *Wittig*, Der Aggressionsbegriff im internationalen Sprachgebrauch, in: *Schaumann* (Anm. 4), S. 33 ff.

[22] *UN Monthly Chronicle*, April 1972, S. 64.

[23] Der Vorschlag, der von den Vereinigten Staaten und Großbritannien unterstützt wird, wurde am 25. März 1969 vorgelegt, UN Doc. A/AC. 134/L. 17, in: International Legal Materials, Vol. 8, 1969, S. 665.

[24] *Wittig* (Anm. 21), S. 66 ff.; vgl. auch *Whiteman*, Digest of International Law, Vol. 5, Washington, D. C. 1965, S. 719 ff.

[25] Vgl. Texte UN Doc. A/AC. 134/L. 12, L. 16, L. 17, in: International Legal Materials (Anm. 23), S. 661 ff. Die 13 Staaten, die den Vorschlag A/AC. 134/L. 16 vorgelegt haben, sind: Kolumbien, Zypern, Ecuador, Ghana, Guyana, Haiti, Iran, Madagaskar, Mexiko, Spanien, Uganda, Uruguay und Jugoslawien.

aus dem sich Klarheit über den Aggressor ergeben soll. Denselben Weg geht der Vorschlag der 13 Staaten. Auch danach kommt es darauf an, wer zuerst handelt. Die Definition der Vereinigten Staaten verwendet demgegenüber auch die mit der Gewaltanwendung verfolgten Ziele als Bestandteil der Definition. Nicht das zeitliche Moment, sondern die mit der Gewaltanwendung verfolgte Absicht ist hier letztlich entscheidend.

Die sowjetische Definition nennt ausdrücklich den Gebrauch von nuklearen, bakteriologischen oder chemischen Waffen oder anderen Waffen zur Massenzerstörung, die Bombardierung oder Beschießung des Territoriums oder der Bevölkerung eines anderen Staates oder den Angriff auf die Land-, See- oder Luftstreitkräfte, und schließlich die Invasion oder den Angriff auf das Territorium eines anderen Staates, die militärische Besetzung oder die Annexion. Außerdem wird die Blockade der Küsten oder Häfen ausdrücklich aufgeführt. Im letzten Absatz der Definition heißt es, daß die nach der Charter zulässige Gewaltanwendung abhängiger Völker zur Ausübung ihres Selbstbestimmungsrechts durch die Definition nicht erfaßt werde.

Die Definition der Vereinigten Staaten und anderer bezeichnet als Aggression die Gewaltanwendung mit dem Ziel der Verkleinerung des Territoriums eines Staates, der Veränderung der Grenzen oder internationaler Demarkationslinien, der Einmischung in die inneren Angelegenheiten, der Änderung der Regierung, der Schadenszufügung oder der Erreichung von Konzessionen. Als Mittel werden die Invasion, die Verwendung stationierter Streitkräfte unter Verletzung der Stationierungsbedingungen, die Bombardierung, die Zufügung von Zerstörungen, der Angriff auf Streitkräfte, Schiffe oder Flugzeuge, die Organisation, Unterstützung oder Leitung bewaffneter Banden, die Organisation, Unterstützung oder Leitung gewaltsamen Bürgerkriegs oder terroristischer Akte oder die Organisation, Unterstützung oder Leitung subversiver Aktivitäten mit dem Ziel des gewaltsamen Umsturzes der Regierung angegeben.

Ein interessanter Unterschied in den Definitionen ergibt sich aus dem Verweis auf die Zuständigkeit der Organe der Vereinten Nationen. In dem sowjetischen Definitionsvorschlag wird ausdrücklich nur auf die Funktionen und Kompetenzen des Sicherheitsrates Bezug genommen, an denen die Definition nichts ändere. Dagegen verweist die Definition der Vereinigten Staaten und anderer auf die Anwendung von Gewalt gemäß den Entscheidungen oder der Ermächtigung durch die zuständigen Organe der Vereinten Nationen oder regionaler Organisationen in Übereinstimmung mit der Charter der Vereinten Nationen. Diese Gewaltanwendung ist danach keine Aggression. Hier zeigt sich ein noch zu erörternder Dissens zwischen den Großmächten über die Zulässigkeit der Gewaltanwendung auf der Grundlage von Beschlüssen, die nicht der Sicherheitsrat faßt. Der 13-Mächte-Vorschlag nennt auch allein den Sicherheitsrat als das Gremium der UN, das Zuständigkeiten für die Anordnung von Zwangsmaßnahmen hat.

Der im Frühjahr 1972 auf der Grundlage dieser Anträge in einer Arbeitsgruppe des zuständigen Ausschusses ausgearbeitete und von diesem gebilligte Vorschlag beschränkt sich bisher auf gewisse Elemente der Definition. Zunächt wird die Anwendung von Waffengewalt gegen die territoriale Integrität oder politische Unabhängigkeit eines Staates als Aggression festgelegt. Sodann werden Invasion, Besetzung, Bombardierung des Territoriums, Blockade der Küste, Angriff auf die Streitkräfte eines Staates und schließlich die Verwendung von auf fremden Territorium stationierten Streitkräften im Widerspruch zu den festgelegten Bedingungen als Aggressionsakte aufgezählt. Einigkeit besteht darüber, daß der Begriff ohne Rücksicht auf die Anerkennung oder die Mitgliedschaft in den Vereinten Nationen verwendet wird. Offen sind bisher die indirekte Gewaltanwendung, die Behandlung kleinerer Zwischenfälle und die Bestimmung rechtmäßiger Gewaltanwendung. Außerdem besteht noch keine Einigkeit, ob die zeitliche Priorität bei der Gewaltanwendung oder das mit ihr verfolgte Ziel entscheidend sein sollen. Auch ist noch unklar, ob das Selbstbestimmungsrecht und die Folgen der Aggression zu regeln sind[26].

4. Bedeutung der Entwicklung für die Bundesrepublik Deutschland

Die Entwicklung des Verbotes der Gewaltanwendung und der Aggression im Recht der Vereinten Nationen ist für die Bundesrepublik Deutschland unter anderem deswegen bedeutsam, weil die deutsche Lage nach dem Zweiten Weltkrieg noch nicht endgültig geregelt worden ist. Insofern bestehen nach wie vor Grenzlinien, die keine völkerrechtlich anerkannten Staatsgrenzen sind. Das gilt für die Grenzlinien in und um Berlin. Es galt lange auch für die Grenze zwischen Bundesrepublik und DDR, die seit der Regierungserklärung von 1969 allerdings auch von der Bundesrepublik als Grenze zwischen den beiden deutschen Staaten angesehen wird. Ihre Gleichstellung mit anderen völkerrechtlichen Grenzen ist indessen nicht vollkommen, weil nach Auffassung der Bundesrepublik das Verhältnis zwischen ihr und der DDR nicht dem zwischen anderen Staaten entspricht. Aus dieser Lage folgt, daß die Ausdehnung des Gewaltverbots auf Demarkationslinien der genannten Art von Bedeutung für die Bundesrepublik ist.

Die Bundesrepublik Deutschland hatte sich seit ihrem Bestehen verpflichtet, in Deutschland keine Gewalt anzuwenden, und sie hat in Artikel 3 des Moskauer Vertrages vom 12. August 1970 mit der Sowjetunion ausdrücklich vereinbart, daß die Grenze zwischen ihr und der DDR unverletzlich ist. Das bedeutet, daß hier in Übereinstimmung mit der geschilderten Entwicklung des Völkerrechts die Anwendbarkeit des Gewaltverbotes auf Grenzlinien unbeschadet ihrer rechtlichen Bewertung zugrunde gelegt wird.

In dem Berlin-Abkommen vom 3. September 1971 haben die Vier Mächte ausdrücklich die Anwendbarkeit des Gewaltverbots nach der Charter der Vereinten Nationen für Berlin bestätigt. Sie haben weiterhin festgelegt, daß die dort be-

---

[26] *UN Monthly Chronicle,* April 1972, S. 64.

stehende Lage nicht einseitig geändert werden darf. Damit ist auch für Berlin, unbeschadet der unterschiedlichen rechtlichen Auffassungen der Beteiligten, die umfassende Geltung des Gewaltverbots förmlich bestätigt worden[27].

III. Verfahren der Friedenssicherung durch die Organe der Vereinten Nationen

1. *Die Verteilung der Zuständigkeiten in der Charter*

Bei der Gründung der Vereinten Nationen hatten die Staaten nicht nur die Absicht, durch materielle Regelungen verbindlich die Gewaltanwendung zu verbieten, sondern es sollte außerdem ein internationaler Überwachungs- und Durchsetzungsmechanismus geschaffen werden, um den Weltfrieden zu sichern. Die wesentlichste Rolle in diesem System kommt dem Sicherheitsrat zu. Er hat nach Kapitel VII der Charter Zuständigkeiten, die bis dahin kein internationales Organ hatte. Wenn er feststellt, daß der Frieden bedroht ist, gebrochen wurde oder ein Aggressionsakt vorliegt, kann er nicht nur Empfehlungen erlassen, sondern auch Zwangsmaßnahmen treffen. Dazu gehören nach Artikel 41 alle notwendigen nichtmilitärischen Maßnahmen, vor allem ein totaler Boykott. Darüber hinaus kann der Sicherheitsrat gemäß Artikel 42 der Charter Aktionen durch Luft-, See- und Landstreitkräfte befehlen. Allerdings ist diese Regelung des Artikels 42 nach dem System der Satzung an Vereinbarungen gebunden, die gemäß Artikel 43 von den Mitgliedstaaten mit der Organisation abgeschlossen werden sollen, um dem Sicherheitsrat zu diesem Zweck Truppen zur Verfügung zu stellen. Solche Verträge sind bisher nicht zustande gekommen. Aus diesem Grunde ist die wichtigste Kompetenz des Sicherheitsrates bisher praktisch obsolet. In einem Fall hat der Sicherheitsrat dennoch den Einsatz von Waffengewalt befohlen, als er Großbritannien aufforderte, die Landung von Tankern mit Öl für Rhodesien zu verhindern und einen zunächst unter griechischer Flagge fahrenden Tanker aufzubringen, wenn er Erdöl für Rhodesien entladen hätte[28]. Hierbei handelte es sich um Maßnahmen der Gewaltanwendung gegen die Flaggenstaaten, die nur auf der Grundlage von Artikel 42 zulässig sein konnten. Keine Anwendung dieser Vorschrift lag dagegen im Korea-Konflikt vor. Damals hatte vielmehr der Sicherheitsrat nach wohl überwiegender Meinung allein eine Empfehlung gemäß Artikel 39 ausgesprochen, wonach andere Mitgliedstaaten Süd-Korea im Rahmen der kollektiven Selbstverteidigung, die Artikel 51 zulässig macht, beistehen sollten[29].

---

[27] Moskauer Vertrag, BGBl. 1972 II, S. 354 f.; Berlin-Abkommen, in: Die Berlin-Regelung, hrsg. vom Presse- und Informationsamt der Bundesregierung, 1971.

[28] SC Res. 221 (1966) vom 9. April 1966; *Whiteman* (Anm. 2), S. 422 f.: »5. Calls upon the Government of the United Kingdom ... to prevent, by the use of force if necessary, the arrival at Beira of vessels ..., and empowers the United Kingdom to arrest and detain the tanker known as Joanna V ...«. Großbritannien richtete ständige Patrouillen ein und kontrollierte bis Juli 1971 über 50 Tankschiffe, in: *Public Law*, Vol. 17, 1972, S. 168.

[29] Vgl. Ulrich *Scheuner*, Kollektive Sicherheit, in: Karl *Strupp*/Hans-Jürgen *Schlochauer*,

Neben dem Sicherheitsrat hat auch die Generalversammlung Kompetenzen im Rahmen der Friedenserhaltung. Gemäß Artikel 10 und 11 Absatz 2 kann sie alle diesbezüglichen Fragen einschließlich aktueller Probleme diskutieren und Empfehlungen an die Staaten oder den Sicherheitsrat oder an beide beschließen. Immer dann, wenn »action« notwendig ist, muß jedoch nach Artikel 11 Absatz 2 der Sicherheitsrat eingeschaltet werden.

Die Verteilung der Zuständigkeiten erscheint danach klar. Der Sicherheitsrat ist das Organ, das Zwangsmaßnahmen gegenüber den Staaten beschließen kann, und zwar unter den in Artikel 39 genannten Voraussetzungen des Friedensbruches, der Friedensgefährdung oder der Aggression. Neben dem Sicherheitsrat hat die Generalversammlung eine allgemeine Zuständigkeit zur Erörterung von friedensgefährdenden Lagen oder Problemen, aber ihre Kompetenzen beschränken sich auf die Möglichkeit von Empfehlungen.

Dieses System ist indessen aus verschiedenen Gründen durch die Praxis in den Konturen verwischt worden. Einmal stellte sich bald nach Inkrafttreten der Satzung wegen des Ost-West-Konfliktes die Unmöglichkeit heraus, im Sicherheitsrat in kritischen Fällen zu einstimmigen Beschlüssen der ständigen Mitglieder zu kommen. Zwar erreichte die Praxis eine gewisse Milderung des Artikels 27 Absatz 3 der Charter dadurch, daß entgegen dem Wortlaut Enthaltungen oder die Nichtabgabe der Stimme wegen Abwesenheit nicht das Zustandekommen hindern[30]. Nur so wurden die ersten Beschlüsse des Sicherheitsrates in der Korea-Krise möglich. Aber ein ständiges Mitglied, das zur Ausübung des Vetos entschlossen ist, kann jede Entscheidung blockieren. Dadurch wurde dieses Organ mit seinen Kompetenzen für die Friedensbewahrung weitgehend lahmgelegt.

In der berühmten Uniting-for-Peace-Resolution vom 3. November 1950 erklärte die Generalversammlung, daß sie in den Fällen die Zuständigkeit übernehmen würde, in denen der Sicherheitsrat nicht in der Lage sei, seiner Verantwortung gerecht zu werden. Nach der Resolution will die Generalversammlung in diesem Fall Empfehlungen für Kollektivmaßnahmen beschließen[31]. Dabei ist nicht ganz deutlich, ob darunter auch Maßnahmen verstanden werden sollten, die Zwangscharakter gegenüber dem betroffenen Staat haben[32].

2. *Die Praxis des Sicherheitsrates*

Nur in seltenen Fällen stützt sich der Sicherheitsrat in seinen Resolutionen ausdrücklich auf eine Rechtsgrundlage. So hat er etwa in der Resolution vom 16. Dezember 1966, die einen umfassenden Wirtschaftsboykott gegenüber Rhodesien

Wörterbuch des Völkerrechts, Bd. 2, Berlin 1961, S. 248, und Denise *Bindschedler-Robert*, Korea, ebd., S. 308.

[30] Zur Enthaltung ist die Praxis jetzt vom Internationalen Gerichtshof gebilligt worden, in: International Court of Justice Reports, Vol. 10, 1971, S. 22 (Anm. 34).

[31] GA Res. 377 A (V) vom 3. November 1950.

[32] Vgl. dazu etwa Georg *Dahm*, Völkerrecht, Bd. 2, Stuttgart 1961, S. 403 f.

festlegt, ausdrücklich die Artikel 39 und 41 der Charter zitiert und damit die Rechtsgrundlage angegeben[33]. Die meisten Resolutionen verzichten dagegen auf diese Angabe. Daraus folgt, daß die Resolutionen einer Auslegung bedürfen und festgestellt werden muß, ob es sich um verbindliche Entscheidungen, vor allem um Beschlüsse nach Kapitel VII handeln sollte.

Die dadurch vorhandene Unsicherheit wird durch das Gutachten des Internationalen Gerichtshofes hinsichtlich der Lage in Südwestafrika verstärkt. Auch die Resolutionen des Sicherheitsrates, die Südafrika im Anschluß an die Beendigung des Mandates durch die Generalversammlung zum Rückzug seiner Verwaltung aus Südwestafrika aufforderten und die der Internationale Gerichtshof in seinem Gutachten vom 21. Juni 1971 zu würdigen hatte, enthielten keinen Hinweis auf die Rechtsgrundlage. Der Gerichtshof sah als Rechtsgrundlage die Bestimmung des Artikels 24 Absatz 1 der Charter an, wonach der Sicherheitsrat die primäre Verantwortung für die Erhaltung des internationalen Friedens und der Sicherheit trägt. Es stellte sich die Frage, welche Verbindlichkeit einer Resolution zukommt, die auf Artikel 24 Absatz 1 beruht, ohne daß das Kapitel VII herangezogen wurde oder herangezogen werden konnte, weil keine Friedensbedrohung festgestellt war. Der Gerichtshof kommt zu der Überzeugung, daß auch derartige Resolutionen gemäß Artikel 25 der Charter dann bindend seien, wenn der Sicherheitsrat ihnen eine bindende Wirkung habe geben wollen. Ob das der Fall sei, müsse sich aus einer genauen Interpretation und Analyse der Resolution ergeben. Für die in Frage stehende Resolution bejaht der Internationale Gerichtshof die bindende Wirkung[34].

Die hier von dem Gerichtshof mehrheitlich angenommene Interpretation der Charter kann in ihrer Bedeutung kaum überschätzt werden. Sie führt dazu, daß der Sicherheitsrat auch ohne die besonderen Voraussetzungen des Kapitels VII bindende und die Staaten verpflichtende Entscheidungen treffen kann. Gegen die Auffassung der Mehrheit des Gerichtshofs haben sich sowohl der britische als auch der französische Richter gewandt. Der amerikanische und der schwedische Richter, die im Ergebnis die Meinung des Gerichts teilen, haben in der Frage der Bindungswirkung eine abweichende Haltung eingenommen[35].

In der Diskussion des Gutachtens im Sicherheitsrat ist die Problematik sehr deutlich geworden. Der französische Delegierte hat darauf hingewiesen, daß die Charter dem Sicherheitsrat nur dann bindende Entscheidungen ermögliche, wenn die Voraussetzungen der Friedensbedrohung, des Friedensbruches oder der Aggres-

---

[33] SC Res. 232 (1966) vom 16. Dezember 1966; *Whiteman* (Anm. 2), S. 432 ff., und SC Res. 314 (1972) vom 28. Februar 1972.

[34] »Legal Consequences for States of the continued presence of South Africa in Namibia (South West Africa) notwithstanding S. C. Resolution 276 (1970)«, Advisory Opinion of 21 June 1971, International Court of Justice Reports 1971, S. 52 ff.

[35] Ebd., Dissenting Opinion Fitzmaurice, S. 292 ff; Dissenting Opinion Gros, S. 340 f.; Separate Opinion Petren, S. 136; Separate Opinion Dillard, S. 165 f.; insgesamt zustimmend aber Higgins, The Advisory Opinion on Namibia, in: *International and Comparative Law Quarterly*, Vol. 21, 1972, S. 270 ff.

sion im Sinne des Kapitels VII vorlägen. Sonst könne der Sicherheitsrat keine derartigen Kompetenzen ausüben[36]. Der britische Vertreter ging noch weiter und erklärte, Voraussetzung für die Ausübung der Kompetenzen nach dem Kapitel VII sei die gemäß Artikel 39 vorgesehene Feststellung, daß ein Friedensbruch, eine Friedensbedrohung oder eine Aggression vorlägen. Eine solche Feststellung sei hier nicht getroffen worden. Der britische Vertreter scheint, entsprechend der Praxis im Rhodesienfall, für die Inanspruchnahme des Kapitels VII eine förmliche Feststellung für notwendig zu halten[37]. Auch der italienische Vertreter wandte sich ausdrücklich gegen die weitreichende Interpretation der Artikel 24 und 25 der Charter, die der Internationale Gerichtshof gegeben habe, und ihm schloß sich der belgische Delegierte an[38].

Die Gefahren der hier aufgezeigten Entwicklung sind deutlich. Werden die Zuständigkeiten des Sicherheitsrates, für die Staaten bindende Entscheidungen zu treffen, von den in Artikel 39 festgelegten Voraussetzungen gelöst, so dürfte die Folge kaum eine Steigerung seiner Effizienz sein. Eher ist eine geringere Bereitschaft der Staaten zu erwarten, die Beschlüsse zu respektieren, da die Unklarheit über die Rechtsgrundlage und die Bindungswirkung wachsen wird.

Das Ergebnis des Gutachtens erscheint schließlich besonders unglücklich, weil Resolutionen des Sicherheitsrates naturgemäß häufig Kompromisse verschiedener Richtungen sind. Dabei kann es leicht geschehen, daß auch die Frage der Bindungswirkung unter Kompromißformeln verdeckt wird, so daß die eine Seite vorgibt, die bindende Wirkung durchgesetzt zu haben, während die andere auf dem entgegenstehende Formulierungen verweist. Hiergegen könnte allein der Zwang des Sicherheitsrates zur klaren Feststellung der Voraussetzungen des Kapitels VII Abhilfe bieten.

Wie gefährlich Kompromißformeln des Sicherheitsrates sind, zeigt sich etwa an der berühmten Resolution über den Rückzug der israelischen Truppen nach dem Junikrieg 1967, die im englischen Text als Prinzip für die friedliche Regelung den »Rückzug der israelischen Streitkräfte aus in dem jüngsten Konflikt besetzten Gebieten« festlegt. Das Fehlen des bestimmten Artikels vor »Gebieten« war eine bewußte Entscheidung der Verfasser der Resolution, die die Frage nicht präjudizieren wollten, ob der Rückzug notwendig aus allen Gebieten erfolgen müsse. Dennoch war schon bei der Annahme klar, daß eine Reihe von Mitgliedern des Sicherheitsrates nicht bereit war, diese Interpretation zu akzeptieren. Im französischen Text wird denn auch die Formulierung »des territoires« verwendet, was für den Rückzug aus allen Gebieten spricht[39].

---

[36] *UN Monthly Chronicle,* November 1971, S. 14.

[37] *UN Monthly Chronicle* (Anm. 36), S. 19.

[38] *UN Monthly Chronicle* (Anm. 36), S. 20, 26.

[39] SC Res. 242 (1967) vom 22. November 1967, dazu Yehuda Z. *Blum*, Secure Boundaries and Middle East Peace in the light of international law and practice, Jerusalem 1971, S. 63 ff.

3. Die Praxis der Generalversammlung

Daß auch die Generalversammlung Zuständigkeiten zur Friedenserhaltung besitzt, wurde bereits hervorgehoben[40]. Seit der Uniting-for-Peace-Resolution besteht die Möglichkeit der Einberufung von Sondersitzungen in den Fällen, in denen der Sicherheitsrat nicht in der Lage ist, Konflikte zu lösen. Davon ist mehrfach Gebrauch gemacht worden, und im Sommer 1967 hat die Sowjetunion während des Sechs-Tage-Krieges zwischen Israel und seinen arabischen Nachbarstaaten selbst die Einberufung der Generalversammlung gefordert. Das ist deswegen interessant, weil die Sowjetunion die Uniting-for-Peace-Resolution im übrigen immer abgelehnt und als satzungswidrig bezeichnet hat[41]. Auf der Grundlage dieser Resolution hat die Generalversammlung auch die sogenannten Friedensstreitkräfte aufgestellt, von denen noch zu handeln sein wird. Zwangsmaßnahmen gegen Staaten hat sie nie beschlossen. Derartige Beschlüsse stünden auch mit dem System der Charter, die die Generalversammlung grundsätzlich auf Empfehlungen beschränkt, nicht in Einklang.

Daß die Uniting-for-Peace-Resolution auch heute noch bedeutsam ist, hat der Konflikt zwischen Indien und Pakistan im Dezember 1971 gezeigt. Mit seiner Entscheidung vom 6. Dezember 1971 hat der Sicherheitsrat unter ausdrücklicher Bezugnahme auf die Uniting-for-Peace-Resolution und darauf, daß fehlende Einstimmigkeit ihn an der Ausübung seiner Kompetenzen hindere, den Konflikt zwischen Indien und Pakistan bei Stimmenthaltung Frankreichs, Polens, der Sowjetunion und Großbritanniens an die Generalversammlung verwiesen. Die Generalversammlung hat dann Indien und Pakistan ebenfalls unter Bezugnahme auf die Resolution zur Feuereinstellung aufgefordert[42]. Die Formulierung ist zwar nicht ganz eindeutig, aber die Resolution ist offenbar nicht als bindend gemeint.

Man wird davon ausgehen können, daß trotz des weiten Wortlautes der Resolution 377 A (V) heute durch die Praxis geklärt ist, daß die Generalversammlung nur Empfehlungen auf ihrer Grundlage beschließen kann. Gerade die Staaten des sozialistischen Lagers haben sich immer gegen Zuständigkeiten der Generalversammlung gewandt, die über Empfehlungen hinausgehen[43].

Allerdings hat der Internationale Gerichtshof in seinem Gutachten zur Lage in Südwestafrika dargelegt, daß die Generalversammlung in bestimmten Fällen innerhalb ihrer Zuständigkeiten auch Resolutionen beschließen könne, die Feststel-

[40] Vgl. oben S. 58.

[41] Als Ausdruck dieser Auffassung charakteristisch Joachim *Krüger*, Zur Arbeit des UN-Sicherheitsrates, in: *Deutsche Außenpolitik*, Jg. 16, 1971, Heft 1 (Sonderheft: UNO-Bilanz 1970/71), S. 50 f.

[42] SC Res. 303 (1971) vom 6. Dezember 1971, in: *UN Monthly Chronicle*, Januar 1972, S. 25; GA Res. 2793 (XXVI) vom 7. Dezember 1971, in: *UN Monthly Chronicle*, Januar 1972, S. 91.

[43] Siehe Anm. 41.

lungen enthalten oder »operative design« hätten[44]. Was das genau bedeutet, erscheint zweifelhaft. Der französische Vertreter hat bei der Diskussion des Gutachtens im Sicherheitsrat auf diese Formulierung hingewiesen und dargelegt, daß die Generalversammlung damit nicht nur Empfehlungen, sondern für die Staaten bindende Entscheidungen beschließen könne. Sie müsse sich nur innerhalb des weiten Rahmens halten, der für ihre Diskussionsgegenstände gesetzt sei. Frankreich weise ein solches Konzept kategorisch zurück, das aus der Generalversammlung das Parlament eines Weltstaates machen würde[45].

Ob die Formulierung des Internationalen Gerichtshofes wirklich so weit verstanden werden kann, ist unklar, aber kaum wahrscheinlich, da es sich in dem fraglichen Zusammenhang um die Möglichkeit zum Widerruf des Mandates für Südwestafrika handelte, für das der Gerichtshof der Generalversammlung die Kompetenzen zuerkannte.

4. Aktionen mit Friedenstruppen

Die Praxis der Vereinten Nationen hat außerhalb des in der Charter ausdrücklich vorgesehenen Verfahrens Möglichkeiten zur Friedensbewahrung erschlossen. Dazu gehört vor allem die Aufstellung von Friedenstruppen, peace-keeping forces. Wesentlicher Anlaß für die Entwicklung dieses Systems war die Erkenntnis, daß die in der Charter vorgesehene Frontstellung der Organisation gegenüber einem Aggressorstaat sowohl wegen der Ost-West-Spaltung und der damit auftretenden Blockierung des Sicherheitsrates als auch wegen der veränderten Form der Konflikte nicht den weltpolitischen Realitäten entsprach. Vielmehr wurde es als notwendig angesehen, ohne Verurteilung eines Staates als Aggressor in friedensbedrohenden Situationen Truppen der Vereinten Nationen zu verwenden, die die Aufgabe haben, einen Puffer zwischen den streitenden Parteien zu bilden[46].

Die erste Friedenstruppe wurde im Jahre 1956 im Anschluß an die Suez-Krise auf Beschluß der Generalversammlung aufgestellt. Sie wurde mit Zustimmung der ägyptischen Regierung nach Abschluß des Waffenstillstandes auf ägyptischem Territorium an der israelischen Grenze stationiert. Der Friedenstruppe gelang es, die Waffenstillstandslinie zwischen Israel und Ägypten in der Zeit zwischen 1956 und 1967 relativ ruhig zu halten und Verletzungen zu verhindern. Als Ägypten im Sommer 1967 sein Einverständnis mit der Stationierung widerrief, gab der Generalsekretär den Befehl zum Rückzug, nachdem Jugoslawien und Indien, die die wichtigsten Kontingente stellten, erklärt hatten, sie würden sonst einseitig ihre Truppen abziehen[47].

---

[44] International Court of Justice (Anm. 34), S. 50.

[45] *UN Monthly Chronicle*, November 1971, S. 14.

[46] Vgl. dazu Eberhard *Menzel*, Die militärischen Einsätze der Vereinten Nationen zur Sicherung des Friedens, in: Jahrbuch für internationales Recht, Bd. 15, Göttingen 1971, S. 11 ff., besonders S. 65 ff.

[47] Vgl. Report of the Secretary-General on the Withdrawal of UNEF, in: *UN Monthly Chronicle*, Juli 1967, S. 135 ff.; *Menzel* (Anm. 46), S. 65 ff.

Der umfassendste Einsatz von Friedenstruppen der Vereinten Nationen erfolgte im Kongo nach 1960, gleichfalls mit Zustimmung der kongolesischen Regierung, auf deren Territorium die Truppen stationiert waren. Sie hatten den Auftrag, der Regierung bei der Aufrechterhaltung der Ordnung zu helfen. Bei diesem Einsatz kam es zu größeren Kampfhandlungen zwischen UN-Friedenstruppen und den Söldnern des sich von der kongolesischen Zentralregierung lossagenden Katanga[48].

Noch heute ist eine UN-Friedenstruppe auf Zypern im Einsatz, die die Grenzlinien zwischen den griechischen und türkischen Gemeinden kontrolliert und bei drohenden Verwicklungen den Versuch der Schlichtung unternimmt. Ihre Anwesenheit auf der Insel wird als nicht entbehrlich angesehen[49].

Charakteristikum der UN-Friedenstruppen ist es, daß sie nur mit Zustimmung des betroffenen Staates eingesetzt werden und grundsätzlich keinen Auftrag zur Anwendung von Waffengewalt haben, außer zur Selbstverteidigung und bei Behinderung in ihren Aufgaben. Dazu kann auch die Herstellung der Freizügigkeit im Gebiet, wie im Kongo, gehören. Kontingente für Friedenstruppen sind vor allem von kleineren und neutralen Staaten gestellt worden. Unter den ständigen Mitgliedern des Sicherheitsrates hat nur Großbritannien die Rekrutierung von Teilen der Friedenstruppen auf Zypern übernommen, was auf die besondere Beziehung Großbritanniens zu dieser Insel zurückgeht. Die Vereinigten Staaten haben mehrfach Transportmittel, vor allem Flugzeuge, zur Verfügung gestellt[50].

Die Friedenstruppen sind sowohl auf Beschluß der Generalversammlung, wie im ersten Fall, als auch auf Beschluß des Sicherheitsrates aufgestellt worden. Die Beschlüsse gaben jeweils dem Generalsekretär die Befugnis zur Organisation der Streitkräfte und zur Übernahme des Kommandos. Sowohl die Beschlüsse der Generalversammlung als auch die des Sicherheitsrates wurden in Gestalt von Empfehlungen an die Staaten gefaßt[51].

Über die Rechtmäßigkeit der bisher benutzten Verfahren zur Aufstellung der Friedenstruppen sowie ihrer Organisation besteht innerhalb der Vereinten Nationen eine scharfe Auseinandersetzung. Dabei geht es einmal um die Frage, ob die Generalversammlung in der Lage ist, Empfehlungen zur Aufstellung von Friedenstruppen zu beschließen. Zum anderen geht es darum, ob das Kommando über die Truppen dem Generalsekretär anvertraut werden kann.

Die Frage, inwieweit die Generalversammlung derartige Empfehlungen aussprechen kann, war Gegenstand des Rechtsgutachtens, das der Internationale Gerichtshof über bestimmte Ausgaben der Vereinten Nationen erstattet hat[52]. Der Gerichtshof mußte untersuchen, ob alle Staaten verpflichtet sind, zu den Kosten von Friedensaktionen beizutragen, die von der Generalversammlung beschlossen

---

[48] Vgl. dazu *Menzel* (Anm. 46), S. 83 ff.

[49] Aufgestellt durch Resolution des Sicherheitsrates, SC Res. 186 (1964) vom 4. März 1964, immer wieder verlängert; *Menzel* (Anm. 46), S. 109 ff.

[50] *Menzel* (Anm. 46), S. 115.

[51] *Menzel* (Anm. 46).

[52] International Court of Justice Reports 1962, S. 151.

worden sind und zur Aufstellung von Friedenstruppen geführt haben. Die Sowjetunion und Frankreich hatten sich geweigert, weil die Generalversammlung nach der Charter für derartige Aktionen nicht zuständig sei. Der Internationale Gerichtshof hat die Anwesenheit der Friedenstruppen auf ägyptischem Gebiet nach 1956 und im Kongo nach 1960 analysiert und festgestellt, daß es sich nicht um Zwangsmaßnahmen im Sinne des Kapitels VII der Satzung handelte und insofern Artikel 11 Absatz 2 der Satzung Aktionen der Generalversammlung nicht verbiete. Nur für Zwangsmaßnahmen bestehe die ausschließliche Zuständigkeit des Sicherheitsrates. Das Gutachten hat den Streit nicht erledigen können. Die Sowjetunion und Frankreich haben ihre Rechtsposition aufrechterhalten, und für die Friedenstruppen in Zypern ist eine gesonderte Finanzierung gewählt worden[53].

Neben der Auseinandersetzung um die Zuständigkeit der Generalversammlung für die Aufstellung von Friedenstruppen besteht Uneinigkeit zwischen den Großmächten über die Möglichkeiten der Organisation und des Kommandos derartiger Streitkräfte. Während in der Praxis bisher dem Generalsekretär Organisation und Kommando übertragen wurden, ist die Sowjetunion der Ansicht, daß gemäß Artikel 47 der Satzung das militärische Stabskomitee und über ihm der Sicherheitsrat für die Leitung aller Aktionen mit Streitkräften zuständig sein müßten. Es sei nicht zulässig, die laufende Kontrolle der Friedensoperationen in den Händen einer kleinen Gruppe von Beamten des Sekretariats zu lassen, anstatt den Sicherheitsrat damit zu betrauen[54].

Die Generalversammlung hat seit längerer Zeit einen besonderen Ausschuß für die Friedensaktionen eingesetzt, der Möglichkeiten zur Institutionalisierung der Friedenstruppen und der friedenserhaltenden Operationen prüfen soll. Er hat bisher kein Ergebnis erzielen können, weil die eben dargelegten Gegensätze nicht überwunden werden konnten. Er hat nur einen Teilbericht über Beobachtermissionen vorgelegt, die ebenfalls zu den friedenserhaltenden Aktionen gerechnet werden[55].

Die weitere Tätigkeit dieses Ausschusses wird für die Funktionsfähigkeit der Vereinten Nationen auf dem Gebiet der Friedensbewahrung von wesentlicher Bedeutung sein. Eine Überbrückung der Gegensätze könnte dazu führen, daß jedenfalls für die Aufstellung der Friedenstruppen durch den Sicherheitsrat ein klares Verfahren vorgesehen wird, das die Aktionsfähigkeit der Organisation erhöhen könnte.

Eine Reihe von Staaten, die Erfahrungen mit der Entsendung eigener Truppen für Friedensaktionen der Vereinten Nationen haben, verfügen inzwischen über

[53] *Menzel* (Anm. 46), S. 115 ff., Übersicht S. 117. Die Bundesrepublik beteiligt sich seit 1964 an der Finanzierung.

[54] *UN Monthly Chronicle*, Mai 1971, S. 23; Juni 1971, S. 46 ff., 47. Die gegensätzlichen Auffassungen sind in zwei am 20. März 1972 und am 3. April 1972 veröffentlichten Memoranden enthalten, UN Doc. A/8669 und A/8676, in: International Legal Materials, Vol. 11, 1972, S. 669 ff.

[55] Dazu auch die Kritik des Generalsekretärs in der Einführung zu seinem Jahresbericht 1970/71, in: *UN Monthly Chronicle*, Oktober 1971, S. 128 ff.

gesetzliche Regelungen, die die Voraussetzungen und das Verfahren der Entsendung auf der nationalen Seite regeln. Ein Teil dieser Staaten unterhält ständig bestimmte Truppenkontingente, die den Vereinten Nationen bekanntgegeben werden und jederzeit für Friedensaktionen abgerufen werden können[56].

5. Die Zuständigkeiten des Generalsekretärs

Der Generalsekretär kann gemäß Artikel 99 jede Friedensbedrohung vor den Sicherheitsrat bringen, aber auch vermittelnd tätig werden, um friedensgefährdende Situationen zu bereinigen. Von der ersten Möglichkeit ist bisher wenig Gebrauch gemacht worden, dagegen haben alle Generalsekretäre eine beachtliche diplomatische Aktivität entfaltet und auch gegen zuweilen auftretenden sowjetischen Widerstand durchgehalten. Diese Bemühungen, die sich naturgemäß weitgehend dem Einblick der Öffentlichkeit entziehen, können wesentliche Bedeutung gewinnen. Der ehemalige Generalsekretär U Thant hat berichtet, daß er in einer Reihe von Fällen in der Lage gewesen ist, Streitigkeiten zwischen Staaten durch Vermittlung beizulegen. Als Beispiele für erfolgreiche Bemühungen hat er Differenzen zwischen Kambodscha und Thailand in der Zeit von 1961 bis 1968, zwischen Ruanda und Burundi 1963/64, zwischen Indien und Pakistan 1965/66, zwischen Guinea und der Elfenbeinküste 1967, zwischen Äquatorial-Guinea und Spanien 1969 und ebenfalls 1969 zwischen Ghana und der Sowjetunion genannt. Besonders erfolgreich war auch seine Vermittlungsaktion zwischen Iran und Großbritannien hinsichtlich von Bahrain[57]. Der Generalsekretär hat auch dargelegt, daß er sowohl in der Kuba-Krise als auch bei einer Reihe von Gelegenheiten im Zusammenhang mit Vietnam und im nigerianischen Bürgerkrieg seine guten Dienste den Betroffenen angeboten habe, ohne daß eine Partei das verlangt hatte. Im Rahmen seiner Darstellung dieser Vorgänge hat U Thant auf die besondere Bedeutung der ständigen Vertreter der Mitgliedstaaten bei den Vereinten Nationen im Zusammenhang mit dieser vermittelnden Tätigkeit hingewiesen[58]. Auch der jetzige Generalsekretär Kurt Waldheim hat betont, daß er seine guten Dienste den Parteien des Vietnam-Konfliktes anbiete. Er hat das durch ein im Mai 1972 an den Präsidenten des Sicherheitsrates gerichtetes Memorandum förmlich wiederholt[59].

---

[56] Vgl. Ernst *Johansson,* Die nordischen Bereitschaftstruppen für die UNO, in: Jahrbuch für internationales Recht, Bd. 15, Göttingen 1971, S. 138, mit der schwedischen Bekanntmachung über eine Bereitschaftsgruppe für den UNO-Dienst, S. 149; Michael *Bothe,* Streitkräfte internationaler Organisationen, Köln 1968, S. 3, Anm. 10, vgl. auch S. 44 ff.

[57] UN Doc. S/9772; Der Generalsekretär hat hier durch seinen persönlichen Beauftragten die Wünsche der Bevölkerung von Bahrain bezüglich der Unabhängigkeit oder eines Anschlusses an den Iran festgestellt. Die Übernahme der Aufgabe hat zu einer Auseinandersetzung mit der Sowjetunion geführt. UN Doc. S/9726, S/9737 und S/9738, in: International Legal Materials, Vol. 9, 1970, S. 787 ff.

[58] Vgl. Bericht des Generalsekretärs (Anm. 45), S. 118 ff., 120, und U Thant, The Role of the Secretary General, *UN Monthly Chronicle,* Oktober 1971, S. 178, 184 ff.

[59] *UN Monthly Chronicle,* Mai 1972, S. 18, 20, und Juni 1972, S. 40 f., mit dem Text des Memorandums.

Die Möglichkeiten des Generalsekretärs, wirksam für die Friedenserhaltung tätig zu werden, können durch institutionelle Vorkehrungen kaum verstärkt werden. Sie hängen in erster Linie von den Fähigkeiten und dem diplomatischen Geschick des Generalsekretärs sowie dem ihm auf dieser Grundlage von den Staaten entgegengebrachten Vertrauen ab.

IV. Aussichten für die Friedenssicherung durch die Vereinten Nationen

Eine Beurteilung der Wirksamkeit der Organisation der Vereinten Nationen für die Friedensbewahrung in der Zukunft ist naturgemäß außerordentlich schwierig. Der letzte Generalsekretär hat wiederholt darauf hingewiesen, daß es unzulässig ist, die Organisation an dem Ideal eines Weltstaates zu messen, der sie nicht ist. Vielmehr müsse man erkennen, daß der Zustand der Vereinten Nationen eine Funktion der Beziehungen zwischen den Staaten ist, die es zu verbessern gelte[60].

Es kann nicht bezweifelt werden, daß ein wesentlicher Wert der Organisation bereits in ihrer Eigenschaft als Forum für die Diskussion zwischen den Staaten besteht. Es ist ein Rahmen vorhanden, der jederzeit in Krisensituationen für Vermittlungs- und Klärungsversuche benutzt werden kann. Kontakte zwischen den Vertretern der Staaten bei der Organisation oder über den Generalsekretär können schnell hergestellt werden. Hierin liegt ein nicht zu unterschätzender Vorteil der Existenz der Vereinten Nationen.

Versucht man den Wert der Organisation für die Bewältigung bestimmter Krisen in der Zukunft abzuschätzen, so wird man auf der Grundlage der Erfahrungen der Vergangenheit zwischen verschiedenen Situationen zu unterscheiden haben. In Lagen, in denen alle oder die wichtigsten der ständigen Mitglieder des Sicherheitsrates einig sind, kann das Instrumentarium der Organisation voll genutzt werden. Hier dürfte die wichtigste Funktion der Organisation darin bestehen, daß sie den bestimmenden Einfluß der Großmächte in einen institutionellen Rahmen verlegt, der es den beteiligten Staaten leichter macht, dem Einfluß nachzugeben und zur Beilegung der Krise beizutragen.

Fehlt eine Einigkeit zwischen den Großmächten, so hängt die mögliche Wirksamkeit der UN stark von der Vitalität der betreffenden Frage für eine der Großmächte ab. Wird das Problem von einer Großmacht als essentiell angesehen, so sind die Möglichkeiten der Organisation begrenzt. Ist das dagegen nicht der Fall, so ist es denkbar, daß auch weiterhin etwa die Aufstellung von Friedenstruppen unter starker Beteiligung neutraler Staaten dann in Frage kommt, wenn eine Einigkeit zwischen den Großmächten nicht vorhanden ist, die Frage aber nicht als so wichtig angesehen wird, daß eine Großmacht zum Gebrauch des Vetorechts bereit ist. Deswegen erscheint es außerordentlich wichtig, daß der institu-

[60] Bericht des Generalsekretärs (Anm. 45), S. 93.

tionelle Rahmen für die Aufstellung von Friedenstruppen möglichst bald durch Beschlüsse abstrakt festgelegt wird.

Die Chance, daß die Zahl der Fragen zunimmt, in der eine Einigkeit der Großmächte zwar nicht besteht, sie aber auch nicht vital betroffen sind, dürfte mit der Veränderung der Weltlage in verschiedener Hinsicht gewachsen sein. Die Zulassung der Volksrepublik China zu der Organisation kann in dieser Richtung wirken. Eine Pluralisierung der Haltungen im Sicherheitsrat kann neue Chancen bieten.

Eine Aufnahme der Bundesrepublik Deutschland und der Deutschen Demokratischen Republik in die Vereinten Nationen wird voraussichtlich auf deren Fähigkeit zur Friedenserhaltung keinen unmittelbaren Einfluß haben. Es ist unwahrscheinlich, daß die Bundesrepublik oder die DDR in absehbarer Zeit an Friedenserhaltungsmaßnahmen durch eigene Truppen teilnehmen werden. Eine indirekte Unterstützung durch Finanzierung, wie sie die Bundesrepublik für die Friedenstruppen auf Zypern übernimmt, ist dagegen möglich. Es erscheint auch offen, ob eine Mitgliedschaft der deutschen Staaten im Sicherheitsrat im Interesse der westlichen oder der östlichen ständigen Mitglieder des Sicherheitsrates liegt.

Sollte die innerdeutsche Annäherung fortschreiten, so wäre es vorstellbar, daß aus der Mitgliedschaft eines deutschen Staates im westlichen und des anderen im östlichen Lager auch Vorteile für Aktionen im Rahmen der Vereinten Nationen resultieren könnten. Freilich ist es nicht wahrscheinlich, daß ein solcher Zustand in absehbarer Zeit erreicht wird.

Für die Bundesrepublik ist die Erhaltung des Friedens entscheidend. Gleichrangig daneben steht aber ihr Interesse, die freiheitliche demokratische Grundordnung zu bewahren und sie gegen Intervention von außen zu schützen. Das muß zu einer Vorsicht gegenüber einem stark ideologisch verwendbaren Friedensbegriff führen. Die Bundesrepublik wird sich hier weitgehend mit ihren westlichen Verbündeten abstimmen können.

Kritischer für die Bundesrepublik kann das Verhältnis der Friedenssicherung zu ihrem Ziel einer Offenhaltung der deutschen Frage sein. Wie schon in der Vergangenheit ist es denkbar, daß die diesem Ziel entsprechende Haltung als Friedensstörung bezeichnet wird. Die Bundesrepublik wird hier deutlich zu machen haben, daß die Forderung nach Selbstbestimmung für alle Teile des deutschen Volkes den Prinzipien der UN-Charter voll entspricht und sich in keiner Weise gegen den Frieden richtet.

SELBSTBESTIMMUNG UND DEKOLONISATION

Jost Delbrück

I. Überblick über die Entwicklung des Selbstbestimmungsgedankens und seine Bedeutung in der internationalen Politik

»Nationale Selbstbestimmung ist das entscheidende Bindeglied zwischen der Doktrin des Nationalismus und der Institution des Nationalstaates. Als solches ist es das vielleicht bedeutendste Prinzip, das in der gegenwärtigen internationalen Politik wirksam ist. Antikolonialismus ist heute sein vorherrschender Ausdruck und Dekolonisation sein charakteristisches Ergebnis. Der Anspruch des Rechts auf nationale Selbstbestimmung hat keine universale Anerkennung gefunden, jedoch hat sich der Druck der Forderung nach Dekolonisation in einem Fall nach dem anderen als unwiderstehlich erwiesen. Die Kraft des Strebens der Kolonialvölker, die Fremdherrschaft abzuschütteln und ihre eigenen Nationalstaaten zu errichten, hat den Charakter des internationalen Systems in seinem Kern gewandelt.«[1] Mit diesen Worten umreißt Inis Claude zutreffend die Bedeutung und Wirksamkeit des Selbstbestimmungsgedankens in der internationalen Politik unserer Zeit. Insbesondere die Hervorhebung der antikolonialen Wirkungsrichtung des Selbstbestimmungsgedankens als eines Charakteristikums der internationalen Politik der Gegenwart verdient Beachtung.

In der Tat hat der Selbstbestimmungsgedanke in den letzten beiden Jahrzehnten in der von den Vereinten Nationen geprägten Theorie und Praxis eine Auslegung und Ausrichtung erfahren, die noch die führenden Protagonisten des Selbstbestimmungsprinzips und seiner Anwendung bei der Neuordnung Europas nach dem Ersten Weltkrieg, allen voran die politischen Führungen der Vereinigten Staaten von Amerika, Großbritanniens und Frankreichs, weit von sich gewiesen hatten[2]. Seinerzeit standen die nationale Selbstbestimmung kleinerer Nationen Europas – Polen, Tschechen, Slowaken, Serben, Kroaten usw. – sowie der Schutz nationaler Minderheiten innerhalb multinationaler Staatlichkeiten im Vordergrund des internationalen Interesses.

Dieser, jedenfalls die praktische Politik heute bestimmende, Bedeutungswandel des Selbstbestimmungsprinzips, der nicht der erste in der Geschichte der Entwicklung des Selbstbestimmungsgedankens war, ist ein deutlicher Hinweis darauf, in

---

[1] Inis *Claude* in seinem Vorwort zu Harold S. *Johnson,* Self-Determination within the Community of Nations, Leyden 1967, S. 11 f.

[2] Siehe dazu Alfred *Cobban,* National Self-Determination, 2. Aufl., Chicago 1947, S. 16 ff.

wie hohem Maße dieses Prinzip unterschiedlicher Interpretation fähig ist, je nach den politischen Bedingungen, unter denen es zur Anwendung kommt. Die Wurzeln des modernen Prinzips der Selbstbestimmung reichen zurück in die Zeit der Unabhängigkeitsbewegung der britischen Kolonien in Nordamerika und der Französischen Revolution, obwohl die geistigen Grundlagen des Selbstbestimmungsgedankens noch weiter zurückgeführt werden können, etwa auf die Auseinandersetzung um die freie Wahl der Religionszugehörigkeit[3].

Bereits in den genannten revolutionären Bewegungen am Ende des 18. Jahrhunderts wurden die unterschiedlichen Inhalte des Selbstbestimmungsgedankens erkennbar, die im Laufe der Geschichte des 19. und 20. Jahrhunderts teils gleichzeitig, teils alternativ die Forderung nach Selbstbestimmung in der internationalen und nationalen Politik geprägt haben: Zum einen kennzeichnete sowohl die Französische Revolution als auch die amerikanische Unabhängigkeitsbewegung das Streben nach Befreiung von der absoluten Herrschaft der Monarchie bzw. – positiv gewendet – nach Mitgestaltung der staatlichen Geschicke durch das Volk. Die Selbstbestimmungsforderung erschien hier als das Korrelat der Volkssouveränität, hatte also eine innerstaatliche Stoßrichtung. Man kann diesen Inhalt des Selbstbestimmungsgedankens als den freiheitlich-demokratischen bezeichnen. Zum anderen wies die Selbstbestimmungsforderung und ihre Realisierung in erster Linie in den britischen Kolonien in Nordamerika, jedoch auch in Frankreich, eine zweite Wirkungsrichtung auf, die als eine nach außen, in den internationalen Bereich zielende zu kennzeichnen ist. Die Verwirklichung der Selbstbestimmung der amerikanischen Kolonisten erfolgte im Wege der Loslösung von der britischen Krone und führte zur Gründung eines neuen Staates. In den ersten Jahren nach der Französischen Revolution führte der Respekt vor dem Souverän, dem Volk, zu der Forderung und ihrer Realisierung, die Zuordnung von Territorien und ihren Einwohnern von deren Zustimmung durch Abstimmung abhängig zu machen, wie dies 1792 beim Anschluß Nizzas und Savoyens an Frankreich auch praktiziert wurde. Dieser Inhalt des Selbstbestimmungsgedankens ist als der der nationalen Selbstbestimmung zu bezeichnen[4].

Obwohl somit beide Spielarten der politischen Selbstbestimmung, zu denen eine dritte, heute besonders wichtige – durch die Lehre des Marxismus-Leninismus entstanden – hinzugefügt wird, einer gemeinsamen Wurzel entstammen, zeigen sich im Laufe der Zeit doch wesentliche Unterschiede zwischen ihnen, die ihre gelegentliche gemeinsame Verfolgung – etwa nach dem Ersten Weltkrieg – mehr als ein zufälliges Zusammentreffen denn als eine aus ihrem Wesen gegebene Notwendigkeit erscheinen lassen[5]. Ziel der nationalen Selbstbestimmung ist nicht – oder jedenfalls nicht zwingend – die Freiheit des einzelnen und die demokratische

[3] Vgl. Günter *Decker,* Das Selbstbestimmungsrecht der Nationen, Göttingen 1955, S. 21 ff.
[4] Näheres bei Jost *Delbrück,* Selbstbestimmung und Völkerrecht, in: Jahrbuch für Internationales Recht, Bd. 13, 1967, S. 180 ff.
[5] *Cobban* (Anm. 2), S. 7; außerdem *Decker* (Anm. 3), S. 23, der aber insofern eine zu idealistische Sicht vertritt.

Mitbestimmung des Volkes wie bei der innerstaatlichen Selbstbestimmung, sondern es steht die Befreiung eines Volkes von rassischer oder nationaler Fremdherrschaft im Vordergrund. Damit tritt die Position des Individuums bzw. des Volkes *im* Staat gegenüber der Stellung des Volkes oder der Nation *als* Staat zurück.

Die begrifflich nicht notwendige Zusammengehörigkeit des freiheitlich-demokratischen mit dem nationalen Selbstbestimmungsgedanken zeigt die Geschichte der Selbstbestimmungsidee im 19. Jahrhundert. Während in den ersten Jahrzehnten die Forderung nach nationaler Selbstbestimmung – Befreiung von der napoleonischen Herrschaft, Einigung Deutschlands – durchaus noch von dem Streben des liberalen Bürgertums nach innerstaatlicher Selbstbestimmung begleitet war, tritt dieser Aspekt insbesondere nach dem Zusammenbruch der Revolution von 1848 in den Hintergrund. Von nun an herrscht der Gedanke der nationalen Selbstbestimmung vor, und seine Realisierung wird von den Führern der europäischen Nationen, wenn auch nicht gegen den Willen dieser, so doch ohne ihre entscheidende Mitwirkung, verfolgt. Charakteristisch ist die deutsche Einigung, die das Werk der preußischen Regierung unter Bismarck und nicht das Ergebnis einer nationalen und demokratischen Volksbewegung war[6].

Mit dem Abschluß der deutschen Einigung, der die Errichtung des italienischen Nationalstaates vorausgegangen war, ließ das Interesse der etablierten europäischen Mächte am Prinzip der nationalen Selbstbestimmung nach. Insbesondere blieb der Wunsch jener nationalen Gruppen im Osten und Südosten Europas, die im Zuge der Nationalstaatsbewegung im 19. Jahrhundert den europäischen Großmächten Rußland, Österreich-Ungarn und Deutschland zugeordnet blieben, sich in eigenen Nationalstaaten zu organisieren, ohne größeres Echo. Erst gegen Ende des Ersten Weltkrieges wurde das Selbstbestimmungsprinzip wieder zu einem prägenden Faktor der internationalen Politik, und zwar sowohl in seinem freiheitlich-demokratischen, innerstaatlichen als auch in seinem nationalen Gehalt. Der Kampf der alliierten und assoziierten Mächte gegen die europäischen Mittelmächte wurde vor allem in der Schlußphase des Krieges unter der Flagge der Ausbreitung der Demokratie und der Befreiung unterdrückter nationaler Gruppen geführt. Wortführer dieser Ideen war der amerikanische Präsident Wilson, dessen 14-Punkte-Programm richtungsweisend für die Neuordnung Europas nach dem Ende des Krieges wurde. Mit der Errichtung oder Wiedererrichtung einer Reihe von Nationalstaaten in Ost- und Südosteuropa auf demokratischer Grundlage erlebte der demokratische und nationale Selbstbestimmungsgedanke eine neue Blüte.

Allerdings warfen eine vielfach einseitig zu Lasten der besiegten Staaten gehende Anwendung des Selbstbestimmungsprinzips sowie das zu immer neuen Schwierigkeiten und Konflikten führende Minderheitenschutzproblem tiefe Schatten auf die neue Ordnung. Hinzu kam die bereits in den zwanziger Jahren als eine Reaktion auf die kommunistische Revolution einsetzende Welle faschistischer Bewegungen, die die innerstaatliche, demokratische Selbstbestimmung in den Staa-

[6] Hierzu und zum folgenden *Cobban* (Anm. 2), S. 5 ff.; *Delbrück* (Anm. 4), S. 181 ff. mit weiteren Nachweisen.

ten Europas bedrohte. So war vor dem Ausbruch des Zweiten Weltkriegs in einer großen Zahl alter wie nach 1918 neu entstandener Staaten die auf innerstaatlicher Selbstbestimmung beruhende Ordnung beseitigt und die nationale Selbstbestimmung der kleineren Staaten Europas durch die expansionistische, auf einem übersteigerten Nationalismus beruhende Politik Deutschlands, Italiens und der Sowjetunion bedroht. Das System des Minderheitenschutzes, eine besondere Leistung des Völkerbundes, war weitgehend zusammengebrochen.

Dieses deprimierende Schicksal der Verwirklichung des Selbstbestimmungsprinzips auf dem europäischen Kontinent führte zu einer starken Ernüchterung hinsichtlich der Möglichkeit, eine auf der konsequenten Anwendung des Selbstbestimmungsprinzips beruhende internationale Ordnung zu errichten. Obwohl auch im Zweiten Weltkrieg die Respektierung des Rechts der Selbstbestimmung der Völker zu den Kriegszielen der Alliierten gehörte – u. a. niedergelegt in der Atlantic Charter von 1941 –, zeigen beispielsweise die Friedensverträge von 1947 mit den ehemaligen Verbündeten Deutschlands eine deutliche Zurückhaltung gegenüber dem Selbstbestimmungsgedanken. Die Vereinten Nationen, die sich in einer Reihe von Artikeln der Charter der Organisation zum Selbstbestimmungsprinzip bekennen[7], konzentrierten ihre Aufmerksamkeit alsbald auf das Problem der Befreiung der Kolonialvölker von der Herrschaft ihrer Mutterländer. Der Selbstbestimmungsgedanke erhielt seine noch heute vorherrschende antikoloniale Ausrichtung, während das kontinentaleuropäische nationale Selbstbestimmungsverständnis ebenso an Bedeutung verlor wie das freiheitlich-demokratische. Neben der machtpolitischen und ideologischen Konfrontation in Ost und West in Europa war für diese Entwicklung auch das selbstverständliche Streben der farbigen Völker ursächlich, sich von weißer, kolonialer Vorherrschaft zu befreien, das wiederum in der von der Rivalität der führenden Weltmächte – Vereinigte Staaten von Amerika und Sowjetunion – bestimmten internationalen Lage nach dem Zweiten Weltkrieg günstige Bedingungen für einen Erfolg vorfand.

So wurden angesichts der zurückhaltenden Einstellung zum Selbstbestimmungsgedanken bis auf eine unscheinbare Ausnahme[8] für Grenzregelungen im Gefolge des Zweiten Weltkrieges keine Plebiszite vorgesehen. Die ostpolnischen Gebiete gingen ohne weiteres an die Sowjetunion. Die – nach dem Wortlaut des Potsdamer Abkommens jedenfalls im Hinblick auf die Oder-Neiße-Gebiete als vorläufig gekennzeichnete – Abtrennung der deutschen Ostgebiete erfolgte ohne jede Berücksichtigung des Selbstbestimmungsgedankens. Die radikale »Lösung« des

[7] So in Artikel 1 Absatz 2, Artikel 55, Artikel 73 und implizit in den Artikeln 75 ff. der Charter.

[8] Lediglich im Tenda-Briga-Bezirk wurde eine Volksabstimmung abgehalten, allerdings nicht aufgrund friedensvertraglicher Basis, sondern aufgrund Artikel 27 der französischen Verfassung von 1946; vgl. dazu Eberhard *Menzel*, Das Selbstbestimmungsrecht der Völker und das Annexionsverbot, in: Jahrbuch der Albertus-Magnus-Universität zu Königsberg, Bd. V, 1954, S. 190 ff.; Charles *Fenwick*, International Law, 3. Aufl., New York/London 1948, S. 365.

Schicksals der deutschen Bevölkerung in den abgetrennten Gebieten durch die Vertreibung machte nicht nur ein Plebiszit de facto unmöglich, sondern sie war Ausdruck der Tatsache, daß die Alliierten an die Abhaltung eines solchen Plebiszits über die politische Zukunft der Gebiete überhaupt nicht dachten.

In drei Fällen kann jedoch für die Zeit nach dem Zweiten Weltkrieg von einer Beachtung bzw. Realisierung des Selbstbestimmungsprinzips – sei es in der Form des Gebietswechsels entsprechend dem erklärten Willen der Bevölkerung, sei es in der Form der Minderheitenschutz- oder Autonomiegewährung – gesprochen werden, nämlich bezüglich der Triest-Regelung von 1954, der Rückkehr des Saargebiets zu Deutschland im Jahre 1957 und schließlich im Hinblick auf die noch junge Südtirol-Übereinkunft von 1969/70.

Dieser geraffte Überblick über die Entwicklung der Selbstbestimmungsidee als Ordnungsprinzip der internationalen Politik zeigt die starke Abhängigkeit ihrer Wirkungsrichtung von den jeweiligen politischen Bedingungen, unter denen sie zur Entfaltung kommt. Damit wird aber auch die ganze Fülle der Auslegungsmöglichkeiten deutlich, deren der schillernde Begriff der Selbstbestimmung fähig ist. Hinzu kommt die umstrittene Frage der Qualifikation des Selbstbestimmungsprinzips unter völkerrechtlichen Gesichtspunkten.

Zwei Problemkomplexen, die sich aus dieser Natur des Selbstbestimmungsprinzips ergeben und mit denen die Bundesrepublik Deutschland im Falle ihres Beitritts zu den Vereinten Nationen in besonderem Maße konfrontiert sein wird, ist im folgenden nachzugehen: Zum einen geht es um die Frage, welche Haltung die Bundesrepublik in der noch immer nicht abgeschlossenen Dekolonisierungsproblematik einnehmen soll und welchen Beitrag sie zu deren Lösung leisten kann (II). Zum anderen gilt es, Probleme und Chancen der Politik der Bundesrepublik in den Vereinten Nationen im Hinblick auf eine Aktivierung des nationalen und demokratischen Selbstbestimmungsgedankens in der Deutschland-Frage zu untersuchen (III).

II. Aufgaben und Probleme der BRD bei der Verwirklichung der Selbstbestimmung als Mittel der Dekolonisierung durch die Vereinten Nationen

Die Stellung der BRD zur Dekolonisierung ist in vieler Hinsicht eine besondere. Die BRD ist keine Kolonialmacht. Der Besitz von im Vergleich zu den großen Kolonialmächten kleinen Kolonien durch das Deutsche Reich ist eine kurze Episode gewesen, die mit der Niederlage Deutschlands im Ersten Weltkrieg ihr Ende fand. Insofern ist das Verhältnis der BRD zu den aus kolonialer Abhängigkeit befreiten Staaten Afrikas und Asiens weniger belastet. Andererseits ist die BRD aufgrund ihrer Mitgliedschaft in der westlichen Staatengemeinschaft, an deren uneingeschränktem Fortbestand sie aus Sicherheits- und anderen gewichtigen politischen Gründen stark interessiert ist, mit Staaten eng verbunden, die ihrerseits zu den früheren oder gegenwärtigen Kolonialmächten gehören. Aus dieser Konstellation ergibt sich einerseits die Gefahr einer unkritischen Identifizierung der Haltung der BRD mit derjenigen solcher westlicher Staaten, die sich der Beseitigung des Kolonialismus und seiner Folgen widersetzen oder jedenfalls nicht mit der von den Staaten des antikolonialistischen Lagers für erforderlich gehaltenen Intensität widmen. Andererseits sind Konflikte mit den westlichen Partnern, die noch in koloniale Probleme verstrickt sind, nicht auszuschließen.

Ferner gehört die BRD als einer der wirtschaftlich potentesten Industriestaaten der Welt zu denjenigen Ländern, von denen eine besondere Leistung bei der wirtschaftlichen Entwicklung der im Aufbau begriffenen jungen Staaten Afrikas und Asiens erwartet wird. Soweit die BRD diesen Beitrag im Rahmen ihrer Mitarbeit in internationalen Organisationen, insbesondere in den UN-Sonderorganisationen, erbringt, wirft dies jedenfalls keine gravierenden politischen Probleme auf. Hingegen läuft die BRD eben wegen ihres Verhältnisses zu ehemaligen Kolonialmächten Gefahr, in ihren selbständigen Bemühungen um die wirtschaftliche Entwicklung der jungen Staaten dem Vorwurf des Neokolonialismus ausgesetzt zu werden, insbesondere dann, wenn die Entwicklungshilfe mit politischen Bedingungen verknüpft wird, die von den Empfängern als Bevormundung empfunden werden kann, oder wenn privatwirtschaftliche Interessen Umfang und Ausrichtung der Entwicklungshilfe bestimmen.

Können diese Schwierigkeiten – mögen sie auf objektiven Ursachen beruhen oder bewußt aus politisch-propagandistischen Gründen herbeigeführt werden – bisher von der BRD in bilateralen Kontakten mit den betreffenden Staaten der Dritten Welt oder in der durchweg sachlichen Atmosphäre der zuständigen UN-Sonderorganisationen diskutiert und – wenn möglich – bereinigt werden, so erscheint es denkbar, daß bei einem Beitritt der BRD zu den Vereinten Nationen diese Organisation dasjenige Forum bieten könnte, in dem die genannten Vorwürfe gegen die BRD – aus welchen Gründen auch immer – politisch-propagandistisch wirksam erhoben werden können. Eine richtige Einschätzung dieser möglicherweise für die BRD entstehenden neuen Situation, die die Gefahren weder unzulässig dramatisiert noch verniedlicht, setzt zunächst eine kurze Bestandsaufnahme über den Stand der Verwirklichung des Selbstbestimmungsprinzips durch die Vereinten Nationen und die dabei verwandten Maßstäbe voraus.

1. Die Verwirklichung des Selbstbestimmungsprinzips durch die Dekolonisierungsarbeit der Vereinten Nationen

Das Ausmaß der Wandlungen der internationalen Staatengemeinschaft, die durch die Dekolonisierung seit dem Zweiten Weltkrieg herbeigeführt wurden, läßt sich anschaulich an der Zusammensetzung der Mitgliedschaft der UN darstellen. Von den heute 132 UN-Mitgliedern hat über die Hälfte die Unabhängigkeit erst nach dem Ende des Zweiten Weltkriegs erlangt, davon etwa drei Viertel zwischen 1960 – dem Jahr, in dem die Generalversammlung die »Declaration on the

Granting of Independence to Colonial Countries and People«[9] verabschiedete – und dem Jahr 1971[10]. Für die Lösung der noch offenen Kolonialprobleme ist es interessant, einen Blick auf den Stand der Dekolonisation insgesamt und die von den UN entwickelten Kriterien zu werfen, die beachtet werden müssen und nach denen die Forderung nach Dekolonisierung und Verwirklichung der Selbstbestimmung eines abhängigen Gebietes zu erfüllen ist.

a) Der Stand der Dekolonisation und die Kriterien der Realisierung des Selbstbestimmungsprinzips: volle Unabhängigkeit, Autonomie – das Problem der »micro-states«

Zur Zeit leben von einer Weltbevölkerung von über 3,5 Milliarden noch rund 26 Millionen Menschen in 40 abhängigen Gebieten, das sind noch etwa 0,7 vH[11]. Die größten unter diesen Gebieten sind Namibia (Südwestafrika) und die portugiesischen Besitzungen in Afrika (Angola, Mosambik und Portugiesisch-Guinea). In seinem Rückblick auf zehn Jahre Dekolonisation durch die Bemühungen der UN stellte der Generalsekretär im Jahre 1970 einen bemerkenswerten Rückgang des Tempos der Dekolonisierung fest[12]. Die Ursachen hierfür liegen einerseits in der hartnäckigen Weigerung der Republik Südafrika, den Forderungen nach einem Rückzug aus Namibia nachzukommen, und der Ablehnung Portugals, seine afrikanischen Gebiete als Kolonialgebiete auf die Erlangung der Unabhängigkeit vorzubereiten. Portugals Auffassung nach sind diese Gebiete integrale Bestandteile des Mutterlandes. Andererseits sind es aber offenbar auch objektive Schwierigkeiten und Faktoren, die zu einer Verlangsamung des Dekolonisierungsprozesses geführt haben. Überwiegend handelt es sich bei den noch verbliebenen abhängigen Gebieten um extrem kleine Einheiten, sowohl flächenmäßig als auch der Bevölkerungszahl nach. Als solche sind sie kaum in der Lage, aus eigener Kraft die Rolle eines souveränen Einzelstaates auszufüllen. Die Problematik, die die Entstehung solcher »micro states«, z. B. für die Mitgliedschaft in internationalen Organisationen, insbesondere in den UN, aufwirft, ist inzwischen erkannt und hat bereits zu Überlegungen in den UN geführt, unter Umständen eine abgeschwächte Mit-

[9] GA Res. 1514 (XV) vom 14. Dezember 1960, in: Jahrbuch für Internationales Recht, Bd. 12, 1965, S. 505 f.

[10] Vgl. die Übersicht über die Mitglieder der UN (Stand 31. Dezember 1971) mit Beitrittsdaten, in: *Vereinte Nationen,* Jg. 20, 1972, S. 38.

[11] In diesen Zahlen sind die Bevölkerungen Namibias (Südwestafrika) und der portugiesischen Besitzungen in Afrika enthalten; Angaben nach UN Demographic Yearbook 1970, S. 7, ferner: Introduction to the Report of the Secretary-General on the Work of the Organization, September 1970, in: GAOR, 25th Session, Suppl. No. 1 A (UN Doc. A/8001/Add. 1), S. 14. Von den vom Generalsekretär der UN genannten 28 Millionen in abhängigen Gebieten lebenden Menschen im Jahre 1970 sind zwischenzeitlich rund 2 Millionen abzuziehen, die in den Golf-Staaten leben, die im Jahre 1971 die Unabhängigkeit erhielten.

[12] Vgl. UN Doc. A/8001/Add. 1 (Anm. 11), S. 14.

gliedschaft in der Form der »associate membership« einzuführen[13]. Ein anderer Weg, das Problem der Mikro-Staaten zu lösen, nämlich durch den Zusammenschluß einzelner, geographisch zusammengehöriger Territorien, könnte dagegen unter Umständen auf Schwierigkeiten politischer Art stoßen, indem etwa die Bevölkerung des einen Teils einer solchen möglichen Föderation den Zusammenschluß mit einem anderen aus Furcht vor Dominierung oder aus ähnlichen Gründen ablehnt. Der bisher erfolglose Versuch einer Föderation der heute im Status »assoziierter Staaten« Großbritanniens befindlichen Karibischen Inseln zu einem selbständigen Staat ist ein illustratives Beispiel dieser Schwierigkeiten[14].

Ganz abgesehen von der Frage, ob derartige, aus Praktikabilitätsgründen vorgenommene Staatenbildungen dem Maßstab der Selbstbestimmung der betroffenen Menschen gerecht werden, ist damit generell das Problem angesprochen, in welcher Form nach den Vorstellungen der UN-Mitglieder die Realisierung des Selbstbestimmungsprinzips zu erfolgen hat: Welche Bevölkerungseinheiten sollen in den Genuß des Selbstbestimmungsrechts gelangen, oder mit anderen Worten, nach welchen Kriterien sind die Träger des Selbstbestimmungsrechts abzugrenzen? Reicht die Gewährung eines gewissen Grades von Autonomie im kulturellen und/oder Selbstverwaltungsbereich innerhalb größerer Staatlichkeiten als Verwirklichung der Selbstbestimmung einer Bevölkerungsgruppe aus oder ist vollständige Unabhängigkeit zu verleihen? Welchen Grad politischer Organisiertheit müssen Völker aufweisen, um das Recht auf Selbstbestimmung über ihr politisches Geschick eingeräumt zu erhalten? Und schließlich ist zu fragen, ob es eine zeitliche Abgrenzung gibt, nach deren Überschreiten eine grundsätzlich als Träger des Selbstbestimmungsrechts in Frage kommende Bevölkerungsgruppe das Recht zur Ausübung der Selbstbestimmung verwirkt, weil es nunmehr zu einer friedensgefährdenden Zergliederung einer bestehenden politischen Einheit führen würde, oder ob es zwar keine Verwirkung des Selbstbestimmungsrechts durch Zeitablauf gibt, statt dessen aber an die Möglichkeit einer Konsumtion des Rechts zur Ausübung der Selbstbestimmung für sämtliche Einwohner eines Territoriums für den Fall zu denken ist, daß auf diesem Gebiet bereits einmal ein Akt der Selbstbestimmung – etwa in Gestalt der Erlangung der Unabhängigkeit von einer Kolonialmacht – vollzogen worden ist?

Unter dem Mandatsystem des Völkerbundes, also jenes Systems, das für die Betreuung und die Entwicklung gewisser abhängiger Gebiete in der Periode nach dem Ersten Weltkrieg errichtet wurde, sind in ausführlichen Beratungen Kriterien der Staatsreife entwickelt worden, an denen zu messen war, ob ein abhängiges Land in die Unabhängigkeit entlassen werden und die Stellung eines gleichberech-

---

[13] Vgl. dazu Dieter *Ehrhardt*, Der Begriff des Mikrostaates im Völkerrecht und in der internationalen Ordnung, Aachen 1970, mit umfangreichen Nachweisen; siehe unten S. 80.

[14] Zu diesen Vorgängen siehe den Bericht in: *Archiv der Gegenwart*, Jg. 39, 1969, S. 14936 A; dazu auch Wilhelm *Lewinski*, Die west-indische Föderation — Ihr Wesen, ihr Entstehen, ihr Ende und ihre Nachfolge, in: *Zeitschrift für Politik*, Jg. XVII, 1970, S. 472 ff.

tigten souveränen Staates in der Staatengemeinschaft einnehmen sollte. Als solche Kriterien wurden bestimmt: a) Bestehen einer gefestigten Regierung und funktionierenden Verwaltung in den wichtigsten staatlichen Dienstzweigen; b) Fähigkeit zur Wahrung der territorialen Integrität und politischen Unabhängigkeit; c) Fähigkeit zur Gewährleistung der inneren Ordnung; d) ausreichende Finanzmittel für die ordnungsmäßige Durchführung der Staatsaufgaben und e) eine Rechts- und Gerichtsordnung, die eine geordnete Rechtspflege für jedermann gewährleistet[15]. Auch in der Arbeit der UN haben diese Kriterien der Staatsreife, jedenfalls in den früheren Jahren, in einzelnen Fällen eine Rolle gespielt, so bei der Debatte über die Aufnahme Jordaniens in die Organisation[16]. Es steht außer Zweifel, daß bei einer strikten Auslegung der genannten Maßstäbe nicht nur einige der noch abhängigen Gebiete die Staatsreife nicht attestiert erhalten würden, sondern auch manche der bereits zu den UN-Mitgliedern zählenden Staaten würden nicht alle Kriterien der Staatsreife voll erfüllen können.

Indessen zeigt die UN-Praxis bei der Dekolonisierung, daß die vom Völkerbund entwickelten Staatsreifekriterien für die Entscheidung darüber, ob ein bestimmtes Gebiet die Unabhängigkeit erlangen soll, nicht berücksichtigt werden. Im Gegenteil, die einschlägigen Dokumente, in denen die Vereinten Nationen die Grundsätze über die Dekolonisierung niedergelegt haben, lassen erkennen, daß der Grad politischer Organisiertheit der abhängigen Gebiete sowie ihr wirtschaftlicher, sozialer und bildungsmäßiger Entwicklungsstand für die Gewährung der Unabhängigkeit irrelevant sein sollen[17]. Entsprechend haben bis in die jüngste Zeit mit Zustimmung der UN Territorien die Unabhängigkeit und die Mitgliedschaft in der Organisation erhalten, deren Fläche wenige hundert Quadratkilometer umfaßt und/oder deren Einwohnerzahl die einer mittleren deutschen Großstadt nicht übersteigt[18]. Daraus folgt, daß jedenfalls unter dem Gesichtspunkt der Staatsreife in Zukunft keine Entscheidungen für oder gegen die Entlassung eines abhängigen Gebietes in die Unabhängigkeit zu erwarten sind.

Für die Haltung der Bundesrepublik Deutschland zum Problem der Dekolonisierung — sowie zur eigenen nationalen Selbstbestimmungsproblematik — ist weiter von Belang, ob und inwieweit in den UN Kriterien entwickelt wurden, denen Antworten auf die weiteren Fragen nach der Abgrenzung der Träger des Selbst-

[15] Siehe hierzu Dietrich *Rauschning*, Das Ende des Treuhandsystems der Vereinten Nationen, in: Jahrbuch für Internationales Recht, Bd. 12, 1965, S. 179 (mit weiteren Nachweisen).

[16] Vgl. Rosalyn *Higgins*, The Development of International Law through United Nations Organs, London 1963, S. 30 f.; *Rauschning* (Anm. 15), S. 179.

[17] So sagt z. B. die »Declaration on the Granting of Independence to Colonial Countries and Peoples« (Anm. 9): »3. Inadequacy of political, economic, social or educational preparedness should never serve as a pretext for delaying independence.«

[18] So umfaßt Barbados ca. 430 Quadratkilometer mit rd. 250 000 Einwohnern und beträgt die Fläche der Malediven 298 Quadratkilometer, auf der 108 000 Einwohner leben. Bei immerhin 22 014 Quadratkilometer weist Katar die geringste Bevölkerungszahl aller UN-Mitgliedstaaten auf: 79 000; vgl. zu diesen Angaben *Vereinte Nationen*, Jg. 20, 1972, S. 40.

bestimmungsrechts, nach dem Grad der Unabhängigkeit, der für die Realisierung der Selbstbestimmung erforderlich ist und nach der Möglichkeit der Verwirkung oder Konsumtion des Selbstbestimmungsrechts entnommen werden können.

Von ähnlicher Radikalität, wie sie die UN-Praxis hinsichtlich der Ablehnung der Erfüllung irgendwelcher Staatsreifekriterien als Voraussetzung für die Ausübung des Selbstbestimmungsrechts kennzeichnet, ist die Haltung der Organisation im Hinblick auf den Grad der Unabhängigkeit, der zu gewähren ist, um der Forderung nach Selbstbestimmung gerecht zu werden. Im Regelfall ist als Realisierung der Selbstbestimmung nur die Einräumung der völligen Unabhängigkeit an ein abhängiges Gebiet ausreichend, obwohl andere Formen der Verwirklichung der Selbstbestimmung auch anerkannt werden können[19]. Eine Ausnahme bildet der West-Irian-Fall: West-Irian, das frühere Niederländisch-Neuguinea, blieb nach der indonesischen Unabhängigkeit im Jahre 1949 zunächst unter der Kontrolle der Niederlande. Der künftige Status dieses Gebietes sollte durch zweiseitige Verhandlungen zwischen den Niederlanden und Indonesien innerhalb eines Jahres bestimmt werden. Die Lösung der Frage verzögerte sich jedoch bis zum Jahre 1962. Die Niederlande stellten sich auf den Standpunkt, daß die Einordnung West-Neuguineas in den indonesischen Staatsverband zu einer Verweigerung des Selbstbestimmungsrechts der Bevölkerung dieses Gebietes führe. Demgegenüber verlangte Indonesien die Übergabe dieses Territoriums mit der Begründung, nur dadurch könne die nationale Einheit der indonesischen Republik gewahrt und damit die Selbstbestimmung des indonesischen Volkes vollendet werden. Zudem habe die Bevölkerung von West-Irian an der indonesischen Befreiungsbewegung teilgenommen und damit ihr Selbstbestimmungsrecht bereits ausgeübt[20]. Schließlich wurde im Jahre 1962 ein Abkommen zwischen den Niederlanden und Indonesien getroffen, das eine vorübergehende Verwaltung des Gebiets durch die Vereinten Nationen und sodann eine möglichst baldige Übertragung der Verwaltung auf Indonesien nach dem 1. Mai 1963 und Ausübung des Selbstbestimmungsrechts durch die Einwohner von West-Irian vor dem Jahresende 1969 vorsah[21]. Der

---

[19] So auch Leland M. *Goodrich*/Edvard *Hambro*/Anne Patricia *Simons*, Charter of the United Nations, 3. Aufl., New York/London 1969, S. 34; die »Declaration on the Granting of Independence to Colonial Countries and Peoples« (Anm. 9) und die »Declaration on Principles of International Law concerning Friendly Relations and Co-operation among States in accordance with the Charter of the United Nations«, GA Res. 2625 (XXV) vom 24. Oktober 1970, Annex (Abschnitt: The principles of equal rights and self-determination of peoples) lassen Selbstbetimmung durch »free association or integration with an independent State« u. a. vom Willen des betroffenen Volkes getragene Formen zu; dazu auch Rupert *Emerson*, Self-Determination, in: *American Journal of International Law*, Vol. 65, 1971, S. 470.

[20] Vgl. zur West-Irian-Frage Hans *von Mangoldt*, Die West-Irian-Frage und das Selbstbestimmungsrecht der Völker, in: *Zeitschrift für ausländisches öffentliches Recht und Völkerrecht*, Bd. 31, 1971, S. 197 ff.; eine Zusammenfassung der Standpunkte der Niederlande und Indonesiens in: Yearbook of the United Nations 1961, S. 52 ff.

[21] Siehe dazu *UN Monthly Chronicle*, November 1969, S. 42 ff.; ferner *von Mangoldt* (Anm. 20), S. 199 ff.

Form nach ist diesem Plan gemäß verfahren worden und das Ergebnis nach der Abstimmung in West-Irian von den UN als korrekt gebilligt worden. Aber es kann kaum einem Zweifel unterliegen, daß die sich mehrere Jahre vor der Durchführung der Abstimmung hin erstreckende indonesische Herrschaft über West-Irian das Abstimmungsergebnis zugunsten Indonesiens präjudiziert hat[22]. Von einem genuinen Akt der Selbstbestimmung kann nicht gesprochen werden. Daß die UN-Organe dennoch mit Mehrheit die getroffene Lösung akzeptiert haben, macht zweierlei deutlich: Zum einen wurde hier nicht auf die völlige Unabhängigkeit der die Selbstbestimmung anstrebenden Bevölkerungsgruppe gedrängt, sondern es wurde der Übergang der Herrschaft über das betroffene Gebiet von der Kolonialmacht auf einen anderen Staat für ausreichend gehalten, dessen Anspruch auf dieses Gebiet zumindest nicht eindeutig gerechtfertigt war. Zum anderen hat die von vielen der jungen Staaten vertretene Auffassung, durch die Realisierung der Selbstbestimmung des Gesamtstaates sei die Selbstbestimmung der Teile konsumiert, im Prinzip Anerkennung gefunden. Die nach sechs Jahren indonesischer Herrschaft vollzogene Abstimmung in West-Irian erscheint mehr als ein zögerndes Zugeständnis an die niederländische Forderung nach einem Akt der Selbstbestimmung durch die Bevölkerung West-Irians denn als Ausdruck der Überzeugung, diese Abstimmung habe von Rechts wegen durchgeführt werden müssen[23].

Einen weiteren, insbesondere für das Schicksal der vielen kleinen abhängigen Gebiete wichtigen Ausnahmefall bietet die Regelung des Status der Cook-Islands im Jahre 1965.

Die Cook-Islands, eine weit verstreute Inselgruppe von ca. 240 Quadratkilometern mit rund 21 000 Einwohnern im Südpazifik, wurden im Jahre 1901 von Neuseeland annektiert. Nach Gründung der UN erklärte sich Neuseeland mit dem Vorbehalt, daß die Cook-Islands einen integralen Bestandteil seines Staatsgebietes bildeten, bereit, der Organisation – entsprechend der Regelung des Artikels 73 e der Charter betreffend »non-self-governing territories« – über dieses Gebiet zu berichten[24]. Diese Berichte hat Neuseeland regelmäßig vorgelegt. Im Jahre 1964 verabschiedete das neuseeländische Parlament den »Cook Islands Constitution Act«, der am 5. August 1965 in Kraft trat und den Einwohnern der Cook-Islands die volle Selbstverwaltungsautonomie einräumte – eine Regelung, die von der betroffenen Bevölkerung in einer von den Vereinten Nationen überwachten Wahl gutgeheißen wurde. Die UN-Generalversammlung billigte am 16. Dezember 1965 mit 78 Stimmen ohne Gegenstimme bei 29 Enthaltungen diese Autonomie-Regelung[25]. Gegner der von Neuseeland gefundenen Lösung der Cook-

[22] Kritisch zur Durchführung der Abstimmung *von Mangoldt* (Anm. 20), passim.

[23] So weist *von Mangoldt* (Anm. 20), S. 199 zu Recht darauf hin, daß die Abhaltung der Abstimmung in West-Irian erst geraume Zeit nach Übernahme der Verwaltung durch Indonesien für dieses von entscheidender Bedeutung für die Zustimmung zu der West-Irian-Regelung war.

[24] Vgl. Yearbook of the United Nations 1946—1947, S. 210.

[25] Dazu Yearbook of the United Nations 1965, S. 570 ff.

Islands-Frage wandten ein[26], hier sei der Bevölkerung die Selbstbestimmung, die nur durch vollständige Unabhängigkeit erreicht werden könne, vorenthalten worden. Dieser Vorwurf verkennt allerdings, daß der Status der Cook-Islands als autonomes Gebiet im neuseeländischen Staatsverband nur so lange erhalten bleiben soll, wie die Bevölkerung dies wünscht. Die Generalversammlung hat dem in ihrer Entschließung vom 16. Dezember 1965 durch den Hinweis Rechnung getragen, die UN würden entsprechend ihrer Verantwortung gemäß der »Declaration on the Granting of Independence to Colonial Countries and Peoples« der Bevölkerung der Cook-Islands helfen, die volle Unabhängigkeit zu erreichen, wenn dies deren Wunsch sei[27].

In diesem Falle, dessen Lösung nach den Worten des UN-Delegierten von Dänemark Modellcharakter für andere kleine abhängige Gebiete hat[28], ist also von den UN auch der Status der Autonomie als ausreichende Gewährung des Selbstbestimmungsrechts gewertet worden. Dies ist im Hinblick auf das Problem der kleinen und kleinsten abhängigen Territorien bedeutsam, da diese das Potential für eine große Zahl von »micro-states« bilden, deren Lebensfähigkeit als Staaten auch innerhalb der UN bereits angezweifelt wird, ganz abgesehen davon, daß die gleichberechtigte Teilnahme solcher kleinen politischen Einheiten an den Entscheidungen der UN zu einer grotesken Überrepräsentation der betreffenden Bevölkerungen gegenüber denen der großen Staaten führen würde[29].

Die weitere Frage nach der Bestimmung derjenigen Gruppen, denen das Selbstbestimmungsrecht und damit im Regelfall das Recht auf staatliche Unabhängigkeit zustehen soll, hat die Praxis der Vereinten Nationen abweichend von dem historischen Gehalt des Selbstbestimmungsprinzips beantwortet. Ging es jedenfalls nach kontinentaleuropäischem Verständnis bei der Ausübung des Selbstbestimmungsrechts um die Erlangung einer eigenen Staatlichkeit durch Gruppen, die durch Sprache, Kultur und gemeinsame Geschichte als nationale Gemeinschaft charakterisiert waren, so haben diese oder ähnliche Kriterien bei der Bestimmung der Gruppen, die nach dem Willen der UN durch Ausübung der Selbstbestimmung einen eigenen Staat bilden sollten und sollen, keine oder jedenfalls nur eine ge-

---

[26] So zum Beispiel die Sowjetunion während der Debatte des Cook-Islands-Falles während der 20. Sitzungsperiode im 4. Ausschuß der Generalversammlung, vgl. GAOR, 20th Session, 4th Committee, 1561st Meeting vom 18. November 1965, S. 260 f.

[27] Der vorletzte Absatz der GA Res. 2064 (XX) der Generalversammlung vom 16. Dezember 1965 lautet: »6. Reaffirms the responsibility of the United Nations, under General Assembly Resolution 1514 (XV), to assist the people of the Cook Islands in the eventual achievement of full independence, if they so wish, at a future date.« (Zitiert aus: Yearbook of the United Nations 1965, S. 574).

[28] Vgl. Anm. 26, S. 259.

[29] Das Problem der »micro-states« wurde vom Generalsekretär der UN in seinem Jahresbericht 1967 mit eindrucksvollen Zahlenbeispielen unterstrichen; er wies auf Nauru (2,13 Hektar — ca. 6000 Einwohner) und Pitcairn Island (4,6 Quadratkilometer — 88 Einwohner) als potentielle UN-Mitglieder hin; zur Frage der »micro-states« vgl. ferner Stanley A. *de Smith*, Microstates and Micronesia, New York/London 1970, sowie *Ehrhardt* (Anm. 13).

ringe Rolle gespielt. Ein Blick auf die Landkarte Afrikas zeigt, daß im wesentlichen die durch die Kolonialgrenzen bestimmten Gebiete das Substrat der zur Unabhängigkeit gelangten Staaten bilden. Ethnische oder historisch-politische Bindungen einzelner afrikanischer Bevölkerungsgruppen fanden so gut wie keine Berücksichtigung. Im Gegenteil, soweit solche Gruppen innerhalb eines neuentstandenen Staates nunmehr ihrerseits das Recht der Selbstbestimmung in Anspruch nehmen wollen, wird ihnen dies nicht nur von den Regierungen dieser Staaten, sondern auch von der großen Mehrheit der UN-Mitgliedstaaten mit dem Hinweis auf die vollzogene Selbstbestimmung des betreffenden Staates in Gestalt der Erlangung seiner Unabhängigkeit verweigert[30]. Allerdings wurde diese Haltung der Staatengemeinschaft in der Praxis wiederum dadurch relativiert, daß die Bereitschaft groß war, die – wie im Fall Ost-Pakistans (des heutigen Bangladesh) – mit militärischen Mitteln vollzogene Sezession völkerrechtlich durch die Anerkennung des sezedierten Staates ungewöhnlich rasch zu sanktionieren[31]. Hier scheint in bedenklicher Weise der Erfolg einer Selbstbestimmungsaktion als Maßstab ihrer Legitimität und Legalität zu dienen. Wie immer aber die bisher uneinheitliche Praxis bezüglich der Unterstützung und Anerkennung von Selbstbestimmungsbestrebungen auch gewertet werden mag, so macht sie ein letztes theoretisches Problem deutlich, ob und unter welchen Umständen nämlich die Inanspruchnahme des Selbstbestimmungsrechts entweder durch Hinnahme eines bestimmten politischen Status seitens einer Gruppe verwirkt oder für Teilgruppen durch den Akt politischer Selbstbestimmung einer übergreifenden Gesamtgruppe konsumiert werden kann.

Da eine generelle Definition derjenigen Gruppen, die Träger des Selbstbestimmungsrechts sein können, bisher weder innerhalb noch außerhalb der UN gefunden worden ist und wohl auch der Sache nach nicht entwickelt werden kann[32],

---

[30] So lehnten die UN eine Intervention in den Sezessionskrieg Nigeria/Biafra mit dem Hinweis ab, es handele sich um eine innere Angelegenheit Nigerias, obwohl sich die sezessionistische Ibo-Bewegung auf das Recht der Selbstbestimmung berief; vgl. dazu die Berichte in: *Archiv der Gegenwart*, Jg. 38, 1968, S. 14180 C und Jg. 40, 1970, S. 15188 B (S. 15189); ferner Jost *Delbrück*, Die Vereinten Nationen in der Zeit vom 1. 7. 1966 bis zum 30. 6. 1969, in: Jahrbuch für Internationales Recht, Bd. 15, 1971, S. 545; der Generalsekretär U Thant faßte diesen Standpunkt in einer Presseerklärung besonders scharf zusammen: »So, as far as the question of secession of a particular section of a Member State is concerned, the United Nations' attitude is unequivocable. As an international organization, the United Nations has never accepted and does not accept and I do not believe it will ever accept the principle of secession of a part of a Member State«, zitiert aus *UN Monthly Chronicle*, Februar 1970, S. 36. Die Ereignisse von Bangladesh (Ost-Pakistan) lassen diese Ausführungen allerdings sehr zweifelhaft erscheinen; dazu auch *Emerson* (Anm. 19), S. 464 ff.

[31] Bereits wenige Monate nach der Sezession Ostpakistans und der Gründung des neuen Staates Bangladesh hatten fast 50 Staaten die völkerrechtliche Anerkennung ausgesprochen und neun diplomatische Beziehungen aufgenommen, darunter die BRD und die DDR, vgl. *Archiv der Gegenwart*, Jg. 42, 1972, S. 16860 E und 17055 D.

[32] Der Versuch von Theodor *Veiter*, Die Träger des Selbstbestimmungsrechts nach westlicher Auffassung, in: Heinz *Kloss* (Bearb.), Beiträge zu einem System des Selbstbestim-

somit eine abschließende Bestimmung aller prospektiven Bevölkerungseinheiten, die das Selbstbestimmungsrecht in Anspruch nehmen könnten, nicht möglich ist, kann schon rein logisch eine allgemeine zeitliche Grenze für die Inanspruchnahme des Selbstbestimmungsrechts nicht in Frage kommen. Vielmehr sind die jeweilige objektive politische Lage und die Entwicklung des politischen Bewußtseins bestimmter Bevölkerungsgruppen dafür entscheidend, ob in einer Region der Welt von den dort lebenden Menschen ein Anspruch auf Selbstbestimmung erhoben wird. So ist es beispielsweise vorstellbar, daß Bevölkerungsteile eines bestehenden Staates wegen einer Veränderung von dessen Verfassungsstruktur – Wandel vom Bundes- zum Einheitsstaat – aus ihrem bisherigen Staat ausbrechen wollen, um nunmehr ihre gefährdete Eigenentwicklung durch Ausübung des Selbstbestimmungsrechts zu sichern. Ein solcher Anspruch könnte nach der bisherigen völkerrechtlichen Praxis nicht mit dem Hinweis zurückgewiesen werden, die betreffenden Bevölkerungsgruppen hätten schon früher Gelegenheit gehabt, ihre Selbstbestimmungsforderung geltend zu machen. Sie hätten durch die langjährige Hinnahme ihrer Eingliederung in ihren jetzigen Heimatstaat das Recht zur Ausübung des Selbstbestimmungsrechts verwirkt. Vielmehr kann der Selbstbestimmungsanspruch solcher Bevölkerungsgruppen jederzeit aktuell werden. Hier zeigt sich die dynamische, ja explosive Kraft, die dem Selbstbestimmungsprinzip innewohnt.

Jedoch scheint der Ausschluß der Ausübung des Selbstbestimmungsrechts durch Bevölkerungsgruppen, die in einem bereits unabhängigen Staat leben, unter einem anderen Gesichtspunkt nach der völkerrechtlichen Praxis der UN in den vergangenen Jahrzehnten durchzugreifen. Viele Anzeichen deuten darauf hin, daß das Selbstbestimmungsrecht jedenfalls für ethnische oder anders definierte Gruppen, die Teile des Staatsvolkes eines durch Dekolonisierung unabhängig gewordenen Staates bilden, durch den Akt der Erlangung dieser Unabhängigkeit ausgeschlossen wird. Durch die Realisierung der Selbstbestimmung seitens des aus vielen unterschiedlichen Bevölkerungsgruppen zusammengesetzten Gesamtstaates wird der Selbstbestimmungsanspruch einzelner Bevölkerungsteile verbraucht. Das Selbstbestimmungsprinzip schließt also nach der in den UN herrschenden Auffassung im Bereich der Dekolonisierung ein Sezessionsrecht aus[33]. Insoweit hat eine Verengung des Inhalts des Selbstbestimmungsgedankens stattgefunden. Es ist aller-

---

mungsrechts, Wien/Stuttgart 1970, S. 132, als Träger des Selbstbestimmungsrechts »Völker und Volksgruppen« (nationale Minderheiten) zu bestimmen, kann nicht das Problem beseitigen, diese Einheiten ihrerseits klar zu definieren; vgl. zu diesem Problem auch die kritische Stellungnahme von *Emerson* (Anm. 19), S. 462 ff.

[33] Beispiele sind das Verhalten der UN im Konflikt der Republik Kongo (jetzt Zaire) mit der abtrünnigen Provinz Katanga, deren Sezession gewaltsam verhindert wurde; ferner die Ablehnung einer Befassung mit dem nigerianischen Bürgerkrieg, in dem es um die Sezession Biafras ging. Auch der West-Irian-Fall (siehe oben S. 78 f.) ist einschlägig: Die UN billigten die Inkorporation West-Irians in den indonesischen Staatsverband, die von Indonesien mit der Begründung gefordert wurde, West-Irian sei Teil Indonesiens, die Bildung einer selbständigen politischen Einheit West-Irians verletze die nationale Integrität Indonesiens.

dings verfrüht, ein Urteil darüber zu fällen, ob diese das Sezessionsrecht ausschließende Interpretation des Selbstbestimmungsprinzips heute auch allgemeine Geltung beanspruchen darf. Vieles spricht dafür, daß es sich hier um eine in praktisch-politischen Überlegungen wurzelnde Handhabung des Selbstbestimmungsprinzips handelt, die eine »Balkanisierung« der früheren Kolonialgebiete verhindern soll. Wäre diese Beurteilung der völkerrechtlichen Praxis richtig, ist der Schluß allerdings unausweichlich, daß das Selbstbestimmungsprinzip in der gegenwärtigen Völkerrechtsordnung nur eine relative Geltung beanspruchen kann, und zwar je nach den politischen Gegebenheiten, unter denen es in Anspruch genommen wird[34]. Es hätte somit eher die Funktion eines nach Möglichkeit zu beachtenden Ordnungsprinzips der internationalen Staatengemeinschaft als eines objektiv geltenden Rechtssatzes.

b) Die bisherige Arbeit des Committee of 24 und die noch ungelösten Dekolonisierungsfragen

Mit der Verabschiedung der »Declaration on the Granting of Independence to Colonial Countries and Peoples« durch die Generalversammlung vom 14. Dezember 1960 trat die Dekolonisierungsarbeit der Vereinten Nationen in ihr entscheidendes Stadium. Um der Forderung nach rascher Befolgung der Deklaration Nachdruck zu verleihen, errichtete die Generalversammlung mit der Resolution vom 27. November 1961[35] ein »Special Committee on the Situation with Regard to the Implementation of the Declaration on the Granting of Independence to Colonial Countries and Peoples« mit zunächst 17 Mitgliedern (vier Staaten der westlichen Staatengruppe, zwei des sozialistischen Lagers und elf aus der sog. Dritten Welt). Mit Beschluß vom 17. Dezember 1962 vergrößerte die Generalversammlung das Special Committee auf 24 Mitglieder (fünf westliche Staaten, drei sozialistische Staaten und 16 Staaten der Dritten Welt)[36], das unter dem Namen »Committee of 24« bekannt geworden ist.

Zu den Aufgaben dieses Ausschusses der Generalversammlung gehört es, a) »die angemessensten Wege und Mittel für eine rasche und vollständige Anwendung der Erklärung auf alle Gebiete zu suchen, die noch nicht zur Unabhängigkeit gelangt sind«, b) »spezielle Maßnahmen für die lückenlose Anwendung der Erklärung vorzuschlagen« und schließlich c) über seine Vorschläge und Empfehlungen der Generalversammlung zu berichten sowie den Sicherheitsrat über jede Entwicklung zu informieren, die den internationalen Frieden und die internationale Sicherheit bedrohen könnte[37]. War mit dieser Bestimmung des Aufgabenkreises des

[34] Vgl. dazu die eindrucksvolle Studie von Harold S. *Johnson,* Self-Determination within the Community of Nations, Leyden 1967, passim.

[35] GA Res. 1654 (XVI) vom 27. November 1961, in: Jahrbuch für Internationales Recht, Bd. 12, 1965, S. 507 f.

[36] GA Res. 1810 (XVII) vom 17. Dezember 1962, in: Jahrbuch für Internationales Recht, Bd. 12, 1965, S. 508 f.

[37] GA Res. 1654 (XVI) (Anm. 35), Abs. 4; GA Res. 1810 (XVII) (Anm. 36), Absatz 8.

Committee of 24 ein Überwachungssystem über die Kolonialgebiete geschaffen, wie es ähnlich durch das Treuhandsystem der UN schon bestand[38], ohne allerdings über ein entsprechendes geordnetes Verfahren zu verfügen, so wurde diese Rolle des Committee of 24 im Jahre 1963 noch dadurch verstärkt, daß durch Beschluß der Generalversammlung vom 16. Dezember 1963 das »Committee on Information from Non-Self-Governing Territories« aufgelöst und seine Funktionen dem Committee of 24 übertragen wurden. Seither hat das Committee of 24 regelmäßig allgemein über sämtliche abhängigen Gebiete und über die Situation in einzelnen Gebieten speziell der Generalversammlung berichtet und durch seine Vorschläge und Empfehlungen aktiv an der Dekolonisierung zahlreicher Gebiete Afrikas, Asiens und im West- und Südpazifik mitgewirkt[39]. Nachdem sich die Zahl der abhängigen Gebiete und der unter kolonialer Herrschaft – welcher Intensität auch immer – lebenden Menschen zwischen 1960 und 1970 drastisch verringert hat, konzentriert sich die Tätigkeit des Committee of 24 in den letzten Jahren auf die größten und politisch bedeutsamsten unter den noch rund 40 abhängigen Gebieten[40], namentlich Namibia (Südwestafrika)[41] und die portugiesischen Besitzungen in Afrika (Angola, Mosambik und Guinea [Bissau])[42] sowie Süd-Rhodesien[43], dessen von der weißen Bevölkerungsminorität gebildetes Regime und die von ihm erklärte Unabhängigkeit die UN nicht anerkennen. Unter dem Gesichtspunkt, daß das Regierungssystem der Republik Südafrika ebenfalls auf der Vorherrschaft der weißen Minorität beruht, ist auch die Apartheid-Politik Gegenstand der Erörterungen und Empfehlungen des Committee of 24 gewesen[44]. Von den kleinen abhängigen Territorien hat Papua New Guinea (der Südostteil der Insel Neuguinea), das von Australien verwaltet wird, im Vordergrund der Tätigkeit des Committee of 24 gestanden[45]. Mit dieser Konzentration der Arbeit auf politisch so kontroverse Probleme wie Namibia, die portugiesischen Besitzungen in Afrika und die Apartheid-Politik konnte es nicht ausbleiben, daß auch die Arbeit im Committee of 24 zunehmend erheblichen Spannungen und Belastungen ausgesetzt war. Ausdruck dessen ist der Austritt der Vereinigten Staaten von Amerika und Großbritanniens aus dem Gremium. In dem Austrittsschreiben der Ver-

---

[38] So auch *Goodrich/Hambro/Simons* (Anm. 19), S. 70.

[39] Vgl. die umfangreichen Berichte des Committee of 24, die jährlich der Generalversammlung der Vereinten Nationen erstattet werden.

[40] Der Bericht des UN-Generalsekretärs für 1970 nennt noch eine Zahl von 45 abhängigen Gebieten; seither sind weitere fünf Territorien unabhängig geworden: Fidschi-Inseln, Bahrein, Bhutan, Oman und Katar.

[41] Vgl. zum letzten Stand der Situation in diesen Gebieten die Berichte des Committee of 24. GAOR, 25th Session, Suppl. No. 23, Part VI (UN Doc. A/8023); GAOR, 26th Session, Suppl. No. 23, Part I, II (UN Doc. A/8423/Add. 3).

[42] Dazu Bericht des Committee of 24 (Anm. 41), Part VII; Doc. A/8423/Add. 4.

[43] Dazu Bericht des Committee of 24 (Anm. 41), Part V; UN Doc. A/8423/Add. 2, Part I, II.

[44] So vor allem im Rahmen der Apartheid-Diskussion bezüglich Namibias, vgl. den Bericht des Committee of 24 (Anm. 41), Bd. II, Kapitel VI.

[45] Dazu letztmalig Bericht des Committee of 24 (Anm. 41), Bd. III, Kapitel XIV.

einigten Staaten vom 11. Januar 1971 wird darauf hingewiesen, die US-Regierung habe keine Möglichkeit zu konstruktiver Arbeit in dem Ausschuß gesehen[46]. Wenn auch sowohl die Vereinigten Staaten als auch Großbritannien ihre Bereitschaft erklärt haben, in den sie betreffenden Fragen mit dem Committee of 24 zusammenzuarbeiten, so bedeutet ihr Rückzug von der Mitgliedschaft eine Schwächung des politischen Gewichts dieses Gremiums.

Es würde zu weit führen, hier einen Überblick über die gesamte Behandlung der genannten Dekolonisierungsfragen durch das Committee of 24 zu geben. Dennoch sollen die Hauptprobleme in kurzen Zügen geschildert werden.

Namibia

Nach dem insbesondere für die afrikanischen Staaten enttäuschenden Ausgang des Südwestafrika-Falles vor dem Internationalen Gerichtshof[47] und der fortbestehenden Weigerung der Mandatsmacht Südafrika, Südwestafrika die Unabhängigkeit zu gewähren, verstärkte sich in den UN der Druck, durch politische Beschlüsse der Generalversammlung und des Sicherheitsrates eine Lösung des Südwestafrika-Problems herbeizuführen, die im Einklang mit der »Declaration on the Granting of Independence to Colonial Countries and Peoples« steht. Am 26. Oktober 1966 beschloß die Generalversammlung auf Antrag einer vornehmlich aus afrikanischen Ländern bestehenden Staatengruppe, das Mandat der Republik Südafrika über Südwestafrika wegen Verletzung der Mandatspflichten zu beenden[48]. Das Mandat sollte künftig nach entsprechender Vorbereitung durch einen »Rat für Südwestafrika« von der Generalversammlung selbst wahrgenommen werden, bis Südwestafrika die Unabhängigkeit erlangt. Südafrika wurde aufgefordert, sich jeglicher legislativer, administrativer oder politischer Maßnahmen zu enthalten, die den internationalen Status Südwestafrikas beeinträchtigen könnten. Diese Pläne und Maßnahmen der Generalversammlung hatten nur geringen Erfolg. Zwar wurde der Rat für Südwestafrika gebildet, jedoch verweigerte ihm Südafrika die Einreise nach Südwestafrika[49]. Um dennoch in dem verbleibenden bescheidenen Rahmen im Sinne der Zielsetzung der Generalversammlung tätig sein zu können, erhielt der Rat weitere Funktionen, die die Unterstützung außerhalb Südwestafrikas lebender Einwohner des Gebiets sowie die Ausbildung eines Kaders von Beamten und technischem Personal für eine künftige südwestafrikanische Verwaltung betrafen. Durch Beschluß der Generalversamm-

---

[46] Vgl. dazu die Angaben in: *Archiv der Gegenwart*, Jg. 41, 1971, S. 15992 A.

[47] Abessinien und Liberia gegen Südafrikanische Union, International Court of Justice Reports 1966, S. 6 ff.

[48] GA Res. 2145 (XXI) vom 27. Oktober 1966, Text in: Yearbook of the United Nations 1966, S. 606.

[49] Vgl. dazu Yearbook of the United Nations 1967, S. 690; *International Conciliation*, Nr. 569, September 1968 (Issues before the 23rd General Assembly), S. 66 f.

lung vom 12. Juni 1968 erhielt Südwestafrika »in Übereinstimmung mit den Wünschen der Bevölkerung« den Namen »Namibia«[50].

Der Sicherheitsrat – von der Generalversammlung im Zusammenhang mit dem Beschluß über die Beendigung des Mandats Südafrikas über Südwestafrika aufgefordert, von diesem Beschluß Kenntnis zu nehmen und die notwendigen Maßnahmen zu seiner Durchsetzung zu unternehmen – verabschiedete seit 1969 eine Reihe von Resolutionen, die in zunehmender Schärfe die Konsequenzen aus der Mandatsbeendigung zogen[51]. Den entscheidenden Schritt vollzog der Sicherheitsrat mit der Resolution 276 (1970) vom 30. Januar 1970, in der nach einer Bestätigung des Beschlusses der Generalversammlung über die Beendigung des Mandats über Namibia und unter Erinnerung an die vorherigen Aufforderungen an Südafrika, seine Verwaltungstätigkeit in Namibia einzustellen und sein Personal zurückzuziehen, die fortdauernde Präsenz der südafrikanischen Verwaltung in Namibia für rechtswidrig erklärt wurde[52].

Jedoch ungeachtet dieser Bemühungen der Vereinten Nationen, an denen auch das Committee of 24 beteiligt war, fuhr Südafrika mit seiner Politik der Integration Namibias in den südafrikanischen Staatsverband fort, indem es durch gesetzgeberische und Verwaltungsmaßnahmen verschiedenster Art, u. a. durch Übertragung fast aller Regierungskompetenzen von der Territorialregierung auf die südafrikanische Zentralgewalt und die Durchführung der sog. »homelands«-Politik, die Stellung Namibias derjenigen der anderen Landesteile der Republik anglich[53].

Angesichts dieser Lage beschloß der Sicherheitsrat am 29. Juli 1970, den Internationalen Gerichtshof um ein Gutachten darüber zu bitten[54], welche völkerrechtlichen Konsequenzen es für die Staatengemeinschaft habe, daß Südafrika entgegen den UN-Beschlüssen in Namibia präsent geblieben sei. Der Gerichtshof erstattete sein Gutachten am 21. Juni 1971[55]. Mit der großen Mehrheit von 13 zu 2 Stimmen schloß sich das Gericht der Auffassung des Sicherheitsrates an, dieser habe mit bindender Wirkung festgestellt, daß die fortdauernde Präsenz der Regierung und Verwaltung der Republik Südafrika in Namibia illegal sei, da das Mandat der Republik über Südwestafrika zu Recht beendet worden sei. Aus der

---

[50] GA Res. 2372 (XXII) vom 12. Juni 1968, in: Yearbook of the United Nations 1968, S. 878 ff.

[51] Vgl. SC Res. 264 (1969) vom 20. März 1969; SC Res. 269 (1969) vom 12. August 1969, in: Yearbook of the United Nations 1969, S. 696 f.

[52] Vgl. SC Res. 276 (1970) vom 30. Januar 1970.

[53] Siehe dazu Näheres in: *International Conciliation*, Nr. 574, September 1969 (Issues before the 24th General Assembly), S. 78 ff.; zur »homelands«-Politik Südafrikas vgl. auch Jost *Delbrück*, Die Rassenfrage als Problem des Völkerrechts und nationaler Rechtsordnungen, Frankfurt 1971, S. 237 ff.

[54] SC Res. 284 (1970) vom 29. Juli 1971, in: *Vereinte Nationen*, Jg. 1970, S. 164.

[55] Vgl. Legal Consequences for Status of the Continued Presence of South Africa in Namibia (South West Africa) Notwithstanding Security Council Resolution 276 (1970), Advisory Opinion vom 21. Juni 1971, in: International Court of Justice Reports 1971, S. 16 ff.

bindenden Feststellung der Illegalität der Präsenz Südafrikas folge nach Auffassung der genannten Mehrheit der Richter die Pflicht Südafrikas, sich aus Namibia zurückzuziehen. Mit nur 11 zu 4 Stimmen hielt das Gericht ferner die Mitgliedstaaten der Vereinten Nationen für verpflichtet, die Illegalität der fortdauernden Präsenz Südafrikas sowie die Ungültigkeit aller Akte der südafrikanischen Regierung im Namen und bezüglich Namibias anzuerkennen sowie in den Beziehungen zur Republik Südafrika alles zu unterlassen, was einer auch nur stillschweigenden Anerkennung der Rechtmäßigkeit südafrikanischer Verwaltung in Namibia Vorschub leisten könnte. Besonders weitgehend ist die Auffassung der Mehrheit der Richter des Internationalen Gerichtshofs in der Frage, welche Konsequenzen die im Rahmen der Organisation der Vereinten Nationen bindende Feststellung der fortdauernden Präsenz Südafrikas in Namibia für Nicht-Mitgliedstaaten habe. Ebenfalls mit 11 zu 4 Stimmen stellte das Gericht hierzu fest, es obliege den Nicht-Mitgliedstaaten (»it is incumbent upon States which are not Members of the United Nations«)[56], ihrerseits die Maßnahmen der UN bzw. ihrer Mitglieder, die in Ausführung der Beschlüsse der Organisation bezüglich Namibias gefaßt werden, zu unterstützen. Das heißt, daß der Gerichtshof hier im Grunde – trotz der etwas untechnischen Wortwahl, daß es den Nicht-Mitgliedstaaten »obliege«, die Organisation in ihrer Tätigkeit zugunsten Namibas zu unterstützen – eine Bindungswirkung der Beschlüsse eines politischen Hauptorgans der UN für Nicht-Mitgliedstaaten annimmt. Diese Ausdehnung der Bindungswirkung der Beschlüsse des Sicherheitsrates über den Kreis der Mitgliedstaaten hinaus begründet das Gericht damit, daß die Beendigung des Mandats über Namibia, also die Änderung eines rechtlichen Status, Rechtswirkungen gegenüber jedem Staat habe und infolgedessen die Entscheidungen, die zur Durchsetzung des neuen Status Namibias in der Staatengemeinschaft ergehen, auch von jedem Staat befolgt werden müßten[57]. Es ist unklar, ob das Gericht diese Schlußfolgerung darauf stützt, daß territoriale Statusänderungen auch gegenüber nichtbeteiligten Drittstaaten Geltung haben, oder ob es auf Artikel 2 Absatz 6 der Charter der Vereinten Nationen Bezug nimmt, wonach es Aufgabe der UN ist, dafür zu sorgen, daß Nicht-Mitgliedstaaten in Einklang mit den Grundsätzen der Charter handeln, soweit dies zur Aufrechterhaltung des internationalen Friedens und der Sicherheit erforderlich ist. Der Hinweis auf die erga-omnes-Wirkung der Mandatsbeendigung läßt auf das erste Argument schließen. Jedoch vermag dieses eine Pflicht der Nicht-Mitgliedstaaten, zur Durchsetzung des neuen Status von Namibia beizutragen, nicht zu begründen, da es ihnen nach allgemeinem Völkerrecht freisteht, den Status Namibias anzuerkennen oder nicht[58]. Dieses Recht kann

[56] International Court of Justice Reports 1971, S. 58.

[57] International Court of Justice Reports 1971, S. 56; siehe Beitrag von Jochen Abr. *Frowein*, S. 59 f.

[58] Wie hier Ulrich *Scheuner*, Die Vereinten Nationen und die Stellung der Nichtmitglieder, in: Festgabe Karl Bilfinger, Bd. 29 der Beiträge zum ausländischen öffentlichen Recht und Völkerrecht, hrsg. vom Max-Planck-Institut für ausländisches öffentliches Recht und Völkerrecht, Heidelberg/Köln/Berlin 1954, S. 380.

durch Beschlüsse der UN-Organe nicht eingeschränkt werden, es sei denn, die Verweigerung einer solchen Anerkennung bedeutete eine Friedensbedrohung. In der Tat könnte unter diesem Gesichtspunkt eine Rechtfertigung der Auffassung des Internationalen Gerichtshofs und damit des Sicherheitsrates gefunden werden, wenn die Weigerung Südafrikas, sich aus Namibia zurückzuziehen, als eine Störung oder Bedrohung des internationalen Friedens qualifiziert würde. Der Gerichtshof hat jedoch in seinem Gutachten diesen Schluß nicht gezogen. Der Sicherheitsrat hat dagegen wiederholt den friedensstörenden Charakter des südafrikanischen Verhaltens betont, wenngleich eine förmliche Feststellung einer Friedensbedrohung oder eines Friedensbruches im Sinne des Kapitels VII der Charter der Vereinten Nationen damit nicht getroffen wurde. So bleibt festzustellen, daß die so weitreichenden Schlußfolgerungen des Internationalen Gerichtshofs bezüglich der Pflichten der Nicht-Mitgliedstaaten in der Namibia-Frage einer stringenten Begründung entbehren.

Die hier aufgezeigten Zweifel an der Tragfähigkeit der Argumentation des Internationalen Gerichtshofs im Hinblick auf die Pflichten der Nicht-Mitgliedstaaten gegenüber den UN einerseits und Namibia andererseits sind allerdings für die Bundesrepublik Deutschland im Falle ihres Beitritts zur Organisation bedeutungslos. Sie wird deshalb bereits jetzt ihr politisches Verhalten in dieser Frage nach den von den UN gesetzten Maßstäben richten müssen.

Die Bundesrepublik wird insbesondere die jüngsten Beschlüsse des Sicherheitsrates zu berücksichtigen haben, wonach die Mitgliedstaaten u. a. ihre gesamten bilateralen Beziehungen einschließlich der bisher abgeschlossenen Verträge daraufhin zu überprüfen haben, ob sie mit den Beschlüssen über die Illegalität der südafrikanischen Präsenz in Namibia übereinstimmen und von der Entsendung konsularischer Vertreter nach Namibia Abstand nehmen sollen[59] – Maßnahmen, denen allerdings bisher ebenso der Erfolg versagt blieb wie allen früheren Anstrengungen der Vereinten Nationen, Südafrika zum Einlenken zu bewegen.

Abgesehen von der bedenklichen Autoritätskrise, in die die UN in der Namibia-Frage angesichts der Unmöglichkeit, Südafrika zu einer Beachtung der UN-Beschlüsse zu bewegen, geraten sind, muß in diesem Fall unter dem Gesichtspunkt der Selbstbestimmungsverwirklichung folgendes hervorgehoben werden: Bisher beschränkten sich die UN-Entschließungen bezüglich Namibia auf ein Tatsachenmaterial, das im wesentlichen von außer Landes lebenden Personen (Zeugenaussagen usw.) beschafft worden ist. Mit in Namibia gewählten Repräsentanten haben die UN bisher keinen Gedankenaustausch pflegen können. Als Vertreter der Bevölkerung Namibias fungieren die Vorsitzenden von politischen Exilgruppen – wie beispielsweise Sam Nujona, Präsident der »South West Africa People's Organization«[60]. So sind die UN immer wieder Vorwürfen der Republik Südafrika

[59] Vgl. SC Res. 283 (1970) vom 29. Juli 1970; SC Res. 301 (1971) vom 20. Oktober 1971; SC Res. 309 (1972) vom 4. Februar 1972, Texte in: *UN Monthly Chronicle*, August 1970, S. 35 f., Oktober 1971, S. 33 f. und März 1972, S. 50 f.

[60] Vgl. dazu *UN Monthly Chronicle*, Januar 1971, S. 11.

ausgesetzt, sie arbeiteten aufgrund fehlender Sachkenntnis. Anderseits kann die Organisation auch Vorschlägen der Republik nicht folgen, die – wie im Zuge des Gutachtenverfahrens vor dem Internationalen Gerichtshof von Südafrika angeboten – auf die Abhaltung eines Plebiszits in Namibia abzielen mit der Frage, ob die Republik oder die UN das Mandat über Namibia ausüben sollen[61]. Selbst wenn ein solches Plebiszit unter der Mitwirkung des Internationalen Gerichtshofs als Kontrollinstanz – so der südafrikanische Vorschlag – durchgeführt würde, bedeutete die Zustimmung zu einem solchen Verfahren die implizite Anerkennung der Illegalität oder Annullierung aller bisherigen Beschlüsse der UN-Organe in der Namibia-Frage. So ist die fast absurde Situation entstanden, daß im Kampf um die Verwirklichung des Selbstbestimmungsrechts Südwestafrikas die UN einen Akt der Selbstbestimmung, ein Plebiszit, um der Wahrung des Rechtsstandpunktes willen ablehnen zu müssen meinen. Die Durchsetzung der Loslösung Namibias von Südafrika ist das vorrangige Ziel, das nicht durch ein Plebiszit gefährdet werden soll[62]. Zweifel, ob ein Plebiszit korrekt durchgeführt werden würde, sind sicher gegeben und lassen die Haltung der UN-Organe insofern verständlich erscheinen.

Die dem Gehalt des Selbstbestimmungsprinzips entsprechende Verwirklichungsform bleibt allerdings unberücksichtigt, was für die weitere Festigung des Selbstbestimmungsgedankens im internationalen Rechtsbewußtsein – strebt man sie wirklich an – von Nachteil ist.

Die portugiesischen Gebiete in Afrika

Das Schicksal der portugiesischen Gebiete in Afrika hat lange im Schatten der zu ihrer Zeit das politische Geschehen bestimmenden Dekolonisierungsprobleme in anderen Bereichen – wie z. B. im Kongo und in Nordafrika – gestanden. Erst um die Mitte der sechziger Jahre konzentrierte sich das Interesse der UN bzw. der afro-asiatischen Mitglieder auf diese Frage.

Portugal – UN-Mitglied erst seit 1955 – hatte durch eine Verfassungsänderung im Jahre 1951 den afrikanischen Kolonien den Status von Übersee-Territorien gegeben und 1961 auch den afrikanischen Einwohnern dieser Gebiete die

[61] Näheres in: *Vereinte Nationen,* Jg. 19, 1971, S. 60.

[62] Interessant ist in diesem Zusammenhang die Resolution des Sicherheitsrates 309 (1972) vom 4. Februar 1972, in der der Generalsekretär gebeten wird, »... sobald wie möglich mit allen betroffenen Parteien Verbindung herzustellen, mit dem Ziel der Herstellung der notwendigen Voraussetzungen, um es der Bevölkerung von Namibia zu ermöglichen, frei und unter strenger Beachtung der Grundsätze der menschlichen Gleichheit in Übereinstimmung mit der Charter der Vereinten Nationen ihr Recht auf Selbstbestimmung und Unabhängigkeit auszuüben«, zitiert aus *Vereinte Nationen,* Jg. 20, 1972, S. 68. Es wird hier nicht deutlich, ob der Sicherheitsrat mit dem Hinweis auf die Herstellung der Voraussetzungen für die Ausübung des Selbstbestimmungsrechts doch evtl. auf eine plebiszitäre Entscheidung abzielt. Die gleichzeitige Betonung des Rechts auf Unabhängigkeit scheint allerdings dagegen zu sprechen und die bisherige Haltung, daß nur die Unabhängigkeit Namibias der Selbstbestimmungsforderung gerecht wird, zu bestätigen.

portugiesische Staatsangehörigkeit verliehen, um damit die integrale Zugehörigkeit der Territorien zum Mutterland zu unterstreichen[63]. Aufgrund dieser innerstaatlichen Regelungen weigerte sich Portugal, den zuständigen UN-Organen Berichte über die Situation in Angola, Mosambik und Guinea (Bissau) gemäß Artikel 73 e der Charter der Vereinten Nationen (Berichte über Gebiete ohne Selbstregierung) vorzulegen[64]. Während es anfänglich nur bei mehr oder minder eindringlichen Appellen der Generalversammlung blieb, Portugal möge seinen Pflichten aus Artikel 73 e nachkommen, spitzte sich der Konflikt zwischen Portugal und der Organisation in der Mitte der sechziger Jahre zu.

Die Mehrheit der UN-Mitglieder hielt die portugiesischen Gebiete in Afrika nach wie vor für Kolonialgebiete und verlangte einerseits von Portugal die Einhaltung der Berichtspflicht, andererseits aber – und das ist entscheidend – die rasche Vorbereitung der Territorien auf die Unabhängigkeit. Die Weigerung Portugals, diesem Verlangen nachzukommen, werteten die Generalversammlung und der Sicherheitsrat als Friedensbedrohung[65], und sie empfahlen dementsprechend allen Staaten, Portugal jegliche Hilfe zu verweigern, die es bei der Unterdrückung der Völker in den abhängigen Gebieten unterstützen könnten. Im Jahre 1965 ging die Generalversammlung sogar so weit, den Mitgliedern der Vereinten Nationen den Abbruch der diplomatischen Beziehungen mit Portugal sowie einen Handelsboykott zu empfehlen[66].

Von allgemeiner Bedeutung ist die Behandlung dieses Dekolonisierungsfalles deswegen geworden, weil in jüngster Zeit die Generalversammlung unter dem Einfluß der afro-asiatischen Mehrheit dazu übergegangen ist, offen oder zumindest implizit die Guerilla-Tätigkeit der afrikanischen Befreiungsbewegungen in den portugiesischen Gebieten zu unterstützen und somit nicht als Verstoß gegen das Gewaltverbot des Artikels 2 Absatz 4 der UN-Charter zu werten, selbst wenn diese militärischen Aktionen von Nachbarstaaten aus unterstützt werden[67]. Die

[63] Vgl. *Archiv der Gegenwart*, Jg. 31, 1961, S. 9307 D; der neue Status der Einwohner Portugiesisch-Afrikas trat am 6. September 1961 in Kraft.

[64] Siehe dazu die Berichte zur portugiesischen Haltung, in: Yearbook of the United Nations 1963, S. 481; 1965, S. 605 ff.; 1966, S. 608 ff. und 1967, S. 713 ff. sowie in: *International Conciliation*, Nr. 574, September 1969 (Issues before the 24th General Assembly), S. 82 ff.; zur jüngsten Behandlung der portugiesischen Gebiete in der Generalversammlung im Jahre 1971 siehe *UN Monthly Chronicle*, Januar 1972, S. 153 ff.

[65] Vgl. die SC Res. 218 (1965) vom 23. November 1965, Text in: Yearbook of the United Nations 1965, S. 613 f. In diesem Sinne auch schon die SC Res. 183 (1963) vom 11. Dezember 1963, Text in: Yearbook of the United Nations, 1963, S. 492. Zur Haltung der Generalversammlung in dieser Frage vgl. aus neuerer Zeit GA Res. 2270 (XXII) vom 17. November 1967, in: Yearbook of the United Nations 1967, S. 724 f.; GA Res. 2395 (XXIII) vom 29. November 1968, in: Yearbook of the United Nations 1968, S. 803 f.; GA Res. 2507 (XXIV) vom 21. November 1969, S. 712 f.; GA Res. 2707 (XXV) vom 14. Dezember 1970 und GA Res. 2795 (XXVI) vom 10. Dezember 1971.

[66] GA Res. 2107 (XX) vom 21. Dezember 1965, in: Yearbook of the United Nations 1965, S. 614 ff.

[67] Zur Haltung der Generalversammlung gegenüber der afrikanischen Befreiungsbewegung vgl. die GA Res. 2184 (XXI) vom 12. Dezember 1966, in: Yearbook of the United Na-

Verwirklichung des Selbstbestimmungsprinzips im kolonialen Bereich wird als ein Rechtfertigungsgrund für die Anwendung von Gewalt in Anspruch genommen. Wirft schon diese Interpretation des Selbstbestimmungsprinzips bzw. in Verbindung mit ihm die des Gewaltverbotes für die künftige Mitarbeit der Bundesrepublik in den UN erhebliche Probleme auf, so werden die Schwierigkeiten noch dadurch verschärft, daß den NATO-Partnern Portugals, zu denen auch die BRD gehört, eine illegale Unterstützung Portugals zu Lasten der Befreiungsbewegungen vorgeworfen wird[68], wobei die BRD politisch offenbar verwundbarer ist aufgrund ihrer allgemeinen Situation als etwa Frankreich, das seine Waffentransaktionen, z. B. mit Südafrika, bisher ohne nennenswerten politischen Schaden hat durchführen können.

Rhodesien und Südafrika

Das letzte Dekolonisierungsproblem, das wegen seiner politischen Brisanz, vor allem aber auch wegen seiner Relevanz für die künftige Entwicklung des Völkerrechts im allgemeinen und der Rolle des Selbstbestimmungsprinzips speziell hier dargestellt werden soll, ist die Rhodesien-Frage und im Zusammenhang damit auch das Südafrika-Problem, obwohl es sich jedenfalls bei letzterem nicht um eine Dekolonisierungsfrage strictu sensu handelt.

Nach der Auflösung der Föderation von Rhodesien und Njassaland im Jahre 1963 erhielt Süd-Rhodesien wieder den Status einer britischen Kolonie mit Selbstregierung innerhalb des British Commonwealth of Nations. Nach vergeblichen Verhandlungen zwischen der britischen Regierung in London und der rhodesischen Regierung unter Premierminister Ian Smith erklärte dieser im November 1965 einseitig die Unabhängigkeit seines Landes[69]. Der Grund für das Scheitern der Verhandlungen über die Unabhängigkeit lag in der Weigerung Rhodesiens, eine Verfassung anzunehmen, die der afrikanischen Bevölkerungsmehrheit schrittweise eine gleichberechtigte Mitwirkung an der Regierung des Landes gewähren würde. Seither steht Rhodesien unter der Herrschaft einer von der weißen Bevölkerungsminorität getragenen Regierung. Alle Versuche Großbritanniens und der Verein-

---

tions 1966. S. 617; GA Res. 2270 (XXII) vom 17. November 1967, in: Yearbook of the United Nations 1967, S. 724 f. und besonders deutlich in der Billigung des Befreiungskampfes die GA Res. 2795 (XXVI) (Anm. 65), in der die militärischen Maßnahmen Portugals gegen die Befreiungsbewegung als Kolonialkrieg verurteilt werden; siehe auch Beitrag von *Frowein,* S. 49 ff.

[68] Ausdruck dessen ist beispielsweise der dringliche Appell der Generalversammlung in der GA Res. 2707 (XXV) vom 14. Dezember 1970, mit dem vor allem die NATO-Partner Portugals aufgefordert werden, Portugal jede militärische Hilfe zu verweigern, vgl. dazu *UN Monthly Chronicle,* Januar 1971, S. 54 f.; ebenso GA Res. 2795 (XXVI) vom 10. Dezember 1971 (Anm. 65). Vgl. zu diesem Problem Ulrich *Albrecht*/Birgit A. *Sommer,* Waffen für die Dritte Welt — Militärhilfe und Entwicklungspolitik, Reinbek bei Hamburg 1972, S. 23 ff.

[69] Vgl. zur Entwicklung der Rhodesien-Frage die Dokumentation in *Afrika heute,* 1972, Heft 5/6 (Sonderbeilage, März 1972); ferner dazu *Delbrück* (Anm. 30), S. 550 f.

ten Nationen, das rhodesische Regime unter Smith zum Einlenken zu bewegen, sind bis heute gescheitert, obwohl gegen das Land scharfe wirtschaftliche Sanktionen – erstmals verbindlich durch den Sicherheitsrat nach Kapitel VII der UN-Charter – verhängt wurden[70]. Durch enge Zusammenarbeit mit der Republik Südafrika hat sich das Smith-Regime sogar ständig festigen können.

Signifikant ist, daß es in der Rhodesien-Frage nunmehr nicht mehr um die Herbeiführung der Unabhängigkeit Rhodesiens von der früheren Kolonialmacht geht – diese besteht jedenfalls de facto –, sondern um die – nach der Terminologie der UN – Befreiung der afrikanischen Bevölkerungsmehrheit von dem rassistischen weißen Minderheitsregime. Dieser Aspekt ist dem Rhodesien-Problem und der Südafrika-Frage gemeinsam. Unter dem Gesichtspunkt der Realisierung des Selbstbestimmungsprinzips ist hervorzuheben, daß es sich hier nicht wie in sonstigen Dekolonisierungsfällen in erster Linie um die Herbeiführung der Unabhängigkeit des Kolonialgebietes, also um die Verwirklichung der äußeren Selbstbestimmung handelt, sondern um die Durchsetzung der gleichberechtigten politischen Mitwirkung an der Regierung der beiden Länder seitens der farbigen Bevölkerung, also um die innere Selbstbestimmung. In den Äußerungen der zuständigen UN-Organe zeigt sich dieser veränderte Aspekt des Selbstbestimmungsprinzips in der Wahl der Begriffe zur Kennzeichnung der politischen Zielsetzung: Nicht mehr von »independence« ist die Rede, sondern von der Notwendigkeit der Realisierung einer Ordnung in den inkriminierten Staaten, die auf der »majority rule« und dem Prinzip des »one man, one vote« beruht[71].

Historisch gesehen ist diese demokratische Komponente – wie gezeigt wurde – dem Selbstbestimmungsprinzip durchaus eigen gewesen. Die erneute Hinwendung der Staatengemeinschaft zu einer solchen Interpretation des Selbstbestimmungsprinzips ist somit durchaus begrüßenswert. Allerdings ist es angesichts der weltweiten ideologiebedingten Auffassungsunterschiede über die Art und Weise, in der demokratische Selbstbestimmung gewährt werden soll, zweifelhaft, ob es sich bei dieser Hinwendung der UN-Organe zu einer Verwirklichung des Selbstbestimmungsprinzips demokratischer Prägung um einen Ansatz zu einer allgemeinen Anerkennung eines innerstaatlich-demokratischen Selbstbestimmungsrechts handelt, oder ob diese Interpretation lediglich das Vehikel bildet, um den Konflikt zwischen einer herrschenden weißen Minderheit und der farbigen Mehrheit zugunsten der letzten zu lösen. Mit anderen Worten, es ist zu fragen, ob die Tendenz zur Anerkennung eines demokratischen Selbstbestimmungsrechts im Recht der Vereinten Nationen nur einen spezifischen Aspekt der Realisierung der Selbstbestimmung als Mittel der Dekolonisierung im weitesten Sinne darstellt. Immerhin wird man soviel feststellen dürfen, daß es eine lohnende Aufgabe der UN

---

[70] SC Res. 253 (1968) vom 29. Mai 1968, in: Yearbook of the United Nations 1968, S. 152 ff.

[71] Vgl. GA Res. 2796 (XXVI) vom 10. Dezember 1971, in: *UN Monthly Chronicle*, Januar 1972, S. 156 f.

ist, diese — vielleicht nur in einer vorübergehenden politischen Konstellation wurzelnden — Ansätze zu einer Belebung des demokratischen Selbstbestimmungsprinzips behutsam aufzugreifen und einer allgemeinen Anerkennung näherzubringen.

c) Zum Problem des Neokolonialismus und der wirtschaftlichen Selbstbestimmung

Neben die Aufgabe, entsprechend den Zielen der Vereinten Nationen das System der Kolonialherrschaft als solches zu beseitigen, ist in zunehmendem Maße das Problem getreten, wie die aus kolonialer Abhängigkeit in den Kreis der souveränen Staaten getretenen jungen Länder der Dritten Welt ihre neu gewonnene Unabhängigkeit wahren können. Dabei geht es nicht oder jedenfalls nur sehr am Rande um die Sicherung der Staaten vor militärischer Bedrohung, sondern die möglichen Gefahren für die Unabhängigkeit der neuen Staaten gehen von der Tatsache aus, daß sie in aller Regel wirtschaftlich unterentwickelt sind und beim Aufbau ihrer nationalen Wirtschaft auf die Hilfe der Industrienationen angewiesen sind, die jedenfalls zum großen Teil mit den früheren Kolonialmächten identisch sind. Aber nicht nur zu diesen kann es aufgrund der wirtschaftlichen Abhängigkeit auch wieder zu politischen Bindungen kommen, die die nationale Unabhängigkeit unangemessen beschränken[72], sondern auch Industriestaaten, die keine unmittelbare koloniale Vergangenheit haben, wie die Bundesrepublik Deutschland, können in die Rolle einer die unterstützten Länder dominierenden Macht geraten.

Dieses Problem der Sicherung auch der wirtschaftlichen Selbstbestimmung ist von den Vereinten Nationen frühzeitig gesehen worden. Zur Bekämpfung des Phänomens der die politische Unabhängigkeit bedrohenden wirtschaftlichen Abhängigkeit — in den UN und außerhalb unter dem ideologisch-propagandistisch geführten Begriff des »Neokolonialismus« bekannt — sind zwei Wege eingeschlagen worden. Bei der Kodifizierung des Selbstbestimmungsrechts in den Menschenrechtskonventionen der Vereinten Nationen ist Wert darauf gelegt worden, auch das ungeschmälerte Verfügungsrecht der Völker über die in ihrem Lande vorhandenen wirtschaftlichen Ressourcen als Teil des Inhalts des Selbstbestimmungsrechts niederzulegen. Im zweiten Absatz des jeweils in den Konventionen über wirtschaftliche, soziale und kulturelle Rechte und über die staatsbürgerlichen und politischen Rechte gleichlautenden Artikels 1 heißt es: »Alle Völker können für ihre Zwecke frei über ihre Naturreichtümer und natürlichen Hilfsquellen verfügen, unbeschadet der Verpflichtungen, die aus der internationalen wirtschaftlichen Zusammenarbeit auf der Grundlage des Prinzips des gegenseitigen Nutzens und aus dem Völkerrecht erwachsen. Auf keinen Fall darf ein Volk seiner eigenen Exi-

[72] Zum Problem des Neokolonialismus Eberhard *Stahn*, Entwicklungshilfe — eine neue Form des Kolonialismus?, in: *Außenpolitik*, Jg. 20, 1969, S. 605 ff.; ein Beispiel solcher politischer Bindung im Rahmen der Entwicklungshilfe war die Verquickung von Entwicklungshilfeleistung durch die BRD einerseits und Beachtung der Hallstein-Doktrin durch die Empfängerländer andererseits, vgl. dazu kritisch Erhard *Eppler*, Entwicklungspolitik und Eigeninteressen, in: *Europa-Archiv*, Jg. 26, 1971, S. 191.

stenzmittel beraubt werden.«[73] Ähnlich, nur ausführlicher und im Sinne der gegen den Neokolonialismus gerichteten Tendenz deutlicher, wird dieser Gedanke in der Resolution der Generalversammlung vom 14. Dezember 1962 betreffend die dauerhafte Souveränität über die Naturschätze ausgedrückt: »1. Das Recht der Völker und Nationen auf dauerhafte Souveränität über ihre Naturreichtümer und Hilfsquellen muß im Interesse ihrer nationalen Entwicklung und der Wohlfahrt der Bevölkerung des betreffenden Staates ausgeübt werden. 2. Die Erforschung, Entwicklung und die Verfügung über die Ressourcen sowie der Kapitalimport aus dem Ausland, der für diese Zwecke erforderlich ist, soll in Übereinstimmung mit den Regeln und Bedingungen erfolgen, die die Völker und Nationen aus freiem Entschluß im Hinblick auf die Erlaubnis, Beschränkung oder das Verbot solcher Maßnahmen für notwendig oder wünschenswert erachten.«[74]

Ein zweiter pragmatischer Weg zur Sicherung der Entwicklungsländer vor neokolonialistischer Unterwerfung, den die UN eingeschlagen haben, ist der der institutionalisierten, multilateralen Entwicklungshilfe durch UN-Organe oder der angeschlossenen Organisationen. Obwohl auch gegenüber dieser Form der wirtschaftlichen Aufbauhilfe der Vorwurf des – nur kaschierten – Neokolonialismus erhoben wurde, ist dieser Weg zweifellos geeignet, direkte und allzu weitgehende wirtschaftliche Abhängigkeiten eines Entwicklungslandes von einer Industriemacht zu beschränken[75].

Die besondere Schwierigkeit, den Gefahren erneuter, politischer Abhängigkeit der Entwicklungsländer durch wirtschaftliche Hilfsbedürftigkeit zu begegnen, liegt u. a. darin, daß ein großer Teil der für die wirtschaftliche Entwicklung erforderlichen Mittel, jedenfalls soweit sie aus den westlichen Industrienationen fließen, entsprechend deren privatwirtschaftlich organisierten Wirtschaftsordnung durch Investitionen privater Unternehmen bereitgestellt werden. Das aber bedeutet, daß die Investitionen nicht allein unter dem Gesichtspunkt der Entwicklung der Wirtschaft des unterstützten Landes, sondern auch unter dem Aspekt der Gewinninteressen der privaten Unternehmen erfolgen. Das bedeutet, daß die Nutzung der Naturreichtümer der Entwicklungsländer nicht ausschließlich diesen zugute kommt, wobei anzumerken ist, daß der Nutzen der Industrie-(Geber-)Länder viel geringer ist als dies gemeinhin angenommen wird[76]. Die Staatswirtschaftsländer des sozialistischen Lagers befinden sich hier in einer günstigeren Position. Obwohl auch die Annahme irrig wäre, daß diese Staaten ihre Entwicklungshilfe völlig uneigennützig gewähren, so ist es ihnen dennoch möglich, den Anschein einer Ausnutzung der Rohstoffe usw. in den Entwicklungsländern zu ihrem eigenen Vorteil eher zu vermeiden.

---

[73] Zitiert aus der Übersetzung des Instituts für Internationales Recht an der Universität Kiel, in: Jahrbuch für Internationales Recht, Bd. 15, 1971, S. 773 (789).

[74] GAOR, 17th Session, Suppl. No. 17, S. 15 f.

[75] Hier ist allerdings anzumerken, daß auch die durch die Vereinten Nationen geleistete Entwicklungshilfe dem Vorwurf des Neokolonialismus unterzogen wurde, vgl. *Stahn* (Anm. 72), S. 605.

[76] Dazu *Eppler* (Anm. 72), S. 187, mit weiteren Nachweisen.

Angesichts der intensiven Aufmerksamkeit, die etwaigen neokolonialistischen Praktiken im Rahmen der Entwicklungshilfe gerade auch in den UN gewidmet wird, bedarf es einer sorgfältig abgewogenen Planung der nationalen Entwicklungspolitik, die sich nicht durch eine angebliche – gar nicht realisierbare – Uneigennützigkeit, sondern durch eine langfristige Wachsamkeit, Losgelöstheit von kurzfristigen außenpolitischen Motivationen und eine klare Offenlegung des Eigeninteresses an der geleisteten Hilfe auszeichnen sollte[77]. Hier könnte die BRD, die von einer kolonialen Vergangenheit nicht belastet ist, beispielhaft wirken.

Ehe auf diese speziell die Haltung der BRD in der Dekolonisierungsfrage betreffenden Frage eingegangen wird, ist noch auf einen letzten Aspekt des Selbstbestimmungsprinzips einzugehen, der erst in jüngster Zeit wieder an Bedeutung zu gewinnen scheint: der Minderheitenschutz.

d) Aktivierung des Minderheitenschutzes als Mittel der Verwirklichung des Selbstbestimmungsprinzips?

Es wurde bereits darauf hingewiesen[78], daß sich die Staatengemeinschaft nach dem Zweiten Weltkrieg gegenüber einem internationalen Minderheitenschutz reserviert gezeigt hat. Der Grund hierfür lag in den wenig befriedigenden Erfahrungen mit dem elaboraten Minderheitenschutzsystem des Völkerbundes, das in der Theorie zwar vorzüglich durchgeformt war, teilweise auch in der Praxis gute Ergebnisse zeitigte, letztlich jedoch zu den explosiven, friedensgefährdenden Entwicklungen vor dem Zweiten Weltkrieg beigetragen hat. Das Schicksal der nationalen Minderheiten war vielfach Anlaß oder Vorwand zu Konflikten, beispielsweise in der Sudeten-Frage, im Verhältnis zwischen dem Deutschen Reich und der Tschechoslowakei. Die Staatenpraxis nach dem Zweiten Weltkrieg läßt das Bemühen der Staaten erkennen, Minderheitensituationen möglichst zu vermeiden, selbst um den Preis inhumaner Vertreibungen solcher Minderheiten wie im Falle der deutschen Minderheiten aus osteuropäischen Staaten. Soweit solche Vertreibungen nicht stattfanden, wurde die Integration und Assimilierung der verbliebenen Minderheiten betrieben und fortan die Existenz nationaler Minderheiten geleugnet[79]. Auch in den Arbeiten zur Kodifikation der Menschenrechte im Rahmen der Vereinten Nationen spielte die Formulierung von Minderheitenschutzrechten mit Ausnahme des Genozid-Abkommens keine wesentliche Rolle. Der

---

[77] In diesem Sinne *Eppler* (Anm. 72), passim.

[78] Oben S. 72 f.

[79] Erst in den deutsch-polnischen Verhandlungen im Jahre 1970 hat sich Polen zu der Existenz einer »gewissen Zahl von Personen mit unbestreitbarer deutscher Volkszugehörigkeit und von Personen aus gemischten Familien ...« bekannt, »bei denen im Laufe der vergangenen Jahre das Gefühl dieser Zugehörigkeit dominiert hat« (so die Information der Regierung der Volksrepublik Polen über Maßnahmen zur Lösung humanitärer Probleme, Text in: Der Vertrag zwischen der Bundesrepublik Deutschland und der Volksrepublik Polen, hrsg. vom Presse- und Informationsamt der Bundesregierung, Bonn 1970, S. 13 ff.).

Schutz des Individuums stand im Vordergrund der Überlegungen[80]. Erst in jüngster Zeit scheint eine Belebung des Minderheitenschutzgedankens einzusetzen, deren langfristige Aussichten allerdings noch nicht beurteilt werden können.

Anlaß zu diesen Überlegungen einer Aktivierung des Minderheitenschutzes als Form der Verwirklichung des Selbstbestimmungsprinzips geben heute die noch ungelösten Probleme des Zusammenlebens verschiedener nationaler Gruppen wie in Zypern oder in Jugoslawien, wo es — wie im ersten Fall — zu akuten Konflikten gekommen ist oder wo latente Spannungen zwischen den Volksgruppen vorhanden sind wie im letzten Fall. Verfassungsreformbestrebungen in Jugoslawien zielen auf einen Ausgleich der unterschiedlichen Interessen der Volksgruppen und den Schutz ihrer Eigenarten, um die Einheit des Staates auch über die Präsidentschaft von Marschall Tito hinaus zu gewährleisten, der heute als der entscheidende Faktor der Integration aller Volksgruppen anzusehen ist. Ähnliche Probleme existieren — eingestandener- oder uneingestandenermaßen — in vielen anderen Staaten. Die Entwicklungen auf diesem Gebiet sollten von der BRD im Rahmen der UN jedoch aufmerksam verfolgt und nach Möglichkeit im Zusammenhang allgemeiner menschenrechtlicher Entwicklungen behutsam gefördert werden. Mit Recht ist festgestellt worden, daß auf lange Sicht nicht die Verwirklichung der Selbstbestimmung durch die Befreiung abhängiger Gebiete aus kolonialer Herrschaft das Problem der Staatengemeinschaft bilden wird, sondern die Gewährleistung des friedlichen Zusammenlebens der Bevölkerungsgruppen innerhalb multinationaler Staaten[81].

2. *Die Stellung der Bundesrepublik Deutschland zur Dekolonisierungsarbeit der Vereinten Nationen*

Nach diesem Überblick über die Selbstbestimmungsproblematik im Bereich der Dekolonisierung gilt es nun abschließend die Probleme noch einmal kurz zusammenzufassen, die sich für die Stellung der BRD zur Dekolonisierungsarbeit der Vereinten Nationen ergeben.

a) Die Beteiligung der Bundesrepublik Deutschland an der Dekolonisierung und Entwicklung abhängiger Gebiete

Da die BRD bisher nicht Mitglied der UN ist, kann von ihrer Beteiligung an der Dekolonisierung im engeren Sinne, also von einer Mitwirkung an der Arbeit der UN zugunsten der Aufhebung der kolonialen Herrschaft über ein Gebiet und dessen Eingliederung als unabhängiger Staat in die Staatengemeinschaft, nicht die Rede sein. Die Beziehung der BRD zur Dekolonisierung beschränkt sich auf jenen Teil des Dekolonisierungsprozesses, der als Förderung und Erhaltung der Grund-

[80] So zu Recht Rita *Hauser*, International Protection of Minorities and the Right of Self-Determination, in: Israel Yearbook of Human Rights, Vol. 1, Tel Aviv 1971, S. 92 ff.

[81] *Hauser* (Anm. 80).

lagen der Staatwerdung der ehemaligen abhängigen Gebiete bezeichnet werden kann. Mit anderen Worten, die BRD ist nur über die Entwicklungshilfe mit den Problemen der Dekolonisierung konfrontiert, und zwar einerseits im Rahmen ihrer Mitarbeit in einer Reihe von UN-Sonderorganisationen, die Entwicklungsprobleme bearbeiten, und andererseits im Zuge der selbständig geleisteten Entwicklungshilfe. Die finanziellen und personellen Leistungen der deutschen Entwicklungshilfe sind erheblich. So hat die BRD im Jahre 1969 Nettoleistungen im Werte von rund 8,9 Milliarden Deutsche Mark an Entwicklungsländer erbracht, das sind 1,48 vH des Bruttosozialproduktes, und sie gehört damit zu den führenden Entwicklungshilfe-Nationen[82]. Im Hinblick auf die politisch problematischere bilaterale, eigenständig geleistete Entwicklungshilfe ergeben die Angaben des Bundesministeriums für wirtschaftliche Zusammenarbeit, daß diese die multilaterale Entwicklungshilfeleistung erheblich übersteigen.

Neben der Kapitalhilfe und anderen finanziellen Leistungen unterhält die BRD bilaterale Kontakte zu dekolonisierten Gebieten durch die Entsendung von Entwicklungshelfern.

Angesichts dieses erheblichen Engagements der BRD in den dekolonisierten Gebieten der Welt und der politischen Brisanz, die das Verhältnis zwischen Nehmer- und Geberländern kennzeichnet, ist es verständlich, daß für die BRD hieraus eine Reihe von Problemen für die Gestaltung ihrer Politik gegenüber den dekolonisierten Ländern entstehen, die noch durch die besonderen Bindungen der BRD zu ehemaligen Kolonialmächten kompliziert werden. Einige dieser Probleme, mit denen die BRD nach ihrem Beitritt zu den Vereinten Nationen in der Weltöffentlichkeit konfrontiert werden würde, sollen hier zusammenfassend aufgezeigt werden.

b) Mögliche Interessenkonflikte für die Bundesrepublik Deutschland in der Dekolonisierungsfrage

Aus einer Vielzahl von Motiven, zu denen das Bekenntnis der BRD zum demokratischen Prinzip ebenso gehört wie das Interesse an einer auf der Selbstbestimmung des deutschen Volkes beruhenden Lösung des Problems der deutschen Teilung, steht die Haltung der BRD mit den Zielen der Dekolonisierung als einer Form der Realisierung des Selbstbestimmungsprinzips prinzipiell in Übereinstimmung. Allerdings dürfte die BRD bei ihren Entscheidungen auch künftig von den Erfahrungen bestimmt werden, die das deutsche Volk mit einem übersteigerten, verabsolutierten Selbstbestimmungsbestreben gemacht hat. Die Anwendung des Selbstbestimmungsprinzips muß die Bedürfnisse der internationalen Staatengemeinschaft nach Stabilität ihrer Mitglieder berücksichtigen, auch auf die Gefahr hin, daß nicht alle Selbstbestimmungswünsche voll erfüllt werden können. Das

[82] Vgl. hierzu den Bericht des Bundesministeriums für wirtschaftliche Zusammenarbeit für das Jahr 1969, Wiedergabe in: *Archiv der Gegenwart,* Jg. 40, 1970, S. 15466 D.

Selbstbestimmungsprinzip kann im Vergleich zu anderen Ordnungsprinzipien der Staatengemeinschaft — langfristig gesehen — nur relative Geltung beanspruchen.

Schränken diese Vorbehalte nicht die grundsätzlich zustimmende Haltung der BRD zur Dekolonisierung als Form der Selbstbestimmung ein, so sind dennoch Interessenkonflikte denkbar, wenn die BRD vor konkrete Entscheidungen in ihrer Politik gegenüber schon dekolonisierten oder noch auf ihre Unabhängigkeit wartenden Gebieten gestellt wird.

Ein erster Typ von Interessenkonflikten betrifft die Frage, wie sich die BRD verhalten soll, wenn von ihr die Zurückstellung wirtschaftlicher Interessen zugunsten der Unterstützung von Unabhängigkeitsbewegungen gefordert wird. Ein Beispiel für einen derartigen Konflikt bietet der Streit um die Beteiligung der BRD am Cabora-Bassa-Projekt in Mosambik[83]. Zweifellos war die Übernahme von Aufträgen bei der Ausführung des Staudamm-Projektes für die BRD bzw. die beteiligten Firmen von erheblichem wirtschaftlichem Gewicht. Andererseits beeinträchtigte die mit der Beteiligung am Projekt verbundene Unterstützung Portugals die im allgemeinen guten Beziehungen zu den afrikanischen Staaten. Schließlich bleibt zu fragen, ob die Beteiligung deutscher Firmen am Cabora-Bassa-Projekt mit dem Einsatz der BRD für das Selbstbestimmungsprinzip vereinbar ist. Die Entscheidung der Bundesregierung ist zugunsten der Beteiligung ausgefallen, was nicht nur in Afrika, sondern auch in der BRD heftig kritisiert wurde[84]. Es ist hier nicht über die Richtigkeit der Entscheidung der Regierung oder der Kritik zu urteilen. Hier galt es nur, an diesem Beispiel die Problematik der Interessenkonflikte, die aus dem Engagement der BRD für die Selbstbestimmung der abhängigen Völker und ihren wirtschaftlichen Interessen entstehen können, aufzuzeigen. Man wird auch in Zukunft derartige Entscheidungen nicht unter Außerachtlassung wirtschaftlicher Interessen fällen können, will man nicht einen unrealistischen Rigorismus verfechten. Es wird jedoch darauf ankommen, das eigene Interesse offen darzulegen und zugleich das Anliegen der unabhängigen Völker auch gegenüber den Partnern der betreffenden wirtschaftlichen Transaktionen — im Cabora-Bassa-Fall also Portugal — mit Nachdruck zu vertreten.

Ein zweiter, mindestens ebenso schwerwiegender Interessenkonflikt kann für die BRD aus ihrer grundsätzlichen Unterstützung der Dekolonisierungsbewegung und ihrer politischen Bindung an frühere Kolonialmächte entstehen. Hier würde das Interesse der BRD an der Fortentwicklung des Selbstbestimmungsprinzips durch den erfolgreichen Abschluß des Dekolonisierungsprozesses dem Interesse widerstreiten, die Solidarität mit den westlichen Verbündeten und Kolonial- bzw. Treuhandmächten als Basis des Atlantischen Bündnisses in größtmöglichem Maße

[83] Zu diesem Projekt vgl. David *Abshire,* Minerals, Manufacturing, Power, and Communications, in: David *Abshire*/Michael *Samuels* (Hrsg.), Portuguese Africa — A Handbook, London 1969, S. 311—313.

[84] Typisch für diese Kritik in der BRD ist die Stellungnahme einer Gruppe von Mitgliedern der Vereinigung Deutscher Wissenschaftler, Text in: *Afrika heute,* 1971, Heft 7 (Sonderbeilage).

zu wahren. Es ist zweifelhaft, ob die BRD gegenüber der Dritten Welt ihren Einsatz für deren Selbstbestimmungsverlangen glaubhaft machen kann, wenn sie sich entweder – aus Rücksicht auf die wirtschaftlichen oder strategischen Interessen ihrer Bündnispartner an der Aufrechterhaltung ihrer Kontrolle über bestimmte abhängige Gebiete – gegenüber deren Unabhängigkeitsbestrebungen neutral verhält oder sogar in begrenztem Umfang die Position einer solchen Kolonialmacht wie im Fall Portugals[85] stärkt.

Sind derartige Interessenkonflikte für die BRD schon jetzt nicht einfach zu bewältigen, so kann mit Sicherheit vorausgesetzt werden, daß ihre Stellung im Falle des Beitritts zur Organisation der Vereinten Nationen keinesfalls leichter wird.

III. Probleme und Chancen der Bundesrepublik Deutschland in den Vereinten Nationen im Hinblick auf eine Aktivierung des nationalen und demokratischen Selbstbestimmungsgedankens in der Deutschland-Frage

Nach der eingehenden Untersuchung der Aufgaben und Probleme, die sich für die BRD im Falle ihres Beitritts zu den UN auf dem Gebiet der Dekolonisierung ergeben oder zumindest ergeben können, soll in diesem abschließenden Abschnitt die Frage aufgeworfen werden, welche Probleme, vor allem aber auch welche Chancen die BRD in den UN haben würde, eine Aktivierung des nationalen und demokratischen Selbstbestimmungsgedankens im Interesse einer auch langfristig befriedenden und befriedigenden Lösung der Deutschland-Frage zu nutzen. Grundlage der Überlegungen mag zweckmäßigerweise die bisherige Behandlung der Deutschland-Frage in den UN sein, soweit sie unter Selbstbestimmungsgesichtspunkten erfolgte.

1. Die Behandlung der Deutschland-Frage in den Vereinten Nationen unter dem Gesichtspunkt der Selbstbestimmung

Die Deutschland-Frage als ganze hat seit dem Bestehen der UN nur einmal als selbständiger Beratungsgegenstand auf der Tagesordnung der politischen Hauptorgane der Vereinten Nationen gestanden. Als Teilaspekt stand die Berlin-Frage anläßlich der Berliner Blockade 1948/49 in den UN zur Debatte an. Im übrigen

[85] Die BRD hat beispielsweise ihren Rüstungsgüterexport auf ihre Bündnispartner in der NATO beschränkt. Damit erhält jedoch auch Portugal Rüstungsgüter aus der BRD, die Portugal entsprechend den vertraglichen Abmachungen nicht in Afrika verwenden darf. Zu Recht wird jedoch darauf hingewiesen, daß diese Beschränkung de facto keine große Wirkung hat, da Portugal seine nicht von der BRD bezogenen Waffen in Afrika einsetzen kann, ganz abgesehen von der Schwierigkeit, die Einhaltung der Vereinbarungen mit der BRD durch Portugal zu kontrollieren, vgl. dazu *Albrecht/Sommer* (Anm. 68), S. 31 ff.

ist die Deutschland-Frage zwar in den Vereinten Nationen wiederholt diskutiert worden – vor allem in der Generalversammlung –, jedoch nur im Rahmen der allgemeinen Beratungen der politischen Lage in der Welt. Dennoch lassen sich im Hinblick auf die Möglichkeiten der BRD, das Bekenntnis der Mitglieder der Vereinten Nationen zum Selbstbestimmungsprinzip im Interesse einer Lösung der Deutschland-Frage im Rahmen der UN zu nutzen, aus dieser Behandlung des Deutschland-Problems durch die UN-Organe einige Schlüsse ziehen. Zunächst aber sind die Auffassungen zum Deutschland-Problem in den UN, soweit sie unter dem Gesichtspunkt der nationalen und demokratischen Selbstbestimmung relevant sind, darzustellen.

a) Die Frage der Abhaltung freier Wahlen in beiden Teilen Deutschlands

Auf Initiative der Bundesregierung unter Bundeskanzler Adenauer regten die Westmächte im Jahre 1951 in der UN-Generalversammlung die Einsetzung einer Kommission an, die die Voraussetzungen für die Abhaltung freier Wahlen in ganz Deutschland untersuchen sollte[86]. Bemerkenswert an der Diskussion dieses Antrages ist, daß zwar der Beratungsgegenstand als solcher die Möglichkeit des deutschen Volkes betraf, durch einen Akt der Selbstbestimmung, nämlich durch Wahlen, sein Schicksal zu gestalten, daß aber keiner der Diskussionsredner von dem Recht des deutschen Volkes auf Selbstbestimmung sprach[87]. Soweit völkerrechtliche Gesichtspunkte angesprochen wurden, bezogen sie sich auf die Frage, ob von den Partnern des Potsdamer Abkommens die Demokratisierung Deutschlands nach dem Zweiten Weltkrieg im rechten Geiste vollzogen, das Abkommen also eingehalten worden sei[88] und ob die UN sich überhaupt mit der Lage in Deutschland befassen dürften, da die Entscheidung über das Schicksal Deutschlands gemäß Artikel 107 der Charter eine Angelegenheit der vier Siegermächte sei[89]. Schließlich wurde gegen die Einsetzung der Untersuchungskommission eingewandt, daß ihre Tätigkeit gegen das Verbot der Intervention in die inneren Angelegenheiten Deutschlands verstoße. Es handle sich um einen weiteren Versuch, die Bemühungen der Regierung der DDR zu stören, auf demokratischer Basis die Einheit Deutschlands zu vollenden[90].

Gegen die Stimmen der damaligen Ostblockstaaten und Israels beschloß die Generalversammlung die Einsetzung der von den Westmächten vorgeschlagenen Untersuchungskommission. Aus diesem Beschluß läßt sich das Bekenntnis der Mehrheit der UN-Mitglieder zu einer auf der Selbstbestimmung der Deutschen beruhenden Lösung der Deutschland-Frage ableiten, ohne daß dies ausdrücklich

[86] Vgl. dazu Yearbook of the United Nations 1951, S. 316 ff. und 1952, S. 311 ff.
[87] Vgl. GAOR, 6th Session, 356th Plenary Meeting, 20. Dezember 1951, S. 284 ff.
[88] So zum Beispiel der tschechoslowakische Delegierte in der 356. Sitzung der Generalversammlung, GAOR (Anm. 87), S. 287.
[89] So zum Beispiel der sowjetische Delegierte in der 356. Sitzung der Generalversammlung, S. 286 und der tschechoslowakische Delegierte, S. 287, GAOR (Anm. 87).
[90] Vgl. die Angaben in Anm. 88 und 89.

erklärt wurde. Nach der Weigerung der Sowjetunion, die UN-Kommission in die sowjetische Besatzungszone einreisen zu lassen, gab die Kommission ihren Auftrag teilweise unerledigt zurück[91]. Die Angelegenheit wurde in den UN nicht weiter verfolgt.

b) Die Deutschland-Frage und das Selbstbestimmungsprinzip

Stellungnahmen von UN-Mitgliedern zugunsten einer Lösung der Deutschland-Frage auf der Grundlage der nationalen und demokratischen Selbstbestimmung nahmen zu Beginn der sechziger Jahre wieder zu. Anlaß zu dieser verstärkten Auseinandersetzung mit dem Deutschland-Problem in den allgemeinen Aussprachen zur politischen Lage in der Generalversammlung bildete der Bau der Berliner Mauer, der die politische Brisanz der ungelösten Deutschland- und Berlin-Fragen in das Bewußtsein der Weltöffentlichkeit gerückt hatte. Besonders die lateinamerikanischen Staaten, aber auch eine nicht geringe Zahl von afro-asiatischen Staaten[92] sprachen sich wiederholt dafür aus, dem deutschen Volk das Recht auf nationale Selbstbestimmung nicht länger vorzuenthalten. Charakteristisch für diese Äußerungen zugunsten der deutschen nationalen Selbstbestimmung ist die Rede des Delegierten von Obervolta während der 17. Sitzungsperiode der Generalversammlung: »Ich wiederhole hier, daß mein Land die Ansicht vertritt, daß die einzige gerechte Lösung sowohl für Berlin wie auch für Deutschland die demokratische und freie Entscheidung des souveränen deutschen Volkes sei. – Einige bezeichnen die Existenz von zwei deutschen Staaten als Realität. Die Berliner Mauer zeigt deutlich, daß es nur ein deutsches Volk und daher nur ein Deutschland gibt.«[93]

Demgegenüber wandten die Verbündeten der DDR immer wieder ein, das deutsche Volk habe unter Führung der Arbeiterklasse auf dem Gebiet der DDR unter wirklich demokratischen Voraussetzungen sein Selbstbestimmungsrecht bereits ausgeübt. In Wahrheit seien es die imperialistischen und revanchistischen Kräfte der Bundesrepublik im Zusammenwirken mit den Vereinigten Staaten, die die Selbstbestimmung der Deutschen auch in der BRD verhinderten[94].

---

[91] Siehe dazu Yearbook of the United Nations 1952, S. 311 f.

[92] Der Bericht: Die Deutschland- und Berlin-Frage in der 17. Generalversammlung, in: *Vereinte Nationen,* Jg. 10, 1962, S. 167, enthält folgende Zahlenangaben: »Während der Generaldebatte der 15. Generalversammlung (1960) erörterten von insgesamt 80 Rednern nur 22 das Deutschlandproblem; während der Generaldebatte der 16. Generalversammlung (1961) äußerten sich von ebenfalls 80 Rednern 74 zu dieser Frage; während der Generaldebatte der 17. Generalversammlung (1962) sprachen von 93 Rednern noch 54 zu diesem Thema.« Weiter heißt es, daß 1961 15 lateinamerikanische Staaten sich zur Deutschland-Frage äußerten (1962 noch 8) und daß 1961 20 afrikanische Staaten (1962: 17 Staaten) zur Deutschland-Frage das Wort ergriffen.

[93] Zitiert aus *Vereinten Nationen,* Jg. 10, 1962, S. 167.

[94] Diese der Auffassung der sozialistischen Staaten zur deutschen Selbstbestimmung zugrunde liegende Position wird besonders klar von Rudolf *Arzinger,* Das Selbstbestimmungsrecht im allgemeinen Völkerrecht der Gegenwart, Berlin 1966, S. 388 ff. heraus-

Hier stießen mit aller Härte die unterschiedlichen Auffassungen vom Inhalt des Selbstbestimmungsprinzips – soweit es den nichtkolonialen Bereich betrifft – aufeinander. Will man die Signifikanz der hier zusammenfassend dargestellten Meinungen, die in den UN zur deutschen Selbstbestimmung vertreten wurden, politisch und rechtlich im Hinblick auf die künftigen Möglichkeiten der BRD, in den UN für eine dauerhafte, befriedigende Lösung der Deutschland-Frage zu werben, richtig einschätzen, erscheint es daher zweckmäßig, kurz den gegenwärtigen Stand der Diskussion zum Inhalt und zum Geltungsumfang des Selbstbestimmungsprinzips im modernen Völkerrecht jenseits der Dekolonisierungsproblematik aufzuzeigen.

2. *Der Stand der theoretischen Diskussion über Inhalt und Geltung des Selbstbestimmungsprinzips*

Grundlage der Auseinandersetzungen über Inhalt und Geltung des Selbstbestimmungsprinzips im modernen Völkerrecht sind einerseits die Erwähnung dieses Prinzips in der Charter der Vereinten Nationen, andererseits die völkerrechtliche Praxis der Abhaltung von Plebisziten bei der Regelung von Grenzfragen aufgrund ad hoc geschlossener völkerrechtlicher Verträge oder Vereinbarungen und schließlich die Kodifikation des Selbstbestimmungsrechts in den noch nicht in Kraft getretenen Menschenrechtskonventionen der Vereinten Nationen. Die Schlüsse, die aus diesen Selbstbestimmungsregelungen und anderen einschlägigen Dokumenten für die Bestimmung des Inhalts und des Geltungsumfangs des Selbstbestimmungsprinzips gezogen werden, sind nicht einheitlich.

a) Inhalt und völkerrechtliche Qualität des Selbstbestimmungsprinzips nach westlicher Lehre

Bei der Darstellung der westlichen Auffassung über Inhalt und Geltung des Selbstbestimmungsprinzips im Völkerrecht empfiehlt es sich wegen der unterschiedlichen historisch-politischen und geistigen Traditionen nach Regionen zu unterscheiden: So lassen sich deutlich eine separate angloamerikanische Interpretation des Selbstbestimmungsgedankens und eine kontinentaleuropäische unterscheiden. Von beiden bestimmt, aber nicht mit ihnen identisch ist schließlich eine dritte Meinungsgruppe in Lateinamerika zu beobachten, soweit die hier vertretenen Auffassungen sich nicht der antikolonialistischen Ausrichtung des Selbstbestimmungsgedankens zugewandt haben.

In Übereinstimmung mit der demokratischen Tradition der angloamerikanischen Staaten hat nach der hier vertretenen Meinung das Selbstbestimmungsprinzip einen vorwiegend innerstaatlich-demokratischen Gehalt. Dementsprechend geht die Völkerrechtslehre dieser Staaten in der Mehrheit davon aus, daß trotz der

---

gearbeitet; siehe dazu auch Grigori *Tunkin,* Das Völkerrecht der Gegenwart, Berlin 1963, S. 44 f.

Niederlegung des Prinzips in der Charter der Vereinten Nationen das Selbstbestimmungsprinzip kein Bestandteil des geltenden Völkerrechts ist. Vielmehr wird das Prinzip – ähnlich wie die Monroe-Doktrin – als eine Leitvorstellung für das politische Handeln für den innerstaatlichen, aber auch für den internationalen Bereich qualifiziert. Sie zu verwirklichen, sollen die Staaten nach Möglichkeit anstreben. Eine rechtliche Verpflichtung dazu wird aber nicht angenommen. Diese Auffassung beinhaltet die Möglichkeit, ohne Bruch rechtlicher Bindungen die Anwendung des Selbstbestimmungsprinzips den jeweiligen politischen Notwendigkeiten anzupassen und notfalls anderen politisch gleichrangigen, aber bereits in den Status völkerrechtlich bindender Grundregeln eingetretenen Ordnungprinzipien unterzuordnen. Das Selbstbestimmungsprinzip wird damit seinem Wesen nach politisch verstanden, was keine Abwertung bedeutet, jedoch seine flexible, pragmatische Anwendung erlaubt[95]. Selbstverständlich schließt diese Auffassung die völkerrechtlich bindende Vereinbarung über die Verwirklichung des Selbstbestimmungsprinzips in konkreten Situationen – etwa durch ein Plebiszit – nicht aus.

Abweichend von dieser Ansicht vertreten aber auch einzelne angloamerikanische Autoren die Meinung, das Selbstbestimmungsprinzip habe sich – zumindest im kolonialen Bereich – zu einer Völkerrechtsnorm verdichtet oder sogar generell den Rang einer bindenden Norm erlangt, die auf der Seite der betroffenen Bevölkerungen subjektive Rechte geschaffen habe[96].

In der kontinentaleuropäischen Lehre außerhalb des sozialistischen Lagers überwiegt der Aspekt der nationalen, äußeren Selbstbestimmung. Auch hier ist die Skepsis gegenüber einer schon jetzt dem Selbstbestimmungsprinzip zukommenden allgemeinen völkerrechtlichen Geltung vorherrschend[97]. Darüber hinaus werden rechtspolitische Bedenken gegen eine allgemeine rechtsverbindliche Anerkennung des Prinzips geltend gemacht, da es seiner Natur nach der dafür erforderlichen begrifflichen Schärfe entbehrt[98]. Allerdings ist in diesem Bereich eine gerade in jün-

[95] In diesem Sinne u. a. Lassa *Oppenheim*/Hersh *Lauterpacht*, International Law, Vol. 1, 8. Aufl., London 1967, S. 551, Anm. 774 (1); Herbert W. *Briggs*, The Law of Nations, 2. Aufl., 1952, S. 65; *Fenwick* (Anm. 8), S. 363 ff.; James L. *Brierly*, The Law of Nations, hrsg. Sir Humphrey *Waldock*, Oxford 1963, S. 171, 172; Daniel P. *O'Connell*, International Law, Vol. 1, London 1965, S. 337, 338; weitere Nachweise bei *Delbrück* (Anm. 4), S. 197.

[96] So Joseph G. *Starke*, An Introduction to International Law, 5. Aufl., London 1963, S. 115 (im Hinblick auf das Selbstbestimmungsrecht im kolonialen Bereich); Quincy *Wright*, Recognition and Self-Determination, in: *Proceedings of the American Society of International Law*, Vol. 48, 1954, S. 23–37; neuerdings *Higgins* (Anm. 16), S. 90 ff.; ähnlich, aber mit großer Skepsis hinsichtlich der Praktikabilität eines solchen »Rechts«, I. E. S. *Fawcett*, General Course on Public International Law, in: Recueil des Cours de l'Académie de Droit International, Vol. 132, 1971 I, S. 386 ff.

[97] Vgl. u. a. Friedrich *Berber*, Lehrbuch des Völkerrechts, Bd. 1, München 1960, S. 75; Georg *Dahm*, Völkerrecht, Bd. 1, Stuttgart 1960, S. 380 ff., insbesondere S. 390 und 391; Eberhard *Menzel*, Völkerrecht, München/Berlin 1962, S. 181 ff. (184); Alfred *Verdross*, Lehrbuch des Völkerrechts (unter Mitarbeit von Stephan Verosta und Karl Zemanek), 5. Aufl., Wien 1964, S. 576; weitere Nachweise bei *Delbrück* (Anm. 4), S. 199.

[98] Siehe *Dahm* (Anm. 97), S. 390 f.

gerer Zeit stärker werdende Tendenz zu beobachten, dem Selbstbestimmungsprinzip den Charakter eines verbindlichen Völkerrechtsprinzips zuzuerkennen. Der gegenwärtige Status des Prinzips wird in diesem Zusammenhang vielfach mit dem eines sich zur Völkerrechtsnorm verdichtenden Ordnungsprinzips umschrieben[99]. In der deutschen Völkerrechtslehre wird zudem der Zusammenhang zwischen nationaler und demokratischer Selbstbestimmung hervorgehoben[100]. Insgesamt stehen die Stimmen für die bereits vollzogene Anerkennung des Selbstbestimmungsprinzips als Völkerrechtsnorm auch im westlichen Kontinental-Europa nach wie vor in der Minderheit.

Eine grundsätzlich positive Einstellung zur völkerrechtlichen Verbindlichkeit des Selbstbestimmungsprinzips ist der südamerikanischen Völkerrechtsliteratur zu entnehmen, wobei allerdings die Skepsis gegenüber der Möglichkeit einer praktischen Anwendung deutlich hervortritt[101].

b) Das Selbstbestimmungsverständnis der sozialistischen Staaten

Dem Wortlaut nach bestehen zwischen kommunistischer und nichtkommunistischer Inhaltsbestimmung des Selbstbestimmungsprinzips keine wesentlichen Unterschiede. Wenn es dennoch prinzipiell nicht überwindbare Differenzen zwischen beiden Auffassungen über Inhalt und Geltung des Selbstbestimmungsprinzips im modernen Völkerrecht gibt, so beruht dies auf den unterschiedlichen Ideologien beider Bereiche. Nach kommunistischer Auffassung hat das Selbstbestimmungsprinzip einen grundsätzlich instrumentalen Charakter. Internationalistisch und antiimperialistisch eingestellt, sah und sieht der Kommunismus in der Erringung der Selbstbestimmung des Volkes ein Instrument zur Beseitigung der herrschenden Bourgeoisie. Die Durchsetzung der Selbstbestimmung ist zunächst und vor allen Dingen ein Instrument des Klassenkampfes. So erklärte Lenin in seiner Schrift »Über das Selbstbestimmungsrecht der Nationen«, daß »die Politik des Proletariats in der nationalen Frage ... die Bourgeoisie jedoch nur in einer bestimmten Richtung (unterstützt), ... aber niemals mit der Politik der Bourgeoisie völlig (übereinstimmt). Die Arbeiterklasse unterstützt die Bourgeoisie nur im Interesse des nationalen Friedens (den die Bourgeoisie niemals ganz herzustellen vermag und der nur nach Maßgabe der völligen Demokratisierung verwirklicht werden

---

[99] Herbert *Kraus*, Das Selbstbestimmungsrecht der Völker, in: Herbert *Kraus*, Internationale Gegenwartsfragen, Würzburg 1963, S. 577 ff.; Rudolf *Laun*, Le droit des peuples de disposer d'eux-mêmes, in: *Internationales Recht und Diplomatie*, Bd. 1958, S. 136 ff.; Kurt *Rabl*, Das Selbstbestimmungsrecht der Völker, München 1963, S. 162 ff.; neuerdings mit dankenswerter Klarheit Friedrich *Klein*, Der Rechtscharakter des Selbstbestimmungsrechts der Völker nach westlicher Auffassung, in: *Kloss* (Anm. 32), insbesondere S. 21 ff. (27).

[100] Z. B. *Decker* (Anm. 3), S. 23.

[101] Vgl. etwa Hildebrando *Accioly*, Tratado de Direito Internacional Público, Rio de Janeiro 1956, S. 111, 112; D. Guerra *Iniguez*, Derecho Internacional Público, 2. Aufl., 1963, S. 193; siehe auch Aufsätze von Lucio *Moreno Quintana* und L. M. *Dollini Shaw*, in: Derecho Internacional Público, 1950, S. 89.

kann), um möglichst günstiger Bedingungen für den Klassenkampf willen... Die Bourgeoisie stellt stets ihre eigenen nationalen Forderungen in den Vordergrund. Für das Proletariat sind sie den Interessen des Klassenkampfes untergeordnet.«[102] So gehört die Verwirklichung des nationalen und demokratischen Selbstbestimmungsrechts zu den Voraussetzungen für den erfolgreichen Kampf des Proletariats um die Macht.

Dem so verstandenen, den Notwendigkeiten des Klassenkampfes angepaßten und durch diese relativierten Selbstbestimmungsprinzip kommt nach sozialistischer Völkerrechtslehre der Rang einer geltenden Völkerrechtsnorm zu. Ausdruck dessen seien Artikel 1 Absatz 2 und die weiteren diesbezüglichen Bestimmungen der Charter der Vereinten Nationen[103].

c) Die antikolonialistische Interpretation des Selbstbestimmungsprinzips

Eine erst nach dem Ende des Zweiten Weltkrieges aufgekommene Variante des Selbstbestimmungsverständnisses ist die vor allem von den Staaten der Dritten Welt mit Unterstützung der sozialistischen Staaten vertretene antikolonialistische Auffassung. Wenn sie auch in ihrem Kern keineswegs dem Gehalt des Selbstbestimmungsprinzips in westlicher Interpretation fremd ist – immerhin bildet die Unabhängigkeitsbewegung der nordamerikanischen Kolonien im 18. Jahrhundert eine für die Entwicklung des Selbstbestimmungsgedankens wesentlichen historischen Präzedenzfall –, so ist das besondere an dieser antikolonialistischen Ausrichtung des völkerrechtlich als verbindlich betrachteten Prinzips, daß es jedenfalls in der Praxis als höherrangig als eine Reihe von gefestigten, traditionellen Völkerrechtsprinzipien eingestuft wird. So genießt – die obige Darstellung des Dekolonisationsproblems hat dies gezeigt – die Verwirklichung der Selbstbestimmung der abhängigen Völker oder der von weißen Minoritäten beherrschten farbigen Bevölkerungsgruppen offenbar nach dieser Ansicht den Vorrang vor dem Verbot der Nichteinmischung in die inneren Angelegenheiten eines Staates. Ebenso scheint das völkerrechtliche Gewaltverbot im Hinblick auf die Gewaltanwendung zur Durchsetzung des Selbstbestimmungsrechts kolonialer Völker in die Gefahr der Relativierung geraten zu sein[104]. Schließlich ist für die antikolonialistische Interpretation des Selbstbestimmungsprinzips charakteristisch, daß ein Sezessionsrecht ethnischer oder nationaler Minoritäten innerhalb solcher Staaten, die im

---

[102] Wladimir I. *Lenin*, Über das Selbstbestimmungsrecht der Nationen, in: Werke (deutsche Übersetzung nach der 4. russischen Auflage, hrsg. vom Institut für Marxismus-Leninismus beim Zentralkomitee der SED), Bd. 20, S. 412, 413; dazu ferner *Arzinger* (Anm. 94), S. 27 ff.; *Tunkin* (Anm. 94), S. 76 ff.; Hans Werner *Bracht*, Ideologische Grundlagen der sowjetischen Völkerrechtslehre, Köln 1964, S. 167 ff.; Marianne *Wannow*, Das Selbstbestimmungsrecht im sowjetischen Völkerrechtsdenken, Göttingen 1965, passim.

[103] Dazu *Arzinger* (Anm. 94), S. 84 ff.; *Tunkin* (Anm. 94), S. 38 ff.; Boris *Meissner*, Die sowjetische Stellung zum Selbstbestimmungsrecht der Völker, in: Selbstbestimmungsrecht in Ost und West, Sonderdruck aus Internationales Recht und Diplomatie, Bd. 1962, Köln 1963.

[104] Vgl. oben S. 74 ff.

Zuge der Dekolonisierung die Unabhängigkeit erlangt haben, offensichtlich ausgeschlossen ist. Im einzelnen kann zu dieser Handhabung des Selbstbestimmungsprinzips auf die Praxis im Bereich der Dekolonisierung verwiesen werden[105].

Überblickt man die unterschiedlichen Auffassungen über Inhalt und Geltung des Selbstbestimmungsprinzips im gegenwärtigen Völkerrecht, so kann von einer übereinstimmenden Rechtsüberzeugung hinsichtlich dieses vieldeutigen Prinzips keine Rede sein. Auch die Fixierung des Selbstbestimmungsprinzips in der Charter der Vereinten Nationen und in den menschenrechtlichen Kodifikationen hat diese Meinungsunterschiede nur verbal überdeckt[106]. Dieser Befund muß berücksichtigt werden, wenn man die Deutschland-Voten in den UN auf ihre Bedeutung für die deutschlandpolitische Position hin untersucht.

3. Die Einordnung der Deutschland-Voten von UN-Mitgliedern in ihren völkerrechtlichen und politischen Kontext

Die zu Anfang dieses Abschnitts angeführten Stellungnahmen in den UN zum Deutschland-Problem spiegeln den soeben erwähnten internationalen Dissens über Inhalt und Geltung des Selbstbestimmungsprinzips, vor allem im Verhältnis zwischen Ost und West, deutlich wider. Während in den Stellungnahmen der westlichen Verbündeten der BRD das Anliegen deutlich ist, allen Deutschen die Möglichkeit zu geben, ihren Willen bezüglich der künftigen Gestalt Deutschlands auf demokratischem Wege zu bekunden, zeigen die Einwände der Verbündeten der DDR gegenüber dieser Forderung, daß hier die These von der vollzogenen Selbstbestimmung durch die Machtergreifung der Arbeiterklasse in der DDR offen vertreten wird. Für einen erneuten Akt der Selbstbestimmung ist nach dieser Auffassung kein Raum, jedenfalls nicht für einen Akt der Selbstbestimmung unter bürgerlich-demokratischem Vorzeichen, der im Sinne der sozialistischen Theorie einen Rückschritt in der Entwicklung des in der DDR repräsentierten deutschen Volkes bedeuten würde.

Wesentlich schwerer fällt es, die Voten der Staaten Lateinamerikas und des afro-asiatischen Lagers zugunsten der nationalen Selbstbestimmung der Deutschen einzuordnen. In diesen Äußerungen haben sich die betreffenden Delegierten offenbar die westliche Auslegung zu eigen gemacht, wohl aus der Erkenntnis, daß die antikolonialistische Ausprägung des Selbstbestimmungsprinzips der deutschen Situation, wo wir es mit einem Staat der »alten Welt« zu tun haben, nicht angemessen ist. Ob und inwieweit diese Hinwendung zur westlichen Interpretation des Selbstbestimmungsprinzips auch bedeutet, daß damit das Selbstbestimmungsprinzip insgesamt an dem rigorosen Geltungsanspruch, der ihm in der antikolonialistischen Auslegung zukommt, teilhat, ist aufgrund des vorliegenden Materials noch

---

105 Vgl. oben S. 75 ff.

106 So auch *Goodrich/Hambro/Simons* (Anm. 19), S. 30.

nicht zu beurteilen[107]. Schließlich ist mit aller Nüchternheit darauf hinzuweisen, daß manche dieser für das Anliegen der nationalen und demokratischen Selbstbestimmung der Deutschen günstigen Äußerungen auch unter dem Gesichtspunkt getan sein mögen, um die politischen Beziehungen zur BRD, einem potenten Entwicklungshilfestaat, zu pflegen.

Somit ist aufgrund der Behandlung der Deutschland-Frage in den UN unter dem Gesichtspunkt der Selbstbestimmung schwerlich der Schluß auf ein völkerrechtlich fixiertes, absolutes Recht auf Selbstbestimmung mit dem Ziel der Wiederherstellung der deutschen Einheit möglich. Doch kann andererseits nicht gesagt werden, diese Äußerungern in den UN und deren Maßnahmen wie im Falle der Einsetzung der Untersuchungskommission zur Prüfung der Voraussetzungen freier Wahlen in Deutschland seien ohne jede Bedeutung für die Position der BRD.

4. Probleme und Chancen einer Deutschland-Politik im Rahmen der Vereinten Nationen

Zunächst ist festzustellen, daß als Folge des mangelnden Konsensus in der Staatengemeinschaft über Inhalt und Geltung des Selbstbestimmungsprinzips jenseits der Dekolonisierungsproblematik die BRD im Rahmen der UN das Ziel der nationalen Selbstbestimmung sinnvollerweise nicht von einer rein rechtlich bestimmten Position her ansteuert, sondern der Politik Priorität einräumt. Jedoch ist diese im Hinblick auf den Stand und die Bedeutung der Entwicklung des Selbstbestimmungsprinzips eher negative bzw. allzu zurückhaltende Schlußfolgerung für die künftige Haltung der BRD in den Vereinten Nationen nicht das letzte Wort.

Es kann keinem Zweifel unterliegen, daß trotz der gegenwärtigen Entspannungstendenzen in Europa die BRD angesichts ihres nach wie vor verfolgten Zieles, eine den Interessen des gesamten deutschen Volkes entsprechende Lösung der Deutschland-Frage herbeizuführen, immer wieder in die Gefahr geraten kann, als Friedensstörer angeprangert zu werden. Dies deshalb, weil jede Politik, die auf eine die Einheit der deutschen Nation wahrende Lösung abzielt, notwendig auf eine Überwindung des Status quo gerichtet sein muß. Zwar hat die BRD im Zuge der gegenwärtigen Ost- und Europa-Politik gerade diesen Aspekt ihrer Politik immer wieder hervorgehoben und erklärt, daß die Anerkennung des Status quo, z. B. in dem Moskauer Vertrag vom 12. August 1970, Ausgangspunkt und nicht Ziel der Politik der BRD sei. In dieselbe Linie zielt das sog. Offenhalten der deutschen Frage bzw. die Wahrung der deutschen Option. Für den gegenwärtigen Zeitpunkt haben die östlichen Partner dieser Politik der BRD diese Position mehr oder minder ausdrücklich hingenommen, wobei Streit über die völkerrechtliche Verbindlichkeit dieser Hinnahme der politischen Position der BRD besteht.

---

[107] Skeptisch hinsichtlich einer weltweiten Durchsetzung des Selbstbestimmungsprinzips nach Abschluß der Dekolonisierung *Emerson* (Anm. 19), S. 475.

Insofern scheint die Gefahr für die BRD vorerst nicht zu bestehen, dem Vorwurf des Unruhestiftens und der Friedensgefährdung ausgesetzt zu werden.

Wie abgesichert die Politik der Überwindung des deutschen Status quo aber auch immer sein mag, für die künftige Position der BRD in den UN ist es von großer Bedeutung, daß es bedeutende Gruppen innerhalb der Organisation gibt, die das Selbstbestimmungsprinzip als für die deutsche Frage relevant ansehen. Insofern bildet die Möglichkeit der Berufung auf dieses Prinzip für die BRD auch künftig die zumindest politische Legitimation gegenüber den Mitgliedern der UN, eine aktive, zunächst die Folgen der Teilung und später vielleicht diese selbst überwindende Deutschland-Politik zu verfolgen.

Diese Legitimationsfunktion des Selbstbestimmungsprinzips für die politischen Ziele der BRD wird um so stärker sein, je überzeugender die entsprechende Deutschland-Politik als ein Beitrag zu einem stabilen System der europäischen Sicherheit konzipiert wird.

BEKÄMPFUNG DER RASSISCHEN DISKRIMINIERUNG IM RAHMEN DES SCHUTZES DER MENSCHENRECHTE

Karl Josef Partsch

I. Allgemeiner Menschenrechtsschutz und spezifisches Diskriminierungsverbot — Die Entwicklung in den Vereinten Nationen seit der Charter

Der große Aufschwung, welchen der Gedanke eines internationalen Schutzes aller Menschenrechte zu Ende des Zweiten Weltkrieges erfuhr, war nicht nur begründet durch das starke Friedens- und Sicherheitsbedürfnis der vom Kriege geschlagenen Menschen, das in dem Postulat der Atlantik-Charter zum Ausdruck kommt, »daß alle Menschen in allen Ländern frei von Furcht und Not leben können«. Ausgelöst war dieser Aufschwung sicher auch durch die Konfrontation mit den Untaten des Rassenhasses und der Rassenverfolgung in Deutschland. Aber es ist kennzeichnend für den Optimimus der Gründungszeit der UN, daß nicht dieses enge Ziel gesetzt wurde, nur eine Wiederholung dieser Untaten zu verhindern, sondern der neuen Weltorganisation das sehr viel weitere Ziel auferlegt wurde, die Achtung aller Menschenrechte und Grundfreiheiten durch internationale Zusammenarbeit zu sichern. Diese Aufgabe sollte bewältigt werden »ohne Unterschied von Rasse, Geschlecht, Sprache oder Religion«. Das Diskriminierungsverbot war also ursprünglich nur eine Modalität bei der Erfüllung der weiteren Aufgabe. Auf der Ebene der UN ist diese weitere Aufgabe bis heute noch nicht erfüllt, sondern nach Annahme der Universellen Erklärung 1948 trotz mühevoller jahrelanger Arbeiten in der zweiten Phase der Statuierung steckengeblieben. Bis heute gewährt immer noch kein UN-Organ einen effektiven Rechtsschutz, wie dies in Europa schon lange erreicht wurde. In einem Überblick über das Wirken der Weltorganisation in den letzten 25 Jahren wird beklagt: »Anstatt einer Organisation, welche sich um die Achtung aller Menschenrechte wirksam kümmert, sehen wir eine, die sich fast ausschließlich der Beseitigung der Rassendiskriminierung widmet.«[1]

[1] Leland M. *Goodrich*/Edvard *Hambro*/Anne Patricia *Simons*, Charter of the United Nations, 3. Aufl., New York/London 1969, S. 17. Die Dokumente des internationalen Menschenrechtsschutzes sind in folgenden Publikationen zugänglich: UN Doc. A/Conf. 32/4: Human Rights — A Compilation of International Instruments of the UN, New York 1967; International Organisation and Integration. A Collection of the Texts of Documents relating to the United Nations, its Related Agencies and Regional International Organisations, Leyden 1968; Felix *Ermacora* (Hrsg.) Internationale Dokumente zum Menschenrechtsschutz, Reclams Universalbibliothek, Nr. 7956/57 (1971); Jan *Brownlie* (Ed.), Basic Documents on Human Rights, Oxford 1971.

Zwei Ereignisse haben es bewirkt, daß die Weltorganisation sich diesem engeren Ziel zuwandte: das Wiederaufleben des Antisemitismus, das sich im Winter 1959/60 in einer über die ganze Welt gehenden Epidemie von Hakenkreuzschmierereien äußerte einerseits und andererseits die große Dekolonisierungswelle, die ungefähr um die gleiche Zeit einen Höhepunkt erreichte und den Gegensatz zwischen Farbigen und Weißen erneut ins Bewußtsein der Weltöffentlichkeit hob.

Das erste Ereignis gab unmittelbar den Anstoß zur Ausarbeitung zunächst einer besonderen Erklärung und dann einer Konvention, das zweite schuf die Bereitschaft, sie nicht nur im Dezember 1965 in der Generalversammlung zu beschließen, sondern in der verhältnismäßig kurzen Zeit von drei Jahren die notwendigen 27 Ratifikationen zum Inkrafttreten zusammenzubringen. Inzwischen sind 45 weitere hinzugekommen, so daß jetzt 72 Staaten[2] mit einer Bevölkerung von ca. 1700 Millionen Menschen durch die Konvention zur Beseitigung aller Formen der Rassendiskriminierung gebunden sind. Die volkreichsten von ihnen sind Indien, die Sowjetunion, Pakistan, Brasilien, Nigeria, die Bundesrepublik, das Vereinigte Königreich und Frankreich. Die Staaten mit den schwersten Rassenproblemen – wie Südafrika und die Vereinigten Staaten von Amerika – fehlen freilich.

II. Die Ausgangsposition der Bundesrepublik Deutschland im Zeitpunkt des Beitritts

Die Bundesrepublik befindet sich zu diesem Vertragswerk im Vergleich zu anderen Staaten einerseits in einer günstigeren Lage.

In Deutschland bestand von 1933 bis 1945 eine Rassengesetzgebung, die der Konvention eindeutig widersprach. Das braucht nicht im einzelnen geschildert zu werden. Nach 1945 haben nicht nur die Besatzungsmächte die Mission empfunden, die Rassengesetzgebung aus der deutschen Rechtsordnung auszumerzen, sondern bei der Verfassungsgestaltung nach dem Krieg in Bund und Ländern ist auch darauf geachtet worden, möglichst jeden Überrest aus dieser Zeit zu beseitigen. Dem dient nicht nur die Formulierung des Diskriminationsverbots in Artikel 3 Absatz 3 des Grundgesetzes, das sich eng an eine Formulierung der Universellen Erklärung der Menschenrechte anlehnt, sondern auch die Fassung der Bestimmung über die Fortgeltung früheren Rechts als Bundesrecht. Sicher mochten sich zunächst noch gewisse klandestine Rudimente der Rassenverfolgung in abgelegenen Gesetzen, Verordnungen oder Richtlinien verbergen, aber der weit ausgedehnte Rechtsschutz zur Sicherung der Verwirklichung der Grundrechte – zu denen auch das Diskriminationsverbot gehört – eröffnete doch jedem Betroffenen die Möglichkeit, sich dagegen zu wehren und geltend zu machen, daß diese Rudimente keine Geltungskraft mehr besitzen. Von der Rechtsordnung her ist also die Konvention

[2] Stand vom November 1972 (gemäß UN Doc. A/8880).

schon vor ihrem Erlaß weitgehend durchgeführt worden. Darin ist die günstigere Lage im Vergleich zu Staaten, die keine planmäßig gelenkte Rassenverfolgung kannten und daher auch keinen Anlaß sahen, diese bewußt zu beseitigen, zu sehen.

Andererseits war die Lehre von der Überlegenheit der nordisch-arischen Rasse in das Bewußtsein breiter Bevölkerungsschichten während der zwölf Jahre eingedrungen. Trotz des Eindrucks der furchtbaren Niederlage und trotz der Kundmachung der entsetzlichen begangenen Verbrechen mag doch eine gewisse Zahl überzeugter Anhänger bei dem alten Glauben geblieben sein. Die Wahlergebnisse widersprechen dem. Aber geben sie wirklich zuverlässig Aufschluß über die Mentalität der Wähler? Die Haltung eines großen Teils der Bevölkerung zu ausländischen Arbeitnehmern gibt zu denken. Das hat der Bundeskanzler in seiner in vieler Hinsicht bemerkenswerten Rede zur Woche der Brüderlichkeit im März 1971 in Köln sehr deutlich ausgesprochen. Insofern ist unsere Lage sehr viel schwieriger als die anderer Länder. Wir haben ein schweres Erbe aus dunkler Zeit zu tragen. Das kann und darf nicht verschwiegen werden.

Nach diesen grundsätzlichen Bemerkungen seien einzelne die Ausgangslage der Bundesrepublik bestimmende Entwicklungen geschildert: Die Untersuchungen über den prägenden Einfluß der Universellen Erklärung auf das Grundgesetz (1) sowie über die europäische Teilverwirklichung eines der UN-Menschenrechtspakte (2) haben im Detail nüchterne Sachverhalte nachzuweisen. Die Schilderung der deutschen Mitarbeit in den UN auf dem Gebiet des allgemeinen Menschenrechtsschutzes (3) und der Rassendiskriminierung (4) können hingegen summarischer gehalten werden. Eine Auseinandersetzung mit der Santa-Cruz-Studie (5), welche ein bezeichnendes Licht auf die Einschätzung der Leistungen der BRD auf diesem Gebiet wirft, beschließt diesen Abschnitt.

1. Der Einfluß der Universellen Erklärung auf das Grundgesetz[3]

Als der Parlamentarische Rat am 1. September 1948 in Bonn zusammentrat, lag der endgültige Text der Universellen Erklärung der Menschenrechte, der erst am 10. Dezember 1948 auf der Generalversammlung in Paris angenommen wurde, noch nicht vor. Es war aber schon in der Fachliteratur über die Vorarbeiten im Rahmen der UN berichtet worden[4], vor allem aber wurde eine deutsche Übersetzung des vom Dritten Hauptausschuß der Generalversammlung angenommenen Entwurfs dem Parlamentarischen Rat im Oktober 1948 als Drucksache vorgelegt[5], und es wurde im Grundsatz- und Hauptausschuß bei Ausarbeitung des Grundrechtsteiles verschiedentlich auf diesen Entwurf der Universellen Erklärung zurück-

[3] Zu ihrem Einfluß auf die Verfassungen anderer Staaten — das Grundgesetz ist dabei unerwähnt geblieben — vgl. UN Doc. A/Conf. 32/5 vom 20. Juni 1967, S. 33.

[4] Vgl. *Archiv des öffentlichen Rechts*, Bd. 74, 1948, S. 158.

[5] Parlamentarischer Rat 10.48 — 144 III: Wiedergabe aus der *Neuen Zeitung* vom 7. Oktober 1948.

gegriffen. In einigen weiteren Fällen mag eine Orientierung an dem Text aus den UN stattgefunden haben, ohne daß dies ausdrücklich angesprochen wurde.

Ohne Anspruch auf Vollständigkeit seien hier nur die deutlichsten Beispiele für eine Anlehnung des Grundrechtsteils an die UN-Erklärung erwähnt[6]:

Die beiden ersten Absätze von Artikel 1 GG sind in ihrem Wortlaut deutlich an den ersten Satz der Präambel zur UN-Erklärung angelehnt. Sowohl die Voranstellung der »Würde des Menschen« wie die Bezeichnung der Menschenrechte als »Grundlage jeder menschlichen Gemeinschaft, des Friedens und der Gerechtigkeit in der Welt« sind der Präambel unmittelbar entnommen[7].

Über die Formulierung einer Garantie der körperlichen Unversehrtheit konnte man sich zunächst nicht einigen. Daher wurde beschlossen, sie der UN-Erklärung (Artikel 3) zu entnehmen. Artikel 2 Satz 1 und 2 GG wurden später zwar sprachlich abgeändert, entsprechen aber in der Sache dem Vorbild[8].

Der Vorschlag, darüber hinaus auch Artikel 22 der UN-Erklärung (soziale Sicherung der persönlichen Freiheit) in Artikel 2 GG zu übernehmen, wurde zwar zunächst aufgegriffen, später aber fallengelassen[9].

Bei Erörterung des Gleichheitssatzes des Artikels 3 wurde verschiedentlich auf die UN-Erklärung zurückgegriffen[10].

Die Wortfügung von Artikel 3 Absatz 3 folgt fast wörtlich dem Artikel 2 Absatz 1 der UN-Erklärung. Die verbannten Unterscheidungskriterien sind lediglich stärker zusammengefaßt.

Auch bei der Formulierung von Artikel 4 wurde die UN-Erklärung herangezogen, wenn der Text dann auch stärker früheren deutschen Vorbildern folgt.

Hingegen lehnt sich die Garantie der Meinungsfreiheit (Artikel 5) deutlich an Artikel 19 der UN-Erklärung an. Immerhin mag die Aufnahme der aktiven Unterrichtungsfreiheit, die sich weder in den deutschen noch den französischen Vorbildern findet, durch sie angeregt sein. So ist jedenfalls dieses Ergebnis der UN-Konferenz über die Informationsfreiheit im März/April 1948 in das Grundgesetz eingegangen[11].

Hingegen ist – der kontinentaleuropäischen Tradition folgend – das Recht,

---

[6] Zitiert werden die Artikel der am 10. Dezember 1948 angenommenen Erklärung gemäß GA Res. 217 (III) vom 10. Dezember, nicht die des Entwurfs vom Oktober.

[7] In der 22. Sitzung des Grundsatzausschusses am 18. November 1948 wies Abgeordneter v. Mangoldt auf die Formulierung der Präambel hin, in: Stenographische Protokolle, S. 12.

[8] 23. Sitzung des Grundsatzausschusses vom 19. November 1948, in: Stenographische Protokolle, S. 2.

[9] 27. Sitzung des Grundsatzausschusses vom 1. Dezember 1948, in: Stenographische Protokolle, S. 17 ff.; 1. Sitzung des Hauptausschusses vom 3. Dezember 1948, in: Stenographische Protokolle, S. 205 f. und 2. Lesung des Hauptausschusses am 18. Januar 1949, in: Stenographische Protokolle, S. 533.

[10] Nachweis im Jahrbuch des öffentlichen Rechts der Gegenwart, Neue Folge/Bd. 1, Tübingen 1951, S. 79 ff.

[11] Dazu Karl Josef *Partsch,* Die Rechte und Freiheiten der Europäischen Menschenrechtskonvention, Berlin 1966, S. 200.

Meinungen zu besitzen, im Bereich der Gewissensfreiheit verblieben und dadurch stärker gestützt.

Der besondere Schutz der Institution von Ehe und Familie (Artikel 6) wurde unter ausdrücklichem Hinweis auf die Formulierungen des UN-Entwurfs aufgenommen. Auch für Artikel 6 Absatz 5 (Gleichstellung der unehelichen Kinder) bot die Erklärung (Artikel 25 Absatz 2 Satz 2) ein Vorbild.

Bei den Auseinandersetzungen, ob ein Elternrecht, die Art der Schulerziehung zu bestimmen, in Artikel 7 aufgenommen werden soll, stützten die Fraktionen der CDU/CSU, DP und des Zentrums ihre Anträge unmittelbar auf die UN-Erklärung (Artikel 26 Absatz 3), drangen aber schließlich nicht durch.

Während für die Artikel 8 bis 10 Vorbilder aus der Weimarer Verfassung zugrunde gelegt wurden, besteht bei der Freizügigkeitsgarantie eine stärkere Parallele zur UN-Erklärung (Artikel 13).

Es mag dahinstehen, ob die Garantien der Freiheit der Berufswahl (Artikel 12), der Unverletzlichkeit der Wohnung (Artikel 13) und des Eigentums (Artikel 14/15) unter dem Einfluß der UN-Erklärung formuliert wurden. Sie kommen dort zwar auch vor, sind aber anders ausgestaltet. Hingegen läßt sich ein deutlicher Einfluß der UN-Erklärung auf den Staatsangehörigkeitsartikel des Grundgesetzes (Artikel 16) nachweisen: Das Ausbürgerungsverbot folgt dem Vorbild von Artikel 15 UN-Erklärung[12].

Schließlich findet sich auch bei den Schlußartikeln des Grundrechtsabschnittes ein Einfluß der UN-Erklärung. Daß erwogen wurde, ein Petitionsrecht an die UN aufzunehmen[13], sei nur erwähnt. Wichtiger ist, daß der Grundgedanke des Artikels 29 Absatz 3 UN-Erklärung (»keine Freiheit für die Feinde der Freiheit«) für den Verwirkungsartikel fruchtbar gemacht wurde und schließlich ähnliches für das Verhältnis zwischen den Rechtsweggarantien in Artikel 8 der UN-Erklärung und in Artikel 19 Absatz 4 des Grundgesetzes gilt. In beiden Fällen ist allerdings aus den Materialien nicht zu belegen, daß eine bewußte Anlehnung stattfand.

Im Ergebnis ist festzustellen, daß bei der Formulierung zahlreicher wichtiger Rechte das Vorbild der UN-Erklärung bewußt benützt, daß es in anderen Fällen jedenfalls verwertet und offenbar durchgehend herangezogen wurde. Das gilt im übrigen nicht nur für den hier im einzelnen untersuchten eigentlichen Grundrechtsteil, sondern ebenso für die außerhalb desselben aufgenommenen Grundrechte.

Auf diese Weise hat die Bundesrepublik auf dem Gebiete des Menschenrechtsschutzes eine günstige Ausgangsposition: Ihre Verfassungsordnung ist bereits an der für die Vereinten Nationen maßgebenden Formulierung der Zielvorstellungen orientiert.

---

[12] 25. Sitzung des Grundsatzausschusses am 24. November 1948, in: Stenographische Protokolle, S. 101 und 44. Sitzung des Hauptausschusses am 19. Januar 1949, in: Stenographische Protokolle, S. 580 f.

[13] 6. Sitzung des Grundsatzausschusses am 5. Oktober 1948, in: Stenographische Protokolle, S. 38 und 44. Sitzung desselben am 30. November 1948, in: Stenographische Protokolle, S. 20.

2. *Die Europäische Menschenrechtskonvention als Teilverwirklichung des Paktes über bürgerliche und politische Rechte*

In Europa entstand das erste voll wirksame regionale Menschenrechtsschutzsystem. Dieses knüpft so stark an die Arbeiten im Rahmen der Organisation der UN an, daß dieses System eine vorweggenommene Teilverwirklichung der im Rahmen der UN verfolgten Bestrebungen genannt werden kann.

Bei der Ausarbeitung der Konvention wollte die Beratende Versammlung in ihrer Empfehlung vom 8. September 1949 dadurch an die Arbeiten der UN anknüpfen, daß sie die zu schützenden Rechte nur aufführte und für ihre Definition auf die entsprechenden Freiheitsgarantien in der Universellen Erklärung vom 10. Dezember 1948 verwies[14].

Der Ministerrat hielt diese Methode jedoch für unzureichend. Auf seiner 3. Sitzung in Paris am 5. November 1949 setzte er einen Ausschuß von Regierungsbeauftragten ein und beauftragte ihn, einen Konventionsentwurf auszuarbeiten. Dabei »sollte dem Fortschritt, welcher auf diesem Gebiete von den zuständigen Organen der Vereinten Nationen erreicht worden sei, gebührende Beachtung geschenkt werden«[15].

Der Ausschuß war über den Stand der Arbeiten in den UN-Organen im Detail unterrichtet. Er legte seinen Arbeiten den Covenant-Entwurf der 6. Sitzung der Menschenrechtskommission[16] zugrunde und formulierte die Artikel 1, 4, 5 Absätze 2–5, 6, 7, 9, 11, 13, 14, 15, 17 auf dieser Grundlage, während er für die Artikel 3, 8, 10, 12 unmittelbar auf die Anträge einzelner Staaten in der UN-Menschenrechtskommission zurückgriff[17].

Auf diese Weise beruht der materiellrechtliche Teil der Europäischen Konvention, die am 3. September 1953 in Kraft trat, in etwa auf dem Stand der Arbeiten der UN-Menschenrechtskommission im Jahre 1949/50. Das ist freilich nicht so zu verstehen, daß der Ausschuß der Regierungssachverständigen die Vorlagen wortwörtlich übernommen hätte. Es wurden nicht nur einzelne Formulierungen geändert, sondern in einigen Fällen hat der Ausschuß auch eine andere Methode angewandt als die UN-Menschenrechtskommission. So hat er mehrfach dort, wo damals in den UN eine Generalklausel für ausreichend gehalten wurde, eine sorgfältige Kasuistik eingeführt. Es kann hier wohl davon abgesehen werden, dies im einzelnen zu schildern. Jedenfalls besteht aber inhaltlich eine weitgehende Übereinstimmung zwischen der Europäischen Menschenrechtskonvention und den Arbeiten am Pakt für die zivilen und politischen Rechte nach dem Stande von 1949/50.

---

[14] Rec. No. 38, Doc. (1), No. 108, 1st Session, S. 261—264, auch UN-Yearbook on Human Rights 1949, S. 311.

[15] UN-Yearbook on Human Rights 1950, S. 418 (französische Ausgabe, S. 482).

[16] Doc. E/1371 vom 23. Juni 1949.

[17] Stammbaum in UN-Yearbook on Human Rights 1950, S. 419 (französische Ausgabe, S. 483).

Seitdem sind freilich bis zur Annahme des Paktes durch die Generalversammlung im Jahre 1966[18] mehr als 15 Jahre vergangen, und in dieser Zeit hat der Text – insbesondere durch die Mitarbeit der nun in die Organisation der UN aufgenommenen Staaten – eine nicht unwesentliche Veränderung – teils Verengung, teils Erweiterung – erfahren. Liegen die Verengungen auch vorwiegend auf dem Gebiete des Rechtsschutzsystems, das sich immer stärker von dem der Europäischen Konvention in die Richtung eines politischen Berichtssystems entfernt hat, so sind andererseits doch im materiellen Teil auch Erweiterungen festzustellen, indem neue Garantien hinzugefügt oder schon aufgenommenen ein breiterer Anwendungsbereich verliehen wurde.

Der Ministerrat des Europarates hat daher bereits im Dezember 1966 den Sachverständigenausschuß für Menschenrechte beauftragt, die Fragen zu prüfen, welche sich aus dem Nebeneinanderbestehen der UN-Pakte und der Europäischen Konvention ergeben, und dieser hat – neben einem Bericht über die beiden Kontrollsysteme – im September 1970 einen »Bericht über die Unterschiede hinsichtlich der garantierten Rechte« – also über die materiellrechtliche Seite – vorgelegt[19].

Der Bericht kommt zu dem Ergebnis, daß einerseits sechs neue Freiheitsgarantien in den Pakten enthalten sind und zudem in fünf Artikeln, die schon in der Konvention gewährleistete Freiheiten statuieren, über diese hinausgehende Verpflichtungen niedergelegt sind. Andererseits nennt er eine Reihe von Verpflichtungen aus dem Pakt, die möglicherweise über das Recht der Konvention hinausgehen.

Neu sind die Garantien des Selbstbestimmungsrechts (Artikel 1), die Pflicht zur menschlichen Behandlung Verhafteter und Angeklagter (Artikel 10), die Einschränkung der Ausweisung von Ausländern (Artikel 13), das Verbot der Kriegspropaganda, der Aufreizung zu Rassenhaß und sonstigen Diskriminierungen (Artikel 20), das über ein Diskriminationsverbot hinausgehende allgemeine Gleichheitsgebot (Artikel 26 Satz 1) und der Schutz ethnischer, religiöser und sprachlicher Minderheiten (Artikel 27). Erweitert wurde der Schutz bei den Garantien eines Gerichtsverfahrens (Artikel 14), des Schutzes der Privatsphäre (Artikel 17), der Meinungsfreiheit (Artikel 19), der Ehe und der Kinder (Artikel 23/24) und der Teilnahme am öffentlichen Leben (Artikel 25). Die nur möglicherweise weitergehenden Verpflichtungen schließlich betreffen die Zwangsarbeit (Artikel 8), einige Verfahrensgarantien (Artikel 14), Einzelheiten des Vereinigungs- und Versammlungsrechts (Artikel 21/2) und des Eheschutzes.

Schon die Aufzählung zeigt, daß es sich teils um Gegenstände handelt, die erst in den letzten Jahren in vollem Umfange in ihrer Tragweite erkannt wurden (wie der Schutz der Privatsphäre einschließlich der Familie), teils um Materien, deren Aufnahme in Zusatzprotokolle zur Konvention versucht wurde, aber nicht zustande kam (wie das allgemeine Gleichheitsgebot). Dazu treten stärker rechts-

[18] GA Res. 2200 (XXI) vom 16. Dezember 1966.
[19] Doc. H (70) 7 vom September 1970.

technische Verbesserungen (insbesondere hinsichtlich der Verfahrensgarantien), die gerade durch die Praxis der europäischen Rechtsschutzinstanzen erhellt wurden. Da der Bereich der Rassendiskriminierung (und damit auch des Minderheitenschutzes) durch die UN-Konvention zur Beseitigung der Rassendiskriminierung vom 7. März 1966[20] abgedeckt ist, bleibt als wichtigste Neuerung die Garantie des Selbstbestimmungsrechts, die deshalb auch in beide Pakte als Artikel 1 aufgenommen wurde. Sie enthält freilich keine Kollisionsnorm für den Fall, daß innerhalb eines Staates ein Volksteil dieses Recht für sich in Anspruch nimmt und regelt nicht, ob in einem derartigen Fall ein Recht zur Sezession besteht.

Insgesamt läßt sich feststellen, daß die Staaten, welche durch die Europäische Menschenrechtskonvention gebunden sind, auf dem Gebiete des internationalen Menschenrechtsschutzes gegenüber den Mitgliedstaaten der UN einen Vorsprung erreicht haben, solange der Pakt über die bürgerlichen und politischen Rechte noch nicht in Kraft getreten ist. Sie haben sich vor allem schon daran gewöhnt, daß eine internationale Kontrollinstanz ihre interne Rechtsordnung überprüft und an einem internationalen Standard mißt.

Freilich würde dieser Standard durch das Inkrafttreten des genannten Paktes noch angehoben werden.

3. Die Mitarbeit der Bundesrepublik Deutschland an Arbeiten auf dem Gebiete des Menschenrechtsschutzes im Rahmen der Vereinten Nationen

a) Weltmenschenrechtskonferenz Teheran 1968

Aus Anlaß des »Jahres der Menschenrechte« fand vom 22. April bis zum 13. Mai 1968 in Teheran die Internationale Konferenz für Menschenrechte der Vereinten Nationen statt, zu der nicht nur alle Mitgliedstaaten der UN, sondern auch die Staaten eingeladen waren, welche als Mitglieder ihrer Sonderorganisationen zur »Familie der UN« gehören. Die Bundesregierung entsandte den Minister der Justiz, Dr. Dr. Gustav Heinemann, mit einer sechsköpfigen Delegation. 85 Staaten waren vertreten.

Am dritten Tage erhielt Bundesjustizminister Heinemann das Wort zu einer Ansprache[21], in der er nach einer Schilderung des Systems des Grundrechtsschutzes in der Bundesrepublik und in Europa auf einige aktuelle Fragen der Grundrechtsgewähr einging, welche auf der Tagesordnung der Konferenz standen: die Gefahr einer Wiederbelebung des Nationalsozialismus, die Beseitigung der Rassendiskriminierung, den Gedanken der Einsetzung eines Hochkommissars für Menschenrechte. Besondere Beachtung fanden seine Ankündigungen, daß die Bundesrepublik das Übereinkommen zur Beseitigung aller Formen der Rassendiskriminierung bald ratifizieren werde (was am 16. Mai 1969 geschah) und daß die Bundesregie-

[20] GA Res. 2106 A (XX) vom 21. Dezember 1965; Bundesgesetzblatt 1969 II, S. 961 ff.
[21] Text in: *Vereinte Nationen*, Jg. 16, 1968, S. 1—3.

rung auch beabsichtige, die beiden großen Pakte für Menschenrechte zu unterzeichnen (was am 9. Oktober 1968 erfolgte).

Die Konferenz hatte die Aufgabe, den in den 20 Jahren seit Übernahme der Universellen Erklärung erreichten Fortschritt auf dem Gebiete der Menschenrechte zu überprüfen und ein Programm für die Zukunft zu entwerfen. Sie sollte auch einen Ansporn dazu geben, die von Organen der UN angenommenen Konventionswerke – darunter vor allem die drei oben genannten – zu ratifizieren[22]. Da der Bundesjustizminister als einer der ersten Redner konkrete Aussagen über die Absichten seines Landes in dieser Hinsicht zu machen in der Lage war, wirkten seine Ankündigungen stark. Zahlreiche der folgenden Redner sahen sich veranlaßt, es ihm nachzutun.

Während der Konferenzarbeiten beschäftigte sich der Erste Ausschuß eingehend mit der Gefahr der Wiederbelebung des Nationalsozialismus. Auf die in diesem Zusammenhange erhobenen Vorwürfe antwortete Botschafter Alexander Böker. Auf diese Auseinandersetzung wird unten III/1 b näher einzugehen sein. Hier sei nur bemerkt, daß es wohl auf die Rede Bökers zurückzuführen war, daß die Schlußresolution der Konferenz auf eine gegen bestimmte Staaten gezielte Nennung bestimmter historischer Erscheinungsformen verzichtete, sondern die Sachaufgabe beschwor: »Alle Ideologien, die sich auf die Lehre der Rassenüberlegenheit und Intoleranz gründen, sind zu verdammen und zu bekämpfen.«[23]

b) Aus der Arbeit der Vereinten Nationen und der Sonderorganisation erwachsene Instrumente des Menschenrechtsschutzes auf der Weltebene

Die beiden Redner auf der Konferenz in Teheran vermochten deshalb mit einer gewissen Sicherheit im Kreis der UN-Mitglieder aufzutreten, da die Bundesrepublik Deutschland nicht nur in ihrer inneren Rechtsordnung die Ziele der Universellen Erklärung weitgehend durchgeführt und im Rahmen des Europarates sich weitgehenden Kontrollen unterworfen, sondern da sie auch auf der Weltebene an den Bestrebungen zur Sicherung der Menschenrechte und Grundfreiheiten sich intensiv betätigt hatte.

Es würde zu weit gehen, hier diese Aktivitäten im einzelnen zu schildern, sondern es mag genügen, hier die Beteiligung an Einzelkonventionen, die entweder von der Organisation der UN selbst oder von ihren Sonderorganisationen geschaffen und zur Ratifikation aufgelegt wurden, listenmäßig festzuhalten. Berücksichtigt sind dabei alle vom UN-Sekretariat für die Konferenz in Teheran zusammengestellten Verträge (A/Conf. 32/41), soweit sie zur Ratifikation aufgelegt wurden, in zeitlicher Reihenfolge, wobei allerdings auch die Ratifikationen durch die Bundesrepublik erwähnt sind, die nach der Konferenz von Teheran erfolgten:

[22] Vgl. die Präambel von Ziffer 4 der »Proclamation of Teheran«, 1968 (UN Doc. A/Conf. 32/41).

[23] UN Doc. A/Conf. 32/41 Ziffer 8, letzter Satz.

	in Kraft seit	Zeichnung	Ratifiz.	Zust. G.	Fundstelle
1. Übereinkommen Nr. 87 der Internationalen Arbeitsorganisation über die Vereinigungsfreiheit und den Schutz des Vereinigungsrechts vom 9. Juni 1948	4. Juli 1950	—	20. März 1957	20. Dezember 1956	1956 II, S.2072—78
2. Übereinkommen über die Verhütung und Bestrafung von Völkermord vom 9. Dezember 1948	12. Januar 1954	—	24. November 1954	9. August 1954	1954 II, S.729—39
3. Übereinkommen Nr. 98 der Internationalen Arbeitsorganisation über die Anwendung der Grundsätze des Vereinigungsrechts und des Rechts zu Kollektivverhandlungen vom 1. Juli 1949	18. Juli 1951	—	8. Juni 1956	23. Dezember 1955	1955 II, S.1122—27
4. Übereinkommen über die Abschaffung von Menschenhandel und Ausbeutung anderer vom 2. Dezember 1949	25. Juli 1951	—	—	—	—
5. Übereinkommen Nr. 100 der Internationalen Arbeitsorganisation über die Gleichheit des Entgelts männl. und weibl. Arbeitskräfte für gleichwertige Arbeit vom 29. Juni 1951	23. Mai 1953	—	8. Juni 1956	6. Februar 1956	1956 II, S. 23—28
6. Übereinkommen über die Rechtsstellung der Flüchtlinge vom 28. Juli 1951	22. April 1954	19. November 1951	1. Dezember 1953	1. September 1953	1953 II, S.559—89
7. Übereinkommen über das internationale Recht auf Berichtigung vom 16. Dezember 1952	24. August 1962	—	—	—	—
8. Übereinkommen über die politischen Rechte der Frau vom 20. Dezember 1952	7. Juli 1954	—	4. November 1970	25. September 1969	1969 II, S.1929—35
9. Übereinkommen über die Abschaffung der Sklaverei vom 25. September 1926	9. März 1927	—	12. März 1929	14. Januar 1929	1929 II, S. 63—77
10. Übereinkommen über die Abschaffung der Sklaverei vom 25. September 1926 i. d. Fassung vom Protokoll vom 23. Oktober 1953	7. Juli 1955	—	enthält Übernahme des Abkommens vom 25. September 1926 durch die UN		

	in Kraft seit	Zeichnung	Ratifiz.	Zust. G.	Fundstelle
11. Übereinkommen über die Rechtsstellung von Staatenlosen vom 28. September 1954	6. Juni 1960	28. September 1954	—	—	—
12. Zusatzübereinkommen über die Abschaffung von Sklaverei, Sklavenhandel sowie sklavenähnlichen Einrichtungen und Bräuchen vom 4. September 1956	30. April 1957	7. September 1956	14. Januar 1959	4. Juli 1958	1958 II, S.203—223
13. Übereinkommen über die Staatsangehörigkeit verheirateter Frauen vom 29. Januar 1957	11. August 1958	—	Zurückgestellt, vgl. Deutscher Bundestag Drucksache V/526		
14. Übereinkommen über die Abschaffung der Zwangsarbeit vom 25. Juni 1957	17. Januar 1959	—	22. Juni 1960	20. Juni 1959	1959 II, S. 441—48
15. Übereinkommen gegen Diskriminierung in Beschäftigung und Beruf vom 25. Juni 1958	15. Juni 1960	—	15. Juni 1962	8. September 1961	1961 II, S. 97—102
16. Übereinkommen gegen Diskriminierung im Unterrichtswesen vom 14. Dezember 1960	22. Mai 1962	—	17. Oktober 1968	9. Mai 1968	1968 II, S.385—402
17. Übereinkommen über die Verminderung von Staatenlosigkeit vom 30. August 1961	—	wird voraussichtlich nicht ratifiziert, da dieses Übereinkommen vom Prinzip »ius soli« und nicht vom »ius sanguinis« ausgeht			
18. Übereinkommen über die Erklärung des Ehewillens, des Heiratsmindestalters und die Registrierungen von Eheschließungen vom 7. November 1962	9. Dezember 1964	—	9. August 1969	7. Februar 1969	1969 II, S.161—179
19. Protokoll über die Errichtung einer Schlichtungs- und Vermittlungskommission zur Beilegung möglicher Streitigkeiten zwischen den Vertragsstaaten des Übereinkommens gegen die Diskriminierung im Unterrichtswesen vom 18. Dezember 1962	24. Oktober 1968	—	24. Oktober 1968	9. Mai 1968	1968 II, S. 403—421
20. Übereinkommen Nr. 122 der Internationalen Arbeitsorganisation über die Beschäftigungspolitik vom 9. Juli 1964	15. Juli 1966	—	17. Juni 1971	15. Februar 1971	1971 II, S. 57—62

	in Kraft seit	Zeichnung	Ratifiz.	Zust. G.	Fundstelle
21. Internationales Übereinkommen zur Beseitigung aller Formen der Rassendiskriminierung vom 21. Dezember 1965	4. Januar 1965	10. Februar 1967	16. Mai 1969	9. Mai 1969	1969 II, S. 960—980
22. Internationaler Pakt über wirtschaftliche, soziale und kulturelle Rechte vom 16. Dezember 1966	—	9. Oktober 1968	—	—	—
23. Internationaler Pakt über staatsbürgerliche und politische Rechte vom 16. Dezember 1966	—	9. Oktober 1968	—	—	—
24. Fakultativprotokoll zu dem Internationalen Pakt über staatsbürgerliche und politische Rechte vom 16. Dezember 1966	—	—	—	—	—
25. Protokoll über die Rechtsstellung der Flüchtlinge vom 16. Dezember 1966	4. Oktober 1967	—	5. November 1969	11. Juli 1969	1969 II, S. 1293—98

4. Die Konvention zur Beseitigung aller Formen der Rassendiskriminierung (CERD)

a) Ratifikation

Aus welchen Gründen und unter welchen Umständen sich das Interesse der UN-Mitgliedstaaten im letzten Jahrzehnt auf das Teilgebiet der Rassendiskriminierung konzentrierte, ist oben (unter I) schon geschildert worden. So konnte schon $2^1/_2$ Jahre nach Annahme der Resolution vom 20. November 1963[24] das Internationale Übereinkommen zur Beseitigung jeder Form von Rassendiskriminierung am 7. März 1966[25] von der Generalversammlung zur Ratifikation aufgelegt werden.

Die Bundesrepublik war zwar an der Ausarbeitung der Konvention nicht beteiligt, die Bundesregierung hat aber alsbald Schritte eingeleitet, um von dem ihr gemäß Artikel 17 in der Eigenschaft als Mitglied von Sonderorganisationen eingeräumten Recht Gebrauch zu machen, Vertragspartei des Übereinkommens zu

[24] GA Res. 1904 (XVIII) vom 20. November 1963 — Deutscher Text in: *Vereinte Nationen,* Jg. 16, 1968, S. 27 f. sowie bei Felix *Ermacora,* Internationale Dokumente zum Menschenrechtsschutz, Stuttgart 1971, S. 23—29.

[25] GA Res. 2106 (XX) vom 21. Dezember 1965. — Bundesgesetzblatt 1969 II, S. 960—980. Zu Hintergrund und Wirkungsweise der Konvention neben den in Anm. 35, 58 und 76 genannten Schriften: Ernest *Hamburger,* Die Instrumente der UN gegen die Rassendiskriminierung, in: *Vereinte Nationen,* Jg. 16, 1968, S. 3—11; Karl Josef *Partsch,* Die Konvention zur Beseitigung der Rassendiskriminierung, in: *Vereinte Nationen,* Jg. 19, 1971, S. 1—8, 46—56 (auch — mit Text und Materialien — in: Schriftenreihe der Bundeszentrale für politische Bildung, 1971).

werden. Zunächst hat sie am 10. Februar 1967 die Konvention unterzeichnet und dann am 8. März 1969 dem Deutschen Bundestag den vom Kabinett beschlossenen Entwurf eines Zustimmungsgesetzes unterbreitet[26], welches gemäß Artikel 59 Absatz 2 GG die Zustimmung zu dem Übereinkommen zum Ausdruck bringt und eine Berlin-Klausel enthält. Obwohl das Übereinkommen in allen fünf Amtssprachen der UN maßgebend ist (Artikel 25 Absatz 1), sind nur die englische und französische Fassung abgedruckt und eine deutsche Übersetzung beigefügt[27] sowie die bei Unterzeichnung, Ratifizierung oder Beitritt erklärten Vorbehalte und sonstigen Feststellungen wiedergegeben. Eine kurze Denkschrift ist beigefügt[28].

Die gesetzgebenden Körperschaften haben das Zustimmungsgesetz in großer Eile behandelt, um die Bundesregierung in die Lage zu versetzen, an der Wahl des Ausschusses zur Beseitigung der Rassendiskriminierung teilzunehmen und einen Kandidaten zu präsentieren. In der ersten Lesung am 31. März 1969 wurde die Vorlage ohne Erörterung an den Auswärtigen Ausschuß und den Innenausschuß überwiesen[29], am 24. April 1969 erstattete der Auswärtige Ausschuß (Abgeordneter Sänger) einen schriftlichen Bericht[30], den er bei der zweiten Lesung am 25. April 1969 im Plenum erläuterte, wobei er erwähnte, daß die Konvention inzwischen (am 4. Januar 1969) in Kraft getreten sei. Die dritte Lesung schloß sich gleich an. Die Vorlage wurde einstimmig angenommen[31].

Nachdem der Bundesrat die Vorlage in der 234. Sitzung behandelt hatte, wurde das Gesetz unter dem 9. Mai 1969 verkündet[32] und am 16. Mai 1969 die Ratifikationsurkunde beim Generalsekretär der Vereinten Nationen hinterlegt[33].

[26] Bundestagsdrucksache V/3960 vom 8. März 1969.

[27] Anders in Drucksache V/1583 vom 17. März 1967 hinsichtlich des Übereinkommens vom 15. Dezember 1960 gegen Diskriminierung im Unterrichtswesen; dort ist auch der spanische und russische Text wiedergegeben.

[28] Sie geht von der irrigen Feststellung aus, das Übereinkommen sei noch nicht in Kraft getreten, da erst 25 Staaten ratifiziert hätten. Auch die Wiedergabe des Inhaltes des Übereinkommen ist nicht frei von Irrtümern. So wird etwa erwähnt, in Artikel 5 werde den zu schützenden Personen ein Katalog von Freiheits- und Bürgerrechten verbrieft, obwohl diese Bestimmung lediglich zum Ausdruck bringt, hinsichtlich welcher Rechte eine Diskriminierung unzulässig ist. Auch der Inhalt von Artikel 15 ist unzutreffend wiedergegeben. Dort sind keine »Rechtsgarantien für Kolonialvölker« festgelegt, sondern lediglich ein besonderes Verfahren hinsichtlich abhängiger Gebiete, wobei es dem Ausschuß nicht aufgetragen ist, »Petitionen ... entgegenzunehmen«, sondern lediglich Kopien dieser an andere UN-Organe gerichteten und von ihnen federführend zu behandelnden Petitionen zu prüfen.

[29] Stenographisches Protokoll der 223. Sitzung, S. 12219 C.

[30] Drucksache V/4127: er umfaßt nur eine Seite und beschränkt sich — unter Hinweis auf die Artikel 3 Absatz 3 und 19 Absatz 4 des Grundgesetzes sowie auf Paragraph 130 des Strafgesetzbuches — auf die Feststellung, daß die Rechtsordnung der BRD in vollem Umfange bereits dem Recht der Konvention entspreche.

[31] Stenographisches Protokoll der 229. Sitzung, S. 12690 B bis 12691 A.

[32] Bundesgesetzblatt 1969 II, S. 961 und Bekanntmachung vom 16. Oktober 1969 über das Inkrafttreten sowie weitere inzwischen von anderen Mitgliedstaaten abgegebene Erklärungen, Bundesgesetzblatt 1969 II, S. 2211.

[33] Jahresbericht der Bundesregierung, 1969, S. 90.

b) Wahl der Sachverständigen

Am 10. Juli 1969 sollten die 18 Mitglieder des in der Konvention vorgesehenen Ausschusses gewählt werden. Damals hatten zwar 36 Staaten die Konvention ratifiziert, doch präsentierten nur 17 Mitgliedstaaten Kandidaten. Sie wurden alle gewählt – ohne die gemäß Artikel 8 Absatz 1 gebotene Rücksicht auf eine »gerechte geographische Verteilung«. So entsandten neun afrikanische Staaten nur vier Sachverständige, die acht osteuropäischen Staaten aber fünf, die sieben lateinamerikanischen Staaten nur zwei und die je sechs asiatischen und westeuropäischen Staaten nur je drei Sachverständige (wenn man Zypern zu Westeuropa und nicht zu Asien rechnet). Auch der von der Bundesrepublik präsentierte Sachverständige erhielt die notwendige Stimmenzahl, obwohl sich die osteuropäischen Mitglieder der Stimme enthielten. Erst im Oktober 1969 – nach Eingang einer weiteren Ratifikation – konnte das 18. Mitglied gewählt werden. Dabei standen zwei Kandidaten zur Wahl. Sie fiel auf den Kandidaten von Kuwait.

Inzwischen hat sich die Zahl der Vertragsstaaten[34] auf 72 erhöht, und am 10. Januar 1972 sind die neun Sachverständigen, deren Amtszeit – durch das Los – auf zwei Jahre festgelegt worden war, neu gewählt worden. Die Gelegenheit, nun eine gerechtere geographische Verteilung vorzunehmen, wurde genutzt. Für 1972 bis 1974 setzt sich der Ausschuß aus vier afrikanischen, vier asiatischen, vier westlichen, drei südamerikanischen und drei osteuropäischen Sachverständigen zusammen. Bei den beiden Tagungen des Ausschusses 1972 zeigte sich deutlich, daß diese Änderung der Zusammensetzung auch eine erhebliche Verbesserung des Arbeitsklimas zur Folge hatte. An die Stelle einer Abstimmung nach politischen Blöcken trat stärker eine sachliche Diskussion.

c) Die Bundesrepublik Deutschland vor den materiellen Verpflichtungen aus der Konvention – insbesondere ihr Bericht 1970 und seine Erörterung

Das Ziel der Konvention ist, die Vertragsstaaten zur Beseitigung aller Diskriminierungen aus Gründen der Rasse, Farbe, Herkunft, nationaler oder ethnischer Abstammung zu verpflichten. Sie bezieht sich also nicht nur auf den Gegensatz zwischen farbig und weiß, sondern geht sehr viel weiter. Auch die Diskriminierung von ausländischen Arbeitnehmern verwandter europäischer Völker fällt darunter, solange sie nur einem anderen »Volk« angehören. Die schwierige Frage, was unter dem Begriff der »Rasse« zu verstehen sei, hat die bisherige Praxis noch nicht verbindlich geklärt. Sie dürfte auch Schwierigkeiten haben, das zu tun, nachdem ein von der UNESCO 1967 nach Paris einberufener Biologenkongreß zu dem Ergebnis gelangt ist, daß der Begriff der »Rasse« wissenschaftlich nicht eindeutig zu umschreiben sei[35].

[34] Die Fakultativerklärung hinsichtlich individueller Petitionen (Artikel 14 CERD) haben bisher nur die Niederlande, Schweden und Uruguay abgegeben (vgl. Bericht des Generalsekretärs vom 12. September 1972, UN Doc. A/8789).

[35] Text bei Felix *Ermacora*, Diskriminierungsschutz und Diskriminierungsverbot in der Arbeit der Vereinten Nationen, Wien/Stuttgart 1971, S. 246 f.

Bei Anwendung der Konvention ist aber auch auf die anderen Merkmale »Farbe, Herkunft, nationale oder ethnische Abstammung« abzustellen. Dabei ist freilich die Grenze nach unten schwer zu ziehen. Wo liegen nur Stammesunterschiede innerhalb eines Volkes vor oder aber Unterschiede zwischen Völkern? Es wird also schwerlich davon abzusehen sein, statt auf objektive Merkmale auf das subjektive Bewußtsein abzustellen. Ausgeschieden aus dem Konventionswerk ist die religiöse Diskriminierung, die in einer besonderen Konvention behandelt werden soll[36]. Das schließt nicht aus, daß ein auf religiöser Grundlage gewachsenes Volk als Träger oder Opfer diskriminierender Handlungen in Betracht kommt.

Im Rahmen dieses Anwendungsbereiches sind in sehr subtiler Weise die einzelnen untersagten diskriminierenden Handlungen zu erfassen gesucht. Dabei hat man sich nicht auf die Diskriminierung durch die öffentliche Gewalt in all ihren Formen — Legislative, Exekutive und Judikative — beschränkt, sondern auch die Diskriminierung von Privatpersonen untereinander mit einzubeziehen versucht. Ein Staat verletzt die Konvention zum Beispiel, wenn er es duldet, daß ein Gastwirt, Hotel oder Club fremdstämmige Gäste aus dem Lokal verweist, daß eine Vereinigung Rassenhaß verbreitet oder auch nur die Lehre von der Überlegenheit eines Volkes über das andere vertritt. Daneben besteht die Rechtspflicht, Organisationen zu fördern, welche die Kluft von Rasse und Volk zu überbrücken suchen. Es ist klar, daß hier Kollisionen mit der Garantie der Meinungsfreiheit und der Vereinigungsfreiheit auftreten können[37].

Die Vertragsstaaten haben ein Jahr nach dem Inkrafttreten der Konvention für sie über die von ihnen getroffenen Maßnahmen gesetzgeberischer, gerichtlicher, verwaltungsmäßiger oder sonstiger Art an den Ausschuß zu berichten und dann im Abstande von zwei Jahren — oder auf besondere Aufforderung des Ausschusses — dies zu wiederholen (Artikel 9 Absatz 1 der Konvention). Der Ausschuß prüft diese Berichte, kann ihre Ergänzung durch weitere Auskünfte anfordern und sie zur Grundlage von Vorschlägen oder allgemeinen Empfehlungen an die Generalversammlung machen (Artikel 9 Absatz 2 der Konvention).

Da die ersten Berichte, welche eingingen, mehr als lakonisch waren, sah sich der Ausschuß veranlaßt, schon in einem frühen Stadium seiner Arbeiten die Maßstäbe bekanntzugeben, welche er an derartige Berichte anlegen würde. Das geschah in Form einer Mitteilung an die Staaten. Die Bezeichnung »Fragebogen« wurde vermieden. In enger Anlehnung an den Konventionstext werden die einzelnen Verpflichtungen formuliert und jeweils gefragt, was zu ihrer Verwirklichung innerstaatlich geschehen sei. Dabei hält sich dieses Schema nicht an die Reihenfolge der Konventionsartikel, sondern gruppiert die einzelnen Verpflichtungen sachlich und systematisch folgendermaßen:

1. Allgemeine politische Zielsetzungen — wie die Verdammung der Apartheid;

---

[36] Text der Entwürfe und Bericht über den Stand der Arbeiten bei *Ermacora* (Anm. 35), S. 145.

[37] Siehe unter III 2 a, S. 138 ff.

2. konkrete Verpflichtungen der Staaten und ihrer Organe, diskriminierende Handlungen von hoher Hand zu unterlassen und zu verhindern;
3. Verpflichtungen, Diskriminierungen durch Individuen und private Organisationen zu unterbinden;
4. positive Förderungspflichten.

Diese »Mitteilung«, für die in der Konvention nur mittelbar eine Grundlage besteht (Artikel 9 Absatz 1 Satz 2), ist von den Mitgliedstaaten nicht in Frage gestellt, sondern überwiegend befolgt worden[38].

Der Bericht der Bundesrepublik vom 12. August 1970[39] hält sich ganz streng an das aufgestellte Schema und schildert nüchtern und gewissenhaft, in welcher Weise in der deutschen Rechtsordnung den Forderungen der Konvention Rechnung getragen sei – so im Grundrechtsteil des Grundgesetzes, aber auch im Strafgesetzbuch und vor allem in sozialrechtlichen Spezialgesetzen. Er geht aber auch auf die tatsächliche Lage der zwei Millionen ausländischer Arbeitnehmer und der 23 568 ausländischen Studenten in der BRD ein und erwähnt die Maßnahmen, um ihnen die Eingliederung in das Leben am Arbeitsplatz und während der Freizeit zu erleichtern. Der Zusatzbericht schildert eingehend Schul- und Bildungseinrichtungen für die Kinder der ausländischen Arbeitnehmer.

Die Diskussion wurde durch eine sehr positiv gehaltene Würdigung des nigerianischen Sachverständigen eröffnet. Danach meldeten sich aber kritische Stimmen. Die Sachverständigen aus Polen, der Tschechoslowakei und der Ukraine brachten die Frage der Definition der deutschen Staatsangehörigkeit in Artikel 116 des Grundgesetzes, den Ausschluß der Angehörigen östlicher Staaten von Wiedergutmachungsleistungen, die Tätigkeit der NPD und anderer Organisationen, welche nationalsozialistisches Gedankengut verbreiten, zur Sprache.

Die Intervention des sowjetischen Sachverständigen enthielt eine breit angelegte Kritik des deutschen Berichts aus politischer Sicht: Gesamtdeutscher Anspruch durch die Definition der deutschen Staatsangehörigkeit, Berlin, Neonazismus, Ausschluß der DDR von den Arbeiten gegen Rassendiskriminierung im Rahmen der UN waren die Hauptthemen. Als der englische Sachverständige einwarf, in der Kritik an dem Bericht seien spezifische Themen der Rassendiskriminierung kaum berührt worden, trug ihm das die harte Erwiderung ein, er brächte politische Töne in eine Sachdebatte.

In dieser Atmosphäre mußte der deutsche Sachverständige das Wort nehmen. Zunächst versuchte er, die Atmosphäre zu entschärfen, indem er bemerkte, es sei für einen Sachverständigen eine mißliche Situation, den Bericht seines Landes gegen rein politische Angriffe zu verteidigen. Man solle doch auch in diesem Ausschuß besser der Praxis des Treuhandschaftsrates folgen, der zu diesem Zweck Regie-

[38] CERD Doc. R 12 vom 28. Januar 1970, abgedruckt in GAOR, 25th Session, Suppl. No. 27 (UN Doc. A/8027), S. 32–34.

[39] CERD/C/R/Add. 28 (18 S.) und Zusatzbericht Add. 41 (3 S.) vom 24. März 1971. Inzwischen hat die Bundesregierung 1972 ihren zweiten periodischen Bericht (CERD/C/R 30/Add. 25) vorgelegt, der aber im Ausschuß noch nicht erörtert wurde.

rungsvertreter der Verwaltungsstaaten einlüde und es seinen Mitgliedern aus dem Verwaltungsstaat erspare, ihre Rolle zu wechseln und den Richterstuhl mit der Bank des Angeklagten zu vertauschen[40]. Auf jeden Fall lehne er es ab, allgemein politische Fragen zu beantworten, sondern er wolle dem Ausschuß nur helfen, sachliche und auf das spezifische Thema der Konvention bezügliche Fragen zu klären.

Danach ging er dann die einzelnen Rechtsfragen durch und bekam zu spüren, wie schwierig es ist, Artikel 116 des Grundgesetzes, der den Begriff des »Deutschen« definiert, vor einem Forum, das den spezifischen Problemen der deutschen Teilung fernsteht, zu erläutern. Deswegen gab es hinterher auch die meisten Rückfragen, da die Vorstellung, daß es einen Staat mit einem offenen Bestand von Staatsangehörigen geben könne, offenbar schwer zu begreifen ist.

Eher leuchtete es in diesem Forum ein, warum die Bundesregierungen sich nicht zu einem Antrag auf Verbot der NPD entschließen konnten. Damit gaben sich einige Mitglieder des Ausschusses aber immer noch nicht zufrieden, sondern äußerten den Verdacht, hinter dem Begriff des »Deutschen« verberge sich ein Überrest der Lehre vom Herrenmenschen und von der erwählten Nation. Erst nachdem der Sachverständige aus der Bundesrepublik sich geweigert hatte, politische Auseinandersetzungen auszutragen und sich in die Rolle eines Angeklagten drängen zu lassen, der einen Regierungsbericht zu verteidigen habe, wurde die Debatte geschlossen.

Sie flammte erst ganz am Ende der Behandlung dieses Tagesordnungspunktes wieder auf, als beschlossen wurde, wie die erörterten Berichte zu klassifizieren seien. Es wurde beantragt, den deutschen Bericht als unzureichend zu bezeichnen, da er noch einige Fragen offenlasse, die noch zu klären wären. Schließlich wurde darüber aber abgestimmt und von den anwesenden 13 Sachverständigen sprachen sich neun für seine Vollständigkeit aus. Nur vier hielten ihn für ergänzungsbedürftig.

Wenn man den Hergang dieser Auseinandersetzung würdigt, so ist festzustellen,

- daß in der Debatte allgemein-politische Gesichtspunkte stärker hervortraten als sachliche, was bedauerlich ist und in den bisherigen Verhandlungen des Ausschusses nicht der Fall war;
- daß der Einführung solcher sachfremder allgemein-politischer Gesichtspunkte vor allem von den Sachverständigen ausdrücklich widersprochen wurde, die

---

[40] Diese Anregung ist bei den Beratungen des Dritten Hauptausschusses der Generalversammlung über den Bericht des CERD für 1971 aufgegriffen worden und hat dazu geführt, daß die Generalversammlung CERD empfahl, so zu verfahren. CERD hat auf seiner fünften Tagung im Februar 1972 seine Verfahrensordnung entsprechend geändert. Bei der sechsten Tagung im August 1972 wurden Vertreter der Staaten eingeladen, bei Prüfung der Staatenberichte anwesend zu sein und nach Abschluß der Erörterung zu den aufgeworfenen Problemen Stellung zu nehmen. Nur fünf Staaten folgten der Einladung und ließen Erklärungen abgeben.

aus Ländern kommen, denen der berichterstattende Staat freundschaftlich verbunden ist;

– daß aber bei der Entscheidung dann – und das darf als erfreulich bezeichnet werden – die Sachverständigen sich überwiegend – auch über die Grenzen der politischen Blöcke hinweg – an sachlichen Gesichtspunkten orientierten. Sonst wäre angesichts der damaligen Zusammensetzung des Ausschusses das Ergebnis nicht zu erklären.

Wenn man mit diesem Hergang die – sehr viel weniger ausgedehnte – Erörterung des Berichtes des Vereinigten Königreiches vergleicht, ergeben sich zahlreiche Parallelen. Der englische Bericht unterscheidet sich wesentlich von dem deutschen. Er ist nicht so ängstlich auf die Behandlung der Rechtsfragen konzentriert, sondern spricht mit einer erfreulichen Pragmatik und einem nachdrücklichen Realismus die schwierigen Sachfragen an, die sich aus der Anwesenheit etwa einer Million farbiger Fremdarbeiter aus dem Commonwealth in Großbritannien ergeben und schildert eingehend die präventiven und pflegerischen Maßnahmen, die getroffen wurden, um das Problem des Zusammenlebens von Menschen unterschiedlicher Herkunft in den Fabriken und Städten zu lösen. Offen wird dort ausgesprochen, daß Strafandrohungen ungeeignet sind, um dieses psychologische Problem zu lösen: Schlichtung, Fürsorge und die Bemühung um gegenseitiges Verständnis seien wirkungsvoller und besser.

In der Diskussion wurde es anerkannt, mit welcher Offenheit dieser Bericht das Bestehen von Rassenproblemen in Großbritannien dargelegt hat und welche ernsthaften Bemühungen unternommen wurden, dieser Probleme Herr zu werden. Daneben wurde freilich gerügt, daß es immer noch in abhängigen Gebieten Überreste des Kolonialismus gebe, über die nicht ausreichend berichtet worden sei. Die Regierung Großbritanniens hatte sich dafür auf die Berichte der lokalen Regierungs- und Verwaltungsstellen gestützt. Das Abstimmungsergebnis über den britischen Bericht war dann aber ganz ähnlich wie bei dem der Bundesrepublik.

5. Die Santa-Cruz-Studie

Der Ausschuß zur Beseitigung der Rassendiskriminierung ist nicht das einzige Organ im Bereich der Organisation der UN, in dem Fragen des Schutzes der Menschenrechte und der Rassendiskriminierung erörtert werden. Das geschieht auch in der Menschenrechtskommission – einem Organ des Wirtschafts- und Sozialrates – und ihren Unterorganen wie dem Unterausschuß zur Beseitigung der Rassendiskriminierung und zum Schutze der Minderheiten und auch im Dritten Hauptausschuß der Generalversammlung. Dabei kommen auch Probleme zur Sprache, welche die BRD unmittelbar berühren. Bisher war es nur dann möglich, an diesen Arbeiten teilzunehmen, wenn die Bundesregierung von diesen Organen um eine Stellungnahme ersucht wurde – was zum Beispiel von dem genannten Unterausschuß bei Vorbereitung von Studien geschah, die auf der

Grundlage von Material aus UN-Organen oder von Mitgliedstaaten der UN oder ihrer Sonderorganisationen erarbeitet wurden[41].

Die zuletzt veröffentlichte Studie des Sonderberichterstatters Hernán Santa Cruz (Chile) über Rassendiskriminierung, die als Beitrag zum Rassendiskriminierungsjahr erschien[42], faßt nicht nur die Ergebnisse der früher veröffentlichten Studien über Spezialthemen zusammen, sondern gibt auch ein anschauliches Bild von der Thematik, mit der sich sämtliche Organe der UN und ihrer Sonderorganisationen beschäftigen und gleichzeitig auch einen Eindruck von ihrer Arbeitsmethode. Dabei ist der eigenartige Charakter dieser Art von Studien zu berücksichtigen. Der Autor sagt im Vorwort selbst: »Da dies eine Studie der UN ist, hatte der Verfasser nicht die intellektuelle und politische Freiheit, die ein ohne Beschränkungen schreibender Wissenschaftler wohl genießt.« Bei seinen Schlußfolgerungen habe er sich an Richtlinien zu halten gehabt um sicherzustellen, daß die Studie keine Auffassungen rein subjektiver Art enthalte.

Gerade deswegen ist die Studie aufschlußreich. Ein Drittel des Buches (95 Seiten) ist den allgemeinen Fragen, dem historischen und begrifflichen Hintergrund, der Arbeit internationaler und staatlicher Organe und dem Phänomen der Diskriminierung auf politischem, wirtschaftlichem, sozialem und kulturellem Gebiet gewidmet, zwei Drittel den praktischen Fällen: Auf die Behandlung von Eingeborenen (51 Seiten) folgen die großen Abschnitte über Südafrika, Rhodesien und Namibia (85 Seiten), dann ein kurzer über die portugiesischen Kolonien (10 Seiten) und ein ausgebreiteter über die Gefahr der Wiederbelebung des Nationalsozialismus (53 Seiten).

In dem ersten Drittel der Studie findet sich ein reich dokumentierter Abschnitt über nationale Maßnahmen zur Beseitigung rassischer Diskriminierung (Seite 26—42). Die Diskriminierungsverbote in Verfassungen werden ebenso detailliert wiedergegeben wie die Strafnormen gegen Rassenhaß und Völkermord. Es fällt auf, daß in diesem ganzen Abschnitt die BRD niemals erwähnt ist, obwohl das Material dem Verfasser vorlag[43].

---

[41] Resolution B (VI) gemäß UN Doc. E/CN 4/703 Paragraph 93. Die als UN-Publikationen veröffentlichten Studien (dazu eingehend auch *Ermacora* (Anm. 35), S. 186—204) sind folgende: UN Doc. E/CN 4/Sub. 2/181/Rev. 1: Study of Discrimination in Education (Charles D. Ammoun), 1957; UN Doc. E/CN 4/Sub. 2/200/Rev. 1: Study of Discrimination in the Matter of Religious Right and Practices (Arcot Krishnaswami), 1960; UN Doc. E/CN 4/Sub. 2/213/Rev. 1: Study of Discrimination in the Matter of Political Rights (Hernán Santa Cruz), 1963: UN Doc. E/CN 4/Sub. 2/200/Rev. 1: Study of Discrimination in Respect of the Right of Everyone to leave any Country, including his own and to return to his Country (José D. Ingles), 1964; UN Doc. E/CN 4/Sub. 2/265/Rev. 1: Study of Dicrimination against Persons born out of Wedlock (Vieno Voito Sario), 1968; UN Doc. E/CN 4/Sub. 2/307: Special Study on Racial Discrimination in the Political Economic, Social and Cultural Spheres (Hernán Santa Cruz), 1971; Study of Discrimination on Equality in the Administration of Justice (angekündigt).

[42] Special Study on Racial Discrimination in the Political Economic, Social and Cultural Spheres 1971 (UN Doc. E/CN 4/Sub. 2/307).

[43] Vgl. Santa-Cruz-Studie (Anm. 42), S. 278, Anm. 623.

Erst bei am Rande liegenden Themen – Zugang zum öffentlichen Amt (Seite 48), Versammlungsfreiheit (Seite 49), kostenlose Grundschulbildung (Seite 88) – wird die BRD erwähnt. Sie wird zwar unter den Staaten genannt, welche die ILO-Konvention über die Diskriminierung im Arbeitsverhältnis vom 25. Juni 1958 ratifiziert hat (Seite 54 Anm. 121), daß sie aber die Völkermordkonvention ratifizierte und in der inneren Gesetzgebung durchgeführt hat, wird nicht erwähnt (Seite 273, 280), obwohl ausdrücklich darauf hingewiesen ist, daß die Untaten des Nationalsozialismus der Anlaß zur Entstehung dieser Konvention waren. Auch daß die BRD zu den Staaten gehört, welche die Konvention über die Beseitigung aller Formen von Rassendiskriminierungen ratifizierte, bleibt unerwähnt.

Der letzte Abschnitt über die Wiederbelebung des Nationalsozialismus enthält zwar viel Material über die Rassenpolitik der Jahre 1933–1945 (Seite 252–266), über die Maßnahmen der Besatzungsmächte sowie der UN und anderer (auch regionaler) internationaler Organisationen zur Beseitigung rassenpolitischer Maßnahmen des Nationalsozialismus und ihrer Auswirkungen (Seite 266–277). Bemerkenswerterweise benutzt der Autor selbst nicht den Begriff des »Neonazismus«. Als Material über die Gefahr einer Wiederbelebung des Nationalsozialismus sind zunächst nur einige sehr globale und undokumentierte Behauptungen von Regierungen angeführt (Seite 244 f.), ohne daß hierzu eine Gegendarstellung aufgenommen wäre.

In diesem Abschnitt werden die auf nationaler Ebene getroffenen Maßnahmen zur Bekämpfung des Nationalsozialismus und zur Verhinderung seiner Wiederbelebung geschildert (Seite 277–287). Etwa die Hälfte dieser Darstellung entfällt auf die BRD, die andere auf sonstige europäische Staaten, sowie Israel, Brasilien und die Elfenbeinküste. Immerhin wird dadurch zugegeben, daß es sich nicht um ein ausschließlich deutsches Problem handelt. Daß Material aus der DDR fehlt, ist darauf zurückzuführen, daß die Studie auf Material aus Staaten beschränkt war, welche der »Familie der UN« angehören.

Die Darstellung geht nicht länderweise vor, sondern nach Sachthemen: Verbot des Rassenhasses, Verbot von Vereinigungen und politischen Parteien, Durchführung der Völkermord-Konvention, politische Säuberung und politische Erziehung, Wiedergutmachung, Verfolgung von Kriegsverbrechen. Die Darstellung über die Verhältnisse in der BRD stützt sich offenbar auf zwei Noten der Bundesregierung, eine frühere und eine vom 1. Mai 1970, die mehrmals zitiert wird.

Es ist bemerkenswert, daß nähere Angaben nur zum Parteiverbot, der politischen Säuberung und Erziehung, Wiedergutmachung und der Verfolgung von Kriegsverbrechen in der BRD gemacht werden. Es wird zwar in der Fußnote (Seite 278 Anm. 623 f.) erwähnt, daß auch in der BRD die Aufreizung zum Rassenhaß strafbar sei, aber ohne Angabe der Tatbestände oder des Strafmaßes von Paragraph 130 des Strafgesetzbuches sowie der Zahl der abgeurteilten Fälle. Angaben über das allgemeine Diskriminierungsverbot in Artikel 3 Absatz 3 und seinen Gerichtsschutz, über das Verbot von Vereinigungen gemäß Artikel 9 Absatz 2 des Grundgesetzes und die Ratifizierung und Durchführung der Völkermord-Konvention durch Paragraph 220 des Strafgesetzbuches fehlen, ebenso wie Angaben über die Zahl ausländischer Arbeitnehmer und Studenten in der BRD.

Nun zu den Materien, über die eingehender berichtet wird: Beim Parteiverbot kommt nur das Urteil gegen die SRP vor. Das gegen die KPD wird nicht erwähnt, auch nicht die Problematik eines Verbotes der NPD. Als die Studie in Angriff genommen wurde, stand das Gespenst des Anwachsens der NPD am Horizont. Die Ausdehnung der Studie auf dieses Thema war sogar in gewisser Weise durch die Angst vor der NPD veranlaßt. Nach ihrem Mißerfolg erschien es dem Autor offenbar nicht mehr opportun, näher auf das ganze Thema einzugehen.

Im Zusammenhang mit dem Parteiverbot werden Zahlen über die Bestrafungen wegen Verbreitung verfassungsfeindlichen Propagandamaterials (Paragraph 86 des Strafgesetzbuches) gebracht: 20 Zuchthaus-, 34 Gefängnisstrafen bis zu fünf Jahren, 73 bis zu einem Jahr, 325 bis zu sechs Monaten. Dem Verfasser ist freilich das Mißgeschick unterlaufen, hier die Statistik für die Bestrafungen nach Paragraph 130 des Strafgesetzbuches (Volksverhetzung oder Aufreizung zum Rassenhaß) zu bringen.

Für die *Entnazifizierung* werden keine Zahlen gegeben. Es hätte vielleicht interessiert zu erfahren, daß etwa ein Drittel der erwachsenen männlichen Bevölkerung (nämlich 3 680 648 Personen) sich einem Verfahren zu stellen hatten und daß von ihnen 1,2 Millionen in die Gruppen I—IV eingestuft wurden. Ausführlicher ist anschließend über die politische Bildungsarbeit berichtet.

Bei der Schilderung der Wiedergutmachung ist wieder ein bedauerlicher Fehler unterlaufen (Seite 234). Die beiden Hauptsummen der Zahlungen nach dem Bundesentschädigungsgesetz in Höhe von 6125 Millionen Dollar und nach dem Bundesrückerstattungsgesetz von 765 Millionen Dollar sind ausgelassen und nur die Beträge genannt, welche für die Wiedergutmachung im öffentlichen Dienst (700 Millionen Dollar) und unter den Verträgen mit Israel (826,5 Millionen Dollar) und zwölf europäischen Staaten (250 Millionen Dollar) gezahlt wurden (insgesamt also 1812,5 Millionen Dollar statt 8702,5 Millionen Dollar). Über die Bestrafung der Kriegsverbrecher ist hingegen sachlich berichtet und es sind auch die zum Verständnis der Zahlen notwendigen Erläuterungen der Bundesregierung wiedergegeben.

Es fällt schwer zu glauben, daß die arge Verzeichnung auf Unkenntnis oder Versehen zurückzuführen sein soll, zumal die Beobachtermission der BRD bereitwillig Material zu allen Fragen beisteuerte.

Als Konsequenz ergibt sich aus den gemachten Erfahrungen, daß eine intensive Mitarbeit der BRD in allen mit Diskriminierungs- und Menschenrechtsfragen befaßten UN-Organen dringend anzuraten ist. Es kann gar nicht früh genug verhindert werden, daß falsche und entstellte Darstellungen in Dokumente oder auch Studien dieser Organe eingehen.

III. Welche Faktoren beeinflussen die Stellung und Haltung der Bundesrepublik Deutschland in der Diskriminierungsfrage?

Bei der Schilderung der Ausgangspositionen (II) waren häufig auch schon die Faktoren zu erwähnen, welche in Zukunft einerseits die Stellung des neuen Mitgliedes im Kreis der anderen Mitglieder, andererseits aber auch die Haltung seiner Vertreter in den Organen der Weltorganisation beeinflussen werden. Diesem ist nun im einzelnen nachzugehen. Dabei wird der Schatten der eigenen Vergangenheit vorangestellt, um dann auf die aus der gegenwärtigen Lage sich ergebenden Faktoren einzugehen.

1. Der Schatten der eigenen Vergangenheit

Die Bundesrepublik befindet sich in einer Verteidigungssituation gegenüber verschiedenen Anwürfen, die erhoben wurden und möglicherweise auch wieder aufgegriffen werden.

a) Rudimente der alten Rassenlehre

Der erste geht dahin, es seien in ihrer gegenwärtigen Rechtsordnung noch Rudimente der Rassenlehre des Nationalsozialismus vorhanden, die trotz der Absage an diese im Diskriminierungsverbot des Grundgesetzes (Artikel 3 Absatz 3) noch weiterwirkten. Darauf ist zu antworten, daß Recht aus der Zeit vor dem Zusammentritt des (ersten) Bundestages nur fortgilt, soweit es dem Grundgesetz nicht widerspricht (Artikel 123 Absatz 1) und daß Gerichte und Verwaltungsbehörden verpflichtet sind, bei Anwendung alten Rechts zu prüfen, ob diese Voraussetzung gegeben ist. Im übrigen steht zur endgültigen Entscheidung dieser Frage der Weg zum Bundesverfassungsgericht nach Artikel 126 des Grundgesetzes und Paragraph 86 des Bundesverfassungsgerichtsgesetzes offen. Soweit durch das alte Recht eines der im Grundgesetz gewährleisteten Grundrechte eingeschränkt wird, kann die Frage des Fortgeltens auch im Wege der Verfassungsbeschwerde an das Bundesverfassungsgericht gelangen.

Freilich ist geltend gemacht worden, eine Bestimmung des Grundgesetzes selbst – nämlich die Definition des »Deutschen« in Artikel 116 Absatz 1 enthalte Rudimente der Rassendoktrin, indem dort neben den deutschen Staatsangehörigen auch die deutschen Volkszugehörigen einbezogen seien. Dadurch nehme die Bundesrepublik alle Blutsbrüder in ähnlicher Weise für sich in Anspruch wie der Staat Israel und falle in die Rassenlehre zurück[44].

Artikel 116 Absatz 1 des Grundgesetzes steht in den Übergangs- und Schlußbestimmungen und ist geschaffen worden, um die verfassungsrechtliche Stellung

[44] Siehe unter II 4 c, S. 122 ff.

der — vor allem aus den Ostgebieten — Vertriebenen und Flüchtlinge zu klären. Angesichts der völlig verworrenen Lage der Staatsangehörigkeitsverhältnisse nach dem Zusammenbruch wurde ein neues Rechtsverhältnis des »Deutschen ohne deutsche Staatsangehörigkeit« geschaffen, das als Übergangslösung gedacht war, wenn die Regelung auch nicht befristet wurde. Es ist nicht zu verkennen, daß diese Regelung auf dem Gedankengut des Minderheitenschutzes des Völkerbundes beruht.

Der Anwendungsbereich dieser Übergangslösung wurde erheblich durch das Gesetz zur Regelung von Fragen der deutschen Staatsangehörigkeit vom 22. Februar 1955 (Bundesgesetzblatt I, S. 65) eingeschränkt, da in Paragraph 6 dieses Gesetzes den Deutschen ohne deutsche Staatsangehörigkeit ein Einbürgerungsanspruch eingeräumt und vorgesehen wurde, daß im Falle der Ablehnung der Einbürgerung der Antragsteller die Rechtsstellung eines Deutschen verliert. Außerdem wurde in Paragraph 7 bestimmt, daß Rückwanderer oder Weiterwanderer in Vertreibungsgebiete (das sind Danzig, Estland, Lettland, Litauen, die Sowjetunion, Polen, die Tschechoslowakei, Ungarn, Rumänien, Bulgarien, Jugoslawien, Albanien und China (Taiwan) mit Inkrafttreten des Gesetzes oder im Zeitpunkt der Aufenthaltsverlegung die Rechtsstellung eines Deutschen verlieren.

Praktische Bedeutung hat die Bestimmung also nur noch für diejenigen Vertriebenen und Flüchtlinge, die keinen Einbürgerungsantrag gestellt haben, obwohl sie entweder im Aufnahmegebiet geblieben oder in ein anderes Land als ein Vertreibungsgebiet ausgewandert sind. Das dürfte nur noch eine ganz kleine Gruppe sein, zumal Lastenausgleichsansprüche nur deutschen Staatsangehörigen zustehen.

Nun zur Regelung selbst: Sie geht folgerichtig von einer deutschen Staatsangehörigkeit und nicht von einer Staatsangehörigkeit der Bundesrepublik aus, um das Band zu den Deutschen in der DDR nicht zu zerschneiden. Die DDR hat dieses Band inzwischen durch Erlaß des Gesetzes über die Staatsbürgerschaft der DDR vom 20. Februar 1967 zerschnitten. Ob eine deutsche Staatsangehörigkeit in Zukunft weiter beibehalten werden kann und soll, ist eine Frage der Ausgestaltung der Beziehungen zu dem anderen deutschen Staat, berührt aber andere Staaten nicht.

Die Einbeziehung der Flüchtlinge und Vertriebenen, die im Gebiete des Deutschen Reiches nach dem Stande vom 31. Dezember 1937 Aufnahme gefunden haben, berührt hingegen andere Staaten, da ein Teil des Aufnahmegebietes weder zum Staatsgebiet der DDR noch der BRD gehört, insbesondere die Westgebiete Polens und der Sowjetunion, die am Stichtag zum Deutschen Reich gehörten. In der Tat genießt ein Flüchtling deutscher Volkszugehörigkeit, aber polnischer Staatsangehörigkeit, der aus Galizien nach Breslau oder Stettin floh und dort blieb, den Status als »Deutscher« im Sinne von Artikel 16 des Grundgesetzes. Begeht er im Ausland ein Delikt und flieht anschließend in die BRD, dürfte er gemäß Artikel 16 Absatz 2 Satz 1 nicht ausgeliefert werden.

Die Regelung geht davon aus, daß die Aufnahme im Gebiete des Deutschen Reiches zwischen dem Flüchtling oder Vertriebenen und dem Aufnahmeland ein der Staatsangehörigkeit ähnliches Band entstehen ließ, aus dem sich der Grundgesetzgeber verpflichtet fühlte. Sie ist auch nur auf dem Hintergrund zu verstehen, daß die Vertreibungsländer – jedenfalls Polen und die Tschechoslowakei – allen ihren Staatsangehörigen »deutscher Volkszugehörigkeit« oder »Nationalität« die Staatsangehörigkeit aberkannten[45].

Angesichts dieser Lage bedeutet die Erstreckung des Status als »Deutscher« keinen Eingriff in den Jurisdiktionsbereich der Vertreibungsländer, da die in Artikel 16 Absatz 1 erfaßten Flüchtlinge und Vertriebenen von diesen Staaten in der Regel nicht als ihre Staatsangehörigen in Anspruch genommen wurden. Gewisse Überschneidungen sind allenfalls dort möglich, wo der Begriff des »deutschen Volkszugehörigen« unterschiedlich ausgelegt wird.

Für die Frage, ob Artikel 116 Absatz 1 unter dem Gesichtspunkt der Rassendiskriminierung gewertet werden darf, ist aber entscheidend, wie der Passus »Flüchtling oder Vertriebener deutscher Volkszugehörigkeit« zu verstehen ist. Der Begriff des Flüchtlings oder Vertriebenen ist in Paragraph 1 Bundesvertriebenengesetz vom 20. Mai 1953 (Bundesgesetzblatt I S. 201) definiert, der der »deutschen Volkszugehörigkeit« in Paragraph 6 desselben Gesetzes[46].

Dieser Begriff ist, wie A. Makarov bemerkt, »kein ethnologischer Begriff, sondern ein Rechtsbegriff, dessen Merkmale sich ausschließlich aus diesem Paragraphen 6 des Bundesvertriebenengesetzes ergeben«[47].

Er hat nur eine ethnische Komponente, die aber gegenüber dem geforderten Willensakt – nämlich dem Bekenntnis – zurücktritt und nur als Indiz für die Ernsthaftigkeit des Bekenntnisses eine Rolle spielt. Daher ist Artikel 116 Absatz 1 des Grundgesetzes unter dem Gesichtspunkt rassischer oder ethnischer Diskriminierung nicht zu beanstanden. Die Begünstigten erhielten den besonderen Status des »Deutschen« nicht, weil sie einer bestimmten ethnischen Gruppe angehören, sondern da sie als Mitglied dieser Gruppe das Schicksal der Vertreibung und der Ausstoßung aus ihrem bisherigen Staatsverband zu erdulden hatten.

Gewiß wird die Staatsangehörigkeitsfrage zwischen der BRD und der DDR zu gegebener Zeit einmal geregelt werden müssen. Sie gehört zu den Gebieten, auf welchen »Kollisionen zwischen der Gesetzgebung der beiden Staaten bestehen«[48].

Erst auf dieser Grundlage aber wird es auch möglich sein, Artikel 116 Ab-

[45] Polnisches Gesetz vom 28. April 1946 betreffend die polnische Staatsangehörigkeit aller polnischer Volkszugehörigen, die in den wiedergewonnenen Gebieten wohnhaft sind, Gesetzblatt 1946, Nr. 15 Position 106; Tschechoslowakisches Verfassungsdekret vom 2. August 1945 (SLG. GV 1945 Nr. 33). In beiden Staaten war ab 1950 bzw. ab 1953 allerdings eine Rehabilitierungsmöglichkeit für die Wohnbevölkerung. Vgl. Ausländisches Staatsangehörigkeitsrecht, 1955, S. 135 ff. und 165 ff.

[46] »Deutscher Volkszugehöriger im Sinne dieses Gesetzes ist, wer sich in seiner Heimat zum deutschen Volkstum bekannt hat, sofern dieses Bekenntnis durch bestimmte Merkmale wie Abstammung, Sprache, Erziehung, Kultur bestätigt wird.«

[47] Alexander N. *Makarov,* Deutsches Staatsangehörigkeitsrecht, Kommentar, 2. Auflage, Frankfurt/Berlin 1971, S. 248.

[48] Punkt 13 der Erklärung von Bundeskanzler Brandt in Kassel, in: Bulletin des Presse- und Informationsamts der Bundesregierung, Nr. 70 vom 22. Mai 1970, S. 671.

satz 1 des Grundgesetzes so zu fassen, daß er den gegenwärtigen Vorstellungen über den Status aller Gebiete entspricht, die am 31. Dezember 1937 zum Deutschen Reich gehörten[49].

b) Die Gefahr der Wiederbelebung des Nationalsozialismus

Felix Ermacora hat in seinem unlängst veröffentlichten Buch[50] die 1967 einsetzende »neue Propagandawelle gegen den Nationalsozialismus, Faschismus und Neonazismus« in den Organen der UN beschrieben und das Material darüber zusammengetragen. Es kann daher hier darauf verzichtet werden, nochmals darzustellen, wie diese Frage in den Organen der UN behandelt worden ist.

Auf der Konferenz in Teheran wurde ein Entschließungsentwurf[51] über Maßnahmen gegen den »Nationalsozialismus und rassische Intoleranz« vorgelegt, der sich auf die Entschließung 15 (XXIV) der Menschenrechtskommission vom 6. März 1968 bezog und von einer unlängst zutage getretenen Tätigkeit von Gruppen und Organisationen, welche für den Nationalsozialismus und ähnliche auf Terror und rassische Unduldsamkeit gestützte Ideologien Propaganda machten, sprach. Er forderte eine erneute Verdammung des Nationalsozialismus, Neonazismus und aller ähnlichen Ideologien, die schon als solche eine Bedrohung des Friedens und der Sicherheit darstellten und das Verbot aller in diesem Sinne tätiger Organisationen. Die zuständigen Organe der UN sollten sich ständig mit einer Beobachtung dieser Erscheinungen beschäftigen.

Botschafter Alexander Böker, der Delegationsleiter der BRD, hat darauf am 4. Mai 1968 so überzeugend geantwortet, daß es gerechtfertigt erscheint, hier wesentliche Teile seiner Rede, die bisher unveröffentlicht blieb, wiederzugeben:

»Meine Regierung nimmt starken Anteil an allen Bestrebungen zur Bekämpfung des Nationalsozialismus, wo immer sich eine Gelegenheit dazu bietet, und dies gilt auch für den Entschließungsentwurf A/Conf. 32/C. 1/L. 1, der uns vorliegt. Der Nationalsozialismus hat in der Vergangenheit so unsagbares Unglück

[49] Karl Matthias *Meessen,* Verfassungsrechtliche Grenzen einer Neuregelung der Staatsangehörigkeit im geteilten Deutschland, in: *Juristenzeitschrift,* Jg. 27, 1972, S. 673—679, behandelt nur zwei Lösungsvarianten: die Ersetzung der deutschen Staatsangehörigkeit durch eine Staatsangehörigkeit der BRD nach dem Vorbild der DDR einerseits sowie die Vorschaltung einer Staatsangehörigkeit der BRD vor die deutsche Staatsangehörigkeit. Es kommt aber auch eine dritte denkbare Variante einer Rückkehr zur Staatsangehörigkeit in den Ländern (gemäß Artikel 74 Absatz 8 des Grundgesetzes) in Betracht. Sie würde mindestens einen größeren Spielraum für eine Regelung des Verhältnisses zur Staatsangehörigkeit der DDR eröffnen.
Im Grundvertrag (Bulletin vom 8. Nov. 1972) ist die Staatsangehörigkeitsfrage noch nicht geregelt. Aus den Protokollnotizen der BRD (»Staatsangehörigkeitsfragen sind durch den Vertrag nicht geregelt worden«) und der DDR (sie »geht davon aus, daß der Vertrag eine Regelung der Staatsangehörigkeitsfragen erleichtern wird«) ist aber zu entnehmen, daß diese Fragen nicht unerwähnt blieben.

[50] *Ermacora* (Anm. 35), S. 177—180.

[51] A/Conf. 32/C.1/L.1 eingebracht von Polen und der Ukraine.

über die ganze Welt und besonders über Europa und mein Land gebracht, daß wir das stärkste Interesse daran haben, keinerlei Wiederbelebung dieser Bewegung zuzulassen. Der Entschließungsentwurf ist zutreffend so gefaßt, daß er sich auf den Nationalsozialismus und nationalsozialistische Bewegungen in der ganzen Welt bezieht. In der Tat gab es seinerzeit nationalsozialistische Bewegungen in fast allen europäischen Staaten vom Westen bis nach Rußland hinein. In diesem Ausschuß und auch im Plenum ist aber fast immer nur von gewissen Entwicklungen in Deutschland gesprochen worden.

Wie ist die rechtliche und tatsächliche Lage des Nationalsozialismus in dem Teil meines Vaterlandes, das die Bundesrepublik Deutschland genannt wird? Das Gesetz Nr. 1 des Alliierten Kontrollrates erklärte nicht nur die alte NSDAP und alle ihre Hilfsorganisationen für rechtswidrig, sondern auch alle Nachfolge-Organisationen, die sich bilden könnten. Und dieses Kontrollratsgesetz ist geltendes Recht nach unserer Verfassung.

In unser Grundgesetz wurde ein Parteien-Artikel Art. 21 eingefügt ... Danach steht es dem Bundesverfassungsgericht und nicht etwa der Bundesregierung zu, unter ganz bestimmten näher festgelegten Voraussetzungen eine politische Partei zu verbieten.

In Anwendung dieses Artikels wurden bisher zwei politische Parteien verboten: die rechtsstehende und nationalistische SRP im Oktober 1952 und die KPD im August 1956. Keine dieser Parteien wurde untersagt, weil sie unser politisches System bedrohten, sondern nur wegen ihrer undemokratischen Ziele und Organisationsformen.

Seit 1945 ist der Nationalsozialismus in unserem Land tot, aber nun wird da ein schwer faßbares und kaum definierbares Schreckgespenst aufgebaut, das man »Neonazismus« nennt. Von der Presse und anderen Massenmedien wurde dieses Etikett der Nationaldemokratischen Partei (NPD) angeheftet, einer Partei, die bei kommunalen und Landtagswahlen gewisse Erfolge errang ...

Die Bundesregierung hat die Entwicklung dieser Partei mit scharfem Mißtrauen beobachtet und tut dies auch jetzt noch. Die drei großen Parteien, welche in allen Wahlen der Nachkriegszeit etwa 90 vH der Wählerstimmen gewannen und noch gewinnen, lehnen diese Partei entschieden ab.

Politische Kreise in Deutschland neigen stark zu einem Verbot dieser Partei. Wenn die Bundesregierung aber bisher zögerte, einen Verbotsantrag an das Bundesverfassungsgericht zu stellen, so tat sie das nicht aus Sympathie für die NPD, sondern aus verfassungsrechtlichen Bedenken. Ein Antrag an das Bundesverfassungsgericht setzt voraus, daß die Regierung ihrer Sache sicher ist. Bisher konnte sie das nicht sein, doch wird sie bestimmt handeln, sobald sie davon überzeugt ist. Dabei hat die Regierung unsere Gesetze und unsere Verfassung genau zu beachten, welche die Meinungsfreiheit, Vereinigungsfreiheit, Versammlungsfreiheit, Pressefreiheit und auch das freie Wahlrecht für alle gesetzmäßigen Gruppen garantieren. Das mag für diejenigen, die nicht unter einem freien und demokratischen System leben, schwer zu verstehen sein. Aber wir achten dies System höher als irgendein anderes, nachdem wir unter einem totalitären System des Nationalsozialismus zu leben hatten und da wir sehen müssen, wie unsere Brüder in Ostdeutschland jetzt unter dem totalitären System des Stalinismus zu leben haben. Um es zu bewahren, sind wir bereit, jede Bewegung — von rechts oder links —, die sich in den Grenzen des Rechts hält, bis zur äußersten Grenze zu dulden, ganz gleich, wie sehr wir ihre Führer, ihre Parolen oder Ziele verabscheuen. Das ist der Preis, den wir für unsere Freiheit zu zahlen bereit sind.

Da der Entschließungsentwurf den »Nationalsozialismus und ähnliche Lehren« in den Mittelpunkt stellt, ist zu erklären, was Nationalsozialismus wirklich war. Ich sage »war«, da — wie jeder weiß und ich auch schon sagte — der Nationalsozialismus 1945 bezwungen, völlig in Mißkredit gebracht und wirklich ausgelöscht wurde. Ist es denn klug, diese Erscheinung ständig durch Entschließungen und Debatten dieser Art wiederzubeleben? Offene Türen einzurennen, schien mir nie besonders sinnvoll, und in diesem besonderen Fall kann man nur hoffen, daß es nicht den Erfolg hat, die offene Tür wieder zuzuschlagen. Das betrifft den Vorschlag dieses Entschließungsentwurfs, die Sache ständig im Auge zu behalten.

Wenn vom Nationalsozialismus die Rede ist, kann ich persönliche Gefühle schwer zurückdrängen. Denn mein Land hat diese gespenstische Bewegung zuerst geboren und ist von ihm entsetzlich zerstört worden. Meine Familie und auch ich selbst hatten ihre eigenen Erfahrungen mit dieser grauenhaften Bewegung. Als junger Mann — in einer kritischen Periode meiner Entwicklung — suchte und fand ich Schutz und Asyl vor der nationalsozialistischen Tyrannei in den Vereinigten Staaten von Amerika ...

Ich glaube für mich in Anspruch nehmen zu dürfen, etwas davon zu wissen, was der Nationalsozialismus wirklich war. Daher staune ich darüber, daß die Verfasser des Entschließungsentwurfs glauben, den Nationalsozialismus, den Neonazismus und rassische Unduldsamkeit schlechthin miteinander identifizieren dürfen zu können. Der Nationalsozialismus ist eine klar zu definierende Erscheinung. Viele von uns haben sie erlebt. »Neonazismus« hingegen ist ein recht nebelhaftes Schlagwort unbestimmter Bedeutung, wenn es auch als politische Waffe ganz nützlich sein mag — je nachdem wer diese Waffe führt. Rassische Unduldsamkeit — oder schlimmeres — war sicher eines der wichtigsten Kennzeichen des Nationalsozialismus — wer schaudert nicht jetzt noch vor den grauenhaften Exzessen, zu denen sich die Nationalsozialisten verschiedener europäischer Nationen durch ihre krankhaften und greulichen Vorurteile hinreißen ließen? — aber der Rassenwahn war doch nur *einer* der Aspekte des Nationalsozialismus.

Andere, genauso wichtige und verabscheuungswürdige Aspekte waren: ein extremer und aggressiver Nationalismus, ein Streben, andere Nationen zu beherrschen und zu zerschlagen und schließlich — vor allem — eine totalitäre Weltanschauung, welche alle staatsbürgerlichen Rechte und Freiheiten leugnete: das Recht der freien Rede, der Versammlung, der freien Wahl, der freien Vereinigung, das Recht der Arbeiter, für bessere Löhne und Arbeitsbedingungen zu streiken.

All das machte den Nationalsozialismus aus und deshalb ist es widersinnig, den Nationalsozialismus nur und ausschließlich mit rassischer Unduldsamkeit zu identifizieren, wobei ich sagen würde, daß »Unduldsamkeit« noch ein sehr schwacher Ausdruck für den Rassenwahn ist.

Wenn wir wirklich aufrichtig entschlossen sind, eine Wiedergeburt des Nationalsozialismus wo auch immer in der Welt zu verhindern, haben wir uns auf alle Erscheinungsformen dieser Bewegung zu konzentrieren und nicht nur auf die einzige des Rassenwahns. Denn erst die Kombination der drei erwähnten Faktoren ließ den Nationalsozialismus so fürchterlich werden.

Der uns vorliegende Entschließungsentwurf stellt zutreffend fest, daß der Nationalsozialismus »schließlich zu einem Kriege führte, welcher der Menschheit unbeschreibliches Leid zufügte«. Wir haben uns zu fragen, welches der drei den Nationalsozialismus konstituierenden Elemente dafür verantwortlich war. Ich meine, daß es kaum das Element des Rassenwahns war. Vielleicht kommen wir der Antwort näher, wenn wir uns der historischen Tatsache erinnern, daß der Nationalsozialismus 1939 nicht ohne das Einverständnis einer anderen Macht zum Angriff schritt, die ihren Bürgern ebenfalls die Freiheitsrechte vorenthält und dazu neigt, ihre Nachbarn zu beherrschen. Ich will das nicht weiter vertiefen, sondern nur zu bedenken geben, daß überall dort, wo die persönliche Freiheit unterdrückt und den Bürgern ihre Rechte vorenthalten werden, auch die Gefahr der Herrschaft sowohl des Rassenwahns wie extrem nationalistischer, aggressiver und expansionistischer Lehren besteht. Aus diesem Grunde sind wir nach der grausigen Erfahrung der hinter uns liegenden Zeit in der BRD dazu gelangt, unsere demokratischen Rechte und Freiheiten so hoch zu schätzen ...

Da die Erscheinung des Nationalsozialismus durch eine Gleichstellung mit dem Rassenwahn nicht vollständig erfaßt werden kann, vermag meine Delegation es nicht zu verstehen, warum diese Entschließung unter einem Tagesordnungspunkt behandelt werden soll, der in erster Linie der Apartheid und den mit ihr zusammenhängenden Problemen gewidmet ist. Wenn der Wunsch besteht, über Nationalsozialismus – einen Sachverhalt, der endgültig verschwunden ist – zu sprechen, dann sollte das unter einer besonderen und besser passenden Rubrik geschehen. Hier erscheint uns dies Vorhaben als Ablenkungsmanöver, das anderen politischen Zielen dient und uns von den berechtigten und bedrückenden Sorgen unserer afrikanischen Freunde wegführt, für welche diese Konferenz konstruktive Lösungen entwickeln sollte.«

c) Die Bestrafung von Kriegsverbrechen

Die Frage der Bestrafung von Kriegsverbrechen ist ebensowenig wie die Frage einer Gefahr der Wiederbelebung des Nationalsozialismus ausschließlich ein Problem der Rassendiskriminierung oder auch durchgehend eine Frage des allgemeinen Menschenrechtsschutzes. Unter den Kriegsverbrechen spielen zwar die Verbrechen gegen die Menschlichkeit und auch die mit einer rassischen Diskriminierung verbundenen Verbrechen eine bedeutende Rolle; nicht alle Kriegsverbrechen entsprechen aber diesen Qualifizierungen.

In den Organen der UN wird jedoch die »Kriegsverbrechenfrage« häufig im Zusammenhange mit den anderen die deutsche Vergangenheit betreffenden Fragen aufgeworfen[52] und deshalb sei sie hier wenigstens erwähnt.

Den Vorwurf, Kriegsverbechen des Zweiten Weltkrieges würden in der BRD nicht mit der notwendigen Energie verfolgt, hat die Bundesregierung — unter Gegenüberstellung der Verfahren vor alliierten und deutschen Gerichten und unter Heranziehung eines umfangreichen statistischen Materials — zu entkräften gesucht[53].

Dabei hat sie insbesondere erklärt, aus welchen Gründen bis zum 1. Januar 1969 nur 6227 Angeklagte verurteilt werden konnten, obwohl in 75 068 Fällen Anklage erhoben wurde: Daß es nämlich häufig notwendig war, die Angehörigen ganzer Einheiten Mann für Mann anzuklagen, um den Schuldigen herauszufinden. Abgesehen davon stellt es sich häufig in den Verfahren erst heraus, daß die Schuldigen schon gestorben waren, aus gesundheitlichen Gründen nicht mehr als Angeklagte vor Gericht erscheinen konnten. Schließlich konnte Angeklagten ihre Schuld auch nicht mit der notwendigen Sicherheit nachgewiesen werden.

Einen Vergleich mit der Zahl der Verurteilungen in der DDR hat sie — unter Angabe des Zahlenmaterials — zurückgewiesen[54].

Ein weiterer Vorwurf geht dahin, die BRD habe die Konvention gegen die Verjährung von Kriegsverbrechen gemäß Resolution A/2391 (XXXIII) nicht ratifiziert[55]. In der Note vom 1. Mai 1970 an den Generalsekretär hat sie die Gründe dafür angegeben[56].

Andererseits wurden durch das neunte Strafrechtsänderungsgesetz vom 5. August 1969 die Verjährungsfristen für Völkermord aufgehoben und die Frist für die Verfolgung von Mord von 20 auf 30 Jahre — d. h. bis Ende 1979 — verlängert[57].

Angesichts der Lebenserwartung der für eine Bestrafung wegen Kriegsverbrechen in Betracht kommenden Altersstufen ist dadurch allen praktischen Erfordernissen Rechnung getragen; denn in den Jahren bis 1979 können die Ermittlungen

[52] Nachweise bei *Ermacora* (Anm. 35), S. 179.

[53] Angaben in der Santa-Cruz-Studie (Anm. 42), S. 285, 292.

[54] Santa-Cruz-Studie (Anm. 42), S. 292.

[55] Santa-Cruz-Studie (Anm. 42), S. 290.

[56] »The Government of the Federal Republic of Germany wishes to point out that by 31 December 1969 only 11 countries had signed and only 8 countries had ratified this Convention while the vast majority of countries objects to the provisions of the Convention for constitutional or legal reasons. In this opinion of the Government of the Federal Republic of Germany the unconditional non-applicability of statutory limitations to war crimes constitutes retroactive legislation and a violation of the principle of nulla poena sine lege which ist both inadmissible under German law and forbidden by the Constitution (Article 103 para. 2, Basic Law). Therefore, the Government of the Federal Republic of Germany, along with most countries of the Western World, will not be able to sign the Convention«, zitiert nach Santa-Cruz-Studie (Anm. 42), S. 295.

[57] Vgl. dazu die Stellungnahme des Institute of Jewish Affairs in der Santa-Cruz-Studie (Anm. 42), S. 286.

so weit gediehen sein, daß in den Fällen, welche verfolgt werden sollten, die Verjährung durch Anklageerhebung noch unterbrochen werden kann.

Einer völligen Aufhebung der Verjährungsfristen stehen andererseits nicht nur rechtsstaatliche Bedenken entgegen. Es ist auch ethisch schwerlich zu verantworten, den Menschen nach Ablauf eines Zeitabschnitts, nach dem die Generation bemessen wird, noch für Handlungen zur Verantwortung zu ziehen, welche er vor diesem beging, ganz zu schweigen von den Beweisschwierigkeiten, die sich nach dem Ablauf dieser Zeit einstellen.

2. *Der Vorrang des Rechtsstaates*

Es hat sich in den Organen der UN häufig gezeigt, daß das Spannungsverhältnis, welches zwischen rechtsstaatlichen Ideen und Gedanken der materiellen Gerechtigkeit insbesondere sozialstaatlichen Postulaten besteht, Schwierigkeiten bei der Formulierung der internationalen Instrumente schuf. Zwar wurde häufig versucht, dieses Spannungsverhältnis im Wege des Kompromisses zu überbrücken, das Problem taucht jedoch wieder auf, wenn die in den internationalen Instrumenten begründeten Verpflichtungen durch nationale Gesetzgebung erfüllt und der Kompromiß dafür ausgedehnt werden muß. Das Problem besteht für die Bundesrepublik in besonderem Maße, da deren Verfassungsordnung den Gedanken des Rechtsstaats mit einem ausgesprochenen Hang zum Perfektionismus institutionell zu sichern sucht.

Hier seien zwei Beispiele für diese Thematik genannt:

a) Artikel 4 CERD

Die Formulierung von Artikel 4 der Rassendiskriminierungskonvention war während der Ausarbeitung kontrovers und stellt einen der erwähnten Kompromisse dar[58]. Die Problematik wird wohl am besten dadurch verdeutlicht, daß geschildert wird, in welchem Umfange diese Bestimmung der Konvention in der Rechtsordnung der Bundesrepublik bereits verwirklicht ist bzw. im Rahmen des Grundgesetzes verwirklicht werden könnte. Dabei ist zu berücksichtigen, daß die dort ausgesprochenen Verpflichtungen »with due regard to the principles embodied in the Universal Declaration of Human Rights and the rights expressly set forth in Art. 5 of this Convention« zu erfüllen sind. »Due regard« ist in der amtlichen deutschen Übersetzung wohl zu schwach mit »unter gebührender Berücksichtigung« wiedergegeben. Besser wäre »unter gehöriger Achtung«. Die auf einem Vorschlag fünf skandinavischer Staaten beruhende Einfügung[59] wollte zum Aus-

[58] Eingehende Darstellung bei Natan *Lerner,* The UN Convention on the Elimination of all Forms of Racial Discrimination, Commentary, Leyden 1970, S. 55 ff. und Egon *Schwelb,* The International Convention on the Elimination of all Forms of Racial Discrimination, in: *The International and Comparative Law Quarterly,* Vol. 15, 1966, S. 1021.

[59] UN Doc. A/C3/L.1245.

druck bringen, daß die genannten Freiheitsrechte weder beschränkt noch außer Kraft gesetzt werden dürfen, wenn die Verpflichtungen aus Artikel 4 erfüllt werden[60].

Artikel 4 besteht aus einem Einleitungsabsatz und drei Einzelbestimmungen a)—c). Der Einleitungssatz spricht aus, daß die Vertragsstaaten gewisse Propagandamaßnahmen und Organisationen verdammen und sich deswegen zu gewissen Maßnahmen verpflichten, um die Rassendiskriminierung auszurotten. Obwohl dieser Einleitungsabsatz sicher für die Auslegung der folgenden Einzelbestimmungen von Bedeutung ist, braucht auf ihn zunächst nicht näher eingegangen zu werden. Sein wichtigstes positiv-rechtliches Element ist der Vorbehalt für die Freiheitsrechte.

Einzelbestimmung (a) erklärt gewisse Tatbestände für strafwürdig, und zwar:

1. die Verbreitung von Ideen, die sich auf die Überlegenheit einer Rasse oder den Rassenhaß gründen;
2. die Aufreizung zur Rassendiskriminierung;
3. Gewalttätigkeiten gegen eine Rasse oder eine Personengruppe anderer Hautfarbe oder Volkszugehörigkeit;
4. die Aufreizung zu einer dieser Handlungen;
5. die Unterstützung rassistischer Betätigung einschließlich ihrer Finanzierung.

Tatbestand 2 wird von Paragraph 130 Ziffer 1 Satz 1 des Strafgesetzbuches erfaßt: wer »zum Haß gegen Teile der Bevölkerung aufstachelt«: es muß sich dabei allerdings um inländische »Bevölkerungsteile« handeln[61] und es muß in einer Weise geschehen, die geeignet ist, den öffentlichen Frieden zu stören und die Menschenwürde anderer anzugreifen. Erst der in das vierte Gesetz zur Reform der Strafrechtsreform eingefügte Paragaph 131 erfaßt die Aufstachelung zum Rassenhaß ganz allgemein, ohne daß es dabei darauf ankäme, wo die angegriffenen Menschen wohnen:

Paragraph 131

(1) Wer Schriften, Ton- oder Bildträger, Abbildungen oder Darstellungen, die Gewalttätigkeiten gegen Menschen in grausamer oder sonst unmenschlicher Weise schildern und dadurch eine Verherrlichung oder Verharmlosung solcher Gewalttätigkeiten ausdrücken oder die zum Rassenhaß aufstacheln

1. verbreitet,
2. öffentlich ausstellt, anschlägt, vorführt oder sonst allgemein zugänglich macht,
3. herstellt, bezieht, liefert, vorrätig hält, anbietet, ankündigt, anpreist, in den räumlichen Geltungsbereich dieses Gesetzes einzuführen oder daraus auszuführen unternimmt, um sie oder aus ihnen gewonnene Stücke im Sinne der Num-

---

[60] UN Doc. A/6181: Report of the Third Committee, 18. Dezember 1965, S. 20.

[61] Oberlandesgericht Celle MDR 1970, S. 940, rechnet dazu auch Gruppen ausländischer Arbeitnehmer, a. A. die Staatsanwaltschaft beim Oberlandesgericht München (*Frankfurter Allgemeine* vom 28. Oktober 1970), die aber weder das bayerische Justizministerium noch die Bundesregierung teilen; vgl. *Amtsblatt der Europäischen Gemeinschaften*, Nr. C 115/I vom 13. Januar 1971; Beantwortung der schriftlichen Anfrage Nr. 344/70.

mern 1 oder 2 zu verwenden oder einem anderen eine solche Verwendung zu ermöglichen, oder

4. einem Kind oder Jugendlichen anbietet, überläßt oder sonst zugänglich macht, wird mit Freiheitsstrafe bis zu einem Jahr oder mit Geldstrafe bestraft.

(2) Ebenso wird bestraft, wer eine Darbietung des in Absatz 1 bezeichneten Inhalts durch Rundfunk verbreitet.

(3) Die Absätze 1 und 2 gelten nicht, wenn die Handlung der Berichterstattung über Vorgänge des Zeitgeschehens oder der Geschichte dient.

(4) Absatz 1 Nr. 4 ist nicht anzuwenden, wenn der zur Sorge für die Person Berechtigte oder mit seiner Einwilligung ein Dritter handelt; dies gilt nicht, wenn der Sorgeberechtigte durch sein Handeln oder die Einwilligung seine Erziehungspflicht gröblich verletzt. (Fassung vom 16. Dezember 1971 — Sonderausschuß für die Strafrechtsreform des Deutschen Bundestages, 64. Sitzung.)

Tatbestände 3 und 4 können in extremen Fällen unter Paragraph 220 Absatz 1 Nr. 2 des Strafgesetzbuches fallen, wenn sie mit einer »Völkermord-Absicht« begangen werden. Fehlt diese, so fallen sie jedenfalls unter Paragraph 130 Satz 1 Ziffer 2 des Strafgesetzbuches, bzw. unter die Vorschriften über Körperverletzung (Paragraph 223 ff. des Strafgesetzbuches).

Fraglich ist, inwieweit die Tatbestände 1 und 5 vom Strafrecht schon erfaßt sind. Der neue Paragraph 131 verlangt, daß die Schriften oder sonstigen Darstellungen »zum Rassenhaß aufstacheln«, setzt also eine Zielrichtung voraus, die in Tatbestand 1 nicht verlangt wird. Eine Neuauflage der Werke des Grafen Gobineau oder von H. St. Chamberlain wäre nach Tatbestand 1 unzulässig, schwerlich hingegen nach dem geplanten Paragraphen 131 des Strafgesetzbuches. Eine so weitgehende Pönalisierung wäre auch mit Artikel 5 des Grundgesetzes schwerlich vereinbar, selbst wenn man zur Bestimmung seiner Schranken Artikel 18 des Grundgesetzes heranzieht. Das Grundgesetz steht hinsichtlich der Meinungsfreiheit auf einem ähnlichen Standpunkt, wie ihn der kolumbianische Vertreter in der 1406. Sitzung der Generalversammlung einnahm: »Was uns und was die Demokratie angeht, so sollten Gedanken (ideas) mit Gedanken und Gründen bekämpft werden; Lehrmeinungen (theories) sind durch Argumente zu widerlegen und weder durch das Schafott, Gefängnis, Exil, noch durch Strafen oder Bußen.«[62]

Von einer ähnlichen Vorstellung geht Artikel 19 (in Verbindung mit Artikel 29 Absatz 2) der UN-Erklärung (und im übrigen auch Artikel 20 des UN-Paktes über bürgerliche und politische Rechte) aus, und daher muß es mit Rücksicht auf den Verweis auf die Grundsätze der UN-Erklärung als zulässig angesehen werden, bei Erfüllung der Verpflichtungen aus Artikel 4 im nationalen Strafrecht zu verlangen, daß die Verbreitung der Gedanken mit einer bestimmten Zielrichtung (nämlich: zum Haß aufzustacheln) erfolgt[63].

[62] UN Doc. A/PV 1406, S. 42 f.

[63] Das Vereinigte Königreich hat deswegen bei Unterzeichnung der Konvention folgendes erklärt: »Nach seiner Auslegung ist eine Vertragspartei zu weiteren Gesetzgebungsmaßnahmen auf den Gebieten des Artikels 4 Buchstaben a), b) und c) nur insoweit ver-

Der letzte Tatbestand 5 ist schwer erfaßbar. Soweit der Täter an einer strafbaren Handlung teilnimmt, ist die Lage klar. Wer die Herstellung einer unter dem neuen Paragraphen 131 des Strafgesetzbuches fallenden Schrift durch einen Druckkostenzuschuß finanziert, kann Gehilfe im Sinne von Paragraph 49 des Strafgesetzbuches sein. Das gilt aber nicht für das Bankhaus, das dem Verlag für seine allgemeinen Bedürfnisse Kredit gewährt. Nur eine Unterstützungshandlung akzessorischen Charakters kann unter Strafe gestellt werden.

Einzelbestimmung b) erfaßt drei Tatbestände:

1. Organisationen, welche die Rassendiskriminierung fördern und dazu aufreizen;
2. organisierte und alle sonstigen Propagandatätigkeiten auf diesem Gebiet;
3. Beteiligung an derartigen Organisationen oder Tätigkeiten.

Der erste Tatbestand ist durch Artikel 9 Absatz 2 des Grundgesetzes erfaßt, wobei zu betonen ist, daß »fördern« und »aufreizen« nicht alternativ nebeneinanderstehen, sondern kumulativ zu verstehen sind[64].

Im Gegensatz zur englischen Demokratie, welche sich zutraut, die subversive Tätigkeit von Vereinigungen zu unterbinden, ohne sie als solche zu verbieten[65], kennt die rechtlich stärker behütete Demokratie des Grundgesetzes ein Vereinigungsverbot. Die in Artikel 4/b der Konvention gekennzeichneten Vereinigungen richten sich, soweit sie nicht sogar den Strafgesetzen (Paragraph 130, 131 [neu], 220a des Strafgesetzbuches) zuwiderlaufen, entweder gegen die verfassungsmäßige Ordnung – nämlich das Diskriminierungsverbot des Artikels 3 des Grundgesetzes – oder gegen den Gedanken der Völkerverständigung[66].

Es ergeben sich aber zwei Probleme: Wenn sich in der Bundesrepublik zwei Vereinigungen bilden, deren eine für die Apartheid-Politik der südafrikanischen Regierung eintritt, während die andere die afrikanischen Freiheitskämpfer unterstützt, können nach Artikel 9 beide verboten werden. Die erste, da sie sich gegen die verfassungsmäßige Ordnung richtet, die andere, weil sie die Beziehungen der Bundesrepublik zu Südafrika und damit die Völkerverständigung belastet. Im Sinne der Konvention wäre nur das erste Verbot. Es wird aber kaum geltend

---

pflichtet, wie diese Vertragspartei unter Berücksichtigung der in der Allgemeinen Erklärung der Menschenrechte niedergelegten Grundsätze und der in Artikel 5 des Übereinkommens ausdrücklich genannten Rechte (insbesondere auf Meinungsfreiheit, auf freie Meinungsäußerung, auf friedliches Versammeln und friedliche Vereinigung) der Auffassung ist, daß zur Verwirklichung des im Kopf des Artikels 4 genannten Zwecks Ergänzungen oder Änderungen bestehender Gesetze und Gepflogenheiten auf diesen Gebieten im Wege der Gesetzgebung erforderlich sind.« Vgl. Bundesgesetzblatt 1969 II, S. 961. Ähnlich — freilich allgemeiner — die Vereinigten Staaten und neuerdings Frankreich. Die Haltung des Rassendiskriminierungsausschusses zu dieser Frage ist erklärlicherweise gespalten. Ein Antrag des tschechoslowakischen Sachverständigen Tomko, die Bestrafung der Rassendiskriminierung in den Vertragsstaaten zum Gegenstand einer Studie zu machen, fand auf der sechsten Tagung keine Mehrheit.

[64] N. *Lerner* (Anm. 58), S. 61 (mit Nachweisen aus der Entstehungsgeschichte).

[65] *Lady Gaitskell* im Dritten Hauptausschuß: UN Doc. A/C 3/SR 1315, No. 2.

[66] Vgl. Ingo *von Münch*, Bonner Kommentar, Rdnr. 72 ff. zu Artikel 9.

gemacht werden können, die BRD habe sich durch die Ratifizierung der Konvention derart auf ein Primat der Verurteilung der Rassendiskriminierung festgelegt, daß sie eine Vereinigung der Freunde afrikanischer Friedenskämpfer auch unter Gefährdung ihrer Beziehungen zur Südafrikanischen Union dulden müsse.

Das zweite Problem besteht darin, daß nach positivem Recht den für die Feststellung der Verfassungswidrigkeit einer Vereinigung zuständigen Behörden ein gewisser Ermessensspielraum eingeräumt ist[67].

Hier stellt sich die Frage, ob die BRD aus der Konvention verpflichtet ist, für Vereinigungen, welche für die Rassendiskriminierung eintreten und dazu anstacheln, einen Verbotszwang einzuführen.

Der zweite Tatbestand fällt nicht unter das Recht der Vereinigungsfreiheit, sondern der Meinungsfreiheit. Da hier im Gegensatz zu Absatz (a) durch die Hinzufügung der Worte »and incite« (und dazu aufreizen) die Zielrichtung in den Tatbestand hineingenommen worden ist, wäre nach Einfügung des neuen Artikels 131 StGB den Verpflichtungen aus Artikel 4/b der Konvention Genüge getan.

Der dritte Tatbestand, die Pönalisierung der Beteiligung an den unter (1) und (2) genannten Organisationen, ist hinsichtlich des Vereinsrechts durch Paragraph 20 Vereinsgesetz vom 5. August 1964 (Bundesgesetzblatt I S. 593) erfolgt. Hinsichtlich der anderen Propagandaaktivitäten ist es eine Frage der Teilnahme an dem Delikt des (neuen) Artikels 131 des Strafgesetzbuches.

Einzelbestimmung (c) ist unproblematisch: Artikel 3 Absatz 3 des Grundgesetzes untersagt es in erster Linie allen Organen und Behörden der öffentlichen Gewalt, aus Gründen der Rasse, Heimat oder Herkunft zu benachteiligen oder zu bevorzugen. Darin ist ein Verbot für diese eingeschlossen, sich aktiv für eine derartige Politik einzusetzen oder gar dazu anzustacheln.

Das Ergebnis ist also, daß die Rechtsordnung der BRD dem Recht der Konvention dann voll entspricht, wenn der Vorbehalt für die Freiheitsrechte (UN-Erklärung und Artikel 5 der Konvention) herangezogen wird.

b) Die Antinomie zwischen klassischen Freiheitsrechten und sozialen Grundrechten

Das Problem des oben gekennzeichneten Spannungsverhältnisses tritt ganz allgemein bei der Frage eines internationalen Schutzes sozialer Menschenrechte auf, insbesondere, wenn ihr Verhältnis zu den traditionellen Freiheitsrechten bestimmt werden soll[68]. Auf dem UN-Regionalseminar über die Verwirklichung der wirtschaftlichen und sozialen Grundrechte der UN-Erklärung im August 1967 in War-

---

[67] *von Münch*, Bonner Kommentar, Rdnr. 81 zu Artikel 9 mit Nachweisen.

[68] Die deutsche Literatur zur Frage führt Konrad *Hesse*, Grundzüge des Verfassungsrechts der BRD, 4. Aufl., Karlsruhe 1970, S. 84, Anm. 25, auf. Dazu aus Österreich Th. *Tomandl*, Der Einbau sozialer Grundrechte in das positive Recht, in: *Recht und Staat*, Jg. 8, 1967, und aus der Schweiz: P. *Saladin*, Grundrechte im Wandel, Bern 1970, S. 460 f.

schau[69] wurde von den Teilnehmern aus osteuropäischen Staaten die These vertreten, den sozialen Menschenrechten müsse ein Vorrang vor den Freiheitsrechten eingeräumt werden (Paragraph 18).

Im Lichte moderner Entwicklungen müsse die Einheit aller Menschenrechte betont und die Verwirklichung aller unterschiedslos gefordert werden (Paragraph 22). Eine Klassifizierung in Freiheitsrechte und soziale Menschenrechte sei nur von akademisch-theoretischem Interesse und sollte eigentlich überhaupt fallengelassen werden.

Obwohl die Gegenposition deutlich vertreten und das notwendigerweise andersartige Verwirklichungssystem – nämlich durch gesetzliche Einzelmaßnahmen unter Berücksichtigung der wirtschaftlichen Möglichkeiten statt durch die Judicative aufgrund eindeutiger Grundrechtsnormen in der Verfassung – nachdrücklich hingewiesen wurde, konnte der Diskussionsleiter doch abschließend feststellen:

- Die wirtschaftlichen und sozialen Grundrechte hätten schon gegenwärtig den Charakter von Regeln des Völkerrechts;
- trotz unterschiedlicher materieller Möglichkeiten seien die Staaten verpflichtet, alle verfügbaren Mittel zu ihrer Verwirklichung einzusetzen;
- sie dürften gegenüber den klassischen Grundrechten nicht als Rechte minderer Bedeutung angesehen werden;
- ihre Aufnahme in die Staatsverfassungen sei notwendig und nützlich, da sie auf diese Weise leichter verwirklicht werden könnten.

Zu ihrer Verwirklichung seien zusätzlich notwendig:

- Gesetzgeberische Maßnahmen zur Substantiierung;
- die Schaffung eines geeigneten Kontrollmechanismus, insbesondere durch gerichtliche Nachprüfung;
- angemessene finanzielle Mittel;

und schließlich:

- Eine volle Entwicklung der Befugnisse von Gewerkschaften und anderen sozialen Organisationen.

Eine kritische Analyse hätte schon bei der ersten Behauptung einzusetzen, schon gegenwärtig seien die sozialen und wirtschaftlichen Menschenrechte zu Völkerrechtsregeln erstarkt. Das dürfte zumindest verfrüht sein, nachdem es in sechs Jahren noch nicht gelungen ist, die zum Inkrafttreten des einschlägigen Paktes notwendigen 35 Ratifikationen zusammenzubringen, sondern bisher nur ganze 17 Staaten ratifizierten[70]. Auch der Versuch, ihr Verhältnis zu den klassischen Grundrechten wegzuwischen, ist ebenso problematisch wie die allgemeine Forderung eines gerichtlichen Kontrollmechanismus. Die Rechte des status negativus sind nun einmal andersartige Rechte als die des status positivus und bedürfen daher eines andersartigen Mechanismus der Verwirklichung. Das ist im übrigen auch in den beiden Pakten der Vereinten Nationen anerkannt worden. Die Aufteilung in zwei Pakte mit unterschiedlichen Kontrollmechanismen zeigt das ganz deutlich.

[69] Bericht/ST/TAO/HR/31.

[70] Stand Februar 1972 gem. UN Press-Release vom 11. Februar 1972 (L/T/812).

Quasi-judizielle Kontrollen sind auf der internationalen Ebene nur für die klassischen Freiheitsrechte vorgesehen, während die Kontrolle für die Verwirklichung der sozialen Rechte ganz im politischen Bereich bleibt.

Wenn im internationalen Bereich die Rede auf die sozialen Grundrechte in der BRD kommt, wird häufig behauptet, es sei bezeichnend, daß das Grundgesetz sich ähnlich wie die Verfassung der Philippinen mit der Statuierung klassischer Freiheitsrechte begnüge und soziale und wirtschaftliche Grundrechte völlig außer acht lasse.

Diese Behauptung trifft nicht zu. Es ist zwar richtig, daß das Grundgesetz — was aus der Normsituation seiner Entstehung zu erklären ist — sich vorwiegend darauf konzentriert, die Freiheit des Menschen vor Übergriffen der staatlichen Gewalt zu garantieren und ein auf diese Aufgabe zugeschnittenes Rechtsschutzsystem zu errichten. Es hat aber auch die andere Aufgabe — den Schutz des status positivus — nicht völlig vernachlässigt.

Die ersten drei Artikel des GG über den Schutz der Würde des Menschen, die Garantie auf das Recht der Entfaltung der Persönlichkeit und schließlich das Gleichheitsgebot geben sowohl den Garantien der staatsbürgerlichen Freiheit einen allgemeinen Hintergrund, gelten aber über diesen Bereich hinaus auch allgemein auf wirtschaftlichem und sozialem Gebiet und auch für Rechtspositionen, die nicht durch eine besondere in das GG aufgenommene Garantie geschützt sind.

Nur auf diesem Hintergrund kann die Feststellung gewürdigt werden, daß in der Tat nur sechs einzelne wirtschaftliche und soziale Rechte in das GG aufgenommen wurden:

- Der Schutz von Ehe und Familie (Artikel 6)
- Das Schulwesen mit der Garantie des Elternrechts (Artikel 7)
- Das Arbeitskoalitionsrecht (Artikel 9 Absatz 3)
- Die freie Wahl des Arbeitsplatzes und die Berufsfreiheit (Artikel 12)
- Eigentum und Erbrecht (Artikel 14)
- Die Ermächtigung zur Sozialisierung gewisser Wirtschaftsgüter (Artikel 15).

Das sind durchweg Garantien, die nicht in dem Pakt der Vereinten Nationen über die bürgerlichen und politischen Freiheiten aufgenommen sind, sondern deren Thematik — wenn auch manchmal in anderer Ausgestaltung — in dem Pakt über wirtschaftliche und soziale Rechte erscheint. Auf keinen Fall kann man daher sagen, das Grundgesetz sei dieser Thematik völlig aus dem Wege gegangen. Es hat ihr keinen besonderen eigenen Abschnitt gewidmet, aber sie doch einbezogen.

Dazu tritt nun der Grundsatz, daß die BRD ein sozialer Staat ist und — wie hinzugefügt werden muß — sein soll. Das hat dazu geführt, die Achtung der Rechte anderer zur Schranke der Persönlichkeitsentfaltung zu machen (Artikel 2 Absatz 1) und die Sozialbindung des Eigentums festzulegen (Artikel 14 Absatz 2).

Diese Staatszielbestimmung ist nicht nur mehrfach programmatisch ausgesprochen (siehe Artikel 20 Absatz 2, Artikel 28 Absatz 2), sondern ist von der Rechtsprechung der höchsten Gerichte der Auslegung des GG und auch anderer Gesetze zugrunde gelegt worden: Sie verpflichtet den Gesetzgeber zu sozialer Aktivität und zu dem Bemühen, widerstreitende Interessen auszugleichen, erträgliche Lebensbedingungen für in Not geratene Menschen herzustellen. Darüber hinaus wurde aus dieser Staatszielbestimmung gefolgert, es bestehe ein gerichtlich durchsetzbarer Rechtsanspruch auf gesetzlich vorgesehene Fürsorgeleistungen. Auch konkrete Leistungsansprüche wurden aus ihr hergeleitet, um Lücken im System des Schutzes der sozialen Sicherheit auszufüllen.

So ruht also der Schutz sozialer Grundrechte im System des GG auf drei Säulen:

- den drei Rechtsprinzipien der Anfangsartikel 1–3;
- den erwähnten Einzelgrundrechten der Artikel 6, 7, 9, 12, 14 und 15;
- der Sozialstaatsklausel der Artikel 20 und 28.

Wenn man die materiellen Rechtsverpflichtungen der Artikel 2 bis 15 des Paktes der Vereinten Nationen über soziale und wirtschaftliche Rechte im einzelnen durchgeht und vergleicht, was davon schon im Grundgesetz geregelt ist, was ansonsten Bestandteil unserer Rechtsordnung ist und worin die Rechtsordnung der BRD hinter dem internationalen Standard zurückbleibt, ergibt sich, daß die sehr allgemeinen Rechtsverpflichtungen der Artikel 2–5 des Covenant im wesentlichen durch den Gleichheitssatz und die Garantie der Entfaltung der Persönlichkeit und durch Artikel 1 Absatz 3 in Verbindung mit Artikel 19 gedeckt sind.

Von den einzelnen Verpflichtungen des Teils III kennt das Grundgesetz ein Arbeitskoalitionsrecht (Artikel 9 Absatz 3 = Artikel 8 Covenant), den Schutz der Familie, von Müttern und Kindern (Artikel 6 = Artikel 10 Covenant); das Recht auf soziale Sicherheit (Artikel 9 Covenant) dürfte durch die Sozialstaatsklausel gedeckt sein, so daß eine Lücke nur bleibt hinsichtlich einer Verfassungsgarantie der Arbeitsbedingungen (Artikel 7 Covenant) und eines adäquaten Lebensstandards (Artikel 11 Covenant) – beides Garantien, die sehr stark im Stil von programmatischen Verheißungen bleiben und nur schwer faßbare Rechtsverpflichtungen enthalten.

Die Gleichheitsgebote im Grundgesetz und im Pakt der Vereinten Nationen (Artikel 2 Absatz 2, Artikel 3) weisen zahlreiche gemeinsame Elemente auf. Die unerlaubten Unterscheidungskriterien im Diskriminierungsverbot des Grundgesetzes (Artikel 3 Absatz 3) sind Artikel 2 Absatz 1 der Universellen Erklärung nachgebildet, dem Vorbild der Paktbestimmung. Das Diskriminierungsverbot des Grundgesetzes gilt aber nicht nur für die in ihm garantierten Rechte und Freiheiten, sondern ganz allgemein. Es gibt sogar eine Rechtsgrundlage dafür ab, formell in privatrechtlichen Formen sich vollziehende Staatstätigkeiten – wie die Gewährung von Subventionen – der Gleichheitskontrolle zu unterwerfen. Vorangestellt ist das allgemeine Gleichheitsgebot: »Alle Menschen sind vor dem Gesetz gleich«, das in diesem Pakt fehlt. Die Gleichberechtigung von Mann und Frau ist im Pakt (Artikel 3) nur auf die Ausübung der dort garantierten Rechte bezogen, im Grundgesetz aber allgemein angeordnet, ohne Rücksicht darauf, welche einzelnen Rechte im Grundgesetz genannt sind. Die sich auf alle Rechtsgebiete beziehende dadurch veranlaßte Gesetzgebung in der BRD, welche die Stellung der Frau in der Familie, im Berufsleben, als Arbeiterin und Angestellte, im privaten und öffentlichen Dienst, schließlich auch als Staatsangehörige regelt, ist bekannt.

Hier ist also nichts nachzuholen. Die Gleichstellung aller Menschen steht im Grundgesetz auf einer breiteren Grundlage als in den Verbriefungen der Vereinten Nationen.

Es ist hier nicht der Ort, diese Untersuchung auf andere Garantien auszudehnen, sondern es muß genügen, das Ergebnis festzuhalten:

- Es ist sicher möglich, gewisse Ziele der Sozialpolitik in der Form »sozialer Grundrechte« in die Verfassung zu schreiben und für diese ein anderes Verwirklichungssystem vorzusehen denn für die klassischen Freiheitsrechte.
- Die Frage ist nur, was damit erreicht wird. Die Untersuchung derartiger sozialer Menschenrechte zeigt, daß jedes von ihnen ganz unterschiedliche Probleme aufwirft. Gemeinsam ist ihnen jedoch, daß sie dynamische Zielvorstellungen enthalten, keine starren und unverrückbaren Grundsätze.
- Nun ist es zwar durchaus möglich — abgesehen von dem allgemeinen Ziel des Gesundheitsschutzes oder der sozialen Sicherheit oder der Gestaltung der Arbeitsbedingungen — gewisse Einzelerfolge in der Verfassung als erstrebenswert zu bezeichnen und den Gesetzgeber daran zu binden, diese zu erreichen. Da der soziale Fortschritt aber dem Gesetz einer stets dynamischen Entwicklung gehorcht, werden diese Einzelerfolge immer verschärft, verstärkt und weiter hinausgesetzt werden müssen, also etwa zunächst das 9., dann 10. und schließlich 11. Pflichtschuljahr, allgemein zugängliche, kostenlose und dann auch mit einem Unterhaltsbeitrag verbundene Hochschulausbildung. Nachdem ein in der Verfassung vorgeschriebener Erfolg erreicht ist, muß die Verfassung geändert und ein neues Endziel in sie aufgenommen werden.
- Hier erhebt sich die Frage, ob die Hereinnahme einer derartigen Dynamik in die Verfassung selbst der Aufgabe und dem Wesen einer Verfassung, welche ihrer Natur nach auf eine gewisse Dauer angelegt sein sollte, entspricht. Denn die Ziele etwa so weit hinauszusetzen, daß sie in absehbarer Zeit nicht verwirklicht werden können, wäre ein gefährliches Unterfangen. Das würde leicht die Bestimmungen der Verfassung, welche sofort und jeden Tag zu verwirklichen sind — wie die sogenannten klassischen Freiheiten — in ihrer Geltungskraft gefährden.
- Wenn es dabei bleiben soll, daß die Verfassung den stabilen Rahmen für das Funktionieren des Staatsapparates auf allen Ebenen abgibt, die Dynamik des sozialen Fortschritts sich aber auf dem Wege der Gesetzgebung vollzieht, dann sollte man davon absehen, die Verfassung mit dieser ihr wesensfremden Aufgabe zu belasten. Die Verfassung sollte gewiß den dynamischen Kräften Raum geben — das ist eine Frage der Auswirkung des Volkswillens und der Anerkennung spezifischer sozialer Kräfte wie der Sozialpartner —, aber sie sollte nicht selbst versuchen, diese Dynamik in sich aufzunehmen.

Es ist vielmehr eine Frage der Verfassungstechnik denn der politischen Ideologie, wie eine Verfassung das Problem der sozialen Grundrechte meistert.

3. Regionale Bindungen

Gewisse Bindungen der Bundesrepublik im europäisch-atlantischen Raum wirken sich auf ihre Stellung und Haltung in Diskriminierungs- und allgemeinen Menschenrechtsfragen aus. Sie sind hier wenigstens kurz zu erwähnen.

a) Das europäische Schutzsystem

Von der Parallelität zwischen dem Europäischen Menschenrechtsschutzsystem und dem der UN war oben (II/4) schon die Rede. Verfahrensmäßig können daraus erst Probleme entstehen, wenn der Pakt über bürgerliche und politische Rechte in Kraft getreten ist und darüber hinaus mindestens zehn Staaten sich gemäß Artikel 41 dem Vergleichsverfahren vor dem Ausschuß für Menschenrechte unterworfen haben.

Dann erhebt sich die Frage, ob ein Mitgliedstaat der Europäischen Menschenrechtskonvention eine Meinungsverschiedenheit über die Auslegung und Anwendung der Konvention bzw. des Paktes – soweit diese übereinstimmen – vor der Menschenrechtskommission des Europarates oder dem Menschenrechtsausschuß der UN austrägt.

Da Artikel 44 des Paktes es den Teilnehmerstaaten freistellt, sich zur Beilegung von Streitigkeiten anderer Verfahren, die zwischen ihnen vereinbart sind, zu bedienen, andererseits aber Artikel 62 der Europäischen Menschenrechtskonvention ein Ausweichen auf andere Verfahrensarten begrenzt, hat der Ministerrat[71] den Mitgliedstaaten der Konvention empfohlen, wenn sie auch durch den Pakt und eine Erklärung gemäß Artikel 41 desselben gebunden sein sollten, in der Regel nur das Verfahren nach der Europäischen Menschenrechtskonvention bei Auseinandersetzungen mit anderen Mitgliedstaaten der Konvention zu benützen; Voraussetzung ist allerdings, daß Konvention und Pakt hinsichtlich des streitigen Rechts sich decken.

Damit ist freilich die Frage des Nebeneinanderbestehens von individuellen Beschwerderechten einerseits an die Europäische Menschenrechtskommission, andererseits an den Menschenrechtsausschuß der UN noch nicht geklärt. Sie würde sich allerdings erst stellen, wenn auch das Fakultativ-Protokoll zum Pakt in Kraft getreten ist. Eine gleichzeitige Befassung der Europäischen Menschenrechtskommission und des Menschenrechtsausschusses wäre nach den für das Verfahren beider Instanzen geltenden Bestimmungen ausgeschlossen[72]. Soweit aber Mitgliedstaaten des Europarates, welche die Individualbeschwerde an die Europäische Menschen-

[71] Res. (70) 17 vom 15. Mai 1970.

[72] Fak. Protokoll Artikel 5 Absatz 2/a; Europäische Menschenrechtskonvention Artikel 27 Absatz 1/b.

rechtskommission anerkannt haben, vorbehaltlos das Fakultativ-Protokoll ratifizieren, könnte ein Beschwerdeführer sich zunächst nach Straßburg und dann – nach Abweisung seiner Beschwerde – nach New York wenden, während ihm der umgekehrte Weg nach Artikel 27 Absatz 1/b der Europäischen Menschenrechtskonvention verschlossen wäre.

b) Einflüsse regionaler Bündnispakte

Von ganz anderer Art – nämlich rein politisch – sind die Einflüsse regionaler Bündnispakte auf die Stellung und Haltung der Vertreter der Paktstaaten in den Organen der UN. In Fragen der Rassendiskriminierung ist der Hauptfall Portugal, das als Kolonialherr heftiger Kritik ausgesetzt ist. NATO-Partner Portugals sind bereits im Ausschuß für Rassendiskriminierung wegen ihrer Unterstützung dieses Landes angegriffen worden[73].

Der Hinweis auf die Erklärung des Bundeskanzlers[74], Waffenlieferungen an Portugal erfolgten unter der Bedingung, daß sie nicht in überseeischen Gebieten verwendet werden dürften, traf auf den Einwand, die Einhaltung dieser Bedingung sei weder zu kontrollieren noch durchzusetzen.

Die politischen Stellen werden abzuwägen haben, was schwerer wiegt: eine Belastung der Beziehungen zu den Ländern der Dritten Welt oder die Beziehungen zu einem militärischen Bundesgenossen.

IV. Wirkungsmöglichkeiten nach dem Beitritt

1. Rassendiskriminierung

a) Der Ausschuß zur Beseitigung der Rassendiskriminierung

Als Vertragsstaat der Konvention zur Beseitigung aller Formen der Rassendiskriminierung hat die BRD einen Sachverständigen präsentiert, der diesem für die Zeit von 1970–1974 als Mitglied angehört.

[73] UN Doc. A/8418 (XXVI) Suppl. 18 (Report of CERD for 1971), Abschnitt VII/B/5 II (S. 39): »The Committee having noted General Assembly resolutions 2395 (XXIII) of 29 November 1968 and 2707 (XXV) of 14 December 1970, in which the Assembly reiterated its appeal to all States, and in particular to members of the North-Atlantic Treaty Organization, to withhold from Portugal any assistance which enables it to prosecute the colonial war in the Territories under its domination.
Having also noted General Assembly resolution 2507 (XXIV) of 21 November 1969, in which the Assembly urged all States, and particularly the States members of the North Atlantic Treaty Organization, to withold or desist from giving further military and other assistance to Portugal which enables it to pursue the colonial war in the Territories under its domination, emphasizes the importance which the Committee attaches to the implementation of these recommendations of the General Assembly.«

[74] Rede zur Woche der Brüderlichkeit, Köln am 21. März 1971, Bulletin des Presse- und Informationsamts der Bundesregierung, Nr. 43 vom 23. März 1971, S. 441–446.

Die Stellung dieses Sachverständigen im Ausschuß würde sich auch durch den Beitritt der BRD zur Organisation der UN generell nicht ändern. Wohl aber hätte die BRD die Möglichkeit, von diesem Sachverständigen im Ausschuß vorgebrachte Anregungen im Dritten Hauptausschuß der Generalversammlung aufzugreifen und sich dafür einzusetzen, daß sie der Generalversammlung vorgeschlagen werden.

Die Stellung der BRD gegenüber dem Ausschuß zur Beseitigung der Rassendiskriminierung würde sich nur insofern ändern, als gegenwärtig die Möglichkeit besteht, daß ein auf die Prüfung ihres Berichtes an den Ausschuß gestützter Vorschlag desselben der Generalversammlung unterbreitet werden könnte, ohne daß die BRD in der Generalversammlung zu diesem Vorschlag Stellung zu nehmen berechtigt wäre. Nach dem Beitritt könnte sie hingegen sowohl im Dritten Hauptausschuß wie in der Generalversammlung selbst zu einem derartigen Vorschlag Stellung nehmen, ohne darauf angewiesen zu sein, dieses Recht eigens eingeräumt zu erhalten.

b) Andere Organe der Vereinten Nationen

In der Organisation der UN selbst würde die BRD der Generalversammlung und ihren Hauptausschüssen, in denen alle Mitglieder vertreten sind, angehören. Auf dem Gebiete der Rassendiskriminierung und des allgemeinen Menschenrechtsschutzes liegt das Schwergewicht beim Dritten Hauptausschuß der Generalversammlung für soziale und wirtschaftliche Angelegenheiten. Er hat sich auch häufig gegenüber den Organen des Wirtschafts- und Sozialrates durchgesetzt, schon deswegen, weil in ihnen nur ein Teil der Mitglieder vertreten ist und daher in ihnen keine allgemeine Übereinstimmung herbeigeführt werden kann.

Das wichtigste Beispiel hierfür ist die Ausgestaltung der beiden großen Menschenrechtspakte auf der Grundlage der Vorschläge der Menschenrechtskommission. Ihre endgültige Gestalt erhielten sie doch erst im Dritten Hauptausschuß.

Die BRD wird sicher danach streben müssen, auch im Wirtschafts- und Sozialrat vertreten zu sein. Ein Staat, der in höherem Umfange zu den Beitragslasten herangezogen wird als mehrere ständige Mitglieder des Sicherheitsrates, wird darauf auch einen Anspruch erheben können. Dem Wirtschafts- und Sozialrat unterstehen die regionalen Wirtschaftskommissionen wie die Economic Commission for Europe, und schon daraus ergibt sich ein politisches Interesse an dieser Zugehörigkeit. Dazu kommt die Koordinierungsfunktion des Wirtschafts- und Sozialrates hinsichtlich der Sonderorganisationen der UN, denen allen die BRD angehört.

Es ist aber die Frage, ob die BRD danach streben sollte, in den mit Fragen der Rassendiskriminierung und des allgemeinen Menschenrechtsschutzes befaßten Unterorganisationen des Wirtschafts- und Sozialrates vertreten zu sein: Menschenrechtskommission und Unterausschuß für die Verhinderung der Diskriminierung und Schutz der Minderheiten. Ähnliche Erwägungen können für den 24er-Ausschuß der Generalversammlung für Dekolonisierung (welcher ein Unterorgan der Generalversammlung ist) maßgebend sein.

Einerseits sind die wichtigeren Mitgliedstaaten in diesen Unterorganen vertreten. Es ist nicht nur eine gewisse Prestigefrage, in ihnen mitzuarbeiten, sondern es kann auch mit gutem Grund behauptet werden, daß die BRD durch die vorbildliche Organisation des Grundrechtsschutzes in der inneren Verfassungs- und Rechtsschutzordnung nicht nur zur Mitarbeit legitimiert ist, sondern geradezu verpflichtet. Andererseits ist es richtig, daß diese Unterorgane besonders häufig zu propagandistischen Initiativen mißbraucht werden. Die Vereinigten Staaten und das Vereinigte Königreich haben sich deswegen unlängst aus dem 24er-Ausschuß für Dekolonisierung zurückgezogen. Ein Vertreter der BRD in diesen Unterorganen würde nicht immer einen leichten Stand haben. Dennoch scheint dies nicht gegen, sondern gerade für eine Mitarbeit zu sprechen. Schlecht begründete Vorurteile gegen das neue Mitglied können nur abgebaut werden, wenn dieses sich stellt, seine geradezu einzigartigen Erfahrungen mit der Beseitigung von Erscheinungen wie der Rassenlehre einbringt und positiv mitarbeitet.

2. *Allgemeiner Menschenrechtsschutz*

a) Inkrafttreten der beiden großen Pakte

Im Vordergrund aller Bemühungen steht nicht die Ausarbeitung neuer Konventionen und Texte, sondern das Inkrafttreten der beiden großen Pakte. Die Heinemann-Erklärung in Teheran hat Hoffnungen erweckt, die nicht enttäuscht werden sollten. Nachdem bisher nur kleinere und mittlere Staaten die Covenants ratifiziert haben[75], würde die Ratifikation durch die BRD einen Akt von erheblicher politischer Bedeutung darstellen. Er würde vor allem vom UN-Sekretariat positiv gewürdigt und allgemein als ein Zeichen angesehen werden, daß die BRD es nicht scheut, ihren Rechtsstandard an dem internationalen Standard messen zu lassen. Die Vorarbeiten an einem Zustimmungsgesetz sind längere Zeit dadurch verzögert worden, daß ein gemeinsamer deutschsprachiger Text mit Österreich und der Schweiz abgestimmt wurde. Sie stehen aber nun unmittelbar vor dem Abschluß.

b) Hochkommissar für Menschenrechte

Seit Jahren liegt der Generalversammlung ein Vorschlag Uruguays vor, einen Hochkommissar für Menschenrechte einzusetzen. Dieser Vorschlag ist auch von Heinemann auf der Weltmenschenrechtskonferenz in Teheran zustimmend erwähnt worden. Dieses Thema gäbe Gelegenheit, engeren Kontakt mit verschiedenen südamerikanischen Staaten aufzunehmen. Der Plan wird zwar sowohl von der Sowjetunion wie auch von den Vereinigten Staaten skeptisch beurteilt. Das sollte

[75] Bis September 1972: Bulgarien, Chile, Costa Rica, Dänemark, Ecuador, Irak, Jugoslawien, Kenia, Kolumbien, Lybien, Madagaskar, Norwegen, Schweden, Syrien, Tunesien, Uruguay, Zypern (Fundstelle s. o. Anm. 70).

aber kein Hinderungsgrund sein, ihn aktiv zu betreiben, und zwar in einem Sinne, daß dieser Hochkommissar nicht nur zur Registrierungsstelle von Menschenrechtsverletzungen wird, sondern mindestens das Recht erhält, die ihm unterbreiteten Fälle – wie ein Ombudsman – so aufzuklären und nachzuprüfen, daß sein Wort Autorität zu gewinnen vermag.

Nach dem letzten Stande der Arbeiten der Organe der UN an diesem Projekt[76] sind diese Voraussetzungen noch nicht gegeben.

Der Hochkommissar soll zwar das Recht haben, aus eigener Initiative über den Wirtschafts- und Sozialrat an die Generalversammlung zu berichten, wenn er der Auffassung ist, daß die Menschenrechtsinstrumente der UN in einem Staate nicht durchgeführt werden – das ist schon allerlei; er soll auch bedeutungsvolle Fortschritte selbst bewerten können.

Aber die wesentliche Frage ist doch, wie der Hochkommissar zu den Nachrichten darüber gelangt, in welchem Staat die Verfassungswirklichkeit hinter dem von den UN etablierten Standard zurückbleibt. Das ist ihm selbst überlassen. Er bekommt keine Staatenberichte, sondern muß sich die Nachrichten selbst beschaffen und darf dann die Regierungen deswegen nur konsultieren, wenn er das für angezeigt hält, und hat das Ergebnis dieser Konsultationen dann auch noch bei der Abfassung seiner Berichte zu beachten.

Also nehmen wir den Fall, er entnimmt aus der Presse, in einem südamerikanischen Staat würden die Indios diskriminiert, indem die staatlichen Stellen nichts dagegen unternähmen, daß sie von Industriefirmen, welche ein von Indios bewohntes Gebiet zur Anlegung von Plantagen oder Straßen erschlössen, ausgerottet würden.

Dann dürfte der Hochkommissar die Regierung dieses Staates konsultieren, wenn er das für angezeigt hielte, und hätte die ihm zugegangenen Auskünfte seinem Bericht in gebührender Weise zugrunde zu legen.

Er wird sicher erfahren, daß die Pressemitteilung auf einer Verleumdung beruhe und nichts davon wahr sei. Er hat noch nicht einmal das Recht, zurückzufragen, ob sich diese Mitteilung auch auf die Provinz X bezöge und wie sie mit den Aussagen des aus dem Gebiete geflohenen Indios Y, der in die Hauptstadt des Nachbarstaates geflohen sei, in Einklang zu bringen sei. Er dürfte eine derartige Mitteilung, wenn sie in die Unterlagen der UN gelangt sein sollte, dem betreffenden Staat lediglich dann zur Kenntnis bringen, wenn dieser Staat ihn ersucht haben sollte, ihm bei der Verwirklichung der Menschenrechte zu helfen. Das wird dieser Staat sicher nicht getan haben.

Sogar im Vergleich zum CERD stehen dem Hochkommissar nur geringere Aufklärungsmittel im Verhältnis zu den Vertragspartnern – das wären hier allerdings alle UN-Staaten – zu.

---

[76] ECOSOC Res. 1237 (XLII) vom 20. Juni 1967 und dazu Jost *Delbrück*, Die Rassenfrage als Problem des Völkerrechts und nationaler Rechtsordnungen, Frankfurt 1971, S. 130. Ronald St. J. *McDonald*, The U.N. Commissioner for Human Rights, in: The Canadian Yearbook of International Law, Vol. 5, 1967, S. 84–117.

CERD kann, wenn es in einem periodischen Bericht gewisse Nachrichten vermißt, »weitere Informationen anfordern«. Und es kann darauf insistieren, braucht auch die Staaten nicht zu konsultieren, bevor es darüber an die Generalversammlung berichtet, sondern ihnen diese Absicht nur zur Kenntnis zu bringen und ihre etwaigen Stellungnahmen weiterzureichen. Zu halten braucht er sich nicht daran.

Solange dem Hochkommissar nur so bescheidene Befugnisse zugestanden werden, wäre es besser, dieses Amt nicht zu errichten. Eine neue Instanz, welche sich lediglich zwischen den bisher schon bestehenden machtlosen Organen der UN auf diesem Gebiete bewegt, sie berät und womöglich ihre Informationen ungeprüft – da er sie nicht zu prüfen vermag – übernimmt, wäre wirklich kein effektives Organ. Darin ist dem sowjetischen Delegierten Nasinovky[77] völlig recht zu geben.

[77] UN Doc. E/AC 7/572, S. 5.

STRATEGISCHE PROBLEME EINER INNOVATIVEN UN-POLITIK

Peter Pawelka

I. Einleitung

Die sozialwissenschaftliche Forschung im Bereich internationaler Organisationen hat im Vergleich zur Sozialwissenschaft generell einen deutlichen Rückstand aufzuholen. Sowohl die Heterogenität ihrer Ansätze als auch die geringe materielle Substanz ihrer Untersuchungen stehen in krassem Gegensatz zu ihrem relativ weit entwickelten methodologischen Standard. Zwei neuere Forschungsberichte[1] bemängeln zu Recht, daß zu wenig Theorie akkumuliert wird und relevante Fragestellungen nur selten erkennbar sind. So gelingt es auch nach eingehendem Studium zahlreicher Untersuchungen kaum, den Problemlösungsprozeß der Weltorganisation zu erfassen. Dabei scheint diese Frage von zentraler Bedeutung zu sein, da sie Erkenntnisse über die sozialen Voraussetzungen einer wirkungsvolleren Politik der UN bringen könnte. Dies ist um so dringender anzustreben, als Entwicklungstendenzen der Globalgesellschaft und der internationalen Beziehungen eine markante Zunahme sozialer Konflikte erwarten lassen. Sollen die UN im Kontext wachsender Antagonismen einen produktiven Beitrag zur Reduktion globaler Konflikte leisten, so bedarf es eingehender Kenntnisse der Bedingungsfaktoren für Fähigkeit und Bereitschaft zu innovativen Aktionen der Weltorganisation. Unser Bestreben ist es, vorhandene Untersuchungen nach Ansätzen zu einer Theorie innovativer Problemlösung im Bereich der UN zu ordnen. Diese Aufbereitung und Reinterpretation vorhandenen Datenmaterials könnte dazu dienen, die Aufmerksamkeit auf einige strukturelle Dimensionen der UN-Politik zu lenken und das Interesse für eingehendere empirische Untersuchungen zu wecken.

Neben dieser wissenschaftlichen Intention verfolgt unsere Arbeit auch eine didaktische. Neuere Untersuchungen zahlreicher sozialer Systeme verschiedener Komplexität haben die prinzipielle Irrationalität von Verhaltensweisen offengelegt, die vorrangig durch Zwang, Strafe und Drohung Kontrollfunktionen ausüben wollen. Die Sozial-Kybernetik hat gezeigt, daß diese Methoden notwendigerweise Gegendruck und pathologische Reaktionen erzeugen, deren Konsequenzen wiederum die Problemlösungskapazität des Systems kurzfristig beeinträchtigen und

[1] Robert E. *Riggs* et. al., Behavioralism in the Study of the United Nations, in: *World Politics*, Vol. 22, 1970, S. 197 ff.; Chadwick F. *Alger*, Research on Research: A Decade of Quantitative and Field Research on International Organizations, in: *International Organization*, Vol. 24, 1970, S. 414 ff.

langfristig schädigen. Anreiz, Belohnung und Partizipationserfahrung sind tauglichere Mittel der Eliminierung asozialen Verhaltens und der Steigerung systematischer Problemlösungskapazität[2].

Wir werden nun zu zeigen versuchen, daß fünf strukturelle Variablen wichtige Determinanten der Problemlösungskapazität der UN sind. Zu diesem Zweck ist es notwendig, in einem ersten Kapitel den theoretischen Rahmen zu definieren und die Funktion der UN im globalen System zu erläutern. Dieser relativ abstrakte Arbeitsgang bildet die Voraussetzung für die Ableitung der Problemlösungsvariablen, denen wir uns anschließend nacheinander zuwenden. Konzentriert sich die Untersuchung hierbei auf die Weltorganisation und ihr Verhalten im Kontext der internationalen Beziehungsmuster, so beschäftigt sich jeweils der Schlußabschnitt jeder der fünf Variablendiskussionen mit den Möglichkeiten nationaler Akteure, Strukturinnovationen zu fördern. In ihrer Gesamtheit bilden sie ein strategisches Konzept zur Reorganisation der systemischen Verhaltensdispositionen.

II. Die Problemlösungsfunktion des UN-Systems

Unser methodischer Ansatz impliziert eine Strategie der Identifikation und Selektion sozialer Komplexitäten. Angestrebt wird zunächst die analytische Konstruktion des Interdependenzrahmens, innerhalb dessen Grenzen die UN funktionale Aktivitäten durchführen. Ausgangspunkt ist die Globalgesellschaft als dynamisches System[3] sozialer Interaktion. In einem historischen Prozeß der Ausdifferenzierung kristallisierte sich das politische System nationaler Gesellschaften als Organisationsmuster der Globalgesellschaft. Ein nationales politisches System steht mit seiner Umwelt ständig simultan in Konflikt- und Kooperationsbeziehung. So arbeitet beispielsweise die Bundesrepublik Deutschland mit dem übergeordneten System der westlichen Allianz oder dem parallelen System Frankreich zusammen, wobei gleichzeitig ernsthafte Dissonanzen über die NATO-Strategie oder den Stellenwert eines bundesstaatlich geprägten Regionalismus in Westeuropa nicht zu verbergen sind. Soziale Systeme besitzen in der Regel ein gewisses Ausmaß von Steuerungskapazität, sind jedoch tendenziell entweder passiv, das heißt sie

---

[2] Für den Bereich der Internationalen Beziehungen vgl. u. a. John R. *Raser*, Learning and Affect in International Politics, in: *Journal of Peace Research*, Vol. 21, 1965, S. 216 ff.; Dean G. *Pruitt*, Stability and sudden change in interpersonal and international affairs, in: *Journal of Conflict Resolution*, Vol. 13, 1969, S. 18 ff.; John W. *Burton*, Conflict and Communication. The Use of Controlled Communication in International Relations, London 1969.

[3] Der Systembegriff, dem wir hier folgen, impliziert eine »sinnhafte« Identifikation eines Interdependenzrahmens, wobei Sinn eine Strategie des selektiven Verhaltens unter Bedingungen hoher Komplexität ist. Systemgrenzen sind lediglich Selektionshilfen, die durch den Aufbau eines Sinnzusammenhanges sozialer Handlungen von der Umwelt abgegrenzt werden. Niklas *Luhmann*, Moderne Systemtheorien als Form gesamtgesellschaftlicher Analyse, in: Theodor W. *Adorno* (Hrsg.), Spätkapitalismus oder Industriegesellschaft?, Stuttgart 1969, S. 253 ff., 256 f.

können keine »kollektiven Ziele« setzen, oder aber sie sind relativ aktiv, das heißt sie können sich nicht nur flexibel Umweltbedingungen anpassen, sondern sind auch in der Lage, aktiv auf Umweltveränderungen Einfluß zu nehmen und eine Reihe systemischer Werte zu realisieren. Das soziale System besitzt demnach einen bestimmten systemspezifischen Grad von Verhaltensautonomie gegenüber seiner Umwelt. Soziale Veränderungen in der Umwelt beeinflussen das System, seine Strukturen und Funktionen nachhaltig. Die Intensität der daraus resultierenden System-Umwelt-Spannungen ist eine Funktion der Ausgleichskapazität des Systems. Ein aktives soziales System wird als Reaktion auf die Informationseingabe über potentiellen oder aktuellen Wandel in bestimmten Sektoren der Umwelt versuchen, durch negative oder positive Rückkoppelung intrasystemischen Wandel so zu lenken und zu kontrollieren, daß spezifische Veränderungen zum Ausgleich von Spannungsbeziehungen beitragen können. Die »außenpolitische« Funktion eines nationalen Staatsapparates ist es, die Veränderungsprozesse innerhalb der verschiedenen externen Interaktionsnetze der subnationalen Gesellschaftsstrukturen abzuschwächen und im Rahmen systembedingter Schwellenwerte zu halten[4]. Systeme mit Steuerungskapazität können als tension-management-Systeme hinsichtlich ihrer Umwelt aufgefaßt werden[5]. Hierbei ist davon auszugehen, daß die Umweltkomplexität so ausgeprägt ist, daß sie nur in begrenztem Ausmaß vom System kontrollierbar ist. Daraus folgt, daß eine große Anzahl von Verhaltensalternativen unbekannt und die Kalkulationskapazität des Systems eingeschränkt ist. Die Steuerungskapazität wird demnach vorwiegend von der Fähigkeit, Alternativen zu suchen und Problemlösen zu lernen[6], determiniert.

Ebenso wie für alle sozialen Systeme auch, gilt für das nationale politische System die generelle These, daß je komplexer seine Umwelt organisiert ist und je zahlreicher seine Kommunikationen zur Umwelt werden, desto mannigfaltigere Arten der Kontrolle und Systemerhaltung erforderlich sind[7]. Wächst die Komplexität der Umwelt und damit die Zahl und Komplizität sozialer Probleme, so muß auch der systemische Entscheidungsapparat funktionsadäquat angepaßt werden, um die Steuerungskapazität des Systems zu erhalten[8]. Dieser Prozeß besteht aus

---

[4] John W. *Burton*, Systems, States, Diplomacy and Rules, Cambridge 1968, S. 27 ff.

[5] Wilbert E. *Moore*/Arnold S. *Feldman*, Society as a Tension-Management System, in: G. *Baker*/L. S. *Cottrell*, jr. (Hrsg.), Behavioral Science and Civil Defense, Washington 1962, S. 93 ff.

[6] James G. *March*, Some Recent Substantive and Methodological Developments in the Theory of Organizational Decision-Making, in: A. *Ranney* (Hrsg.), Essays on the Behavioral Study of Politics, Urbana 1962, S. 191 ff., Richard M. *Cyert*/James G. *March*, A Behavioral Theory of the Firm, Englewood Cliffs 1963, S. 20, 99 ff., 123 ff., Donald W. *Taylor*, Decision Making and Problem Solving, in: James G. *March* (Hrsg.), Handbook of Organizations, Chicago 1965, S. 48 ff.

[7] F. W. *Terrien*/D. L. *Mills*, The Effect of Changing Size upon the Internal Structure of Organizations, in: *American Sociological Review*, Vol. 20, 1955, S. 11 ff.

[8] Niklas *Luhmann*, Soziologie des politischen Systems, in: *Kölner Zeitschrift für Soziologie und Sozialpsychologie*, Jg. 20, 1968, S. 705 ff.

einer Ausdifferenzierung sozialer Rollen unter dem Aspekt funktionaler Spezifikation und Regelungspotenz.

Vielfältige internationale Transaktionen, das Wachstum personaler Mobilitäten, die Dynamik von Transport- und Kommunikationskapazitäten sowie die Steigerung ihrer Geschwindigkeit führten seit der industriellen Revolution zu einer historisch beispiellosen Interdependenz-Eskalation. Dieser Wandel stellte die politischen Systeme der Nationalstaaten zunehmend vor neue Aufgaben. Als erste Antwort institutionalisierten sie extranationale Aktivitäten. So wurden Außenministerien und diplomatische Dienste ausgebaut und entwickelt, interne Strukturveränderungen innerhalb der Staatsapparate vorgenommen und Planungsstäbe etabliert. Andererseits konnte die Steuerungs- und Regelungspotenz nationaler politischer Systeme auf die Dauer dem Niveau der Umweltkomplexität nicht angepaßt werden. Die Kommunikationsrevolution, durch die Interdependenzen in der Form von Exponentialfunktionen wuchsen, förderten einen Trend zur globalen Anomie. Pathologische Reaktionen nationaler Akteure und Verhaltensdefekte des internationalen Systems, die in zwei Weltkriegen kulminierten, förderten schließlich die Entwicklung multinationaler politischer Regelungsmechanismen formaler und informaler Art[9].

Der Zusammenhang zwischen industrieller Entwicklung und wachsender Kooperation und Integration auf der Ebene internationaler Organisationen wurde von Volker Rittberger empirisch nachgewiesen[10]. Seinen Untersuchungen zufolge gleicht die Wachstumskurve internationaler Organisationen, die heute zum UN-Komplex zählen, seit dem letzten Drittel des 19. Jahrhunderts einer Exponentialfunktion.

Multinationale Regelungsinstanzen oder internationale Organisationen sind institutionalisierte Arrangements unter den Mitgliedern des internationalen globalen Systems, die die Aufgabe haben, sich aus systematischen Bedingungen entwickelnde Probleme zu lösen[11]. Das UN-System, bestehend aus der Zentralorganisation und deren Sonderorganisationen, ist ein von den nationalen politischen Systemen ausdifferenziertes System zum Lösen von Aufgaben, die exklusiv nationale Kapazitäten überfordern. Nationale politische Systeme der Mitglieder sind Subsysteme der UN-Organisation und bilden ihre interne Umwelt. Die Strukturmuster der Globalgesellschaft und ihre Organisationen außerhalb nationalstaatlicher Aggregate werden als externe Umwelt verstanden.

---

[9] Vgl. Frank H. *Denton*/Warren *Phillipps*, Some patterns in the history of violence, in: *Journal of Conflict Resolution*, Vol. 12, 1968, S. 182 ff.

[10] Volker *Rittberger*, International Organization and Peace: A Study in Organized Multinational Cooperation and International Integration, Ph. D. Stanford University 1971 (Maschinenschrift).

[11] Wolfram F. *Hanrieder*, International organizations and international systems, in: *Journal of Conflict Resolution*, Vol. 10, 1966, S. 297 ff.; vgl. das Wachstum internationaler Organisationen seit 1815 bei Michael D. *Wallace*/J. David *Singer*, Intergovernmental Organizations in the Global System, 1815—1964, A Quantitative Description, in: *International Organization*, Vol. 24, 1970, S. 239 ff.

Das UN-System hat die Aufgabe, im Kontext sich dauernd wandelnder Konstellationen und Bedingungen in seiner internen und externen Umwelt relevante Probleme der Globalgesellschaft zu lösen. Dieser Ansatz stellt Funktion, Prozeß, Voraussetzungen und Modi von Steuerungs- und Regelungsmustern in den Mittelpunkt der Diskussion. Bisherige systemtheoretische Ansätze im Bereich internationaler Organisationen haben die traditionalen strukturell-funktionalen Modelle bevorzugt[12]. So sehr der Nachholbedarf systematischer Untersuchungen von UN-Aktivitäten die Heranziehung älterer Konzepte verständlich macht und sogar zu vergleichsweise brauchbaren Resultaten führt, so halten wir sowohl aus forschungstheoretischen als auch aus Gründen politischer Relevanz wandlungskonforme Ansätze für aktueller. Wir müssen zugestehen, daß die Identifikation positiver UN-Funktionen für eine realistische Einschätzung dieser Institution im Kontext zumeist polemischer Publikationen durchaus hoch zu bewerten ist. Andererseits sehen wir es als legitime und die Wissenschaft verpflichtende Aufgabe an, Funktionsdefekte und ihre Ursachen aufzudecken. Unser Ansatz ist demnach output-orientiert; unsere Intentionen sind auf Veränderung gerichtet und basieren auf reflektierten Werten, die expliziert werden.

Robert O. Keohane hat sich dafür ausgesprochen, organisationstheoretische Arbeiten für die bisher unterentwickelte Forschung im Bereich der internationalen Organisationen auszuwerten[13]. Wir werden ebenfalls versuchen, geeignete Modelle[14] zu transferieren, um Klassifikationskonzepte und Fragestellungen für Problemlösungsprozesse zu gewinnen.

Charles E. Lindbloms Modell des »partisan mutual adjustment«[15] setzt systemische Entscheidungen voraus, bei denen die Existenz und Berechtigung unterschiedlicher und gleichwertiger Werte- und Normensysteme anerkannt wird, ohne nach gesamtsystemischen, also übergeordneten Verhaltensvorschriften zu streben, da die Systemmitglieder nicht glauben, daß es solche geben könnte. Der Beitrag dieses Modells zur rationalen Entscheidungstheorie kann am besten im Lichte der Tatsache verstanden werden, daß komplexes decision-making nicht synoptisch ist[16],

---

[12] Vgl. z. B. Michael *Haas*, A Functional Approach to International Organization, in: *The Journal of Politics*, Vol. 27, 1965, S. 498 ff. oder den UN-Reader Robert W. *Gregg*/ Michael *Barkun* (Hrsg.), The United Nations System and its Functions. Selected Readings, Princeton/Toronto/London/Melbourne 1968.

[13] Robert O. *Keohane*, Institutionalization in the United Nations General Assembly, in: *International Organization*, Vol. 23, 1969, S. 859 ff.

[14] Carl G. *Hempel*, Aspects of Scientific Explanation, New York/London 1965, S. 446. Unter einem Modell soll ein Interdependenzrahmen verschiedener quantitativer Parameter eines zu untersuchenden Problembereichs verstanden werden. Er dient als Hilfsmittel zur Ausmessung aller denkbaren Dimensionen und Aspekte eines Begriffs. Vgl. auch Hans *Kammler*, Formal- und Realmodelle in der Forschung zur Internationalen Politik, in: Klaus J. *Gantzel* (Hrsg.), Internationale Beziehungen als System, in: *Politische Vierteljahresschrift*, Sonderheft 5, Jg. 14, 1973.

[15] Charles E. *Lindblom*, The Intelligence of Democracy, New York/London 1965.

[16] Vgl. Chester I. *Barnard*, The Functions of the Executive, Cambridge, Mass. 1938, S. 206; *Lindblom* (Anm. 15), S. 137 ff.

sondern fragmentiert, getrennt und in einer Folge von Schritten erfolgt, so daß die Multiplizität autonomer Entscheidungsträger per se eine Quelle der Rationalität ist, und zwar ebenso wie der Modus ihrer Interaktionen. Diesem Modell ist die Problemlösungsstrategie des »disjointed incrementalism« zugeordnet[17]. Die adjektivische Spezifikation des Begriffs deutet an, daß Problemlösung hier nicht von einem Zentrum, sondern einer Vielzahl von Entscheidungsträgern relativ unkoordiniert durchgeführt wird. Im UN-System kommen in einer Vielzahl relativ differenziert zusammengesetzter Organe Entscheidungen zustande, die, verglichen mit solchen anderer sozialer Systeme, extrem ungesteuert sind. Das Modell Lindbloms inpliziert die Nichtexistenz von systemischen Zukunftsprojektionen. Problemlösen kann demnach nicht so sehr unter dem Aspekt eines angepeilten Ziels erfolgen, als vielmehr unter dem Akzent von Ausweichbewegungen vor drückenden Zwängen. Die heuristischen Entscheidungsregeln dieser Problemlösungsstrategie führen zwar nicht zu eindeutigen Lösungen, reduzieren aber die Problemkomplexität immerhin so weit, daß sinnvolles Handeln möglich wird[18].

Wenn der relativ niedere Grad der Kontrollkapazität großkalibrige Problemlösungen unwahrscheinlich macht, so kommt es aber auch durch Sequenzen von Bewegungen langfristig zu tiefgreifendem, d.h. inkrementalem Wandel. Zahlreiche Resolutionen der UN in sehr unterschiedlichen Gremien und issue-Bereichen trugen entscheidend zur Dekolonialisierung bei. Doch selbst für vergleichsweise stark gesteuerte politische Systeme demokratischer Industriegesellschaften kann man zeigen, wie scheinbar starke Veränderungen inkrementalen Charakter haben: Die außenpolitische Öffnung der Bundesrepublik zum sozialistischen Staatensystem hin erfolgte in einer langen Folge schrittweiser Entscheidungen der Kabinette Erhard, Kiesinger und Brandt.

Vergleicht man das Volumen sozialer Probleme mit diesem langwierigen Verfahren, so ist man leicht geneigt, rigorosen Prozessen den Vorzug zu geben. Im Zusammenhang mit der Bewertung von Innovationstypen wurde hingegen die Hypothese aufgestellt, daß großkalibrige Problemlösung angemessen wäre, wenn die Aufgabe dadurch »endgültig« gelöst werden könnte[19]. In dem Maße, in dem Problemstellungen, politische Werte und Lösungsalternativen sich auch in Zukunft wandeln werden, muß bei aktuellen Problemlösungsakten Raum für zukünftige Regelungen bleiben, so daß Inkrementalismus – gemessen an einer großkalibrigen »Endlösung« – als eine Strategie der serialen Problembehandlung angemessen wäre. Geht man von einem Systemmodell aus, das sich in einem dauernden Austausch- und Kontrollprozeß mit übergeordneten, parallelen und untergeordneten Systemen befindet, die alle, wenn auch graduell sehr variabel, autonome Selbst-

---

[17] David *Braybrooke*/Charles E. *Lindblom*, A Strategy of Decision, Glencoe/London 1963, S. 78.

[18] Frieder *Naschold*, Systemsteuerung, Stuttgart 1969, S. 64.

[19] Rolf-Richard *Grauhan*/G. W. *Green*, 15 Thesen zur Politischen Innovation am Beispiel der Regionalpolitik, Diskussionsgrundlage für die 2. Tagung der Arbeitsgruppe »Comparative Politics« in Buchenbach b. Freiburg/Br., 6.–8. April 1970, S. 6 (hektographiert).

steuerungskapazitäten besitzen[20], so ist die Vorstellung von einer vollständigen Eliminierung sozialer Probleme abwegig, zumal induzierter Wandel zwar Spannungen zwischen System und Umwelt reduzieren kann, gleichzeitig jedoch Dysfunktionen im selben Bereich oder angrenzenden Sektoren auslöst[21]. Unter diesem Aspekt stellt das UN-System im Rahmen der national organisierten Globalgesellschaft ein Problemlösungssystem[22] dar, das auf Permanenz ausgerichtet ist.

Systemische Aktivitäten der Strukturierung von System-Umwelt-Kommunikationen zur Optimierung einer systemfreundlichen Umwelt können routinär oder durch Entscheidungen erfolgen. So wurde erklärt, daß internationale Organisationen die Aufgabe hätten, eine internationale Koordination mit Hilfe von Arbeitsteilung und Spezialisierung zu routinisieren[23]. Demgegenüber ist einzuwenden, daß Routine eine vollständige Programmierung von Tätigkeiten voraussetzt: Spezifische Stimuli müssen festgelegten Reaktionen eindeutig zugeordnet werden[24]. Doch dies setzt einen sehr hohen Grad der Variablenerfassung voraus, was nur in einigen administrativen und »technischen« Situationen gegeben ist[25].

Entscheidungen können programmiert sein oder nicht. Programmierte Entscheidungen erlauben im Gegensatz zur Routine verschiedene vom Grundprogramm des Systems her mögliche Antworten, unter denen nach vorgegebenen Kriterien eine Selektion stattfindet. Nach neuen Alternativen wird nicht gesucht[26]. Der Forderung nach Wandel begegnet das System nur innerhalb des Kontextes bestehender Werte, Normen und Attitüden. Aktivitäten des UN-Systems sind diesem Problemlösungstyp beispielsweise dann zuzuordnen, wenn sie auf den Grundannahmen der »kollektiven Sicherheit« basieren. Dieses Konzept impliziert eine status quo-konforme Konfliktlösung, ohne die Ursachen des issues zu bereinigen. Seine Mechanismen, die ausdrücklich Systemtransformationen ablehnen[27], meiden wertneutral determinierte Lösungsalternativen ebenso wie wandlungskonforme Maßnahmen. Die strukturellen Voraussetzungen einer praktikablen kollektiven Sicherheit[28] widersprechen bestehenden und potentiellen Bedingungen des Globalsystems.

---

[20] Vgl. dazu die systemischen Bedingungen bei Amitai *Etzioni,* The Active Society, London/New York 1968 und Amitai *Etzioni,* Elemente einer Makrosoziologie, in: Wolfgang *Zapf* (Hrsg.), Theorien des sozialen Wandels, Köln/Berlin 1969, S. 147 ff.

[21] Zum Problem der Dysfunktion vgl. Robert K. *Merton,* Social Theory and Social Structure, Glencoe 1957, S. 51.

[22] Vgl. auch die Problemlösungsfunktion der UN bei Gabriella R. *Lande,* The Effect of the Resolution of the United Nations General Assembly, in: *World Politics,* Vol. 19, 1966/67, No. 1, S. 83 ff.

[23] *Haas* (Anm. 12), S. 499.

[24] James G. *March*/Herbert A. *Simon,* Organizations, New York/London/Sydney 1958, S. 139 ff.

[25] *Braybrooke/Lindblom* (Anm. 17), S. 78.

[26] Vgl. Reinhard *Zintl,* Organisation und Innovation, in: *Politische Vierteljahresschrift,* Jg. 11, 1970, S. 219 ff.

[27] Aufrechterhaltung territorialer Integrität, Nichteinmischung in nationalstaatliche Angelegenheiten, Vgl. Artikel 2 Absatz 4 der UN-Charter.

[28] Diese Voraussetzungen sind: 1. Diffuse Machtverteilung im System, 2. Überwältigende Übermacht der Status-quo-Mächte, 3. Isolierter Aggressor.

Nichtprogrammierte Entscheidungen können als »produktives Problemlösen« oder »Innovation« aufgefaßt werden, insofern sie kreativ sind, also tatsächlich neue Wege finden und die neuen Lösungen auch durchgeführt werden[29]. Innovation kann demnach definiert werden 1. als bewußte Perzeption der Notwendigkeit eines neuen Programms, die nicht durch Anwendung irgendwelcher Kombinationen etablierter Programme befriedigt werden kann und 2. als Fähigkeit, durch positive Rückkoppelungsprozesse organisierten Forderungen an das System im voraus zu begegnen[30]. Hauptcharakteristikum der Innovation ist eine bewußte Abkehr vom systemischen Verhalten. Die Optimierung dieser Kapazität der Abweichung beschleunigt Such- und Lernaktivitäten und fördert langfristig die Effizienz der systemischen Regelungsstärke. In diesem Sinne hat Wolfram F. Hanrieder[31] dem rigiden Problemlösungskonzept der kollektiven Sicherheit das innovative des Peaceful Change entgegengesetzt. Peaceful Change als Strategie fordert unter permanenter Informationszugabe über aktuelle Reaktionen der Umwelt eine Diskussion der systemischen Ziele. Die legale Ordnung der internen Umwelt wird reflektiert, Entwicklungstendenzen festgehalten und mit antizipierenden Entscheidungen in Einklang gebracht. Unter bewußter Heranziehung wertrationaler Argumente versucht das System, Konfliktursachen zu beheben. Hierbei können keine Strukturmuster ausgespart bleiben: Weder sozialer Rang noch territoriale Integrität dürfen unüberwindbare Barrieren der Problemlösung sein.

Die Problemlösungskapazität eines sozialen Systems ist um so höher, je mehr seine Entscheidungsstrukturen innovative Prozesse zulassen. Inwieweit sie dies tun, hängt teils von strukturellen, teils von situationsbestimmten Variablen ab. Unserer Ansicht nach ist es für jedes soziale System von höchster Bedeutung, zumindest die strukturellen Voraussetzungen innovativen Handelns beeinflussen zu können. Verschiedene Untersuchungen haben einige dieser strukturellen Variablen identifiziert[32]. Wir wollen fünf von ihnen für das UN-System diskutieren, ihre Entwicklung auf die beiden wesentlichen Problemdimensionen, den Ost-West-Gegensatz und den Nord-Süd-Konflikt, zeigen und auf nationalstaatliche Aktivitäten hinweisen, die als innovationskonforme Beeinflussung dieser Variablen zu betrachten wären. Die Variablen sind: Autonomie, Zentralisation, Komplexität, Stratifikation und Kommunikation.

---

[29] Vgl. Gerhard *Lehmbruch*, Gesichtspunkte zur empirischen Theorie der politischen Innovation. Diskussionsunterlage für die 2. Tagung der Arbeitsgruppe »Comporative Politics«, Buchenbach b. Freiburg/Br., 6.—8. April 1970 (hektographiert).

[30] Louis C. *Gawthrop*, Bureaucratic Behavior in the Executive Branch, An Analysis of Organizational Change, New York/London 1969, S. 182 ff.

[31] *Hanrieder* (Anm. 11).

[32] Vgl. *Zintl* (Anm. 26). Zur Identifikation innovativer Strukturmerkmale sind besonders temporäre Systeme geeignet, da sie Innovation in der Regel höher werten als permanente Systeme. Dadurch können Rückschlüsse auf ähnliche Prozesse in permanenten Systemen gezogen werden, die aufgrund ihrer dortigen Verflochtenheit nur unvollkommen perzipiert werden. Vgl. Peter *Pawelka*, Konfiguration und Prozeß des Bundestagswahlkampfes 1969 im Wahlkreis Reutlingen-Tübingen, Tübingen 1971 (hektographiert).

III. Strukturelle Variablen innovativer Problemlösungskapazität

1. Autonomie

Eine Handlungseinheit ist immer Teilsystem einer Sozialstruktur, durch die Verhaltensmöglichkeiten beschränkt werden. Ein Industriestaat wie die Bundesrepublik Deutschland handelt in der Weise, daß er langfristig Umweltbedingungen zu schaffen versucht, die mit den Normen seiner modernen industriellen oder spätkapitalistischen Sozialstruktur übereinstimmen und wirtschaftliche Gewinne seiner dominanten Subsysteme maximieren.

Internalisierte und institutionalisierte Verhaltensanweisungen schwächen die Selektionskapazität, zwischen bestehenden Alternativen frei zu verfügen, beträchtlich ein. Hinzu kommen utilitaristische sowie Droh- und Gewaltbeziehungen der internationalen Umwelt, die ebenfalls die Autonomie einengen[33]. Analoge Aussagen können auch für das UN-System gemacht werden.

Das Verhalten der Weltorganisation ist weitgehend geprägt von den Normen des globalen internationalen Systems und dadurch indirekt von den dominanten Subsystemen des Globalsystems. Die realistische Schule[34] der Politikwissenschaft konzentrierte sich auf die Interpretation einer tendenziell exklusiven Abhängigkeit der UN von ihrer internationalen Umwelt. Ein solches Modell hat jedoch statischen Charakter und bietet keine geeigneten Denkstrukturen, um die Dynamik internationaler und globalgesellschaftlicher Prozesse adäquat zu erfassen[35]. Ein solches passives System wird von den internationalen Akteuren lediglich benutzt, um ihre Aktivitäten und Forderungen durch ein Kommunikationsnetz zu kanalisieren. Unserer Meinung nach beeinflußt jedoch das UN-System wie jedes aktive soziale System auch seine Umwelt und tritt selbst als internationaler Akteur in Erscheinung. Seine Entscheidungen oder outputs treffen auf die nationalen politischen Systeme seiner internationalen Umwelt und werden in diesen als inputs verarbeitet. Dadurch modifiziert das UN-System wiederum seine eigene Informationseingabe: Neue Forderungen der nationalen Subsysteme werden gestellt und verarbeitet. Das UN-System steht mit seiner Umwelt in einem Rückkoppelungsprozeß, den es selbst aktiv mitsteuert[36].

---

[33] Zur Übersicht vielfältiger Verhaltensdeterminanten vgl. Peter *Pawelka*, Systemtheoretische Beiträge zu einer Taxomonie intra- und intersystemischen Verhaltens in den internationalen Beziehungen, in: *Gantzel* (Anm. 14).

[34] Vgl. stellvertretend: Hans J. *Morgenthau*, Politics among Nations, 2. Aufl., New York 1955; Norman D. *Palmer*/Howard C. *Perkins*, International Relations, 2. Aufl., London/Boston 1957.

[35] Oran R. *Young*, The United Nations and the International System, in: *International Organization*, Vol. 22, 1968, S. 902 ff.; *Keohane* (Anm. 13).

[36] Jack *Citrin*, United Nations Peacekeeping Activities: A Case Study in Organizational

Das Autonomie-Konzept der modernen Systemtheorie[37] isoliert die Kapazität sozialer Systeme im Kontext sozialer Verflechtungen mit übergeordneten, parallelen und untergeordneten Systemen, Zielvorstellungen über einen angestrebten internen Zustand und Bedingungen ihrer relevanten Umwelt zu verwirklichen. Autonomie ist die zentrale Fähigkeit eines Systems, innerhalb der ihm von seiner Sozialstruktur auferlegten Beschränkungen so viel Spielraum für eigene Aktivitäten zu schaffen, daß es aktiv Einfluß auf die Konstellationen seiner internen und externen Umwelt nehmen kann[38].

Die Eigenschaft sozialer Systeme, ihre Ziele im Kontext begrenzter Gegenwirkung steuernd zu verwirklichen, heißt »Kontrollfähigkeit«. Sie impliziert kybernetische Kapazitäten, wie Informationssammlung, Speicherung der Daten, Planungsfähigkeit, Reaktionsgeschwindigkeit und Steuerungsinstrumentarien. Da jedoch Subsysteme und Paralleleinheiten des Systems im Prinzip über dieselben Fähigkeiten verfügen wie die untersuchte Handlungseinheit, folgt daraus, daß sie ihr Handeln nicht durch die Maximierung der Kontrollfähigkeit, sondern nur durch eine Verbesserung ihrer kombinierten Kontroll- und Konsensusbildung optimieren kann[39]. Zwar vermag ein System, das eine stark ausgeprägte Kontrollkapazität besitzt, andere soziale Systeme zu dominieren, doch ist es auf Zwangsmittel angewiesen, die Entfremdung zwischen den Systemen hervorrufen. Diese aber schürt Reaktionen, die nur durch noch ausgefeiltere und kostspieligere Mechanismen neutralisiert werden können und die Gefahr neurotischer Ausbrüche erhöhen. Auch wenn die Eliten eines starken Systems nur solche Kontrollmittel einsetzen wollen, die ihre Distanz zu den Systemteilen nicht vergrößert, so sind sie in der Verwendung von Alternativstrategien nicht geübt. Zwar mobilisieren sie ein hohes Maß an normativer Macht, die Zwangsmaßnahmen untergraben jedoch ihre Effektivität. Das Eingreifen der Warschauer-Pakt-Streitkräfte in der ČSSR 1968 veranschaulicht die Anwendung eines Kontrollinstruments durch ein internationales System, das eine größere Entfremdung produzierte als es eine kombinierte Kontroll- und Konsensusbildung in der gegebenen Situation je getan hätte.

Auch im Rahmen eines globalen internationalen Problemlösungssystems ging man von der Annahme aus, effizientes Konfliktlösen sei in erster Linie abhängig von der Etablierung starker Kontrollkapazitäten. Die Gründer des UN-Systems konsolidierten ein Instrument formalisierter Zwangsausübung unter dem Aspekt

Task Expansion, in: Monograph Series in World Affairs Vol. III, Monograph no. 1, 1965/66, The University of Denver.

[37] Alvin W. *Gouldner*, Reciprocity and Autonomy in Functional Theory, in: L. *Gross* (Hrsg.): Symposium on Sociological Theory, Evanston 1959, S. 241 ff.; Karl W. *Deutsch*, Politische Kybernetik, Modelle und Perspektiven, Freiburg 1969, *Etzioni* (Anm. 20); *Luhmann* (Anm. 8).

[38] Vgl. Georg *Simonis*, Außenpolitischer Handlungsspielraum und politische Autonomie, in: Gesellschaftlicher Wandel und politische Innovation, in: *Politische Vierteljahresschrift*, Sonderheft 4, Jg. 13, 1972, S. 282 ff.

[39] *Etzioni* (Anm. 20).

einer Systemdominanz seitens einer Gruppe realer Machtträger: das System der kollektiven Sicherheit (Kapitel VII UNCh), dessen Normen vorwiegend bestehende Herrschaftsstrukturen im internationalen System widerspiegelten. Dieser Mechanismus gründete sich fast ausschließlich auf Kontrollkapazitäten. Das Konfliktregelungsmodell einer traditionalen »Staatsdominanz« auf dem innenpolitischen Sektor wurde in den Bereich internationaler Strukturen transferiert, ohne jedoch das System mit einem adäquaten Steuerungspotential auszustatten. Entscheidungsfähigkeit, materielle Ressourcen und Planungskapazität besaßen nicht das Niveau der Handlungseinheiten der nationalen Subsysteme. Nach John W. Burton[40] ist die Hypothese gültig, daß Konflikte in der Nachkriegsperiode eine Reaktion gegen die Machtausübung durch fremde Mächte, herrschende Cliquen und das internationale System darstellen. Eine Institutionalisierung des konservativen Mechanismus der Zwangsschlichtung im Kontext zahlreicher nationaler Systeme mit stark ausgeprägten Selbststeuerungskapazitäten konnte keine wirksame Lösung internationaler Probleme herbeiführen. Der Widerstand der unabhängigen Subsysteme gegen die kollektive Sicherheit war zu groß[41].

Wenn das Konfliktlösungsmodell des UN-Systems auch vorwiegend die Kontrollkomponente der Regelung betonte, so beinhaltete es ebenfalls einen Konsensus-Faktor. Bereits eine frühe Interpretation der Charter wies darauf hin, daß das Problemlösen im UN-Kontext eines Konsensus der Großmächte bedurfte[42]. Vom Prinzip unseres Ansatzes aus handelt es sich hier zweifellos um einen höchst marginalen Aspekt der Konsensusbildung. Doch auch dieser wurde unter dem Druck des bipolaren Konfliktmusters und der asymmetrischen Machtdistribution der Nachkriegsperiode, die der westlichen Supermacht eine deutliche Dominanzposition einräumten, liquidiert. Die Aktivitäten des UN-Systems im Rahmen der kollektiven Sicherheit kulminierten in einer Service-Funktion für das nationale crisis-management der USA[43].

Ernst B. Haas[44] hat darauf hingewiesen, daß erst ein dynamisches internatio-

[40] John W. *Burton,* The Declining Relevance of Coercion in World Society, in: The Yearbook of World Affairs 1968, London 1968, S. 35 ff.

[41] Vgl. stellvertretend für zahlreiche Arbeiten William R. *Frye,* A United Nations Peace Force, New York 1957; Fernand *von Langenhove,* La crise du systeme de sécurité collective des Nations Unies 1946—1957, Brüssel 1958; Gerhart *Raichle,* Kollektivsicherheit und Aggressionsbegriff. Begriffswandel und Funktion des Konzepts der kollektiven Sicherheit in Theorie und Praxis der Vereinten Nationen, untersucht anhand des Begriffs und der Feststellungsweise der »Aggression«, Diss. Tübingen 1971.

[42] Wellington *Koo* jr., Voting Procedures in International Political Organizations, New York 1947, S. 117, 124, 134; Vgl. auch Inis L. *Claude* jr., The Management of Power in the Changing United Nations, in: *International Organization,* Vol. 15, 1961, S. 219 ff. Zur Installation dieses Konsensus-Instruments vgl. Ruth B. *Russell*/Jeanette E. *Muther,* A History of the United Nations Charter, Washington 1958, Geoffrey L. *Goodwin,* Britain and the United Nations, New York 1957; Leland M. *Goodrich,* The United Nations, New York 1959, S. 161; Herbert J. *Spiro,* World Politics: The Global System, Homewood, III. 1966.

[43] Vgl. Glenn D. *Paige,* The Korean Decision: June 24—30, 1950, New York 1968.

[44] Ernst B. *Haas,* Dynamic Environment and Static System: Revolutionary Regiones in the

nales System, wir möchten es als »aktiv« bezeichnen, adäquate Reorganisationen interner Aktionsmuster vornimmt, wenn die Resultate seiner Problemlösungsanstrengungen ins Leere laufen. In einem dynamischen setting werden Macht und Funktionen adäquat zu den Herausforderungen der Umwelt erhöht[45]. Ein aktives soziales System wird bestrebt sein, neue und bessere Wege der Stressreduktion zu finden. Diese Handlungsweise impliziert die Existenz eines bestimmten Quantums systemischer Autonomie. Wir werden im folgenden versuchen, Elemente der UN-Autonomie ausfindig zu machen.

Autonomie ist eine sehr komplexe Variable. Das uns zur Verfügung stehende Datenmaterial zwingt uns, lediglich einige relativ gut erkennbare Fakten und Prozesse aufzuzeigen. Wir konzentrieren uns auf drei Indikatoren[46]:

1. die personale Autonomie,
2. die Konsensusbildungskapazität und
3. die Kontrollkapazität.

a) Personale Autonomie

Verschiedene Autoren sind der Frage nachgegangen, ob das Verhalten nationaler UN-Delegierter exklusiv durch ihre nationalen Regierungen bestimmt wird. Die Resultate zahlreicher Untersuchungen identifizierten eine Reihe situational und national differenzierter autonomer Bereiche. So bilden nichtnationale Rollen[47] nationaler Delegierter soziale Strukturen, die in die internationalen Beziehungen intervenieren. UN-Delegierte nehmen broker-Funktionen im bargaining-Prozeß wahr, agieren als Repräsentanten einer Staatengruppe oder besitzen individuale intellektuelle Führungsrollen. Das Muster solcher, oft ad hoc wahrgenommener Rollen kommt meist erst in exakten Untersuchungen von Kommunikationsprozessen zum Vorschein. Der Öffentlichkeit sichtbarer sind offizielle Rollen, wie Ausschuß- oder Gremienvorsitzende.

Keohane[48] konnte empirisch zeigen, daß sich im Bereich der GV ein von nationalen Determinanten autonomes Rekrutierungsmuster entwickelt hat. Er ermittelte einen Trend zu längeren Amtszeiten der nationalen UN-Repräsentanten seit dem Ende der fünfziger Jahre sowie eine Konzentration von Ämtern bei Staaten mit großen Missionen innerhalb regionaler Grenzen. Der Aufstieg zum Vorsitz von Ausschüssen und führenden Gremien folgt heute bereits gewissen Normen: Da sich weder ein Senioritätsprinzip noch eine kohärente Gruppe von Amtsträgern entwickelt hatten, konnte sich ein Rekrutierungsmuster sukzessiven Aufstiegs mit

---

United Nations, in: Morton A. *Kaplan* (Hrsg.), The Revolution in World Politics, New York/London 1962, S. 267 ff.

[45] Zum Vergleich statischer und dynamischer Systeme: Kenneth E. *Boulding*, Organization and Conflict, in: *Journal of Conflict* Resolution, Vol. 1, 1957, S. 122 ff.

[46] Vgl. eine etwas differenzierte Indikatorensammlung bei *Keohane* (Anm. 13).

[47] Chadwick F. *Alger*, Personal Contact in Intergovernmental Organizations, in: C. *Kelman* (Hrsg.), International Behavior, New York/Chicago 1965, S. 521 ff.

[48] *Keohane* (Anm. 13).

Rotationsprinzip durchsetzen. Keohane gelang durch diese Resultate die Isolation einer bemerkenswerten Differenzierung des UN-Systems von seiner Umwelt.

Treffen spezifische UN-Normen auf konträre nationale Verhaltensanweisungen, so entwickeln sich Rollenkonflikte, deren Trends nur empirisch ausfindig gemacht werden können. Auch hier lassen sich jedoch gewisse Regelmäßigkeiten nachweisen. Untersuchungen konnten zeigen, daß Spezialisten eines Systems, die auf einem bestimmten Sektor arbeiten, auf ihrem Arbeitsgebiet eine höhere responsiveness aufweisen als das ihnen zugehörige Gesamtsystem. Dean G. Pruitts Untersuchung responsiven Verhaltens amerikanischer Beamter in einem geographischen Büro des Außenministeriums ergab, daß diese bedeutend flexiblere Strategien gegenüber den ihnen zugeordneten Staaten anstrebten als die Zentralinstanzen des Department of State[49]. Dieselbe Unstimmigkeit wurde für nationale UN-Repräsentanten festgestellt. So legt die US-Mission bei der Weltorganisation in der amerikanischen Außenpolitik größeres Gewicht auf UN-Aspekte als das amerikanische Außenamt generell[50]. Besonders stark UN-zentriert ist das Verhalten afrikanischer Delegierter[51]. Diese Einstellung wird dadurch gefördert, daß sie weniger Instruktionen ihrer Regierungen erhalten und deshalb auch einen größeren Aktionsradius in bargaining-Prozessen besitzen. Zudem gestalten afrikanische UN-Delegierte ihre nationale Außenpolitik in weitaus stärkerem Maße mit als ihre Kollegen aus anderen Kontinenten, da sie manchmal die einzigen, oft die wichtigsten Informanten ihrer Regierungen sind.

Als dysfunktionales Element dieser Trends zur Autonomiesteigerung sind Linkage-Defekte[52] zwischen den UN-Rollen sowie nationalen politischen Systemen zu beobachten. Wird der autonome Bereich der UN-Rollen von ihren Trägern erweitert, so haben sie Schwierigkeiten, ihre Vorstellungen gegenüber den Regierungen durchzusetzen. UN-Repräsentanten werden zu Hause geradezu als »UN-Lobby« angesehen.

Die internationale Beamtenschaft der UN bildet die Hauptträgerin einer autonomen »Speicheranlage« des Systems[53]. Sie besitzt einen Informationspool über vergangene Politiken und akzeptierte Normen der Organisation[54]. Nationale Vor-

---

[49] Dean G. *Pruitt,* An analysis of responsiveness between nations, in: *Journal of Conflict Resolution,* Vol. 6, 1962, S. 5 ff.

[50] Arnold *Beichman,* The »Other« State Department: The United States Mission to the United Nations — Its Role in the Making of Foreign Policy, New York 1968.

[51] David A. *Kay,* The Impact of African States on the United Nations, in: *International Organization,* Vol. 23, 1969, S. 20 ff.; Vgl. die Problematisierung bei Jack E. *Vincent,* The Caucusing Groups of the United Nations: An Examination of their Attitudes toward the Organization, Oklahoma State University Press 1965.

[52] Zum Konzept der Linkages vgl. James N. *Rosenau,* Toward the Study of National International Linkages, in: James N. *Rosenau* (Hrsg.): Linkage Politics, Essay on the Convergence of National and International Systems. New York/London 1969, S. 44 ff.

[53] Vgl. Funktion und Arbeitsweise des Speichers in einem kybernetischen System bei *Deutsch* (Anm. 37), S. 125 ff.

[54] *Alger* (Anm. 47); Herbert G. *Nicholas,* The United Nations as a Political Institution, 2. Aufl., London 1962.

sitzende von UN-Gremien erhalten einen internationalen Beamten zur Seite. Der Vorsitz besteht de facto aus der Kooperation von Vorsitzendem und Sekretariat. UN-Beamte werden auf diese Weise oft zu politischen »Weichenstellern« in Verfahrensfragen. Eine weitere Tätigkeit der Datenspeicherung liegt in der Sammlung, Organisation und Präsentation von background-Informationen durch Dokumentationen auf der Basis eines eigenen Rückkoppelungssystems. Die Informationssammlung ist besonders für kleinere Staaten wichtig, die nicht über eigene Datenbanken verfügen. Die außerordentliche Komplexität des UN-Speichers macht ihn jedoch auch für mittlere Industriestaaten relevant[55].

Eine Hauptfunktion der UN-Beamtenschaft ist die eines nichtnationalen Monitors der Beziehungen unter den nationalen Repräsentanten und zwischen diesen und den Organisationsrollen. In diesem Zusammenhang wird gerne über die »Supranationalität« des internationalen Beamten spekuliert. Empirische Untersuchungen in diesem Bereich sind jedoch nur spärlich vorhanden. Es gibt weder Beobachtungen noch Messungen des psychologischen Milieus, der Prädispositionsstruktur oder der Einstellungs-Affinitäten nichtnationaler Rollenträger. Wenn man von einer Untersuchung allein[56] ausgehen darf, so scheint lediglich der Nachweis möglich zu sein, daß ein großer Teil von UN-Experten in der einen oder anderen Weise nicht völlig in seine Heimatländer integriert ist. Entweder waren die nationalen Solidaritätsbindungen schwach ausgebildet oder sie wurden durch die UN-Arbeit geschwächt. Andererseits konnte ein Trend zur Identifikation mit den UN oder ihren Aktivitäten nicht festgestellt werden. Der UN-Einfluß scheint erst einige individuale Auswirkungen zu haben, wie größere Perzeptionsbreite und den Wunsch nach einer nichtnationalen Erziehung der eigenen Kinder.

b) Konsensusbildungskapazität

Das Scheitern des programmierten Problemlösungskonzepts der kollektiven Sicherheit an der Barriere des Kalten Krieges förderte die Suche nach innovativen Problemlösungsmustern. Da sich Kontrollfunktionen als unrealistisch erwiesen hatten, konzentrierte sich das System auf Prozesse der Konsensusbildung. Dieser Wandel des Problemlösungsmodus hatte zwei Voraussetzungen: Zum einen verlagerte sich das Schwergewicht politischer Aktivitäten aus dem blockierten Sicherheitsrat in die Generalversammlung[57] und zum anderen änderte sich die Mitgliederstruktur des UN-Systems durch den Entkolonialisierungs-Prozeß entscheidend.

[55] Leon *Gordenker,* Policy Making and Secretariat Influence in the UN General Assembly: The Case of Public Information, in: *American Political Science Review,* Vol. 54, 1960, S. 359 ff.

[56] Ingrid E. *Galtung,* Are International Civil Servants International? A Case Study of UN Experts in Latin America, in: *Proceedings of the International Peace Research Association Inaugural Conference,* Assen 1966, S. 198 ff.

[57] Vgl. in diesem Zusammenhang das Instrument der Uniting-for-Peace-Resolution, GA Res. 377 [A] (V) vom 3. 11. 1950.

Seit der Mitte der fünfziger Jahre gewannen paraparlamentarische Konfliktlösungsmuster im internationalen Kontext an Bedeutung.

Auf der Suche nach geeigneten Modellen für den neuen Sachverhalt lag es nahe, eine Isomorphie (Gleichheit der Verknüpfungsgesetze) zwischen Verhaltensstrukturen in nationalen Parlamenten und in der UN-Generalversammlung anzunehmen[58]. Anerkennung und Ausübung parlamentarischer Praktiken setzt die Existenz wenigstens einiger gemeinsamer Grundinteressen voraus. Daneben implizieren sie das Zugeständnis der Berechtigung konkurrierender Parteien und Werte. Beide Faktoren sind auch im UN-System eruierbar[59]. Stärker wiegt jedoch der Druck des Drohsystems, der die Entwicklung nichtmilitärischer Konkurrenzmuster förderte[60]. Hinzu kam das Bestreben der Supermächte, ihre Dominanzposition im globalen internationalen System zu konsolidieren und gegen Erosionserscheinungen abzusichern[61]. Alle diese Faktoren beeinflußten in der zweiten Hälfte der fünfziger Jahre eine Intensivierung politischer Funktionen des UN-Systems.

Der Transfer[62] des bargaining-Modells von Anthony Downs[63] in den UN-Kontext ermöglicht es, einige Verhaltensregelmäßigkeiten zu identifizieren. Das Modell geht von einem Zwei-Parteien-System aus sowie einem relativ unstrukturierten Aggregat neutraler Mitglieder. Da beide Parteien Abstimmungssiege erringen wollen, besteht eine rationale Strategie darin, ihre jeweilige Extremposition in Richtung auf die neutrale Mehrheit zu modifizieren, um dadurch möglichst viele Neutrale zu gewinnen. Die systemische Struktur fördert demnach eine Reduktion antagonistischer Positionen und damit ein problemlösungskonformes Verhalten.

Betrachtet man den konkreten Ost-West-Konflikt in den UN, so besitzt das Modell einen gewissen heuristischen Wert. Zwischen den beiden Supermächten an den beiden Polen einer Skala nehmen die anderen Mitgliedstaaten Positionen ein, die Distanz und Nähe zu den politischen Einstellungen der Extrem-Mächte angeben. Die engsten Verbündeten sind in der Nähe der Pole angesiedelt. Dagegen drängt sich die Mehrheit der UN-Mitglieder, vor allem die Staaten der Dritten Welt, um eine neutrale Position in der Mitte der Skala. Sozio-ökonomische Interessen und ideologische Faktoren determinieren ihre Einstellung im Ost-West-Kon-

[58] *Spiro* (Anm. 42), Hayward R. *Alker* jr./Bruce M. *Russett*, World Politics in the General Assembly, New Haven/London 1965.

[59] Talcott *Parsons*, Polarization and the Problem of International Order, in: Quincy *Wright*/William M. *Evan*/Morton *Deutsch* (Hrsg.), Preventing World War III. New York 1962, S. 310 ff.; Johan *Galtung*, On the Future of the International System, in: *Journal of Peace Research*, Vol. 4, 1967, S. 305 ff.; *Alker* und *Russet* (Anm. 58).

[60] Thomas C. *Schelling*, Reciprocal Measures for Arms Stabilization, in: *Daedalus* 1960, S. 892 ff.

[61] Peter *Pawelka*, Die UNO und das Deutschlandproblem, Tübingen 1971, S. 171 ff., 186 ff.

[62] *Alker* und *Russet* (Anm. 58).

[63] Anthony *Downs*, An Economic Theory of Democracy, New York 1957.

flikt. Diese Konstellation der Mitgliederstruktur der UN hat vielseitige Konsequenzen: 1. sie verursacht Prozesse der Konsensusbildung vor aktuellen Abstimmungen, 2. sie organisiert langfristige Einstellungen des Systems zu spezifischen Fragen, 3. sie beeinflußt die politische Relevanz bestimmter issue-Typen und 4. sie fördert die Partizipation der nichtgebundenen Staaten. Diese vier Hypothesen sollen durch empirische Daten belegt werden.

1. Steht die Generalversammlung unter dem Druck, in einer Konfliktsituation zwischen den beiden Supermächten zu einer Einigung zu gelangen, so setzt zumeist ein bargaining-Prozeß ein, in dessen Verlauf sukzessive abgeänderte Resolutionsentwürfe zur Debatte gestellt werden. Je weiter sich ein Entwurf von der ursprünglichen Fassung der Supermacht oder deren Protegé entfernt, desto mehr Stimmen erhält er. Auf diese Weise kommen zahlreiche Kompromisse zustande, die zwar negativ gesehen eine »Verwässerung« von Resolutionsanträgen bedeuten, andererseits jedoch zumindest partiell Veränderungen der systemischen Einstellung bewirken und inkrementale Innovationen einleiten können. Eine andere Funktion dieses Konsensusbildungs-Musters ist die Reduktion von Spannungen. So konnten wir an einer andern Stelle[64] zeigen, wie der Prozeß mehrmaliger Modifikation extremer Resolutionsanträge während der Notstandstagung der Generalversammlung im Nahost-Konflikt 1967 zu einer Entschärfung der Atmosphäre beitrug und pragmatischeren Initiativen den Weg ebnete. Auf dasselbe Verhaltensmuster ist eine weitere Beobachtung zurückzuführen. Kurt Jacobsen[65] ermittelte die Tatsache, daß ungebundene Staaten der Dritten Welt zwar mehr gemeinsame Resolutionsanträge mit dem Westen als mit dem Osten einbringen, bei der Abstimmung jedoch häufig in einer stark östlichen Position landen. Diese Inkonsistenz ist jedoch eher durch das Verhalten der Sowjetunion erklärbar als durch das der jungen Staaten. Das sozialistische Lager sucht oft den Anschluß an die Staaten der Dritten Welt oder nimmt von sich aus Probleme auf, die jene Staaten betreffen, um Resolutionen zu initiieren[66]. Das Abstimmungsresultat ist demnach sehr stark eine Konsequenz sowjetischer bargaining-Flexibilität.

2. Verfolgt man Stellungnahmen der Generalversammlung zu bestimmten politischen Fragen über einige Jahre hinweg, so sind ab und zu eindeutige Trends feststellbar, die aus einem langfristigen Prozeß der Einstellungsmodifikationen resultieren. Hierbei scheint die permanente politische Kommunikation im UN-System politische Meinungsbilder des globalen internationalen Systems kristallisieren zu können, die von den betroffenen nationalen Regierungen nicht ignoriert werden. Mit Hilfe inhaltsanalytischer Untersuchungen von Generaldebatten zwischen den Jahren 1961 und 1967 konnten wir einen Positionswandel der Generalversamm-

[64] Peter *Pawelka*, Haben die Vereinten Nationen versagt? Eine Fallstudie über die UNO im Nahost-Konflikt 1967, in: *Der Bürger im Staat*, 1967, S. 83 ff.

[65] Kurt *Jacobsen*, Sponsorships in the United Nations. A System Analysis, in: *Johrnal of Peace Research*, Vol. 6, 1969, S. 235 ff.

[66] Bruce M. *Russet*, Trends in World Politics, New York/London 1965.

lung gegenüber dem Deutschland-Problem quantitativ festhalten[67]. In diesem Zeitraum gab die Versammlung eine eindeutig prowestdeutsche Haltung zugunsten einer stark indifferenten auf. Waren es 1961 noch 42,5 vH der UN-Mitglieder, die Bonn unterstützten, gegenüber 15 vH auf seiten Ost-Berlins, so betrugen die Vergleichsziffern 1967 nur noch 10 vH bzw. 9,1 vH. Wird ein spezifischer Trend der Einstellungsumstrukturierung zugunsten einer neutralen Position im Ost-West-Gegensatz so manifest wie hier, so hat dies nachhaltige Folgen für die langfristige Strategie der Supermächte. Auf der einen Seite konnte das sozialistische Staatensystem geduldig abwarten; der Trend wirkte sich positiv für die DDR aus. Die Vereinigten Staaten von Amerika als Schutzmacht der Bundesrepublik Deutschland konnten es andererseits auf die Dauer nicht für opportun ansehen, rigide Konzeptionen ihres Verbündeten zu decken. Ihre Unterstützung des inkrementalen Innovationsprozesses der westdeutschen Außenpolitik in den sechziger Jahren[68] war daher im Kontext ihrer globalen Politik rational.

3. Einen generellen Einfluß hatte das Strukturmuster des UN-Systems auf jenen Problemkomplex, der im Mittelpunkt des Kalten Krieges stand. Das Desinteresse und die Abneigung der Staaten der Dritten Welt, issues des Kalten Krieges überhaupt zu debattieren, reduzierten das Ausmaß der Abstimmungen in diesem Bereich sowie die Intensität ihrer Artikulation[69]. 1961 sprach die durchschnittliche Delegation der Generalversammlung sechseinhalbmal öfter über Fragen der kolonialen Selbstbestimmung als über Kalter-Krieg-issues[70]. Das bargaining-Modell ließ die Vermutung zu, daß auch die Supermächte als Reaktion auf diese Entwicklung die Intensität ihrer Beschäftigung mit diesem Problemtyp drosseln würden. Diese Annahme wurde bestätigt. Hayward R. Alker und Bruce M. Russett, die diesen Trend bis 1961 empirisch nachweisen konnten[71], behielten mit ihrer Prognose auch für die sechziger Jahre recht. Zieht man Artikulationen zur deutschen Frage in der Generalversammlung heran, so zeigt sich die Reduktion dieses Prototyps Kalter-Krieg-issues deutlich. 1961, während der bedrohlichen Berlin-Krise, bezogen nur 7,1 vH der Debatten-Teilnehmer zur Deutschland-Frage keine Stellung. 1963 sank der Artikulationssatz auf 29,2 vH, 1965 auf 23,2 vH und 1967 auf 13,1 vH[72].

4. Eine weitere Konsequenz des bestehenden Strukturmusters ist die Integra-

---

[67] *Pawelka* (Anm. 61), S. 195 ff.

[68] Die Öffnung der BRD nach Osten wurde durch das Kabinett L. Erhard eingeleitet und von der Großen und der Sozial-Liberalen Koalition fortgesetzt. Der Prozeß der Lösung des Deutschland-Problems ist insofern schwierig, als hierbei Umweltzwänge so stark sind, daß eine »Programmänderung« im inneren des Systems geleistet werden muß. Das heißt, der Defekt im Interaktionsmuster mit der externen Umwelt wird durch eine Reorganisation im innergesellschaftlichen Bereich abgebaut.

[69] *Alker* und *Russett* (Anm. 58); Edward T. *Rowe,* The United States, the United Nations, and the Cold War, in: *International Organization,* Vol. 25, 1971, S. 59 ff.

[70] *Russett* (Anm. 66).

[71] *Alker* und *Russett* (Anm. 58).

[72] *Pawelka* (Anm. 61), S. 201.

tion vieler kleiner nationaler Akteure in das UN-System. Da ihre Stimmen von den konkurrierenden Parteien benötigt werden, steigt auch ihre politische Relevanz. Das Prinzip des »one man – one vote«, bezogen auf nationale Einheiten, wurde so zum kaum noch bestrittenen Dogma der internationalen politischen Kultur. Die Verlagerung der Hauptaktivitäten aus den »geschichteten« UN-Organen in die »egalitäre« Generalversammlung verstärkte diese Entwicklung[73]. Organisationssoziologische Untersuchungen haben gezeigt, daß Partizipation Kompetenzerweiterung begünstigt sowie Wahrnehmung von Informationen auf höherem systemischen Niveau fördert. Die Innovationsbereitschaft von Systemmitgliedern wird um so höher, je mehr sich ihre Aufmerksamkeit von der Enge teilspezifischer Zielsetzungen entfernt[74]. Zur Messung von Partizipationsraten im UN-System wählte Jacobsen als Indikator die Patenschaft von Resolutionsanträgen. Trendberechnungen ergaben, daß das Aktivitätsübergewicht der politisch mächtigen Akteure immer mehr zugunsten der kleineren und jungen Staaten schwindet. In der Antragsaktivität tendiert das UN-System zu einer Symmetrie[75].

Daß es sich bei der Kristallisation von Konsensusbildungs-Mustern keineswegs um marginale Entwicklungen handelt, konnte Catherine S. Manno[76] nachweisen. Auf der Datenbasis der Generalversammlungen von 1954, 1959 und 1962 zeigte sie, daß der Prozentsatz einstimmig angenommener Resolutionen sich mehr als verdoppelt hat, während der prozentuale Anteil von Resolutionen mit mindestens einer Negation um die Hälfte zurückging. Dieses an sich vielversprechende Resultat muß jedoch differenziert werden. Schlüsselt man die Entscheidungen nach issue-areas[77] auf, so trifft der angegebene Trend auf alle Bereiche außer auf den spezifisch machtpolitischen zu. Das größte Anwachsen der Einstimmigkeit fand auf dem Sektor wirtschaftlicher und sozialer Angelegenheiten statt.

Trotz bemerkenswerter Ausnahmen erreichen die Resolutionen der GV auf politische Umweltprozesse mehr Einfluß als dies allgemein anerkannt wird. Haas kommt zu dem Schluß, daß das UN-System zwar seine Legitimität nicht zu steigern vermochte, andererseits jedoch eine Hebung seiner Autorität zu verzeichnen ist. Dies wirkt sich dahingehend aus, daß viele nationale Sub-Systeme im wachsenden Ausmaß UN-Resolutionen achten und nationale Entscheidungen auf sie beziehen[78]. Eine differenziertere Bestätigung dieser Aussage fand, daß je selektiver

[73] Sydney D. *Bailey*, The General Assembly of the United Nations, London 1960, S. 175; I. M. *Jarvad*, Power versus Equality, in: Proceedings of IPRA, Second Conference, Vol. I, Assen 1968, S. 308 ff.; Sydney D. *Bailey*, The Secretariat of the United Nations, New York 1962, S. 69, 84.

[74] Charles C. *Press* u. Alan *Arian* (Hrsg.), Empathy and Ideology: Aspects of Administrative Innovation, Chicago 1967, S. 3 ff.

[75] *Jacobsen* (Anm. 65).

[76] Catherine S. *Manno*, Majority Decisions and Minority Responses in the UN General Assembly, in: *Journal of Conflict Resolution*, 1966, S. 1 ff.

[77] Vgl. diesen Begriff bei James N. *Rosenau*, The Functioning of International Systems, in: *Background*, 1963, S. 111 ff.

[78] *Haas* (Anm. 44).

die Adressatengruppe einer Resolution konzipiert ist, desto höhere Ablehnungsraten verzeichnet werden. Resolutionen, die an alle UN-Mitglieder, große Subgruppen unter ihnen oder an die Sonderorganisationen gerichtet waren, hatten die höchsten Einstimmigkeits- und die niedrigsten Ablehnungsquoten[79].

Die bisherige Diskussion struktureller Voraussetzungen und Prozesse der Konsensusbildung berücksichtigte nur ungenügend die simultane Dynamik der System-Umwelt-Beziehungen. Gehen wir von einem durch das Modell des offenen Systems implizierten Wandel aus, so interessiert uns die Prognose nach der Stabilität von Elementen, die Konsensusbildung fördern.

Eine Hauptbedingung konsensusbildender Aktivitäten ist die Existenz von Vermittlungskräften. Nimmt die Zahl der Staaten, die eine neutrale Position einnehmen, ab, so sinkt auch die Neigung der Supermächte, Kompromißstrategien zu entwickeln. Russett[80] nennt drei strukturelle Eigenschaften des Systems, die eine stabilisierende Wirkung haben. Entweder besteht das neutrale Mitglieder-Aggregat im Zentrum der Skala aus einer großen apathischen oder aus einer kleinen und sehr aktiven Gruppe. Die empirischen Daten Russetts scheinen jedoch beide Alternativen auszuschließen. Die Mediationsgruppe wird vielmehr immer kleiner und inaktiver. Letzteres zumindest scheint Jacobsen[81] allerdings zu bestreiten. Seine Studie ermittelte im Gegenteil ein starkes Wachstum neutraler Resolutionsanträge im Ost-West-Konflikt. Beide Studien erfassen jedoch nur den Zeitraum bis zur Mitte der sechziger Jahre. Für jüngere Trends fehlt uns das Datenmaterial.

Die dritte Stabilitätsalternative ist die Existenz von cross pressures[82]. Bestehen vielfältige Solidaritäten quer durch regionale und funktionale Subgruppen, so wird das Abstimmungsverhalten in der Generalversammlung in jedem issue-Bereich von anderen Faktoren bestimmt. Johan Galtung argumentiert in die gleiche Richtung, wenn er einen hohen Grad an sozialer Entropie[83] als friedensfördernd bezeichnet. Russett versuchte cross pressures-Variablen zu identifizieren[84]. Dabei korrelierte er eine Reihe von Indikatoren mit dem Abstimmungsverhalten der caucusing groups in der Ost-West-Dimension. Je höher die Korrelation ausfiel, desto geringer mußte der Spielraum für cross pressures und damit auch für Akti-

---

[79] *Manno* (Anm. 76).

[80] *Russett* (Anm. 66).

[81] *Jacobsen* (Anm. 65).

[82] Vgl. dazu Lewis A. *Coser*, The Functions of Social Conflict, London 1956; Robert C. *North*/Howard E. *Koch* jr./Dina A. *Zinnes*, The integrative functions of conflict in: *Journal of Conflict Resolution*, 1960, S. 355 ff. Für eine innenpolitische Überprüfung vgl. Juan J. *Linz*, Cleavage and Consensus in West German Politics: The Early Fifties, in: Seymour M. *Lipset*/Stan *Rokkan* (Hrsg.), Party Systems and Voter Alignments: Cross National Perspectives, New York/London 1967, S. 283 ff.

[83] Johan *Galtung*, Entropy and the General Theory of Peace, in: Proceedings of IPRA, Second Conference, Assen 1968. Unter Entropie, einem Begriff der Wärmelehre und der Kybernetik, versteht man hier eine Vermischung sozialer Rollen, die homogene Einheiten und demzufolge klare Konfliktlinien vermeidet.

[84] *Russett* (Anm. 66).

vitäten der Konsensusbildung eingeschätzt werden. Für den Ost-West-Konflikt erhielt Russett einen multiplen Korrelationskoeffizienten von .88, was 78 vH der Abstimmungsvarianz erklärt, wenn man entweder Region oder Handel, Entwicklungshilfe und militärische Allianz kennt. Selbstverständlich ermittelten auch so hohe Korrelationen keine Kausalbeziehungen, sondern wiesen lediglich auf Simultanitäten hin. Dennoch können wir den Schluß ziehen, daß die Rolle von cross pressures in der Ost-West-Dimension kaum sehr bedeutend sein kann. Andererseits konstatierte Jacobsen[85] bei der Antragsaktivität zunehmende Verschiebungen in der Zugehörigkeit zu Mehrheit oder Minderheit, was auf eine gewisse Flexibilität im Abstimmungsverhalten schließen läßt. Doch auch Russett differenzierte seine generelle Aussage in bezug auf die asiatische und die afrikanische caucusing group, die beide überdurchschnittlich viele cross-cutting solidarities besaßen[86]. Edward T. Rowe wiederum konnte nachweisen, daß die Vereinigten Staaten von Amerika zwar proportional zur Größe dieser beiden caucuses dorther wenig Unterstützung erhielten, dennoch aber eine signifikante Anzahl ihrer Anhänger aus diesen Gruppen bezogen[87].

Vergleicht man die asiatische und die afrikanische caucusing group, so haben die cross pressures jedoch verschiedenartige Auswirkungen. Bei den asiatischen Staaten ist das Resultat eine interne Dichotomisierung in Ost- und Westsympathisanten. Demgegenüber bildet die afrikanische Gruppe eine beinahe ideale cross pressure caucusing group, deren Aktivitäten lediglich durch eine Art afrikanischen Parochialismus[88] gehemmt werden. Trotz dieser Schwäche besitzt der afrikanische caucus einen gewissen moderierenden Einfluß, der bargaining-Prozesse fördert.

Die Suche nach Moderationselementen in der Nord-Süd-Dimension endet noch weniger zufriedenstellend. Über zwei Drittel der UN-Mitglieder nehmen eine Position in der Nähe des Süd-Endes der Skala ein. Jacobsen, der eine Einteilung der UN-Mitglieder nach Pro-Kopf-Einkommen und geographischer Lage vornahm und dabei drei Gruppen modellhaft konzipierte, konnte in einem empirischen Test nachweisen, daß die Antragsaktivitäten der Mittelgruppen zwischen den vierziger und den sechziger Jahren erheblich zurückgegangen waren[89]. Russetts[90] Versuche, cross-cutting solidarities in der Nord-Süd-Dimension ausfindig zu machen, blieben fast völlig erfolglos. Er fand nur zwei Variablen, die innerhalb von caucusing groups mäßige Abweichungen fixierten. Der Indikator »kolonialer Status« identifizierte sowohl unter den Industriestaaten als auch unter den Staaten der Dritten Welt Differenzen. Unter den Westeuropäern befanden sich alle ehemaligen Kolonialmächte mit Ausnahme Italiens und der Niederlande »nördlich« der Gesamtgruppe. Dagegen waren es einige asiatische Staaten ohne koloniale Vergangen-

---

[85] *Jacobsen* (Anm. 65).
[86] *Russett* (Anm. 66).
[87] *Rowe* (Anm. 69).
[88] Thomas *Hovet,* Africa in the United Nations, Evanston 1963, S. 219.
[89] *Jacobsen* (Anm. 65).
[90] *Russett* (Anm. 66).

heit, die ebenfalls ein »nördlicheres« Abstimmungsverhalten bewiesen als ihre Referenzgruppe. Der zweite Indikator »Wirtschaftshilfe vom Osten« wies ebenfalls auf eine vergleichsweise »nördliche« Position hin.

Russetts Resultate deuten in beiden globalen Konfliktdimensionen auf eine zunehmende Polarisierung hin, wobei dieser Trend auf der Nord-Süd-Achse weitaus rigoroser erscheint. Während im Rahmen der Ost-West-Konkurrenz einzelne funktionale Strukturen der Konsensusbildung ermittelt werden konnten, sprechen die Bedingungen des Nord-Süd-Konflikts für eine Eskalation, die in Zukunft die Härte des Ost-West-Gegensatzes überteffen wird.

c) Kontrollkapazität

Der Aufbau einer leistungsfähigen Kontrollkapazität durch das UN-System wird von den nationalen Subsystemen behindert. Diese Tatsache resultiert aus einer Vielzahl unterschiedlicher Interessen der Mitgliedstaaten[91]. Die Vereinigten Staaten von Amerika beeinflussen das Globalsystem auch heute noch so stark wie keine andere Nation. Da sie eine UN-Beteiligung an der Kontrolle des internationalen globalen Systems bestenfalls als effizienzmindernd einschätzen, andererseits aber auch ihr seitheriges Übergewicht in den UN schwindet, stehen sie einer entscheidenden Stärkung des Steuerungsapparates der Weltorganisation skeptisch gegenüber. Die Sowjetunion verhält sich aus anderen Gründen abweisend. Mit der Rolle eines Juniorpartners im bipolaren Kondominium unzufrieden, strebt sie nach einer nationalen Kontrollkapazität, die der amerikanischen ebenbürtig ist[92]. In diesem Zusammenhang wird der Aufbau internationaler Strukturen, die Moskau nicht steuern kann, die aber ihrerseits den Spielraum der sowjetischen Außenpolitik einengen, abgelehnt. Auf der Basis dieser Strategie erfolgt die oft ideologisch gedeutete restriktive Interpretation der Autonomie internationaler Organisationen[93]. Die Einstellungen der Dritten Welt gegenüber der Kontrollkapazität des UN-Systems sind schillernd und differieren innerhalb dieses Staatenaggregats erheblich. Einerseits würde eine stärkere Kontrollkapazität der UN bestehende Steuerungsaktivitäten der Supermächte und anderer Industriestaaten eindämmen. Andererseits fürchten viele Regierungen der Dritten Welt, daß eine Erhöhung der UN-Kontrollkapazität mit einem Ausbau von Privilegien für die Großmächte positiv korrelieren würde. Das Resultat wäre dann ein neokoloniales Kontrollmuster globalen Ausmaßes, das die sozio-ökonomischen Abhängigkeitsverhältnisse auch im politischen Bereich institutionalisieren würde[94]. Andere Staaten wiederum

---

[91] Vgl. Lincoln P. *Bloomfield,* The United States, the Soviet Union and the Prospects for Peacekeeping, in: *International Organization,* Vol. 24, 1970, S. 548 ff.

[92] Vgl. A. *Gabelié,* New Accent in Soviet Strategy, in: *Survival,* 1968, No. 2, S. 45 ff.

[93] Grigori *Tunkin,* Die rechtliche Natur der UNO und der Weg zur Festigung der internationalen Organisationen, in: *Vereinte Nationen,* Jg. 13, 1965, S. 121 ff. Über die UN-Politik der Sowjets vgl. generell Alexander *Dallin,* Sowjetunion und Vereinte Nationen, Köln 1965.

[94] Revolutionäre Bewegungen in der Dritten Welt heben den Status-quo-Charakter des

sind von der Ineffizienz bisheriger UN-Aktivitäten frustriert und wenden sich mehr regionalen oder bilateralen Problemlösungssystemen zu.

Allen diesen Allergien ist der Vorteil entgegenzuhalten, der darin liegt, daß nationale Kontrollkapazitäten abgebaut werden könnten, wenn die Regelung durch das UN-System effektiv gehoben würde. Lincoln P. Bloomfield[95] hat diese Kalkulation für die Vereinigten Staaten von Amerika in den Rahmen eines nationalen Lernprozesses gestellt, der die pathologische Verirrung des Vietnam-Kriegs überwinden sollte. Eine solche Strategie wäre dann geeignet, das Volumen globaler Zwangsrelationen zu senken und freiwerdende nationale Ressourcen zur Steigerung innergesellschaftlicher Konsensusbildung einzusetzen.

Den bisherigen Prozeß allmählicher Hebung der Kontrollkapazität im UN-System verfolgen wir anhand einiger empirischer Studien. Nach dem Scheitern des programmierten Problemlösungsmusters der kollektiven Sicherheit etablierte das UN-System erst auf der Basis erster Konsensusbildung sukzessive neue Kontrollkapazitäten. Jack Citrin[96] untersuchte diesen Wandel unter dem Aspekt innovativer Expansion von Organisationsaufgaben. Aktivitäten der Friedenssicherung konzentrierten sich seit der Mitte der fünfziger Jahre auf weniger institutionalisierte und flexiblere Techniken der »preventive diplomacy«.

Für die Initiierung von Kontrollhandlungen des UN-Systems können drei Voraussetzungen identifiziert werden: 1. ein Grundkonsensus der Supermächte, von nationalen Interventionen abzusehen und den UN zumindest eine unspezifizierte Rolle zuzubilligen, 2. eine positive Einstellung der offiziellen Regierung des Subsystems, innerhalb dessen Grenzen die betreffende Krisensituation ausgebrochen ist, und 3. Initiative und Kapazität des Generalsekretärs, genügend nationale Ressourcen zu mobilisieren, um aktiv eingreifen zu können.

Es überrascht, wie bereits ein minimaler Konsensus unter den Supermächten die Entfaltung von UN-Kontrollaktivitäten ermöglichte. In dem Augenblick, da Generalversammlung oder Sicherheitsrat ihr Plazet gegeben hatten, konnte das UN-System aktiv werden. Dabei waren konkrete Direktiven unnötig. Zwar kam es hin und wieder vor, daß eine der Supermächte im Verlauf der Aktion ihre Zustimmung rückgängig machte; auch in diesem Fall fand bisher jedoch kein Abbruch des UN-Engagements statt. Untersuchungen haben im Gegenteil gezeigt, daß das System bestrebt ist, den Spielraum der UN-Operationen aufrechtzuerhalten. So wurden Praktiken beobachtet, die in gefährlichen Situationen Abstimmungen vermieden: Informaler Konsensus wurde z. B. dadurch hergestellt, daß der Präsident des Sicherheitsrates nach einer Debatte oder auch hinter den Kulissen ein Meinungsbild herstellte und dieses dem Generalsekretär übermittelte[97].

UN-Systems hervor und konstatieren seine geringe Neigung zu innovativem Verhalten. Da die UN als Instrument nationaler herrschender Interessen empfunden werden, wäre die Hebung ihrer Kontrollkapazität nur unter dem Aspekt der Effizienz von Ausbeutung zu verstehen.

[95] *Bloomfield* (Anm. 91).

[96] *Citrin* (Anm. 36).

[97] Sydney D. *Bailey*, Voting in the Security Council, Bloomington/London 1969, S. 75 ff,;

Wie beschränkt die Kontrollkapazität des UN-Systems dennoch geblieben ist, zeigen die empirischen Daten[98]. Zwischen 1946 und 1965 schuf das UN-System 69 Institutionen der Friedenserhaltung, wobei 18 vom Sicherheitsrat und 42 von der Generalversammlung eingesetzt wurden. Den überwiegenden Teil dieser Institutionen befürwortete der Westen, die sozialistischen Staaten stimmten nur für 17. Auch die Zusammensetzung der Organe repräsentativen Typs reflektiert das Übergewicht des Westens: Nur neun Kommissionen hatten einen mikrorepräsentativen Charakter, in 33 überwog das System der westlichen Allianz. Dieser Überblick beinhaltet keine Trends, basiert vielmehr auch auf Daten der statischen Periode vor 1956. Seither sind deutliche Anzeichen für eine schrittweise Revision der sowjetischen Perzeption zu beobachten. Die Sowjetunion scheint im Zuge der Nivellierung der amerikanischen Dominanz in den UN geneigter zu sein, Kontrollfunktionen der UN punktuell zu akzeptieren. Dies zeigte sich z. B. in der Kongo- und in der Zypern-Frage. Ebenso vermied sie es seit der Mitte der sechziger Jahre zunehmend, durch negative Sanktionen Kontrollaktivitäten des UN-Systems zu beschneiden. Solange jedoch Polarisierungstendenzen in den UN zunehmen, wird die Auslösung von Kontrollaktivitäten stärker von den aktuellen Situationen und ihren Konstellationen im internationalen globalen System abhängen als vom Willen der Weltorganisation selbst.

Die zweite Voraussetzung einer UN-Aktion besteht in der Kooperation mit der Gastregierung. Dieser notwendige, doch keineswegs hinreichende Faktor stellt eine konservative Norm des Systems dar. Zwar trägt sie auch dazu bei, das Übergewicht der Zwangskomponente zu reduzieren, andererseits reflektiert sie aber das nationale Strukturmuster der internationalen globalen Gesellschaft und hilft, den Status quo in der internationalen Organisation politischer Systeme zu stützen. Da internationale Interdependenzen die Tabuisierung interner Konflikte durch die UN-Charter illusorisch gemacht hatten, sollte diese Regel der Gefahr zunehmender Erosionen nationaler Souveränität Einhalt gebieten. Wie negativ sich diese Voraussetzung auf Kontrollaktivitäten des UN-Systems auswirken kann, war an dem von Gamal Abdel Nasser erzwungenen Abzug der United Nations Emergency Forces im Jahre 1967 ersichtlich. Trotz dieser Restriktion kann man UN-Friedensaktionen nicht pauschal als rigide bezeichnen. Oft sind sie in der Lage, Wandlungsfaktoren durch ihre Präsenz zumindest eine Überlebenschance zu erhalten. In der Zypern-Krise wurde das Eingreifen der UN vom Regierungschef Makarios veranlaßt. Seiner Vorstellung nach sollte die Weltorganisation die Dominanz seiner Regierung wiederherstellen. Die türkische Minorität wiederum erhoffte sich die Sicherung der de-facto-Teilung der Insel. Die UN akzeptierten keine der beiden Versionen. Sie konzentrierten sich auf die Pazifizierung und die Normalisierung politischer, sozialer und wirtschaftlicher Beziehungen zwischen den

---

vgl. ebenfalls A. Leroy *Bennett*, The Rejuvenation of the Security Council - Evidence and Reality, in: *Midwest Journal of Political Science*, Vol. 9, 1965, S. 361 ff.

[98] Yashpal *Tandon*, Consensus and Authority Behind United Nations Peacekeeping Operations, in: *International Organization*, Vol. 21, 1967, S. 254 ff.

antagonistischen Gruppen der Gesellschaft[99]. Heute muß man anerkennen, daß es den UN gelungen ist, einen labilen Zustand aufrechtzuerhalten, die Dringlichkeit einer Lösung zu minimieren und damit den Stress, der allzuleicht neurotische Verhaltensweisen fördert, abzubauen. UN-Aktionen haben eher die Funktion, Konfliktmuster »einzufrieren«, als sie zu lösen. Daher werden sich Konfliktparteien, die radikale Resultate anstreben oder Bedingungen eines status quo ante wiederherstellen möchten, gegenüber UN-Engagements reserviert zeigen. Diese Hypothese wurde sowohl im nigerianischen als auch im pakistanischen Desintegrationsprozeß bestätigt.

Das Unvermögen des Sicherheitsrats oder der Generalversammlung, den Kontrollaufträgen der UN konkrete Direktiven zu geben, erweitert die Autonomie des GS. Diese Tatsache hob die politische Funktion des Sekretariats und damit auch Prestige und Autorität des Rolleninhabers[100]. Seit Hammarskjoeld ist der Generalsekretär der UN zur weltweit bekannten Persönlichkeit geworden. Versuche, seine personale und institutionale Autonomie einzuschränken, wie dies z. B. von den Sowjets mit Hilfe der Troika-Formel versucht worden war, hatten nur begrenzten Erfolg im Bereich der Untersekretäre[101], scheiterten jedoch am Desinteresse der Dritten Welt, die Kontrollkapazität des UN-Systems weiter auszulaugen. Obwohl soziale Strukturen Primärdeterminanten systemischen Verhaltens sind, kommt der spezifischen Führungsrolle im UN-System eine besondere Funktion zu. Soll die politische Relevanz der Organisation wachsen, so muß das Sekretariat die Kompetenz besitzen, sowohl Konsensusbildung als auch Kontrollaktivitäten gleichermaßen auszuüben. Politische Rollenträger in Sekretariatspositionen sollten daher sowohl Diplomaten als auch Administratoren sein. Asymmetrien in der diesbezüglichen Kompetenzvarianz verursachen Führungsdefekte. Einen interessanten Beitrag zur Identifikation effektiver Führungsfähigkeit im Bereich internationaler Organisationen leistete Sheldon W. Simon[102]. Er untersuchte die Interaktionen zwischen dem International Labour Office der ILO und ihren Mitgliedstaaten. Das Büro befindet sich in einer permanenten »lead and lage«-Position: Seine Ziele bestehen darin, einen bestimmten Grad sozialer Errungenschaften auf dem Arbeitssektor, wie er bereits in verschiedenen Staaten normiert ist, als Protektionsinstrument international zu institutionalisieren. Um dies zu erreichen, versucht das Büro in einem weltweiten bargaining-Prozeß, die Standards der weiter zurückliegenden Staaten zu heben. Angestrebt werden formale Instrumente (Verträge, Empfehlungen) als Resultate reziproker Anpassung, wobei

---

[99] James A. *Stegenga*, UN Peace-keeping: The Cyprus Venture, in: *Journal of Peace Research*, Vol. 7, 1970, S. 1 ff.

[100] Vgl. *Bailey* (Anm. 73); Arthur W. *Rovine*, The First Fifty Years. The Secretary-General in World Politics 1920—1970, Leyden 1970.

[101] Vgl. Max *Beer*, Die 16. ordentliche Tagung der Generalversammlung. Ein Wendepunkt in der Geschichte der Vereinten Nationen, in: *Deutsche Gesellschaft für die Vereinten Nationen*, Mitteilungsblatt 36, Nov. 1961, S. 2 ff.

[102] Sheldon W. *Simon*, The Asian States and the ILO: new problems in international consensus, in: *Journal of Conflict Resolution*, Vol. 10, 1966, S. 21 ff.

jedoch nicht allein homogene Normen entwickelt werden, sondern die Existenz von Differenzen fixiert und als legitim anerkannt wird. In einer ähnlichen Lage befindet sich das UN-Sekretariat, wenn es versucht, seine Problemlösungskompetenz und -Kapazität sukzessive zu erweitern. Haas hat in diesem Zusammenhang die Hypothese aufgestellt, daß eine effiziente Kontrollausübung einer internationalen Organisation innerhalb funktional begrenzter Programme höchstwahrscheinlich zu einer Expansion des Mandats führt[103]. Unter Verwendung von vier Fallstudien, Libanon- und Kongo-Krise sowie West-Irian- und Zypern-Frage, versuchte Citrin diese Hypothese zu testen[104]. Hierbei kam er zu dem Schluß, daß je mehr sich UN-Friedensaktionen auf militärische Aufgaben beschränken und politische Aktivitäten meiden, desto wahrscheinlicher werde die Befriedigung aller Beteiligten sein. Dieser Erfolg führe wiederum zu einer auf Konsensus gegründeten Erweiterung der Organisationsaufgaben in darauffolgenden Krisen. Eine solche Expansion der unbestrittenen Zuständigkeit fand innerhalb des Aufgabentyps »Friedenserhaltung« von der Libanon-Krise zum Zypern-Konflikt statt. Heute wird die Notwendigkeit, militärischen Aktionen ein politisches Instrument hinzuzufügen, innerhalb der UN generell anerkannt.

d) Nationalstaatliche Förderung systemischer Autonomie

Ist es das Bestreben einer nationalen Regierung, den Grad der UN-Autonomie aus politischen oder ideologischen Gründen zu heben, so muß sie den systemischen Prozeß der Konsensusbildung mitgestalten und auf dieser Basis durch materielle Ressourcen und politische Unterstützung Kontrollaktivitäten der UN fördern.

1. Nationale Akteure können beispielsweise durch Initiativen und Anträge eine parlamentarische Situation in der Generalversammlung strukturieren und damit die Effizienz extremer oder konfliktverschärfender Alternativen begrenzen. Initiatoren von Resolutionen und Zusatzanträgen haben die Chance, den Rahmen der anschließenden Debatte abzustecken, die issues zu definieren und publikumswirksam ihre Ideen zu erläutern. Die Supermächte schieben hierbei oft befreundete kleinere Nationen vor. In einem Modifikationsprozeß extremer Standpunkte können so auch relativ abhängige Staaten problemlösungskonforme Funktionen übernehmen. Dominant bleiben hierbei allerdings die ungebundenen Staaten der Dritten Welt.

2. Der eigentliche bargaining-Prozeß vollzieht sich hinter den Kulissen der Organisation und erfordert ein Höchstmaß an Kommunikationsbereitschaft[105] und Verhandlungsgeschick. In diesem Bereich sind vor allem die Skandinavier als »honest brokers« aktiv[106]. Solche Techniken setzen eine hohe Qualifikation einer

[103] Ernst B. *Haas*, Beyond the Nation States, Palo Alto 1964, S. 47.
[104] *Citrin* (Anm. 36).
[105] Vgl. S. 207 ff.
[106] Robert O. *Keohane*, Political Influence in the General Assembly, in: Robert W. *Gregg*/

nationalen Delegation voraus sowie eine spezifische Motivation, Konsensusbildung auf breiter Grundlage und in einem extranationalen Kontext zu erreichen[107]. Je verständnisvoller hierbei das nationale Außenministerium auf Autonomiebestrebungen seiner UN-Delegation reagiert, desto flexibler und wirkungsvoller wird diese handeln können. Dadurch aber profitiert sowohl das UN-System als auch die nationale Regierung, da sie über mehr Informationen verfügt und einflußreicher ist.

3. Langfristig gesehen fördert eine stärkere Einschaltung der UN bei der Dämpfung akuter Konflikte auch ihre Problemlösungskapazität und damit den Grad der Sicherheit betroffener Nationen. Daher sollte eine innovative UN-Politik sowohl materielle Mittel als auch Personal zur Verfügung stellen, um den UN eine Intervention zu ermöglichen. Diese Strategie muß prinzipiell eingehalten werden und nicht nur von einer krisenspezifischen Interessenlage diktiert sein.

2. Zentralisation

a) Globalmuster

Eine weitere relevante Variable innovativen Problemlösens ist der Grad der Zentralisation des Systems. Unter Zentralisation verstehen wir die Konzentration systemischer Entscheidungsprozesse auf die Führungsgruppe einer Organisation. Organisationssoziologische Untersuchungen haben gezeigt, daß ein hoher Zentralisationsgrad bei den Systemteilen Unsicherheit auslöst, routinäre Handlungen fördert, Perzeptionen auf Teilziele lenkt und dadurch ihren Kompetenzbereich im Problemlösungsprozeß einengt. Systeme, die stark zentralisiert sind, neigen dazu, Kontrollmechanismen gegenüber Aktivitäten der Konsensusbildung den Vorzug zu geben. Problemlösungsstrategien sind vorrangig adaptiv, wodurch Stresssituationen ungenügend bereinigt werden. Frustration und Unzufriedenheit wachsen. Wird der Zentralisationsgrad gesenkt, so steigt die Motivation der Systemteile, generelle Organisationsziele anzustreben. Erhöhte Partizipation steigert die Kompetenz. Die Systemspitze profitiert von neuen Informationen und Perzeptionen. Je mehr Teile problembewußt sind und an den systemischen Entscheidungen par-

---

Michael *Barkun* (Hrsg.), The United Nations System and its Functions. Princeton/Toronto/London/Melbourne 1968, S. 17 ff.

[107] Untersuchungen der westdeutschen Außenpolitik lassen dagegen die Folgerung zu, daß die gegenwärtigen Verhaltensmuster der Bonner Diplomatie sehr stark änderungsbedürftig sind, um eine solche Strategie erfolgreich durchführen zu können. Westdeutsche Diplomaten sind wenig vertraut mit parlamentarischen Verfahrensweisen in internationalen Organisationen. Die Tradition deutscher Außenpolitik vermittelte der gegenwärtigen Beamtenschaft eine gewisse Antipathie und Aversion gegenüber bargaining-Strukturen in internationalen Systemen. Der rigide defensive Charakter der westdeutschen Außenpolitik in der Adenauer-Ära hat zudem ein Übergewicht bilateraler Kommunikationen, innerhalb deren Bonn seine ökonomische Stärke ausspielen konnte, hervorgebracht. Vgl. Ernst-Otto *Czempiel*, Macht und Kompromiß. Die Beziehungen der BRD zu den Vereinten Nationen 1956—1970, Düsseldorf 1971, S. 157.

tizipieren können, desto angemessener vermag das System auf Umweltanforderungen zu reagieren[108].

Im UN-System konsolidierten zunächst die Siegermächte von 1945 eine Art von »Großmachtkonzert« bei eindeutiger Dominanz der beiden Supermächte. Als jedoch der Kalte Krieg einsetzte, zeigte sich mit aller Deutlichkeit, daß das System nur ein Entscheidungszentrum besaß[109]. Die Hegemonialposition der Vereinigten Staaten von Amerika prägte das UN-System bis in die Mitte der fünfziger Jahre, als militärstrategische und sozio-ökonomische Veränderungen in der internationalen Umwelt eintraten.

Den Wandel der UN-Strukturen zwischen 1955 und heute kann man mit Hilfe einiger Modelle erklären, die den Entwicklungsprozeß isolieren. Das Aufholen der UdSSR im Bereich der Waffensysteme sowie die Aktivierung ihrer Politik gegenüber der Dritten Welt hoben das politische Gewicht der östlichen Supermacht, so daß man seit der zweiten Hälfte der fünfziger Jahre von einer asymmetrischen Bipolarität[110] sprechen kann, deren Tendenzen in Richtung auf eine symmetrische weisen. Diese Veränderung beinhaltet eine Dezentralisierung auf der Ost-West-Achse.

Simultan zu diesem Trend, in seiner Progression jedoch bedeutend rigoroser, ist ein Wandel in der Nord-Süd-Dimension zu beobachten, der durch den Begriff der hetero-symmetrischen Bipolarität[111] nur ungenügend gedeckt wird. Der sukzessive Einzug der jungen Staaten führte zu einer Veränderung der Entscheidungsstruktur relativ komplexer Art. Im Ost-West-Konflikt bildeten die neuen nationalen Subsysteme variable Zentren, die an den Entscheidungen von Ost-West-issues partizipieren, ihre Rolle aber tendenziell mediatorisch definierten[112]. Im Bereich der Nord-Süd-Spaltung führten sie dagegen eine Umpolung der Entscheidungsstruktur durch. Hier kann man heute von einer Asymmetrie zugunsten der Dritten Welt sprechen. Entscheidungen werden vorwiegend durch die auf diesem Sektor relativ homogene Einheit der Dritten Welt gefällt. Die USA und ihre Verbündeten partizipieren zwar an der Resolutionsbildung, können sie jedoch nicht definitiv beeinflussen.

Verflochten mit diesem Dezentralisierungsmuster, das die Dominanzposition der Vereinigten Staaten von Amerika erheblich erschütterte, ist ein Trend beider Supermächte, ihre gemeinsame Machtstellung im globalen Rahmen auf der Basis der Egalität zu konsolidieren. Diese Motivation wird jedoch dadurch beeinträch-

---

[108] Vgl. Michael *Aiken*/Robert R. *Alford*, Community Structure and Innovation: The Case of Public Housing, in: *American Political Science Review*, Vol. 64, 1970, S. 843 ff.

[109] Vgl. z. B. die Dominanz des Westens, als 1951/52 die Frage gesamtdeutscher Wahlen vor die UN kam, *Pawelka* (Anm. 61), S. 55 ff.

[110] Wolfram F. *Hanrieder*, International System and Foreign Policy: The Foreign Policy Goals of the Federal Republic of Germany, University of California, Berkeley 1963, S. 215 ff.

[111] *Hanrieder* (Anm. 110).

[112] Vgl. Oran R. *Young*, The Intermediaries, Third Parties in International Crisis, Princeton University 1967.

tigt, daß die Vereinigten Staaten von Amerika immer noch ein politisches und ökonomisches Übergewicht besitzen. Die Beziehungen der Supermächte untereinander reflektieren daher eine Einstellungsdiskrepanz, die dazu führt, daß ihre Beziehungen je nach issue-Bereich zwischen den Polen der Kooperation und der Konkurrenz oszillieren[113]. Ein Resultat partieller gemeinsamer Interessen ist die détente-Politik im europäischen Raum. Diese Ansätze der Reduktion antagonistischer Attitüden, Perzeptions- und Verhaltensweisen zwischen den Allianzsystemen von Ost und West besitzen jedoch dysfunktionale Auswirkungen für die Kohäsion beider Blöcke. Erste Erosionserscheinungen innerhalb der Allianzen gehen auf die erste Hälfte der sechziger Jahre zurück[114]. Eine zunehmende Interessenkonvergenz der beiden Supermächte könnte demnach in manchen issue-areas auch zur Dezentralisation innerhalb der östlichen und westlichen Allianzeinheiten führen.

Alle drei Prozesse, so sehr sie sich auch in ihren internen Gesetzmäßigkeiten und Ursachen unterscheiden, haben die Konsequenz einer Dezentralisation der Entscheidungsstruktur des UN-Systems, wie es zu Beginn der fünfziger Jahre bestand. Da sie jedoch untereinander durch Rückkoppelungen verbunden sind und zudem konkretes Verhalten im Kontext anderer Variablen beeinflussen, dient ihre Isolation lediglich analytischen Zwecken. Versucht man einzelne Trends zu verfolgen, so werden simultane Prozesse künstlich ausgeblendet. Wir werden im folgenden versuchen, unsere Dezentralisationstendenzen empirisch zu belegen.

Die allmähliche Schwächung der amerikanischen Dominanzposition seit 1955 wurde von vielen Autoren beschrieben[115]. Hierbei handelte es sich jedoch zumeist um impressionistische Interpretationen. Eine statistische Auswertung aller roll-call-votes von 1945 bis 1966[116] vermochte ein präziseres und differenzierteres Bild dieses Trends aufzuzeichnen. Zunächst stellte Rowe fest, daß negative Auswirkungen auf Abstimmungserfolge der Vereinigten Staaten von Amerika erst ab 1960 festzustellen sind. Bis dahin waren sie mit Ausnahme der Periode 1949 bis 1955 sehr erfolgreich. Die Sowjetunion und ihre Verbündeten fand man dagegen in allen Sitzungsperioden unter den extrem Erfolglosen. Überraschend war auch das Resultat, daß die Staaten der Dritten Welt erst seit 1963 in signifikanter Weise zur Majorität zu zählen sind.

Diese Aussagen basieren auf einer statistischen Auswertung aller Abstimmungen in der Generalversammlung. Insofern sind sie relativ undifferenziert, da sie

[113] *Young* (Anm. 112), S. 161.

[114] Vgl. die Außenpolitiken Frankreichs und Rumäniens.

[115] Vgl. John G. *Stoessinger,* with ass. of R. G. *McKelvey,* The United Nations and the Superpowers: United States — Soviet Interaction and the United Nations, New York 1965, S. 23 f.; Wladislaw W. *Kulski,* International Politics in a Revolutionary Age, New York 1968, S. 522 ff.; Alf *Ross,* The United Nations: Peace and Progress, Totowa, N. J. 1966, S. 48; Frederick L. *Schuman,* International Politics, New York 1969, S. 245.

[116] Edward T. *Rowe,* Changing Patters in the Voting Success of Member States in the United Nations General Assembly: 1945—1966, in: *International Organization,* Vol. 23, 1969, S. 231 ff.

weder zwischen issue-areas unterscheiden, noch bargaining-Prozesse berücksichtigen. Zweifellos erscheint es bei der Komplexität der Abstimmungsinhalte relevant, ob der generelle Trend nicht punktuell oder sektoral durchbrochen wird. Auf der anderen Seite ist die exklusive Fixierung auf Abstimmungsresultate ungenügend, wenn der Einfluß auf Entscheidungsprozesse interessiert. So erhielt ein Staat einen Pluspunkt zugeschrieben, sobald er sich innerhalb der Abstimmungsmehrheit befand. Wie weit er allerdings von seiner ursprünglichen Einstellung abgewichen war, um den Konsensus möglichst vieler Nationen zu erhalten, konnte diese Meßmethode nicht feststellen.

In einem weiteren Arbeitsgang[117] unterteilte Rowe die Abstimmungsresultate nach issues. Bei Kalter Krieg-issues waren die Vereinigten Staaten von Amerika durchweg erfolgreich: von 149 roll calls gewannen sie 147, die Sowjetunion nur 2. Fast ebenso siegreich erwiesen sich die Vereinigten Staaten von Amerika im Bereich von UN-Friedensaktionen. Auch bei arms control- und Abstimmungsmaßnahmen übertrafen sie ihre Gegner. Auf diesem issue-Sektor trat jedoch in der untersuchten Periode ein markanter Wandel ein: Die Distanz zwischen amerikanischen und sowjetischen Erfolgen verringerte sich zunehmend. In anderen Bereichen befanden sich die Sowjets noch öfters unter der Mehrheit. Sie gewannen die meisten Abstimmungen über Kolonialfragen, Südafrika und den Nahen Osten.

Präzisere Auskünfte über Auswirkungen des bargaining-Prozesses ergab eine Untersuchung, die die »Unterstützungsspanne« der Vereinigten Staaten von Amerika maß[118]. Hierbei handelt es sich um den Grad, in dem die Vereinigten Staaten bei Abstimmungen Anhänger mobilisieren konnten. Die Resultate wiesen bereits seit 1957 eine Erosion der Unterstützungsmarge nach. Es blieben zwar noch weiterhin über 50 vH der Mitgliedstaaten auf amerikanischer Seite, die Zweidrittelmehrheit der früheren Perioden wurde jedoch nie mehr erreicht. Etwa zur selben Zeit gelang den sozialistischen Staaten der Durchbruch aus der totalen Isolation. Seither wächst ihr Interesse an den UN, was unschwer dadurch belegbar ist, daß ihr prozentualer Beitrag zum UN-Budget ständig steigt. Jacobsen ermittelte einen quantitativ exakt feststellbaren Trend zur budgetären Symmetrie der beiden Supermächte[119]. Auch die Antragsaktivität der sozialistischen Staaten nahm in der Generalversammlung, dem General Committee und dem Committee for Political and Security Council Questions beträchtlich zu, obwohl die Aktivitäten in anderen Gremien auch weiterhin vorwiegend vom Westen determiniert blieben. Zusammenfassend kann man jedoch festhalten, daß zumindest im Generalversammlungs-Bereich ein Prozeß abnehmender Asymmetrie zwischen den Supermächten beobachtet wird. Für die Vereinigten Staaten kann dies die Konsequenz ha-

---

[117] *Rowe* (Anm. 116).

[118] *Rowe* (Anm. 69); vgl. auch die Angaben bei Hayward R. *Alker* jr., Dimensions of Conflict in the General Assembly, in: *American Political Science Review,* Vol. 58, 1964, S. 642 ff.

[119] *Jacobsen* (Anm. 65).

ben, daß sich ihr Erfolg tendenziell von der Schaffung einer Zweidrittelmehrheit zur Erhaltung einer stabilen Sperrminorität verlagert[120].

Führt die Entwicklung auf der Ost-West-Achse von einer Asymmetrie zu einer Symmetrie, so unterscheidet sich der Verhaltenstrend in der Nord-Süd-Dimension von diesem Prozeß erheblich. Hier liegt die Entscheidungsmacht des UN-Systems mit Ausnahme einiger geschichteter Sonderorganisationen eindeutig bei der Majorität der Staaten der Dritten Welt, den Übergangsgesellschaften des globalen Südens. Quantitative Untersuchungen von Abstimmungsresultaten zeigten, daß sich die meisten Industriestaaten sowohl des kapitalistischen als auch des sozialistischen Bereichs unter den 25 vH der UN-Mitglieder befinden, die am wenigsten oft zur Abstimmungsmehrheit gehören[121]. Auf den primären issue-Sektoren dieser Dimension, Handel und wirtschaftliche Entwicklung, sind beide Supermächte gleichermaßen erfolglos. Dagegen bemüht sich die Sowjetunion in den sekundären Bereichen (politische Verselbständigung) mit dem Süden zu stimmen[122]. Die Verflechtung der Ost-West- und der Nord-Süd-Achse auf dem Dekolonialisierungssektor kompliziert das Bild. Das jeweilige Mischungsverhältnis beider Komponenten ist eine empirische Frage. Vereinfachend könnte man sagen, daß die Tendenz besteht, stärker sozio-ökonomische Fragen in der Nord-Süd-Ausrichtung zu entscheiden, während mehr politische Komplexe sofort in die Ost-West-Konkurrenz geraten.

Was die Erfolgschancen von Anträgen in der Nord-Süd-Dimension betrifft, so werden Anträge des Nordens öfters zurückgewiesen als solche des Südens[123]. Innerhalb des UN-Systems nehmen das Trusteeship Council und das Special Political Committee die extremste »südliche« Position ein, während das Administrative and Budgetary Committee eine entgegengesetzte Einstellung besitzt[124]. Generell kann man festhalten, daß die Entscheidungsmacht der Generalversammlung in der Nord-Süd-Dimension umgekehrt reziprok zur nationalen Steuerungskapazität im wirtschaftlichen oder militärischen Sinne steht. Dreiviertel des regulären UN-Budgets werden von den 25 vH der UN-Mitglieder bezahlt, die in Abstimmungen auf der Nord-Süd-Achse den geringsten Erfolg haben[125]. Auch Jacobsen kommt in seiner Studie zu dem Schluß, daß Antragsaktivitäten heute weniger stark die Umweltrealitäten reflektieren als in vergangenen Jahrzehnten[126].

---

[120] Eine Folge dieses Trends ist der »Rückzug« der Vereinigten Staaten in den Sicherheitsrat, wo sie auch weiterhin am erfolgreichsten agieren. Vgl. James E. *Todd*, An Analysis of Security Council Voting Behavior, in: *Western Political Quarterly*, Vol. 22, 1969, S. 61 ff.

[121] *Manno* (Anm. 76).

[122] Vgl. S. 168 f.

[123] *Jacobsen* (Anm. 65).

[124] *Jacobsen* (Anm. 65).

[125] *Jacobsen* (Anm. 65).

[126] *Jacobsen* (Anm. 65).

b) Gruppenprozesse

Unsere bisherige Diskussion der Zentralität im UN-System orientierte sich nach den globalen Verhaltensmustern des Gesamtsystems. Die konkreten Handlungen nationaler Akteure unterliegen jedoch zusätzlich einer Pluralität von subsystemischen Normen, die je nach Ausprägungsgrad der nationalen Autonomie[127] systemische Verhaltensanweisungen modifizieren. Russett hat darauf hingewiesen, daß die systemische Kategorisierung in Ost, West und Neutrale, die für so viele Arbeiten charakteristisch ist, ein ungenügendes Modell darstellt[128]. Vielmehr müsse man die Tatsache beachten, daß Entscheidungen des UN-Systems partiell durch Gruppen vorstrukturiert werden. Diese seien die Akteure der systemischen Aggregationsprozesse. Wollen wir also die Konfiguration der systemischen Zentralisierung oder Dezentralisierung präziser fassen, so müssen wir die Ansatzhöhe der Untersuchung auf Gruppenprozesse senken.

Eine Hauptdeterminante internationaler Integration bildet die geographische Nähe. Innerhalb einer Region ist die Wahrscheinlichkeit relativ homogener gesellschaftlicher Strukturen und Werte größer als zwischen verschiedenen Regionen. Damit aber ist ein gewisses Integrationspotential vorhanden[129]. Aus diesem Grunde war es auch das regionale Moment, das in den UN Primärstrukturen der Interessenaggregation kristallisierte. Die Akteure dieses Prozesses heißen caucusing groups[130]. Ihre Mitglieder treffen sich mit einer gewissen Regelmäßigkeit, um über ausstehende Probleme zu diskutieren, einen Grundkonsensus herzustellen und dadurch gezielt Interessen durchsetzen zu können. Caucusing groups sind formale Entscheidungszentren des UN-Systems.

Wie hoch der Kohäsierungsgrad in den einzelnen caucuses ist, sagt etwas darüber aus, wie stark die Gruppe systemisches Verhalten zu prägen vermag. Zwar haben auch nationale Variablen ein starkes Gewicht, handelt es sich aber nicht gerade um die Großmächte, so werden sie relativ stark nivelliert. Damit wächst der Einfluß der Aggregationskapazität einer Gruppe. Interaktionen und Konsultationen in diesem Kontext sind nur schwer zu beobachten und zu messen. Doch

---

[127] Vgl. S. 161 ff.

[128] Bruce M. *Russett*, Discovering Voting Groups in the United Nations, in: *American Political Science Review*, Vol. 60, 1966, S. 327 ff.

[129] Amitai *Etzioni*, The Dialectics of Supranational Unification, in: *American Political Science Review*, 1962, S. 927 ff.

[130] Vgl. u. a. Mohamed al-H. *Afifi*,The Arabs and the United Nations, London 1964; Samir N. *Anabtawi*, The Afro-Asian States and the Hungarian Question, in: *International Organization*, Vol. 17, 1963, S. 872 ff.; K. I. *Babaa*, The ›Third Force‹ and the United Nations, in: *American Academy of Political and Social Science*, 362, 1965, S. 81 ff.; Annette B. *Fox*, Small States of Western Europe in the United Nations, in: *International Organization*, Vol. 19, 1965, S. 774 ff.; B. D. *Meyers*, African Voting in the United Nations General Assembly, in: *Journal of Modern African Studies*, 4 (2) 1966, S. 213 ff.; Bryce *Wood*/Minerva M. *Morales*, Latin America and the United Nations, in: *International Organization*, Vol. 19, 1965, S. 714 ff.; *Hovet* (Anm. 88).

kann man von der Konvergenz im Abstimmungsverhalten Rückschlüsse auf die Aktivitäten innerhalb der Gruppe ziehen.

Der Sowjetblock besitzt den höchsten Kohäsionsgrad aller Gruppen. Er ist in der Nord-Süd-Dimension nur unwesentlich geringer als auf der Ost-West-Achse. Auswirkungen des Polyzentrismus innerhalb des sozialistischen Lagers blieben in den UN bis heute marginal. Abweichungen wurden lediglich bei Albanien und Rumänien beobachtet. Doch zeichneten sich in Generaldebatten immer wieder punktuelle Differenzierungen ab, die auf die Existenz von Interessendivergenzen hinweisen[131]. Etwas geringer ist der Kohäsionsgrad der arabischen Gruppe. Afrikaner und Lateinamerikaner[132] steigern ihre bereits heute überdurchschnittlich ausgebildeten Gruppenaktivitäten laufend. Dagegen sind bei der asiatischen und afroasiatischen Gruppe eher Verfallserscheinungen zu beobachten. Für alle diese caucuses der Dritten Welt gilt, daß ihr Kohäsionsgrad um so höher ist, je mehr ein Problem aus dem Ost-West- in den Nord-Süd-Konflikt gerät.

Die westeuropäische Gruppe scheint in der Ost-West-Dimension relativ einig zu sein, weist auf der Nord-Süd-Achse jedoch die geringste Kohäsion aller Gruppen auf. Da der relative Konsensus im Ost-West-Konflikt trotz abweichender Positionen der Skandinavier, Österreichs und Irlands auf anderen Sektoren zustande kam, ist nicht anzunehmen, daß der Übereinstimmungsgrad durch eine Tendenz zur größeren Autonomie Westeuropas noch weiter sinken würde. Generell gesehen ist der Kohäsionsgrad dieser caucusing group[133] in Anbetracht der sozioökonomischen Homogenität Westeuropas erstaunlich niedrig.

Daß die interne Zusammenarbeit der caucusing groups nur schwach ausgebildet ist[134], überrascht beim gegenwärtigen Stand internationaler Beziehungen nicht. Eine Steigerung der Interdependenz von Staaten erhöht ebenfalls die Konfliktmöglichkeiten, die sich in gespannten oder gar feindlichen Interaktionen niederschlagen können. Andererseits wären gemeinsame regionale Interessen anzunehmen, die ein ähnliches Verhalten ganzer Subgruppen verursachen. Statistische Untersuchungen von Arend Lijphart[135] und Russett[136] haben jedoch nachgewiesen, daß das aktuelle Abstimmungsverhalten ziemlich verschieden von dem der Caucusing-Muster ist. Die meisten Regelmäßigkeiten bei Abstimmungen beruhen mehr auf intra- und interregionalen Koalitionen als auf Gruppierungen, die regional determiniert sind[137].

Russett zeigte, daß es relativ beständige Wahlgruppen seit Beginn der fünf-

---

[131] Vgl. die Positionen zum Deutschland-Problem, *Pawelka* (Anm. 61), S. 198.

[132] Der Kohäsionsgrad der Lateinamerikaner ist bemerkenswert vor allem in extrahemisphären Fragen, *Keohane* (Anm. 106).

[133] Frankreich und Großbritannien spielen eine Außenseiterrolle und sind irrelevant für die Definition des westeuropäischen Abstimmungsverhaltens, *Keohane* (Anm. 106).

[134] Es existiert keinerlei Gruppenzwang, Beschlüsse müssen nicht befolgt werden; nur Überredung und Solidarität sind Modifikatoren nationalen Verhaltens.

[135] Arend *Lijphart*, The Analysis of Bloc Voting in the General Assembly: a critique and a proposal, in: *American Political Science Review*, Vol. 57, 1963, S. 902 ff.

[136] *Russett* (Anm. 128).

[137] *Keohane* (Anm. 106).

ziger Jahre gab, die nicht mit den caucusing groups identisch sind. So kämen die Interessenkonvergenzen unter den Nordatlantik-Staaten nicht zum Vorschein, wenn man nur formale caucusing groups untersuchen würde. Interessant ist die starke Kohäsion der beiden bereits seit 1964 aufgelösten Brazzaville- und Casablanca-Gruppen auch nach diesem Datum. Die Brazzaville-Gruppe weist eine relativ beständige prowestliche Haltung in Fragen des Kalten Kriegs auf, während die Afro-Asiaten generell in diesem Bereich sehr deutlich zum Osten neigen[138]. Eine Analyse der lateinamerikanischen caucusing group ergibt eine gemäßigte Kohäsion, unterschlägt aber ein sehr ähnliches Abstimmungsverhalten von Israel und einiger prowestlicher asiatischer Staaten. Eine weitere Wahlgruppe, die mit keiner caucusing group identisch ist, bilden die Skandinavier, Irland und Österreich. Zwischen ihnen treten kaum Differenzen auf. Daß es sich bei der Dissonanz zwischen caucuses und Wahlgruppen keineswegs um neuere Erscheinungen handelt, zeigt die Feststellung Russetts, daß die Zahl der Wahlgruppen seit 1952 relativ konstant blieb und zwischen den Größenordnungen vier und acht variierte[139].

Empirische Studien können demnach je nach Fokus sowohl regionale als auch nichtregionale Aggregationsprozesse im UN-System identifizieren. Es liegt daher nahe, sie als simultane Vorgänge anzuerkennen. Konkrete Verhaltensweisen nationaler Subsysteme der UN werden von diskontinuierlichen Einflüssen bestimmt. In seinem Modell internationaler Beziehungen ging Oran R. Young[140] von einem dynamischen Beziehungsmuster zwischen regionalen Subsystemen und dem internationalen Globalsystem aus. Einerseits bestehen systemische Eliten, globale issues und dominante Normen, andererseits regionalspezifische Akteure, Interessen und Relationen. Die regionalen Subsysteme sind untereinander nicht zusammenhängend, konvergieren jedoch partiell aufgrund ihrer Zugehörigkeit zum selben System und gewisser Perzeptionsbedingungen, wie subsystemischen politischen Manifestationen gegenüber dem System. Das Mischungsverhältnis globaler und regionaler Verhaltensdeterminanten variiert von einem Subsystem zum anderen. Die jeweils aktuelle Kombination dieser Merkmale ist zudem stark situationsbedingt.

Während frühere Untersuchungen konkretes Abstimmungsverhalten meist unter dem Aspekt der Position zum systemdominanten Ost-West-Konflikt angegangen hatten, trat in den sechziger Jahren die regionale Determinante stärker hervor. Zweifellos ist es sinnvoll, bei der Vorhersage konkreten Verhaltens von Staaten regionale Konstellationen mitzuberücksichtigen. Die fernöstliche Region, in der eine Umstrukturierung der internationalen Beziehungsmuster im Zusammenhang mit der Kristallisation einer dritten Supermacht stattfindet, entwickelt in diesem Umbruchprozeß stark abweichende Perzeptionen. So kann das Verhalten der UN in der Frage von Bangladesh ohne regionalspezifische Variablen nicht erklärt

[138] Vgl. den prowestdeutschen Standpunkt dieser Staatengruppe in der deutschen Frage. *Pawelka* (Anm. 61), S. 199 f.

[139] *Russett* (Anm. 128).

[140] Oran R. *Young*, Political Discontinuities in the International System, in: *World Politics*, Vol. 20, 1967/68, No. 3, S. 369 ff.

werden. Wer andererseits die extreme Dependenz der lateinamerikanischen Staaten von den Vereinigten Staaten nicht berücksichtigt, wird die Tatsache kaum verstehen, daß aus dieser Region neben Westeuropa die konsistentesten Anhänger Washingtons kamen[141]. Araber und Afrikaner haben ebenfalls Sonderprobleme, die ihr politisches Verhalten stark modifizieren. Intraregionale Differenzen und Antagonismen schwächen die Kapazität, regionale Gruppenautonomien zu entwickeln und gemeinsame Interessen durchzusetzen. Über das Verhältnis von Kohäsionssteigerung und simultan beobachteter Fragmentierung[142] haben wir allerdings noch keine empirischen Befunde.

Neuere Untersuchungen versuchten, das subsystemische Verhalten in bezug auf Zentralisationsprozesse weitgehend auf nationale Attribut-Daten zurückzuführen, um dadurch wiederum auf gesamtsystemische Regelmäßigkeiten hinzuweisen. Hierbei ist vor allem Rudolph J. Rummels Resultat von Interesse, der Faktor »Wirtschaftliche Entwicklung« könne gute Voraussagen für staatliches Verhalten liefern[143]. In einer älteren Studie war es bereits gelungen, zu zeigen, daß das durchschnittliche nationale Pro-Kopf-Einkommen der Mitglieder einer caucusing group Attitüden der Delegationsmitglieder gegenüber den UN voraussagen kann[144]. Eine hohe Entwicklungsstufe korreliert positiv mit einer negativen Einstellung. So wurde ein signifikant hoher Bezug zwischen dem Entwicklungsfaktor der Heimatstaaten eines Delegierten und seinem Trend gefunden, eine abnehmende Bedeutung der GV in absehbarer Zeit anzunehmen[145].

Eine weitere Untersuchung[146] wies den Zusammenhang zwischen dem Faktor »Wirtschaftliche Entwicklung« und Aktivitäten in der caucusing group nach. Gruppenaktivitäten wurden gemessen durch die Häufigkeit der Treffen, die Länge der Sitzungen, den Grad der Formalität, die Wahlhäufigkeit und Attitüden gegenüber Gruppenkommunikationen. Danach ermittelte man eine Rangordnung der caucusing groups zwischen den Polen »supranationaler« und »nationalstaatlicher« Einstellung. Die Berechnung der Rangkorrelation zeigte, daß die arabische Gruppe am supranationalsten war, dann folgten die caucusing groups der Dritten Welt; am wenigstens kooperationsfreudig erwiesen sich die Europäer. Befragt nach dem Einfluß der caucus-Politik auf nationale Regierungsentscheidungen, gaben UN-

---

[141] *Rowe* (Anm. 69); vgl. auch Marshall R. *Singer*/Barton *Sensenig*, Elections within the United Nations: An Experimental Study Utilizing Statistical Analysis, in: *International Organization*, Vol. 17, 1963, S. 901 ff.

[142] *Young* (Anm. 35).

[143] Rudolf J. *Rummel*, Some Attributes and Behavioral Patterns of Nations, in: *Journal of Peace Research*, Vol. 4, 1967, S. 196 ff.; Rudolf J. *Rummel*, Indicators of Cross National and International Patterns, in: *American Political Science Review*, Vol. 63, 1969, S. 127 ff; Ebenfalls: J. *Sawyer*, Dimensions of Nations: Size, Wealth and Politics, in: *American Journal of Sociology*, Vol. 73, 1967, S. 165 ff.

[144] *Vincent* (Anm. 51).

[145] Jack E. *Vincent*, The Convergence of Voting and Attitude Patterns of the United Nations, in: *Journal of Politics*, Vol. 31, 1969, S. 952 ff.

[146] Jack E. *Vincent*, An Analysis of Caucusing Group Activity at the United Nations, in: *Journal of Peace Research*, Vol. 7, 1970, S. 133 ff.

Delegierte der UdSSR, der Benelux-Staaten, der EWG und Westeuropas an, daß er sehr gering sei; hoch erscheint er dagegen bei Skandinaviern, Arabern, Afrikanern und Afro-Asiaten. Die lateinamerikanische und die asiatische caucusing group lagen zwischen diesen Positionen. Eine Faktorenanalyse im Anschluß daran bewies, daß zahlreiche Variablen der Unterentwicklung positiv korrelieren mit supranationalen Tendenzen in der caucus-Politik[147].

Jack E. Vincent zog aus diesem Ergebnis den Schluß, internationale Organisationen würden heute in erster Linie als Problemlösungsinstrumente des Redistributions-Komplexes angesehen werden[148]. Auch wenn seine Untersuchungen keine Kausalbeziehungen eruieren konnten, halten wir die Simultanität beider Faktorenaggregate für bemerkenswert. Wie stark Entwicklungsvariablen im UN-System das Verhalten beeinflussen, zeigte eine weitere Studie, in der nachgewiesen wurde, daß innerhalb regionaler Gruppen die wirtschaftlich fortgeschrittensten Staaten am häufigsten Wahlpositionen einnehmen[149]. Diese Beobachtungen können als Indiz dafür gelten, wie stark der Nord-Süd-Konflikt den Ost-West-Gegensatz bereits überlagert. Hohe Aktivitätsraten innerhalb von caucusing groups werden vom Entwicklungsrang der Mitglieder bestimmt. Diese Tendenz stärkt jedoch die Asymmetrie des Systems in der Nord-Süd-Dimension: starke Aggregationskapazität bei der Entscheidungseinheit, niedrige bei der Minorität der Industriestaaten.

Betrachtet man die strukturelle Entwicklung der UN, so ist ein relativ starker Wandel seit der ersten Hälfte der fünfziger Jahre zu erkennen. Dezentralisationsprozesse haben die Dominanzposition der USA teils gesenkt, teils liquidiert. Diesen Trend, den wir für das UN-System, abgesehen von einigen residualen Bereichen, generell annehmen wollen, belegte Manno durch eine empirische Untersuchung verschiedener UN-Ausschüsse. Es wurden nur solche Gremien berücksichtigt, deren Zusammensetzung nicht in der Charter fixiert ist. Die Resultate zeigten, daß man zwischen einem politischen und einem ökonomischen Aufgabenfeld unterscheiden muß. Während sich in jenem Bereich ein Konsensus über die Anwendung einer Art Troika-Formel durchgesetzt hat, bestimmt in diesem das Prinzip der Mikrorepräsentation die Zusammensetzung[150].

---

[147] Jack E. *Vincent*, Predicting Voting Patterns in the General Assembly, in: *American Political Science Review*, Vol. 65, 1971, S. 471 ff. Zu etwas unterschiedlichen Resultaten kam Keohane, als er den Grad der Involviertheit verschiedener caucusing groups maß. Gefragt wurde, welcher Staat oder welche Staatengruppe mehr bzw. weniger Diplomaten in die UN entsendet als sonst in die bilateralen Beziehungen. Hier rangierte Afrika an der Spitze, gefolgt von Westeuropa (einschließlich Australien, Kanada und Neuseeland). An den negativen Pol rückten die sozialistischen Staaten, aber auch die asiatische und arabische caucusing group. Robert O. *Keohane*, Who cares about the General Assembly?, in: *International Organization*, Vol. 23, 1969, S. 141 ff.

[148] *Vincent* (Anm. 147).

[149] Kathleen M. *Weigert*/Robert E. *Riggs*, Africa and United Nations Elections: An Aggregate Data Analysis, in: *International Organization*, Vol. 23, 1969, S. 1 ff.

[150] Catherine S. *Manno*, Problems and Trends in the Composition of Nonplenary UN Organs, in: *International Organization*, Vol. 19, 1965, S. 37 ff.

c) Nationalstaatliche Förderung systemischer Dezentralisation

Nationale Subsysteme können die Entwicklung problemlösungsadäquater Strukturen fördern, bremsen oder eine indifferente Stellung beziehen. Unserer Ansicht nach sollte ein aktives nationales Subsystem im Interesse einer langfristig angelegten systemischen Konfliktreduktion und Problemlösung dazu beitragen, daß eine Vielzahl internationaler Akteure an den Entscheidungen des Systems partizipiert. Der erste Schritt hierzu wäre eine nationale Aktivierung der Interessenaggregation innerhalb zugehöriger internationaler Wahlgruppen oder caucusing groups mit dem Ziel, die Autonomie der Gruppe zu heben. Neben der programmatischen Entscheidung eines Staates, diese Politik betreiben zu wollen, setzt eine solche Aktivität eine Reihe von Bedingungen voraus, die zumindest partiell erfüllt sein müßten.

1. Eine aktive UN-Politik kann nur von einer komplexen Perzeption der internationalen Umwelt ausgehen. Je mehr ein außenpolitisches System positive Rückkoppelungen durchführen kann, desto entwicklungskonformer wird seine Perzeption sein[151]. Nationale Interessen konzentrieren sich in diesem Kontext mehr auf Milieu- als auf Besitzziele[152]. Ihre Interpretation berücksichtigt, daß Gewinnmaximierung auch dysfunktionale Folgen hat. Postulate nationalen Interesses werden auf ihre Wertprämissen hin untersucht[153] und auf die Konsequenzen ihrer Realisierung befragt. Angesichts des Konfliktvolumens im internationalen Globalsystem der Gegenwart halten wir die Rationalität traditionaler nationaler Interessenpolitik für irrational[154].

2. Die Förderung allgemeiner Partizipation kann nicht von einem Staat ausgehen, der Direktiven anderer Nationen befolgt oder extrem stark von ihnen abhängt. Nur eine relativ unabhängige Außenpolitik vermag einen Beitrag zur autonomen Interessenaggregation zu leisten. So bleibt die Rolle der Staaten, die mit den Vereinigten Staaten oder der Sowjetunion liiert sind, notwendigerweise unbedeutend. Japan vermochte z. B. kaum großen Einfluß zu entwickeln. Westeuropäische Industriemächte, wie die BRD, müßten ähnliche Beschränkungen in Kauf nehmen, wenn sie keine eigenständige Position entwickeln. Da ihre direkte politische Steuerungskapazität relativ gering ist, hebt erst eine regionale Kohäsion die Bedeutung Westeuropas in den UN. Insofern wäre eine aktive westeuropäische caucusing group ein »neues« und nicht übersehbares Entscheidungszentrum in den UN. Bis dahin übertrifft der Einfluß kleinerer, doch unabhängiger Staaten, wie Schweden, den von relativ bedeutenden Wirtschaftsmächten, die im Lager der Supermächte stehen.

---

[151] Vgl. *Gawthrop* (Anm. 30).

[152] Arnold *Wolfers*, Ziele der Außenpolitik, in: Uwe *Nerlich* (Hrsg.) Krieg und Frieden in der modernen Staatenwelt, Gütersloh 1966, S. 234 ff.

[153] Vgl. eine Revision des Konzepts des nationalen Interesses bei Egbert *Jahn*, Das Problem der Identifizierung von Interessen im internationalen System, in: *Gantzel* (Anm. 14).

[154] Vgl. Dieter *Senghaas*, Abschreckung und Frieden, Frankfurt 1969.

3. Der internationale Spielraum eines aktiven nationalen Subsystems sollte nicht anomal beschränkt sein. Eine brisante Konfrontation mit starken Gegnern hemmt Perzeptions- wie Aktivitätsradien erheblich. Ist die interne oder als intern definierte Situation eines Staates nicht relativ stabil, so tendiert sein politisches System dazu, Umweltkomplexitäten unzulässig zu reduzieren[155]. Solange z. B. die BRD auf ungelöste Probleme der Beziehungen zur DDR Rücksicht nimmt, ist ihre außenpolitische Aktivitätsspanne vergleichsweise stark eingeschränkt.

4. Ohne den Wunsch nach Prestige und Publizität ist keine aktive UN-Politik denkbar. Hierbei kann politisches Prestige viele Ursachen haben. Popularität politischer Persönlichkeiten, charismatische Führer, revolutionäre Mystik und Reputation als Vertreter spezifischer Werte waren in der Vergangenheit gleichermaßen Quellen politischen Prestiges. Doch auch eine kognitive Friedenspolitik in der Position eines Vermittlers auf beiden Konfliktachsen des Globalsystems wäre geeignet, politisches Prestige zu mobilisieren. Die internationale Anerkennung, die der Regierungschef der BRD 1971 für seine innovative Ostpolitik erhalten hat, dokumentiert eine nicht unerhebliche Sensibilität des internationalen Systems.

5. Einstellungen und Handlungen eines aktiven nationalen Subsystems sollten mit den Grundprinzipien des UN-Systems konvergieren. Einflußreiche Staaten, die ohne Zwangsmittel auskommen, müssen systemische Normen überdurchschnittlich präzise erfüllen[156]. Ein zusätzliches Problem entsteht dann, wenn der betreffende Staat der Gruppe erst beitritt. Aus der Kleingruppenforschung ist bekannt, daß neue Gruppenmitglieder Modifikationen der internen Gruppenkommunikation verursachen und somit Störfaktoren involvieren. Um diese negativen Folgen zu verringern, hält sich daher der informierte Neuling meist so lange mit auffälligen Aktivitäten zurück, bis er genügend inkorporiert ist[157].

3. *Komplexität*

a) Perzeptionskomplexität

Anzahl und Differenzierungshöhe von Aufgabenbereichen und systemischen Rollen geben den Komplexitätsgrad eines Systems wieder. Wie wir bereits an einer anderen Stelle[158] festhielten, impliziert das Modell offener Systeme einen systemischen Komplexitätswandel als besonderen Rückkoppelungsmechanismus.

---

[155] Vgl. z. B. den hohen Stellenwert des Deutschland-Problems für die Außenpolitik der BRD gegenüber der Dritten Welt. *Pawelka* (Anm. 61), S. 139 ff.

[156] Vgl. George C. *Homans*, Theorie der sozialen Gruppe, Köln/Opladen 1965, S. 185; dazu *Keohane* (Anm. 106).

[157] Vgl. James G. *Miller*, Living Systems: the Group, in: *Behavioral Science*, 1971, S. 302 ff., 364.

[158] Vgl. S. 155 f.

Die Potenz sozialer Systeme, sich aktiv in einer Umwelt zu behaupten, die permanentem Wandel unterliegt, erfordert einen hohen Grad umweltbezogener responsiveness. Mit je komplexeren Anforderungen das System konfrontiert wird, desto flexibler muß seine interne Spezialisierung, Kommunikation, Informationsverarbeitung und Entscheidungsstruktur sein. Organisationssoziologische Untersuchungen zeigen, daß dieser Prozeß innerhalb sozialer Systeme Eliten zwingt, Subsysteme stärker in den Entscheidungsprozeß einzubeziehen[159]. Die Regelungsstärke eines Systems kann bei zunehmender Umweltkomplexität nur durch eine Erhöhung der systemischen Autonomie sowie stärkere Dezentralisation erhalten bleiben[160]. So konnte M. Janowitz im Bereich militärischer Organisationen nachweisen, daß wachsende technische und organisatorische Komplexitätserhöhung eine Dezentralisation von Entscheidungsprozessen bewirkt[161]. Dezentralisierte Entscheidungsabläufe implizieren jedoch vergleichsweise hohe Partizipationsraten und den Zwang, neben der Steuerungskapazität simultan Konsensusbildungsaktivitäten zu fördern. Vermag das System jedoch nicht, seine interne Regelungsstärke zu entwickeln und »mechanistische« Strukturen zu reduzieren, so sinkt die Problemlösungskapazität des Systems bei steigender Komplexität[162]. Für das UN-System heißt das, daß eine Komplexitätssteigerung nur dann innovationsfördernd ist, wenn gleichzeitig die Autonomie erhöht wird, der Dezentralisationsprozeß weiterläuft, der Stratifikationsgrad[163] gesenkt wird und die Kommunikationskapazität[164] des Systems steigt. Erfüllt das System diese Bedingungen, so wird eine Komplexitätserhöhung seinen Informationsgrad heben und dadurch Entwicklungsprozesse flexibler, reaktionskonformer und erfolgreicher gestalten[165]. Diese Hypothesen wurden bereits in anderen sozialen Kontexten verifiziert. So hat die Kreativitäts-Forschung gezeigt, daß kreative Individuen in ihrer Psychodynamik differenzierter und komplexer sind als nichtkreative[166] und Komplexität in Problemlösungssituationen vorziehen[167]. Gruppen, die aus Mitgliedern mit heterogener

---

[159] Jerald *Hage,* An Axiomatic Theory of Organizations, in: *Administrative Science Quarterly,* Vol. 10, 1965/66, S. 289 ff.

[160] William R. *Dill,* Environment as an Influence on Managerial Autonomy, in: *Administrative Science Quarterly,* 1957/58, S. 409 ff.

[161] Morris *Janowitz,* Hierarchy and Authority in the Military Establishment, in: Amitai *Etzioni* (Hrsg.), Complex Organizations, New York 1961, S. 198 ff.

[162] J. Q. *Wilson,* Innovation in Organization: Notes Toward a Theory, in: J. D. *Thompson* (Hrsg.): Approaches to Organizational Design, Pittsburgh 1966, S. 193 ff., S. 202 f.; Rolf *Ziegler,* Kommunikationsstruktur und Leistung sozialer Systeme, Meisenheim/G. 1968, S. 207 ff.; ähnlich Niklas *Luhmann,* Komplexität und Demokratie, in: *Politische Vierteljahresschrift,* Jg. 10, 1969, S. 314 ff., 319.

[163] Vgl. S. 197 ff.

[164] Vgl. S. 207 ff.

[165] *Hage* (Anm. 159); Tom *Burns* et al., The Management of Innovation, London 1961, S. 121 ff.

[166] Frank *Barron,* Personality style and perceptual choice, in: *Journal of Personality,* Vol. 20, 1952, S. 385 ff.

[167] Robert E. *Taylor*/Russell *Eisenmann,* Perception and production of complexity by creative art students, in: *Journal of Psychology,* Vol. 57, 1964, S. 239 ff.

Persönlichkeitsstruktur bestanden, erwiesen sich in Problemlösungsexperimenten homogenen Gruppen überlegen[168]. Die gleiche positive Korrelation zwischen Komplexität und Innovation fanden Michael Aiken und Robert Alford auch in amerikanischen Kommunalsystemen: Komplexe Organisationen haben größere, spezialisiertere und professionalisiertere Stäbe zur Verrichtung technischer, administrativer und politischer Aufgaben[169].

Die Globalisierung des Aufgabenfeldes der UN hat internationale Probleme in einen komplexeren Rahmen gestellt als dies noch vor zwei Jahrzehnten der Fall war. Wir wollen versuchen, diesen Sachverhalt anhand zweier Beispiele zu erläutern: der Friedenssicherung und der wirtschaftlichen Entwicklung der Globalgesellschaft.

Die Fähigkeit, friedensfördernd zu wirken, hängt von einer möglichst problemadäquaten Perzeption ab. Wie eine rigide Sichtweise zumindest partiell abgebaut wurde, zeigt der langwierige[170] Prozeß der Diskussion über den Aggressionsbegriff[171]. Zu Beginn der fünfziger Jahre stand die Suche nach einer Definition exklusiv im Schatten der Ost-West-Auseinandersetzung. Während die Sowjets versuchten, die Interventionspotenz des UN-Systems einzuschränken, argumentierten die Vereinigten Staaten von Amerika und ihre Verbündeten gegen eine Aggressionsdefinition, da sie die Manipulierbarkeit der UN in ihrem Interesse hemmen mußte. Beide Seiten diskutierten jedoch auf der Basis von Bedingungen innerhalb des industrialisierten Nordens, ohne die sozio-ökonomischen Voraussetzungen stabiler internationaler Beziehungen kognitiv zu berücksichtigen.

Bereits in dieser frühen Phase versuchten neutrale Staaten, die Perzeptionsbreite der UN zu diesem globalen Problem zu erweitern und wirtschaftliche sowie ideologische Komponenten in die Aggressionsdebatte zu integrieren[172]. 1952/54 nahm die Diskussion erheblich deutlicher antikolonialistische Züge an (2 vH der UN-Mitglieder). Das bis dahin routinär interpretierte Konzept der Aggression, vom dominanten Westen als Instrument der kollektiven Sicherheit benutzt, diente einzelnen Delegationen zum Angriff auf den Status quo. Als 1967 die zweite Diskussionsrunde eingeleitet wurde, hatten sich bereits 61 vH der beteiligten Delegationen einer antikolonialistischen Definiton zugewandt. Eine aggressive Politik wurde von dieser Mehrheit als Status-quo-gebunden bezeichnet; sie war keine Frage der Gewaltanwendung mehr[173] und blieb nicht auf zwischenstaatliche Beziehungen beschränkt. Der antikoloniale Konsensus[174] hat den Realitätsgrad

---

[168] L. Richard *Hoffmann*/Norman R. F. *Maier*, Quality and Acceptance of Problem Solutions by Members of homogeneous and heterogeneous Groups, in: *Journal of Abnormal and Social Psychology*, Vol. 62, 1961, S. 401 ff.

[169] *Aiken/Alford* (Anm. 108).

[170] 1950—1957 und seit 1967.

[171] *Raichle* (Anm. 41).

[172] Libanon, Indonesien, Bolivien und Iran.

[173] Ali A. *Mazrui*, The United Nations and Some African Political Attitudes, in: *International Organization*, Vol. 18, 1964, S. 499 ff.

[174] Edward T. *Rowe*, The emerging anti-colonial consensus in the United Nations, in:

der Aggresionsdebatte zwar gehoben, doch scheint der Prozeß der Komplexitätserweiterung keineswegs beendet. Der Begriff der »wirtschaftlichen Aggression« gewinnt im Rahmen einer Dependenzdiskussion immer mehr an Bedeutung. Konfliktlösungsstrategien werden erst erfolgreich sein, wenn sie auch die Asymmetrien ökonomischer Verflechtungen im globalen Rahmen berücksichtigen. In diesem Lichte erscheint die bisherige Aggressionsdebatte in den UN nicht sehr umfassend.

Sind Sicherheitsrat und Generalversammlung primär für den »politischen« Sektor zuständig, so besitzt der Wirtschafts- und Sozialrat ähnliche Funktionen im wirtschaftlichen Bereich[175]. Die UN-Charter beauftragte ihn mit Problemlösungsaktivitäten in der Weltwirtschaft. Damit wird er zu einem Hauptorgan der Reallokation von Werten und trägt bei zur »kollektiven Legitimierung« des UN-Systems[176]. Dies wurde in der Nachkriegszeit dahin interpretiert, daß Fragen des Wirtschaftswachstums der Industriestaaten und der Vollbeschäftigung dominante Topoi der Agenden des Wirtschafts- und Sozialrates bildeten. Während des Kalten Krieges geriet der Rat in die sozialistisch-kapitalistische Konfrontation. Die Sowjets benutzten ihn zu Angriffen auf die »kapitalistischen UN-Organe«[177], in denen sie nicht mitarbeiteten. Erst mit dem Einzug der jungen Staaten gewann der Wirtschafts- und Sozialrat an politischer Relevanz für das Globalsystem. Hier prallten die wirtschaftlich determinierten Zielvorstellungen des Nordens und Südens aufeinander und endeten in einem Klima der Frustration[178]. Die westlichen Staaten und Generalsekretär Hammarskjoeld befürworteten eine Konzentration auf wenige selektierte Probleme, um die Effizienz des Systems zu steigern. Die damit verbundene Technologisierung der Arbeit des Wirtschafts- und Sozialrates offenbarte die sachliche Inkompetenz vieler Delegierter aus der Dritten Welt. Diese wiederum beobachteten mißtrauisch die politische Rigidität der Industriemächte und ihr Bestreben, redistributive Funktionen im Sinne einer Aufrechterhaltung des Status quo zu minimieren. Die jungen Staaten bemühten sich, den Komplex asymmetrischer Entwicklung der Globalgesellschaft in seinem vollen Umfang zu erfassen. Die Konzentrationsstrategien der Industriemächte hemmten dieses Bestreben. Dennoch vermochten sie das Wachstum der generellen Perzeptionskomplexität der UN nicht zu verhindern. Während die westlichen Industriestaaten ihre Vorherrschaft in den redistributiven Organen zu wahren suchten[179] und mit Effizienzaspekten ihre verkürzte Perspektive verteidigten, verfolgte

---

Journal of Conflict Resolution, Vol. 8, 1964, S. 209 ff.; John D. B. *Miller,* The Politics of the Third World, London/New York/Toronto 1966, S. 20.

[175] Wie interdependent wirtschaftliche und politische Fragen sind und wie wenig sinnvoll diese Unterscheidung ist, geht aus dem Inhalt unseres Beitrags hervor.

[176] Inis L. *Claude jr.,* Collective Legitimization as a Political Function of the United Nations, in: *International Organization.* Vol. 20, 1966, S. 367 ff.

[177] Z. B. Weltbank, Internationaler Währungsfonds, FAO, vgl. *Dallin* (Anm. 93).

[178] Vgl. Walter R. *Sharp,* The United Nations Economic and Social Council, New York/London 1969, S. 75 ff.

[179] Vgl. ihre Antragsaktivitäten in den mit wirtschaftlichen Fragen befaßten Ausschüssen der Generalversammlung, *Jacobsen* (Anm. 65), S. 252.

Moskau eine antizipatorische Strategie. Mit dem Stichwort einer »internationalen Organisation zur Zusammenarbeit im Bereich des Handels« formulierte die UdSSR bereits in den fünfziger Jahren jene Forderung, die für die Dritte Welt zum zentralen Punkt wurde[180]. Die Programme der UN-Entwicklungsdekaden fächerten das Entwicklungsproblem in seiner Multidimensionalität auf und machten explizit, daß die Beschäftigung mit wirtschaftlichen und sozialen Fragen nur Symptome tangierte, das Gesamtphänomen jedoch aus einem Aggregat machtpolitischer, wirtschaftlicher, fiskalischer, demographischer und kultureller Variablen besteht[181]. Über diese Erweiterung des psychologischen Milieus[182] erhöhte sich der Umweltstress für das UN-System[183]. Der perzeptive Impuls wurde durch die ambivalente Konstellation der Supermächte und die Einflußkapazität der Dritten Welt politisch intensiviert. Unter diesen Anstößen erfolgte eine komplexitätskonforme Rekonstruktion des redistributiven Instrumentariums[184]. Zwei Komponenten verdeutlichen diesen Prozeß: zum einen die Ausdifferenzierung neuer Spezialorgane, wie UNCTAD, UNCDF und UNIDO, sowie die daraus resultierende Dezentralisation des redistributiven Aufgabenfeldes einschließlich geographischer Dispersion der Organe, zum anderen die Machtverschiebungen innerhalb der Redistributionsinstitutionen zugunsten der Dritten Welt[185].

b) Komplexität und Systemtransformation

Während sich noch der größte Teil der UN-Literatur mit Problemen beschäftigt, die aus der Globalisierung durch die Dritte Welt entstanden[186], zeichnen sich bereits neue Komplexitätsdimensionen innerhalb der Globalgesellschaft ab.

Talcott Parsons[187] war einer der ersten, die auf den exzessiv expandierenden Bereich zwischengesellschaftlicher Interaktionen unterhalb des Staaten-Niveaus aufmerksam gemacht haben. In der Zwischenzeit haben sich zahlreiche Studien mit dem Phänomen einer »transnationalen Gesellschaft« beschäftigt[188]. Die Ent-

[180] *Sharp* (Anm. 178).

[181] Vgl. dazu die UN-Resolution zur 2. Entwicklungsdekade GA Res. 2626 (XXV) vom 24. Oktober 1970.

[182] Vgl. Harold *Sprout*/Margaret *Sprout*, Environmental Factors in the Study of International Politics, in: James N. *Rosenau* (Hrsg.), International Politics and Foreign Policy, New York 1961, S. 106 ff.

[183] Vgl. das kybernetische Modell eines außenpolitischen Systems bei Michael *Brecher*/Blema *Steinberg*/Janice *Stein*, A Framework for research on foreign policy behavior, in: *Journal of Conflict Resolution*, Vol. 13, 1969, S. 75 ff.

[184] Walter M. *Kotschnig*, The United Nations as an Instrument of Economic and Social Development, in: *International Organization*, Vol. 22, 1967/68, S. 16 ff.

[185] Vgl. *Sharp* (Anm. 178)/*Manno* (Anm. 150).

[186] Wir wollen allerdings nicht verhehlen, daß ein nicht unerheblicher Teil von Publizisten noch nicht einmal die Perzeptionsenge der fünfziger Jahre völlig überwunden hat.

[187] Talcott *Parsons*, Order and Community in the International Social Systems, in: James N. *Rosenau* (Hrsg.), International Politics and Foreign Policy, New York/London 1961, S. 120 ff.

[188] Horst *Mendershausen*, Transnational Society vs. State Sovereignty. RAND Corp. (P —

wicklungsdynamik im Globalsystem hat sich strukturell verschoben: Sie ist von den politischen Institutionen nationaler Gesellschaften zu gesellschaftlichen Subsystemen übergewechselt[189]. Galtung spricht hierbei von Erosionserscheinungen des Nationalstaats[190]; die nationale Identifikation personaler Mitglieder eines Staats wird im Bereich des industrialisierten Nordens zunehmend durch crossnationale[191], transnationale[192] und supranationale[193] Solidaritäten ersetzt. Von besonderem Einfluß auf die Weltpolitik sind hierbei die ökonomischen Subsysteme der Globalgesellschaft, die eine gewisse Strukturierungskapazität im Bereich transnationaler Kommunikation besitzen. George Modelski[194] hat zwar darauf hingewiesen, daß industrielle und wirtschaftliche Korporationen auch in historischen Epochen als internationale Akteure aufgetreten sind[195], doch scheint das Volumen, die Macht und die Multifunktionalität moderner Wirtschaftskorporationen eine neue Qualität internationaler Akteure in die internationalen Beziehungen zu involvieren[196].

Multinationale Korporationen (MNCs) werden definiert als Wirtschaftsunternehmen mit mindestens 25 vH »ausländischen Inhalts«, gemessen durch vier auswechselbare Indikatoren: Umsatz, Investition, Produktion oder Arbeitnehmer[197]. Der Bereich der international determinierten Produktion betrug 1969 annähernd 420 Bio US-Dollar, das heißt etwa 23 vH des gesamten Bruttosozialprodukts außerhalb des sozialistischen Lagers[198]. Für die achtziger Jahre ermittelten Extrapolationen, daß 300 MNCs zwei Drittel des Weltbruttosozialprodukts produzieren werden[199]. Diese Expansion antizipiert einen sukzessiven Abbau national-

3806), Santa Monica 1968 (hektographiert). Robert C. *Angell,* Peace on the March: Transnational Participation, New York 1969.

[189] Charles P. *Kindleberger,* Power and Money. The Economic of International Politics and the Politics of International Economics, New York 1970, S. 14.

[190] *Galtung* (Anm. 59).

[191] Simultane Loyalitäten zu mehreren Staaten.

[192] Identifikationsfokus ist kein Staat, sondern eine soziale Organisation, die nationale Grenzen überschneidet.

[193] Solidarität mit einer Supra-IGO (z. B. EWG). Die Kategorie der subnationalen Identifikation ist für unsere Diskussion residual.

[194] George *Modelski,* The Corporation in World Society, in: The Year Book of World Affairs, 1968, S. 64 ff.

[195] Z. B. die British East India Company 1599—1858 mit einer parastaatlichen Autonomie in Südasien.

[196] *Burton* (Anm. 40); Karl P. *Sauvant,* Multinationale Unternehmen und die Transformation des gegenwärtigen Staatensystems, in: *Politische Vierteljahresschrift,* Sonderheft 4, Jg. 13, 1972, S. 196 ff.

[197] Sidney E. *Rolfe,* The International Corporation, Paris 1969, S. 13; Sidney E. *Rolfe,* The International Corporation in Perspective, in: Sidney E. *Rolfe*/W. *Damm* (Hrsg.), The Multinational Corporation in the World Economy, New York 1970, S. 17.

[198] *Sauvant* (Anm. 196), S. 6.

[199] Vgl. Howard V. *Perlmutter,* Super-Giant Firms in the Future, in: *Wharton Quarterly,* 1968, 3, S. 8 ff.; Jacques *Hossiaux,* L'avenir des rapports entre les entreprises multinationales et les états 'xnɐuoıʇɐuin: *Analyse et Prévision,* Vol. 10, November 1970, S. 657 ff. Ähnliche Angaben bei Richard *Barber,* Big, Bigger, Biggest, American Business Goes Global, in: *The New Republican,* April 30, 1966, S. 14 ff.; Richard *Barber,* The New

staatlicher Relevanz für die Globalgesellschaft. Die »internationale« Politik der MNCs reduziert die Wirtschaftskontrolle der nationalen Regierungen noch mehr als sie bereits heute im innenpolitischen Bereich ist[200]. MNCs beeinflussen die Preisstruktur nationaler Gesellschaften, ihre Zahlungsbilanz, Exportmärkte, Konjunkturzyklen und selbst die Steuerungskapazität nationaler Regierungen[201]. Das empirische Datenmaterial läßt den Schluß realistisch erscheinen, daß MNCs heute bereits relevantere internationale Akteure sind als das gesamte UN-System[202].

Verschiedene Autoren[203] haben darauf hingewiesen, daß MNCs starke direkte und indirekte Impulse für eine wachsende Kooperation unter den politischen Systemen nationaler Gesellschaften erteilen, da sie diese zwingen, sich gegen ihre Einflüsse zu wehren. Es entsteht ein kompliziertes Interaktionsgeflecht zwischen Wirtschafts-, Finanz- und Außenministerien sowie Zentralbanken, durch welches versucht wird, Investitionsbewegungen, Geldzufluß und geographische Mobilität zu steuern. Die Erfolge in dieser Richtung sind bisher jedoch nicht bemerkenswert; die Einflüsse ökonomischer Globalstrukturen scheinen vielmehr zunehmend pathologische Verhaltensweisen auszulösen[204]. Zweifellos besitzt das MNC-System eine gewisse Integrationsfunktion für die Globalgesellschaft[205]. Es ist allerdings höchst fragwürdig, ob eine Integration unter den Auspizien akkumulativer Steuerungskapazitäten von Wirtschaftsorganisationen wünschenswert wäre. Diese Problematik weist auf die Notwendigkeit einer systemischen Transformation des UN-Systems hin. Die wachsende Komplexität der globalen gesellschaftlichen Umwelt tendiert dazu, eine Organisation, die exklusiv auf der Basis nationaler politischer Systeme beruht, zu überfordern. Eine Problemlösungsorganisation für die Globalgesellschaft muß demnach ein System sein, das aus internationalen und transnationalen Regelkreisen besteht[206]. Die Einheiten eines solchen Systems wären inter-

---

Partnership: Big Government and Big Business, in: *The New Republican*, August 13, 1968, S. 17 ff.

[200] Vgl. für die westdeutschen Bedingungen Joachim *Bergmann*/Gerhardt *Brandt*/Klaus *Körber*/Ernst T. *Mohl*/Claus *Offe*, Herrschaft, Klassenverhältnis und Schichtung, in: Theodor W. *Adorno* (Hrsg.): Spätkapitalismus oder Industriegesellschaft?, Stuttgart 1969, S. 67 ff.

[201] Vgl. Michael Z. *Brooke*/H. Lee *Remmers*, The Strategy of Multinational Enterprise: Organization and Finance, London 1970, S. 299. Ebenfalls *Sauvant* (Anm. 196). Vgl. die Beschwerde der EWG über die Politik von US-Unternehmen in Europa, in: *Europäische Dokumentation*, 8/1970, S. 4.

[202] Richard *Barber*, The American Corporation, New York 1970, S. 249.

[203] Charles P. *Kindleberger*, European Integration and the International Corporation, in: *Columbia Journal of World Business*, 1966, S. 65 ff.; Karl *Kaiser*, Transnationale Politik, in: *Politische Vierteljahresschrift*, 1969, Sonderheft 1, S. 80 ff.; Werner J. *Feld*, Political Aspects of Transnational Business Collaboration in the Common Market, in: *International Organization*, Vol. 24, 1970, S. 209 ff.; Werner J. *Feld*, Transnational Business Collaboration Among Common Market Countries. Its Implications for Political Integration, New York 1970.

[204] Vgl. S. 197 ff.

[205] *Sauvant* (Anm. 196).

[206] Vgl. ähnlich *Galtung* (Anm. 59).

nationale Organisationen der Staaten sowie transnationaler Subsysteme[207]. Die Problemlösungskapazität nationalstaatlich determinierter internationaler Organisationen wird demnach sinken. Diese Entwicklung in Richtung auf eine »Weltinnenpolitik« hebt die traditionale Trennung von Innenpolitik und internationalen Beziehungen allmählich auf und fördert eine osmotische Synthese[208] beider Bereiche zur Erforschung geeigneter Instrumentarien der Problemlösung.

c) Nationalstaatliche Förderung systemischer Komplexitätssteigerung

Eine innovative UN-Politik nationaler Subsysteme sollte folgende Aspekte berücksichtigen:

1. Die Komplexitäts-Erhöhung des Systems wäre ein prinzipielles Postulat. So können Fragen der Friedenssicherung oder der Modernisierung nur in einem breiten Zusammenspiel vielfältiger Variablen erfolgreich, d. h. relativ dauerhaft gelöst werden. Hierbei muß sich besonders ein Staat wie die BRD, dessen Außenpolitik traditionsgemäß extrem europazentriert war, von Perzeptionen befreien, die alle weltpolitischen Problem primär unter dem Blickwinkel einer überholten Systemkonkurrenz begreifen.

2. Weiterhin ist zu beachten, daß eine Komplexitätserhöhung simultan der Förderung der vier anderen hier diskutierten Variablen innovativer Problemlösung bedarf. Stagniert diese Parallelentwicklung, so wird das System dysfunktionale Folgen zu erwarten haben. Diese Gefahr ist heute aktuell. Die Einbeziehung neuer Aufgabenfelder, wie der Penetration des Alls, der Ausbeutung der Ozeane, des Umweltschutzes und der Urbanisierung impliziert aufgrund eines overload-Defekts pathologische Verhaltensweisen für die generelle Problemlösungskapazität des Systems[209].

3. Jede Problemlösungseinheit muß Umweltveränderungen angepaßt werden. Dies ist nicht notwendigerweise ein einmaliger Akt, sondern ein inkrementaler Prozeß. In diesem Sinne sollte das UN-System eine Transformation in Richtung auf eine internationale Superorganisation unter Einschluß transnationaler Subsysteme antizipieren. Ein erster Schritt dahin könnte der Versuch sein, den Expansionsdrang ökonomischer Strukturen unter die Kontrolle globaler Organe zu stellen. So wäre zu überlegen, ob die Ressourcen des globalen Problemlösungssystems nicht durch eine internationale kontrollierte Besteuerung der MNCs durch die UN gesteigert werden könnten[210]. Je früher Schritte in diese Richtung er-

[207] Eine solche Entwicklung wäre unter dem Aspekt der Ausdifferenzierung innerhalb der systemischen Funktion der Interessenaggregation zu verstehen. Vgl. Gabriel *Almond*/ G. Bingham *Powell* jr., Comparative Politics: A Developmental Approach, Boston 1966, S. 27 ff., 74 ff.

[208] Zu einem ähnlichen synthetischen Ansatz gelangen mit ihrer »Herrschaftssynthese« Frieder *Schlupp*/Salua *Nour*/Gerd *Junne*, Zur Theorie und Ideologie internationaler Interdependenz, in: *Gantzel* (Anm. 14).

[209] *Young* (Anm. 35).

[210] Eine Sondersteuer für internationale Konzerne in Entwicklungsländern wurde bereits

folgten, desto größeren Einfluß besäße das UN-System auf die Normdefinition im Bereich der Interaktionen zwischen nationalen und transnationalen Systemen. Hinzu käme die Notwendigkeit, analog zur innenpolitischen Szene weitere transnationale Interessenaggregationen zu fördern, die auch im Globalrahmen zu einem starken Gegner ökonomischer Subsysteme werden könnten: Nationalstaaten sollten z. B. in ihrem eigenen Interesse die Kristallisation einer globalen »big labor«-Bewegung fördern[211]. Erst auf der Basis einer multipolaren transnationalen Struktur könnte dann der letzte Schritt zu einer Integration internationaler gouvernementaler und nichtgouvernementaler Organisationen erfolgen[212].

4. *Stratifikation*

a) Das ökonomische Muster

Je deutlicher die Unterschiede zwischen den sozialen Rängen verschiedener Teile eines Systems sind und je geringer die Mobilität zwischen diesen Stufen ist, um so höher ist die systemische Stratifikation. Organisationssoziologische Studien haben gezeigt, daß in stark geschichteten Systemen lebensnotwendige Konflikte, die integrative Funktionen besitzen[213], nicht ausgetragen werden. Systemteile in untergeordneten Positionen sind nur durch asymmetrische Kommunikationen verbunden, wodurch die Steuerungseinheit über ungenügende und realitätsferne Informationen verfügt und kritische Situationen lediglich mit stark eingeschränkter Kapazität bekämpfen kann. Abhängigkeit erzeugt Angst, Unsicherheit und Frustration[214], die sich wiederum in rigidem Verhalten der Systemteile äußern[215] und zu affektiv verfestigten Feindbildern kristallisieren[216]. Stark geschichtete Systeme neigen dazu, intrasystemische Mobilitätskanäle zu schließen, wodurch der Kon-

---

in UN-Gremien diskutiert. Vgl. Roy L. *Ash,* The New Anatomy of World Business, in: *Atlantic Community Quarterly,* Vol. 8, 1970, S. 278 ff.

[211] Eine ähnliche Entwicklung wurde für den innenpolitischen Bereich der USA festgestellt. John K. *Galbraith,* The New Industrial State, Boston 1967.

[212] Zur Zeit ist der Trend zu beobachten, daß Wirtschaftskonzerne immer stärker in verschiedenen UN-Sonderorganisationen Fuß fassen, Gewerkschaftsinteressen dagegen mehr von nationalen Delegationen vertreten werden, da internationale Labor-Strukturen sehr schwach ausgebildet sind. Es wäre Aufgabe der Regierungen, hier für eine symmetrische Entwicklung zu sorgen. Vgl. Jonathan F. *Galloway,* Worldwide Corporations and international integration: the case of INTELSAT, in: *International Organization,* Vol. 24, 1970, S. 503 ff. Ähnliches gilt für IATA und FAO.

[213] Vgl. *Coser* (Anm. 82), S. 80; Max *Gluckman,* Custom and Conflict in Africa, Glencoe 1956.

[214] Peter M. *Blau,* The Dynamics of Bureaucracy, Chicago 1955, S. 201 ff.

[215] Bernard *Berelson*/Gary A. *Steiner,* Human Behavior, An Inventory of Scientific Findings, New York/Chicago/Burlingame 1964, S. 227.

[216] Vgl. John R. *Raser,* Learning and Affect in International Politics, in: *Journal of Peace Research,* Vol. 2, 1965, S. 216 ff.; Dean G. *Pruitt,* Definition of the Situation as a Determinant of International Action, in: Herbert C. *Kelman* (Hrsg.): International Behavior: A Social-Psychological Analysis, New York 1965, S. 391 ff.

trast zwischen den Steuerungs-Eliten und dem Rest der Systemmitglieder gesteigert wird. Eine Konsequenz davon ist die Maximierung der Steuerungskapazität auf Kosten der Konsensusbildung[217]. William J. Goode folgert daraus eine hohe positive Korrelation zwischen geringer sozialer Mobilität und starken revolutionären Tendenzen[218]. Soll demnach die Regelungsstärke und somit die Problemlösungskapazität eines Systems erhöht werden, so muß sich die Motivation durchsetzen, Systemmitglieder aus unteren Bereichen der Schichtungspyramide aufsteigen zu lassen. Besteht hingegen eine systemische Struktur, die eine aktuelle Stratifikation perpetuiert, so muß sie eliminiert werden.

Im UN-System ist der Rang eines nationalen Subsystems eine Variable, die über mehrere Statusdimensionen aggregiert wird[219]. Wirtschaftliche Position, politische und militärische Macht sowie internationales Prestige sind nur einige Muster, in denen Nationen jeweils unterschiedliche Standorte einnehmen; In jedem Bezugsrahmen kann ein Staat einen differenzierten Status besitzen[220]. Die Position innerhalb dieser verschiedenen Schichtungsdimensionen wird einem nationalen Subsystem durch die Perzeption der anderen internationalen Akteure zugesprochen. Kombinierte Konsequenzen bilateraler und kollektiver Einschätzung unter ihnen schaffen transitive Statusordnungen und damit hierarchische Strukturen[221], die die Tendenz aufweisen, daß Staaten, die auf einer Rangskala zur Spitzengruppe gehören, auch in anderen Bereichen einen hohen Rangplatz einnehmen[222]. Dies rechtfertigt es, das globale internationale System als feudales System zu bezeichnen[223].

Bereits A. F. K. Organski[224] hat das Globalsystem anhand einer Schichtungspyramide analysiert und vertikale Mobilität als Konfliktmuster beschrieben. Neu-

[217] Dadurch aber sinkt die Innovations-Kapazität des Systems. Vgl. Michael *Aiken*, The Distribution of Community Power: Structural Bases and Social Consequences, in: Michael *Aiken*/P. E. *Mott* (Hrsg.), The Structure of Community Power: Readings, New York 1970.

[218] William J. *Goode*, Mobilität und Revolution, in: *Kölner Zeitschrift für Soziologie und Sozialpsychologie*, Jg. 18, 1966, S. 227 ff.

[219] Johan *Galtung*, Rank and Social Integration: A Multi-Dimensional Approach, in: J. *Berger*/M. *Zelditsch* jr./B. *Anderson* (Hrsg.), Sociological Theories in Progress, New York 1966, S. 145 ff.

[220] Gustavo *Lagos*, International Stratification and Underdeveloped Countries. University of North Carolina Press 1963, S. 6 ff.: J. David *Singer*/Melvin *Small*, The Composition and Status ordering of the International System: 1815—1940, in: *World Politics*, Vol. 18, 1965/66, S. 236 ff.

[221] Theodore *Caplow*/Kurt *Finsterbusch*, France and other countries: a study of international interaction, in: *Journal of Conflict Resolution*, Vol. 12, 1968, S. 1 ff.

[222] *Schlupp*/*Nour*/*Junne* (Anm. 208), S. 36. Berechnungen über eine Vielzahl von Attribut-Daten ergaben hierbei ein hierarchisches System, das auf dem Machtsektor das Modell der globalen Bipolarität zur Fiktion werden läßt (S. 39 ff.).

[223] Johan *Galtung*, East-West Interaction Patterns, in: Louis *Kriesberg* (Hrsg.), Social Process in International Relations, New York 1968, S. 272 ff.

[224] Abramo F. K. *Organski*, World Politics, New York 1967.

ere Ansätze haben versucht, den strukturellen Ursachen der internationalen Stratifikation auf den Grund zu gehen.

In seiner Redefinition des Imperialismuskonzepts[225] bietet Galtung das zur Zeit komplexeste Modell[226] zur Erklärung globaler internationaler Dependenzstrukturen. Imperialismus ist die dyadische Beziehung zwischen einer Zentrums-(Industrie-) und einer Peripherie-(Übergangs)gesellschaft unter folgenden Bedingungen:

1. Es besteht eine Interessenharmonie zwischen den Zentren der Zentrums- und der Peripheriegesellschaft. 2. Beide Gesellschaftstypen sind vertikal geschichtet und beinhalten Zwischenschichtkonflikte. Diese sind jedoch in der Peripheriegesellschaft viel ausgeprägter und umfangreicher als in der Zentrumsgesellschaft. 3. Ebenso disharmonisch sind die Interessenperzeptionen der Peripherien in beiden Gesellschaftstypen. Dieses Modell ermöglicht es, dreierlei Interaktionsprozesse zu analysieren und aufeinander zu beziehen.

Die Relation zwischen Zentrums- und Peripheriegesellschaft hat einen spezifischen Charakter: Sie ist vertikal in dem Sinne, daß sie Gesellschaften unterschiedlichen Entwicklungsstands aneinanderkoppelt. Diese Differenz impliziert für die höher entwickelte Gesellschaft größere spill-over-Effekte in entwicklungsrelevanten Sektoren und eine höhere Proliferationsrate des Nutzens als für die Peripheriegesellschaft[227]. Für das Globalsystem, das aus einer Pluralität solcher dyadischer Subsysteme besteht, resultiert daraus eine sozio-ökonomische Polarisation, die in der Nord-Süd-Dichotomie ihren Ausdruck findet[228]. Wird die historische Dimension mitberücksichtigt, so werden verschiedene Formen des Imperialismus deutlich. Das geläufigste Charaktermerkmal ist die koloniale Okkupation, deren Relevanz derzeit ausläuft. Die gegenwärtige neokoloniale Form ist die der gouvernementalen und nichtgouvernementalen internationalen Organisation bilateralen oder multilateralen Typs[229]. Der Wandel des imperialistischen Instrumentarismus ist auf die Kommunikationsrevolution zurückzuführen. Je schneller Informationen ausgetauscht werden und je abrufbereiter sie gespeichert sind, desto unnötiger ist die permanente Anwesenheit von Mitgliedern der Industriegesellschaft in den Entscheidungsgremien der Peripheriegesellschaft. In diesem Lichte gesehen verliert die Dekolonisation zweifellos an innovativem Prestige: Andere Interaktionsformen

[225] Johan *Galtung*, A Structural Theory of Imperialism, in: *Journal of Peace Research*, Vol. 8, 1971, S. 81 ff.

[226] Das neokoloniale Imperium der Vereinigten Staaten in den fünfziger und sechziger Jahren dieses Jahrhunderts in Lateinamerika kommt diesem Modell sehr nahe. Vgl. Harry *Magdoff*, The Age of Imperialism, New York 1969.

[227] Vgl. die Differenz der Akkulturationsimpulse von 1. der Erdölgewinnung in einem arabischen Staat und 2. der Transistorenproduktion in Japan. Über ungleiche Auswirkungen internationaler Interaktionen vgl. Pablo G. *Casanova*, Sociologia de la Explotacion, Mexiko 1969. Über Ausbeutungsrelationen in verschiedenen strukturellen Asymmetrien internationaler Beziehungen, vgl. *Galtung* (Anm. 59).

[228] Osvaldo *Sunkel*, Integration Capitaliste Transnationale et Desintegration nationale en Amerique Latine, in: *Politique Etrangère*, Jg. 35, 1970, S. 641 ff.

[229] Vgl. dazu den Wandel der Problemlösungsstrukturen S. 157.

haben zum Teil dieselben Funktionen übernommen. Andererseits kam auch dieser Wandel nur aufgrund von Stress zustande. Zum einen vollzog er sich unter dem Druck der neuen Eliten in den Peripheriegesellschaften, zum anderen wurde er durch die Umstrukturierung innerhalb der oberen Rangplätze des Globalsystems erleichtert. Die politische Schwäche der ehemaligen Hauptkolonialmächte förderte den Anpassungsprozeß des imperialistischen Instrumentariums. Der Positionswechsel in der Systemdominanz zugunsten der Vereinigten Staaten zog jedoch keine großen normativen Änderungen für das Globalsystem nach sich[230].

Man kann fünf gleichberechtigte[231] Interaktionsebenen unterscheiden, auf denen das imperialistische Strukturprinzip gleichermaßen tonangebend ist: einen wirtschaftlichen, politischen, militärischen, kommunikativen und kulturellen Imperialismus. In unserem Rahmen können wir nur auf den wirtschaftlichen und politischen Bereich eingehen, eine Eingrenzung, die keinen Stellenwert reflektieren soll.

Wirtschaftlicher Imperialismus wird heute vorwiegend durch transnationale Organisationen vom Typ der MNCs getragen. Das normative System der globalen ökonomischen Strukturen ist auf drei Prinzipien reduzierbar: Risikoverteilung, Profitmaximierung durch Expansion in dynamische Marktsektoren und Steigerung der Finanzkraft durch die Zentralisation von Kontrollmechanismen[232]. Die geographische Verteilung[233] des Interaktionsgeflechts der MNCs weist eine starke Asymmetrie auf: 60 vH der Interaktionen finden im nordatlantischen Raum statt, 14 vH in Lateinamerika, 11 vH in Afrika, 9 vH in Asien und 5 vH in Australien. Westeuropa und den Vereinigten Staaten von Amerika sind jeweils annähernd gleichviele MNCs zuzuordnen; einige wenige stammen aus Japan. Strategische Entscheidungen dieser ökonomischen Subsysteme der Globalgesellschaft werden hauptsächlich im Interesse ihrer Hauptquartiere gefällt. Dies zeigt sich besonders deutlich, wenn man den internationalen Produktionszyklus von Raymond Vernon[234] verfolgt: Firmen entwickeln ein Produkt in ihrem Heimatland, einem Industriestaat. Erst wenn es in bezug auf Fragen der Preiskonkurrenz genügend standardisiert ist, geht die Produktion an Tochtergesellschaften und durch Lizenzverträge an andere Firmen des europäischen Auslands oder nach

---

[230] *Organski* (Anm. 224), S. 322 ff.

[231] *Galtung* geht von einer Rückkoppelung der einzelnen Typen aus und lehnt die simple Kausalkette der Marxisten ab, die alles auf die ökonomische Komponente zurückführen möchten. Eine solche Argumentation würde das Problem vereinfachen, da sie zu dem irreführenden Schluß kommt, die Abschaffung des Privatkapitals würde alle Imperialismen liquidieren.

[232] Vgl. *Galbraith* (Anm. 211), S. 167, S. 171. N. *Girvan*/O. *Jefferson*, Corporate vs. Carribbean Integration, in: *New World Quarterly*, 1968, 2, S. 51 ff.

[223] Anthony J. *Judge*, Multinational Business Enterprises, in: Yearbook of International Organizations, 1969. Vgl. ähnliche Zahlen, doch mit einem großen Übergewicht von US-Firmen gegenüber europäischen, bei *Modelski* (Anm. 194); vgl. auch Robert A. *Dahl*, Modern Political Analysis, Englewood Cliffs 1963, S. 32 ff.

[234] Raymond *Vernon*, International Investment and International Trade in the Product Cycle, in: *Quarterly Journal of Economics*, 1966, S. 190 ff.; Raymond *Vernon*, Manager in the International Economy, Englewood Cliffs 1968.

Japan. Dasselbe wiederholt sich dann in einem zweiten Zyklus hinsichtlich der Peripheriegesellschaften. Auf diesem Wege erfolgt ein Transfer neuer Technologien und Marketing-Methoden in globalem Ausmaß. Das Resultat ist ein Trend zur Zentralisation von Entscheidungsstrukturen in wenigen Hauptstädten des Nordens sowie eine sukzessive Abnahme von Einkommen, Status, Autorität und Konsum, je tiefer eine Gesellschaft in der internationalen Schichtungsstruktur angesiedelt ist. Die so institutionalisierte vertikale Arbeitsteilung perpetuiert das bestehende Dependenzmuster[235].

b) Das politische Muster

Stoßen die ökonomischen Akteure des Globalsystems im Ausland auf Schwierigkeiten, so werden die politischen Systeme ihrer Heimatländer zu Service-Funktionen herangezogen. An einer früheren Stelle haben wir bereits darauf hingewiesen, wie stark Regierungsentscheidungen von MNCs beeinflußt werden[236]. Die normative Struktur der westlichen Industriegesellschaft fördert eine weitgehende Konvergenz der Interessen politischer und ökonomischer Eliten im Bereich des Exports und erzwingt wirtschaftspolitische Entscheidungen des politischen Systems zugunsten eines stetigen Wirtschaftswachstums in der eigenen Gesellschaft. Da die nationale Zuordnung der MNCs bis heute stark ausgeprägt ist, ihre Elitenrekrutierung erst allmählich internationale Züge annimmt[237], kann man von einer sich gegenseitig bedingenden Interdependenz des wirtschaftlichen und politischen Imperialismus sprechen[238].

Der politische Imperialismus verwendet als Instrumentarien heute weitgehend internationale Organisationen informaler und formaler Art, wie die internationale kommunistische Bewegung oder die OAS. Dabei kann man jedoch nicht jede internationale Organisation als Imperialismusinstrument bezeichnen; die Beurteilung bedarf vielmehr des empirischen Befunds. Ein Hauptkriterium hierbei ist der Stratifikationsgrad. Zwar besitzen Mitgliedstaaten in den meisten internationalen Organisationen gleiches Stimmrecht, doch wo dies nicht der Fall ist, handelt es sich nur um die Manifestation einer latenten Struktur. Großmächte haben jedenfalls genügend Ressourcen und Methoden, um kleinere Staaten zu einem bestimmten Abstimmungsverhalten zu »überreden«, wenn sie dies als relevant ansehen.

[235] Stephen H. *Hymer*/Robert *Rowthorn*, Multinational Corporations and International Oligopoly: The Non-American Challenge, in: C. P. *Kindleberger* (Hrsg.), The International Corporation, Cambridge 1970, S. 23 ff.; Stephen H. *Hymer*, The Multinational Corporation and the Law of Uneven Development, in: J. N. *Bhagwati* (Hrsg.), Economics and World Order, New York 1970; vgl. auch den Rockefeller-Report als klassisches Beispiel eines Neokolonialismus: Agency for International Development: Quality of Life in the Americas, August 1969, S. 5—113.

[236] Vgl. S. 193.

[237] *Modelski* (Anm. 194); vgl. beispielsweise den Boykott des Iran durch die großen Ölfirmen unter Mossadegh. Ein neuerer Fall: der Eingriff von Henry Ford II in die britische Innenpolitik 1971, der auf das restriktive Gewerkschaftsgesetz einwirkte.

[238] *Sunkel* (Anm. 228).

Schon die Wahrnehmung, daß der »big brother« wachsam ist, veranlaßt kleinere Staaten zu modifiziertem Verhalten; der Appell an die guten Beziehungen kann bereits als relativ ungewöhnliche Intervention einer Großmacht angesehen werden. Druckausübung in internationalen Organisationen wie den UN geschieht heute mehr unter utilitaristischen Kalkulationen[239], selten auf dem Wege des Zwangs[240]. Je besser entwickelt die Steuerungskapazität einer Großmacht ist, desto eher wird sie auf die plumpe Methode der Machtausübung verzichten können.

Großmächte bilden in internationalen Organisationen dominante Subkoalitionen. Im UN-System sind diese zwar partiell konfligierend, doch ändert dies nichts an der Stratifikation, vielmehr kann man von einer »segmentierten« Dominanz sprechen[241]. Zweifellos ermöglichen Konkurrenzbeziehungen unter den Zentrumsgesellschaften Abweichungen auch abhängiger Peripheriegesellschaften, doch erscheint das Oszillieren mancher ungebundenen Staaten der Dritten Welt zwischen den beiden Supermächten auf die Dauer gesehen ungeeignet, die anhaltende Vertikalität der globalen Interdependenzstrukturen zu verändern. Dies wird besonders deutlich, wenn man die wachsende Virulenz des Nord-Süd-Konflikts betrachtet.

Raimo Väyrynen, der die Stratifikation in internationalen Organisationen zwischen 1951 und 1966 maß[242], zeigte, daß internationale Organisationen im wirtschaftlichen Bereich am schnellsten zunahmen und internationale Organisationen auf transregionaler Ebene eine wachsende interne Stratifikation aufwiesen[243]. Daraus wird die Beteiligung der Industriestaaten an den meisten Organisationen deutlich; internationale transregionale Kooperationsorgane unter den Staaten der Dritten Welt fehlen fast völlig. Vergleicht man internationale transregionale Organisationen in bezug auf ihre globale Steuerungskapazität, so wird deutlich, daß diese um so weiter entwickelt ist, je stärker ihre Entscheidungsstruktur von den Industriestaaten geprägt wird, was wiederum die Funktion internationaler Organisationen für den Imperialismus beweist. Am einflußreichsten sind internationale Organisationen mit exklusiver Mitgliedschaft von Industriestaaten; auf ihre »Entwicklungsstrategien« können die Staaten der Dritten Welt nur minimal einwirken[244], da sie an den Entscheidungsprozessen überhaupt nicht beteiligt sind.

Innerhalb des UN-Systems sind zwei Organisationstypen unterscheidbar: Son-

---

[239] Eine typologische Konzeptualisierung von Zwangs-, utilitaristischen und normativen Relationen im Bereich der internationalen Beziehungen, vgl. bei *Pawelka* (Anm. 33).

[240] Vgl. Robert E. *Riggs*, Politics in the United Nations: A Study of United States Influence in the General Assembly, Urbana 1958.

[241] Vgl. *Pawelka* (Anm. 61), S. 172.

[242] Vgl. die Meßmethode bei Jean-Luc *Vellut*, Smaller States and the Problem of War and Peace: Some Consequences of the Emergence of Smaller States in Africa, in: *Journal of Peace Research*, Vol. 4, 1967, S. 253 ff.

[243] Raimo *Väyrynen*, Stratification in the System of International Organizations, in: *Journal of Peace Research*, Vol. 7, 1970, S. 291 ff.

[244] Im International Peace Research Institute in Oslo sind Forschungen über die imperialistische Struktur zwischen EWG und ihren assoziierten Staaten im Gange.

derorganisationen, in denen jedes Mitglied nach ökonomischen Ressourcen über ein differenziertes Stimmrecht verfügt, und Organe mit gleichem Stimmrecht. Während in jenen vorrangig die Interessen der Industriestaaten zur Geltung kommen, sind diese extrem schwach. Die zwölf einflußreichsten westlichen Industriemächte steuern in der Groupe de Genève die ökonomischen Entscheidungen in den Sonderorganisationen. Da sowieso nur etwa 10 vH der globalen Entwicklungsförderung multilateral erfolgt, kann man sagen, daß die redistributive Funktion außerordentlich stark durch die Stratifikation des Systems belastet ist. Unter diesem Vorbehalt verlieren auch die eindrucksvollsten Strategien der UN-Entwicklungsdekaden an Überzeugungskraft. Neuere Untersuchungen haben gezeigt, daß die wichtigsten Förderungsmaßnahmen des UN-Systems Profitinteressen der Geber reflektieren[245]. Die Auswirkungen dieser imperialistischen Struktur in den Peripheriegesellschaften ist bisher nicht untersucht worden, doch liegen bereits erste Materialien über dysfunktionale Auswirkungen der Weltbank-Politik in Afrika vor[246].

In den egalitären Organen des UN-Systems befinden sich die Industriestaaten in der Minderheit. Daraus resultiert eine Oppositionshaltung, die die Autonomie dieser Organe verringert. Durch mangelnde Zukunftsperspektive, Desinteresse und Gegnerschaft reduzierten die Industriestaaten die Problemlösungskapazität des Systems in der Nord-Süd-Dimension[247]. Eine rigide Interesseninterpretation der Vereinigten Staaten von Amerika im ökonomisch-politischen Bereich[248], die sie im Rahmen der UNCTAD in eine totale Isolation trieb[249], förderte in den ausgebeuteten Staaten die Kristallisation von Konfliktperzeptionen. So wurden Versuche der Vereinigten Staaten, auch in diesem Organ eine qualitative Aufhebung des Egalitätsprinzips zu erreichen, von der Mehrheit abgewiesen und UNCTAD zumindest partiell zu einem Kampforgan gegen das GATT der Industriestaaten ausgebaut[250]. Diese Konfrontation wird sich angesichts der geringen Erfolge auf dem Redistributionssektor[251] in Zukunft weiter verschärfen.

---

[245] Vgl. dazu die neuesten Entwicklungsprogramme der UN: Robert E. *Asher*, Development Assistance in DD II: The Recommendations of Perkins, Pearson, Peterson, Prebisch, and others, in: *International Organization*, Vol. 25, 1971, S. 97 ff.; *Czempiel* (Anm. 107); ebenfalls P. *Masson*, L'aide bilatérale. Assistance, commerce ou stratégie?, Paris 1967.

[246] Vgl. International Dependency in the 1970's, by the Africa Research Group with the active assistance of the Pacific Studies Center and the Committee of Returned Volunteers. Zitiert in: *Asher* (Anm. 245).

[247] *Kay* (Anm. 51).

[248] Vgl. James R. *Schlesinger*, Strategic Leverage From Aid and Trade, in: D. M. *Abshire*/ R. V. *Allen* (Hrsg.), National Security: Political, Military, and Economic Strategies in the Decade Ahead, New York 1963, S. 688.

[249] Irving L. *Horowitz*, Three Worlds of Development: The Theory and Practice of International Stratification, Oxford University Press 1966.

[250] Die Unterstützung durch die Sowjets blieb nur verbaler Natur. Für die Staaten der Dritten Welt ergibt sich daraus ein klarer Nord-Süd-Antagonismus. *Sharp* (Anm. 178).

[251] Vgl. Werner *Handke*, Zielkonflikte in der Entwicklungshilfe zwischen Geber- und Neh-

Verschiedene Autoren kommen im Anschluß an eine Analyse der Stratifikation im Globalsystem zu der Prognose eines globalen Klassenkampfes[252]. Unter Berücksichtigung jüngster Erfahrungen mit Konfliktmustern zwischen hoch und gering entwickelten Gesellschaften ist diese Gefahr nicht leichtfertig in den Bereich der Utopie zu verweisen. Komplexe und industriell weit entwickelte Gesellschaften sind extrem anfällig und leicht verwundbar[253]. Bei zunehmender Kommunikationsdichte wird die Wahrscheinlichkeit und Effizienz explosiver Gewaltanwendung als Reflex mangelnder Mobilität in einer verfestigten Globalgesellschaft immer virulenter.

Andererseits dürfte die Eskalation dieses Konfliktmusters noch auf sich warten lassen, da eine Vielzahl von Eliten in den unterentwickelten Staaten keine interne Solidarität mit ihren eigenen peripheren Gesellschaftsteilen besitzt. Lewis A. Coser[254] hat in theoretischen Abhandlungen gezeigt, wie eine Menge von Konflikten zwischen Subsystemen, in die Systemteile durch zahlreiche Rollen involviert sind, desintegrierende Auswirkungen polarisierter Systemteile verhindert. Es ist ein wesentliches Merkmal des modernen Imperialismus, daß große Teile der Eliten in den Staaten der Dritten Welt in eine Art internationale Gesellschaft mit spezifischer, von den Industriestaaten geprägter politischer Kultur integriert sind. Sie besitzen gemeinsame politische, kulturelle, ökonomische und wissenschaftliche Werte. Die Dynamik der industriellen, also exogen determinierten Entwicklung absorbiert weitgehend die Kristallisation entsprechender autochthoner Motivationen[255]; daher fördern Entwicklungsimpulse seitens der Industriestaaten in den Peripheriegesellschaften asymmetrische Wachstumsprozesse. Neuere statistische Erhebungen konnten nachweisen, daß wirtschaftliche Entwicklung vorwiegend den zahlenmäßig kleinen oberen und mittleren Schichten zugute kommt, urbanisierte Landesteile bevorzugt und auf den sekundären Bereich wirtschaftlicher Produktion konzentriert ist[256]. Besondere Wachstumsraten weist jedoch der Konsumsektor auf, wovon Industriestaaten und Peripherie-Eliten gleichermaßen profitieren[257]. Unter diesen Vorzeichen erhalten selbst Redistributionsforderungen der UN-Delegationen aus der Dritten Welt dysfunktionalen Charakter, da sie weitgehend dazu dienen, die gesellschaftliche Stratifikation in den Peripheriegesellschaften zu

merländern, in: M. *Bohnet* (Hrsg.), Das Nord-Süd-Problem, Konflikte zwischen Industrie- und Entwicklungsländern, München 1971, S. 160 ff., S. 175.

[252] *Galtung* (Anm. 225); *Sunkel* (Anm. 228); *Schlupp/Nour/Junne* (Anm. 208); *Väyrynen* (Anm. 243).

[253] *Galtung* verweist zu Recht auf die relativ einfache Produktions- und Anwendungsweise biologischer und chemischer Waffensysteme. *Galtung* (Anm. 59).

[254] *Coser* (Anm. 82); Lewis A. *Coser,* Continuities in the Study of Social Conflict, New York/London 1967.

[255] Vgl. Celso *Furtado,* La concentración del poder económico en los Estados Unidos y sus proyecciones en América Latina, in: *Estudios Internacionales,* Nos 3—4, Santiago 1968.

[256] Th. E. *Weisskopf,* Underdevelopment, Capitalistic Growth and the Future of the Poor Countries. World Order Models Project, 1970.

[257] *Sunkel* (Anm. 228).

verstärken. Auch die Reduktion der Schichtungsstruktur im UN-System zugunsten der Dritten Welt kann demnach eine rigide Komponente haben, wenn die partizipierenden Eliten in einem »Sozialisationsprozeß« Werte und Normen übernehmen, die vorrangig Interessen der Industriestaaten widerspiegeln[258].

Eine neue Konstellation ergibt sich möglicherweise aus der UN-Mitgliedschaft der Volksrepublik China; doch sind deren Konsequenzen ernsthaften Prognosen noch verschlossen. Abgesehen von einigen regionalen Gegnern, erhofft sich die Dritte Welt von China eine Solidarisierung innerhalb der eigenen Reihen und eine Stärkung ihres politischen Druckpotentials. Peking könnte sein revolutionäres Charisma in eine globale Strukturierungsstrategie werfen und dadurch allmählich ein Klassenbewußtsein in den Peripheriegesellschaften erzeugen[259]. Andererseits scheinen einige entwicklungsrelevante Faktoren der chinesischen Kultur mehr für einen individualen Anschluß an den industrialisierten Norden zu sprechen. Wie die Volksrepublik China ihre globale Rolle endgültig definieren wird, hängt nicht zuletzt davon ab, wie die beiden Supermächte ihre Mobilität beantworten werden. Eine Systemtransformation zum tripolaren Kondominium auf Kosten revolutionärer Dynamik wäre jedoch kaum ein positiver Beitrag zur Lösung der Stratifikationsproblematik.

c) Nationalstaatliche Förderung systemischer Stratifikationsreduktion

Eine innovative Politik der Stratifikationsreduktion und der Förderung sozialer Mobilität sollte sich innerhalb der Nord-Süd-Dimension auf den Problembereich der Entwicklung in den Peripheriegesellschaften konzentrieren. Eine solche Strategie[260] könnte durch fünf Prinzipien umrissen werden.

1. Um das vertikale dyadische Beziehungsgeflecht aufzulösen und die Perpetuierung von Zentrierungserscheinungen zu liquidieren, sollten Aktivitäten der Redistribution anonym und universal durchgeführt werden. Entwicklungsförderung darf von keinem spezifischen Staat kommen und sie darf auch keine speziellen Geber-Empfänger-Beziehungen berücksichtigen. Dies widerspricht den meisten Entwicklungspolitiken der Industriestaaten. Auch die BRD hat sich bereits so weit angepaßt, daß sie entweder ihre Entwicklungsförderung Profitinteressen unterwarf[261] oder nationale Ziele im Rahmen ihrer Deutschland-Politik[262] mit ihr verknüpfte. Unter diesen Umständen besteht die Gefahr, daß der historische

[258] Dieser dysfunktionale Aspekt des Problemlösungsmusters wird von Haas nicht gesehen; er scheint vielmehr die Tatsache zu bedauern, daß »revolutionäre« nationale Subsysteme bisher nicht genügend sozialisiert wurden. Vgl. *Haas* (Anm. 44).

[259] Vgl. Peter *Gäng*/Reimut *Reiche*, Modelle der kolonialen Revolution. Beschreibung und Dokumente, Frankfurt 1967. Besonders Lin Piaos Lehren der chinesischen Revolution für die Weltrevolution, S. 180 ff.

[260] Vgl. einzelne Punkte bei *Galtung* (Anm. 59) und *Galtung* (Anm. 225).

[261] Dieter *Gamerdinger*, Die Weltbankgruppe, in: *Das Parlament*, Nr. 36—37, 7. 9. 1966, S. 10.

[262] *Pawelka* (Anm. 61), S. 151 ff.

Vorsprung gegenüber aktiven Kolonialmächten, ein antikoloniales Image in der Dritten Welt, verlorengeht. Vor allem sollten die Entwicklungs-Intentionen im Rahmen der Exportförderung kritisch reflektiert werden, um die westdeutsche Entwicklungsförderung nicht zu einem Instrument ökonomischer Strukturen werden zu lassen. Grundsätzlich wäre eine weitaus stärkere Aktivierung der multilateralen Hilfe des UN-Systems zu befürworten.

2. Industriestaaten, die daran interessiert sind, den Stratifikationsgrad des Systems zu senken, sollten auf eine sukzessive Reorganisation der globalen Austauschbeziehungen hinarbeiten. Diese Forderung nach mehr Egalität in den Handels- und Wirtschaftsbeziehungen zwischen Zentrums- und Peripheriegesellschaften ist in zahlreichen UN-Organen gestellt worden[263]. Ein Anfang wäre der verstärkte Import bereits bearbeiteter Produkte aus der Dritten Welt.

3. Innerhalb des UN-Systems sollten die egalitären Organe auf Kosten der geschichteten unterstützt werden. Die Redistributionsfunktion wäre allmählich in den Verfügungsbereich jener Gremien überzuführen. Innovative Industriestaaten lassen von dieser Strategie auch dann nicht ab, wenn in den egalitären Organen zunehmend organisierter Druck entsteht; sie versuchen vielmehr bargaining-Methoden und Konsensusbildungs-Kapazitäten zu entwickeln. Es ist bedauerlich, daß in der Entwicklungspolitik noch immer rigide Effizienzargumentationen einer traditionalen Management-Perzeption vorherrschen[264] und neuere Entwicklungen der Sozialkybernetik unrezipiert bleiben.

4. Um der Komplexität der Entwicklungsproblematik auch nur einigermaßen gerecht zu werden, wird die Globalgesellschaft gezwungen sein, eine internationale Wohlfahrtspolitik anzustreben. Ein diskussionswürdiger Weg wäre die Einführung einer progressiven Besteuerung nationaler Subsysteme, internationaler und transnationaler Organisationen und/oder individualer Mitglieder nationaler Gesellschaften. Hierbei könnte die Bildung eines internationalen pools im Rahmen des UN-Systems ein geeigneter Vorschlag sein.

5. Nationale Regierungen müssen im Rahmen ihrer gesellschaftlichen Führungsfunktion Motivationsbarrieren gegenüber dem globalen Redistributionskomplex abbauen. Dies ist deshalb so wichtig, weil offensichtlich starke perzeptive Interessenantagonismen zwischen den unteren Schichten der Zentrums- und denen der Peripheriegesellschaften bestehen[265]. Daß es möglich ist, auf disem Sektor Vor-

---

[263] Vgl. die UN-Resulution zur 2. Entwicklungsdekade GA Res. 2626 (XXV) vom 24. 10. 1970.

[264] So bedauert Sharp die Ausdifferenzierung der Entwicklungsorgane aus dem ECOSOC und kritisiert die politisch unergiebigen Aktivitäten der jungen Staaten, ohne jedoch die Ursachen zu hinterfragen und die Dependenzproblematik aufzuzeigen. *Sharp* (Anm. 178). Ähnlich unkritisch Sir Robert *Jackson*, A Study of the Capacity of the United Nations Development System, Geneva 1969, Vol. I, S. III.

[265] Vgl. z. B. die negative Einstellung der holländischen Arbeiter gegenüber der Unabhängigkeit Indonesiens oder die konservative Haltung der Arbeiter in den Vereinigten Staaten gegenüber dem Vietnam-Konflikt. Vgl. Leopold-Sédar *Senghor*, Nation et voie africaine du socialisme, Paris 1961, S. 51. Galtung erklärt diesen Interessenantagonis-

urteile abzubauen, zeigt die relative Aufgeschlossenheit großer Teile der Jugend und der Studentenschaft. Hierbei ist das Argument nicht von der Hand zu weisen, daß es vorwiegend die neue Linke in Europa war, die eine kritische Durchleuchtung bestehender Entwicklungspraktiken initiierte. Im Rahmen einer übergeordneten systemischen Friedensstrategie sollte eine innovative Regierung einen nationalen Lernprozeß fördern, der den issue-Bereich der Entwicklungspolitik in die komplexe Friedensforschung und Friedenspädagogik integriert.

Abschließend sei jedoch darauf hingewiesen, daß nicht allein redistributive Maßnahmen, sondern erst struktureller Wandel eine Stratifikationsreduktion erzeugt. Redistribution kann diesen Prozeß fördern, doch kann sie ihn auch aufschieben, da sie nur Symptome, nicht aber die Pathologie selbst bekämpft. Im folgenden Abschnitt wenden wir uns daher der strukturellen Reorganisation der Kommunikation zu.

5. Kommunikation

a) Kommunikationsaspekte der UN-Diplomatie

Das kybernetische Modell eines sozialen Systems impliziert die Existenz optimal ausgebauter und funktionsfähiger Kommunikationsnetze. Dies ist für die Regelungsstärke eines Systems eine notwendige, keinesfalls jedoch hinreichende Voraussetzung. So kann der Informationsinput maximal ausgebaut sein, doch eine schwache Datenverarbeitungs-Kapazität ist dem Zustrom von Informationen nicht gewachsen. Trotz dieser Einschränkung sagen Qualität und Volumen von Regelkreisen einiges über das systemische Verhalten aus.

Informationen aus einer Vielzahl von Interaktionen mit verschiedenen sozialen Systemen erweitern die Perzeptionsbreite einer Entscheidungseinheit. Sie wird umweltoffen, besitzt ein komplexes Bild von anstehenden Problemen und erhält eine höhere Tolerenzbreite in bezug auf Werte, Verhaltensweisen und Lösungsalternativen. Kreativitätsforschung[266], Pädagogik[267] und Organisationssoziologie[268] haben gezeigt, daß hohe Kommunikationsleistung und innovatives Verhalten positiv korrelieren.

Internationale Organisationen, wie das UN-System, leisten durch ihre Kom-

---

mus mit der Demokratie: Da Zentrumsgesellschaften demokratischer sind als Peripheriegesellschaften, herrscht dort der Glaube vor, man hätte auch in unteren Rangpositionen Anteil am Nutzen des Status quo, da die Früchte der Imperialismusstrukturen an der Spitze gleichmäßiger verteilt sind als am Boden, *Galtung* (Anm. 225).

[266] Donald W. *MacKinnon,* The nature and nurture of creative talent, in: *The American Psychologist,* Vol. 17, 1962, S. 484 ff.; Stuart E. *Golann,* The creativity motive, in: *Journal of Personality,* Vol. 30, 1962, S. 588 ff.

[267] G. *Eichholz*/E. M. *Rogers,* Resistance to the adoption of audio-visual aids by elementary school teachers: contrasts and similarities to agricultural innovation, in: M. B. *Miles* (Hrsg.), Innovation in Education, New York 1967, S. 299 ff.

[268] Rose L. *Coser,* Authority and Decision-Making in a Hospital: A Comparative Analysis, in: *American Sociological Review,* Vol. 23, 1958, S. 56 ff.

primierung zwischenstaatlicher Interaktionen einen Beitrag zu einer globalen Kommunikationsstruktur. Wenn die UN als globale Rückkoppelungs-Organisation bezeichnet wurden[269], so traf dies zweifellos nicht ihren gesamten Aufgabenbereich, doch wurde eine relevante Funktion festgehalten. Traditionale UN-Analysen haben versucht, diese neue Qualität internationaler Aktivität mit Begriffen wie »multilaterale« und »öffentliche« Diplomatie einzuordnen, doch wird diese Klassifikation der Kommunikationsrevolution nicht gerecht.

Die diplomatische Arbeit änderte sich in den UN in vierfacher Weise: 1. Jede nationale Delegation vertritt ihre Gesellschaft simultan gegenüber allen anderen Mitgliedstaaten[270]. 2. Die issues internationaler Organisationen können national oder nichtnational determiniert sein. 3. Der Entscheidungsprozeß vollzieht sich in Kooperation von nationalen Vertretern und nichtnationalen Beamten auf neutralem Territorium. 4. Die Diplomatie der UN wurde »parlamentarisiert« und erfordert einen neuen Diplomatentyp, der Lobbying und bargaining beherrscht und die Fähigkeit besitzt, seine Ziele mit Hilfe von Antragsmodifikationen und -manipulationen zu verfolgen. Internationale Organisationen haben das Kommunikationsvolumen, die Art des Kontakts und seine Inhalte verändert.

Chadwick F. Alger[271] isolierte durch Interviews mit einem repräsentativen Sample von UN-Diplomaten Unterschiede zum traditionalen diplomatischen Setting. UN-Diplomaten scheinen mehr Kontakte zu Kollegen anderer Nationen zu haben als Diplomaten in nationalen Botschaften. Die Kommunikation wird in den UN dadurch gefördert, daß diplomatische Rangunterschiede eine viel geringere Rolle spielen als in vertrauten diplomatischen Kontexten. Von Vorteil ist auch die Schnelligkeit, mit der Kontakte aufgenommen werden können. Fast einmalig erscheint die Kommunikation zwischen Vertretern von Staaten, die schlechte Beziehungen unterhalten. Abgesehen von den völlig unterbrochenen Kontakten zwischen Arabern und Israelis, instruieren manche Regierungen ihre Diplomaten dahin, mit bestimmten feindlichen Staaten exklusiv innerhalb der UN Beziehungen aufrechtzuerhalten.

Dies ist um so leichter, als Kommunikationen im UN-Rahmen vorrangig informaler und oraler Art sind. Das Kommunikationsvolumen ist während der Sitzungen der Generalversammlungen am höchsten, doch auch zwischen den Sitzungsperioden gehen 51 vH der Mitglieder permanenter Missionen mindestens dreimal wöchentlich ins Hauptquartier. Der Wert der Information, die Diplomaten in den UN erhalten, wird höher eingeschätzt als Nachrichten aus nationalen Botschaften.

[269] Charles A. *McClelland,* The Function of Theory in International Relations, in: *Journal of Conflict Resolution,* Vol. 4, 1960, S. 303 ff.

[270] Chadwick F. *Alger,* Decision-making Theory and Human Conflict, in: E. B. *McNeil* (Hrsg.), The Nature of Human Conflict, Englewood Cliffs 1965, S. 274 ff.

[271] *Alger* (Anm. 47). Es handelt sich um Perzeptionen und nicht um objektive Daten. Ein Vergleich mit Antworten von Diplomaten, die in nationalen Botschaften arbeiten, wurde nicht durchgeführt. Vgl. auch G. *Best,* Diplomacy in the United Nations (Ph. D. dissertation), Northwestern University 1960.

Algers Daten lassen den Schluß zu, daß Kommunikationsdefekte[272], die auf ungenaue Informationsvermittlung und mangelndes Vertrauen in das Kommunikationssystem zurückgehen, in den UN weniger oft vorkommen als in bilateralen diplomatischen Beziehungen. Die Möglichkeit zahlreicher Rückkoppelungen und die personale Kommunikation schließen diese Fehlertypen weitgehend aus[273]. Außerdem trifft man innerhalb der UN weniger oft auf »Informationskanalisierung[274] als in nationalen Hauptstädten. Außenpolitische Systeme nationaler Gesellschaften haben daher in den UN Gelegenheit, ihre Perzeptionen umweltkonformer zu gestalten, da sie über mehr »außengelenkte« Sozialisationserfahrung verfügen[275]. Ihre Bereitschaft, Ideen und Verhaltensmuster anderer Systeme zu verarbeiten, wächst, wodurch es zur Modifikation partikularistischer Intentionen kommt[276]. Internationale Probleme werden zunehmend in ihrer Komplexität und globalen Verflechtung sichtbar, und der außenpolitische Bezugsrahmen erhält globale Dimensionen.

Lernerfolge dieser Art tauchen bei zahlreichen Autoren[277] auf, doch sind sie meist unstrukturiert und diffus wahrgenommen. Alger versuchte dagegen durch zwei Interviewreihen mit UN-Diplomaten individuale Lernerfahrungen zu testen[278]. Er befragte die Diplomaten zu Beginn ihrer Tätigkeit in New York sowie zwei Monate später erneut. Hierbei war festzustellen, daß die Komplexität ihrer Kenntnisse über fremde Gesellschaften und issues sehr stark gestiegen war, ihre Einschätzungen an Realität gewonnen und ihr UN-Engagement beträchtlich zugenommen hatten. Die Herausbildung positiver Attitüden gegenüber den UN war unübersehbar[279].

Obwohl Alger Lernerfolge nachweisen konnte, blieb deren Umsetzung in die nationale Politik spekulativen Interpretationen vorbehalten. Der gesamte

---

[272] Vgl. zu diesem Faktor Edmond *Taylor*, The Fall of the Dynasties, Garden City, N. J. 1963, S. 220 f.

[273] Vgl. den experimentellen Nachweis in der Kleingruppenforschung bei Harold J. *Leavitt*/R. A. H. *Mueller*, Some Effects of Feedback on Communications, in: A. P. *Hare* et al. (Hrsg.), Small Groups, New York 1955, S. 414 ff.

[274] *March*/*Simon* (Anm. 24), S. 128.

[275] Robert L. *Kahn* et. al., Organizational Stress: Studies in Role Conflict and Ambiguity, New York/London/Sidney 1964, S. 281 f.

[276] A. *Fanelli*, Extensiveness of Communications Contacts and Perceptions of the Community, in: *American Sociological Review*, Vol. 21, 1956, S. 443 ff. Für die UN: *Haas* (Anm. 12).

[277] Vgl. John G. *Hadwen*/Johan *Kaufmann*, How United Nations Decisions are Made, New York/Leyden 1962, S. 54. B. F. *Matecki*, Establishment of the International Finance Corporation, New York 1957, S. 143. Mit Beispielen für sowjetische Diplomaten auch *Dallin* (Anm. 93).

[278] Chadwick F. *Alger*, Interaction and Negotiation in a Committee of the United Nations General Assembly, in: James N. *Rosenau* (Hrsg.), International Politics and Foreign Policy, 2. Aufl., New York/London 1969, S. 483 ff.

[279] Vgl. ähnliche Resultate für die EWG bei M. H. *Cardozo*, Diplomats in International Cooperation: Stepchildren of the Foreign Services, Ithaca 1962, S. 108. Auf dieser Grundlage wiederum entsteht die personale Autonomie in den UN. Vgl. S. 164 ff.

Linkage-Komplex zwischen UN-Organisation und nationalem außenpolitischen System ist bisher wissenschaftlich kaum untersucht worden.

b) Kommunikative Umstrukturierung

Karl W. Deutsch hat Integrationsprozesse mit Hilfe von Kommunikationen erklärt. Eine zunehmende Kommunikationsintensität, die Entwicklung gemeinsamer Regelkreise und Speicheranlagen reflektieren einen Integrationsprozeß[280]. In diesem Sinne kann das UN-System auch integrative Funktionen wahrnehmen. Die Entwicklung einer starken Kommunikationsstruktur bildet die Voraussetzung für eine globale Integration.

Die Integrationsfunktion des UN-Systems wurde allerdings unseres Erachtens überstrapaziert und zu unkritisch behandelt. Im Mittelpunkt solcher Erörterungen stand das Phänomen moderner Kommunikationsexpansion, das eine »schrumpfende Welt« nach sich zog. Zunehmende Interdependenz ist jedoch nicht gleichzusetzen mit wachsender Integration, denn einige kommunizieren beträchtlich mehr als andere und einige kommunizieren relativ exklusiv mit wenigen, während andere mit sehr vielen kommunizieren. Es sind im wesentlichen zwei Defekte, die eine schnellere Integration entscheidend hemmen: das asymmetrische und das exzessiv-vertikale Strukturmerkmal globaler Kommunikation.

Stabile soziale Systeme weisen zwischen ihren einzelnen Subsystemen relativ symmetrische Kommunikationen auf[281]. Soziogramm-Analysen des Globalsystems hingegen zeigen eine hohe Korrelation von sozialem Rang eines Staates und der Zentralität seiner Kommunikationsstruktur[282]. Wie in Kleingruppen auch[283], verlaufen Kommunikationen zwischen Staatengruppen vorwiegend über die Gruppenführer, in viel geringerem Ausmaß jedoch über Mitglieder unterer Ränge. Dies wurde durch empirische Studien sowohl für internationale[284] als auch für transnationale[285] Organisationen bestätigt.

Ähnliche Daten ergab eine empirische Untersuchung in einem Ausschuß der Generalversammlung[286]. Es zeigte sich, daß die Staaten am politisch einflußreichsten waren, die an Kommunikationen der Entscheidungsbildung am meisten parti-

[280] Karl W. *Deutsch* et. al., Political Community and the North Atlantic Area, Princeton 1957. *Deutsch* (Anm. 37).

[281] Vgl. das Konzept der mutual-response community bei Karl W. *Deutsch*, Security Communities, in: James N. *Rosenau* (Hrsg.), International Politics and Foreign Policy, New York/London 1961, S. 98 ff.

[282] Vgl. Robert A. *Bernstein*/Peter D. *Weldon*, A Structural Approach to the Analysis of International Relations, in: *Journal of Conflict Resolution*, Vol. 12, 1968, S. 159 ff. Ebenfalls *Schlupp/Nour/Junne* (Anm. 208), S. 37.

[283] *Homans* (Anm. 156), S. 188 ff.

[284] *Galtung* (Anm. 223).

[285] Paul *Smoker*, A Preliminary Empirical Study of an International Integrative Subsystem, in: Proceedings of the International Peace Research Association Inaugural Conference, Assen 1966, S. 38 ff.

[286] *Alger* (Anm. 278).

zipierten. Einfluß wurde gemessen durch das Entwerfen von Resolutionen und die Höhe der Unterstützung, die eine solche Resolution erhielt. Der Indikator für Partizipation war die Anzahl von Kommunikationsakten mit anderen Delegierten, ausgenommen den Nebensitzern. Ein Vergleich mit weiteren Attributdaten zeigte, daß jene Kommunikationsraten positiv korrelierten mit folgenden Partizipationsindikatoren: Anzahl von Delegationsmitgliedern, finanzielle Beträge zum UN-Budget, Anzahl von Diplomaten im Ausland und Höhe der Exporte. Länge und Häufigkeit der offiziellen Reden korrelierten positiv nur mit Bevölkerungszahl, dagegen nicht mit Einfluß. Die mächtigen Staaten kommunizieren am meisten und sind am erfolgreichsten bei der Durchsetzung ihrer Ziele.

Partizipationshöhe und -dauer sind auch Kriterien für die Wahl in spezielle Verhandlungsgremien und zur Wahrnehmung besonderer Kommunikationsaufgaben. Da Supermächte von diesen Rollen in der Regel ausgenommen werden, kommen einigen kleineren Industriestaaten mit hoher Kommunikationsintensität Führungsaufgaben zu[287], die ihrerseits wieder ihren Kommunikationsanteil steigern. Unter den Staaten der Dritten Welt ist es auch die Partizipationsdauer, die die Wahl einzelner Staaten fördert. Eine internalisierte politische Kultur der UN prädestiniert einen Staat wie Liberia zur Vertretung Afrikas in Verhandlungsgremien[288].

Die Kommunikationsintensität kleinerer Industrienationen ist ein interessantes Forschungsresultat[289]. Zwar stimmt es mit der generellen Hypothese überein, daß Staaten, die in der Schichtungspyramide einen relativ hohen Rang einnehmen, auch viel kommunizieren, doch scheinen spezifische Einstellungen die internationale Kommunikationsbereitschaft dieser Staaten noch besonders zu steigern. Die Ursachen dürften heterogener Art sein. Neben einer »Adjutantenfunktion« in bezug auf den Blockführer[290] kann in weniger zentralisierten Staatengruppen eine »Spezialistenfunktion«[291] für Verhandlungs- und Kommunikationskontakte maßgebend sein. Andererseits werden kleinere Industriestaaten durch eine hohe Kommunikationsintensität mit Nationen anderer Gruppenzugehörigkeit versuchen, ihren autonomen Spielraum innerhalb der eigenen Gruppe zu erweitern[292]. Und schließlich scheinen transnationale Prozesse in kleineren Industriestaaten früher

[287] Alger ermittelte folgende Staaten: Kanada, Niederlande, Irland, Norwegen, Australien, Schweden, ČSSR, Polen, Dänemark, Neuseeland, Bulgarien und Italien. *Alger* (Anm. 278).

[288] Hierbei sollte jedoch auch die dysfunktionale Auswirkung extremer Anpassung nicht unerwähnt bleiben. Vgl. S. 205.

[289] Zu einem ähnlichen Resultat kommt Smoker für den Bereich transnationaler Organisationen. Er nennt folgende Staaten mit überdurchschnittlichen Kommunikationsraten: Frankreich, Italien, Niederlande, BRD, Belgien und Großbritannien rangieren im Westen vor den Vereinigten Staaten, Polen, ČSSR und Ungarn im Osten vor der Sowjetunion. *Smoker* (Anm. 285).

[290] Vgl. *Homans* (Anm. 156), S. 168 f.

[291] *Hage* (Anm. 159), S. 303 f.

[292] Ein solches nationales Subsystem verfolgt eine »Strategie der Risikoverteilung«, indem es versucht, seine gruppenspezifische Distanz zu anderen Gruppen zu verringern, um

einzusetzen als in großen, da hier das nationalstaatliche Raster bereits dysfunktional wird, wenn in großen Industriestaaten noch immer gesellschaftliche Expansionsmöglichkeiten bestehen[293]. Welcher dieser Faktoren im konkreten Fall auch dominiert, unter den Industriestaaten sind gewisse Anzeichen für die Entwicklung von sich überlappenden Kommunikationsgeflechten zu beobachten, was eine gewisse Solidaritätstendenz in der Ost-West-Dimension anzeigt und als friedensfördernd interpretiert werden könnte[294].

Demgegenüber ist die Kommunikationsstruktur zwischen den »nördlichen« und den »südlichen« Subsystemen der UN sowohl asymmetrisch als auch extrem vertikal. Zum einen erhalten die Industriestaaten sowohl qualitativ bessere als auch quantitativ mehr Informationen[295] und zum anderen sind die Kommunikationslinien unter den Peripheriegesellschaften stark unterentwickelt. Dies charakterisiert ein Kommunikationssystem hoher Zentralität. In der Kleingruppenforschung wurde nachgewiesen, daß solche Systeme zwar kurzfristig effizienter arbeiten, längerfristig jedoch ihre Moral und ihre Problemlösungskapazität sinken. Je weniger jedoch Kommunikationsverflechtungen diskriminieren, desto aufgabenrelevantere Informationen werden ausgetauscht, desto zufriedener werden die Mitglieder des Systems und desto eher können Probleme gelöst werden[296].

Trotz weitgehender Auflösung der Kolonialbeziehungen traditionaler Prägung blieben die Kommunikationen vieler Peripheriegesellschaften auch weiterhin auf jeweils eine Zentrumsgesellschaft zentriert. Dadurch wird die extranationale Kommunikation einer Peripheriegesellschaft sehr stark von den Bedürfnissen einer spezifischen Zentrumsgesellschaft determiniert, was wiederum ihre Chancen mindert, mit anderen Staaten intensive Beziehungen zu entwickeln. Die Kolonialmächte hatten die ihnen zugeordneten Peripheriegesellschaften bewußt partikularistisch strukturiert, um ihre extrem einseitige Fixierung zu untermauern[297]. Dieses bias wird heute durch einen kommunikativen Imperialismus[298] aufrechterhalten.

---

nicht extrem abhängig von seinem Gruppenführer zu sein. Vgl. die Außen- und UN-Politik z. B. Frankreichs oder Rumäniens. Zur Strategie vgl. *Gouldner* (Anm. 37).

[293] *Galtung* (Anm. 59).

[294] Vgl. Werner *Levi*, On the Causes of Peace, in: *Journal of Conflict Resolution*, Vol. 8, 1964, S. 23 ff.

[295] Vgl. die Möglichkeiten der Informationsverarbeitung z. B. der US-Mission bei den Vereinten Nationen und einer kleinen afrikanischen.

[296] Harold J. *Leavitt*, Some effects of certain communication patterns on group performance, in: *Journal of abnormal and social Psychology*, 1951, S. 38 ff.; Marvin E. *Shaw*, Some effects of unequal distribution of information upon group performance in various communication nets, in: *Journal of abnormal and social Psychology*, Vol. 49, 1954, S. 547 ff.; Marvin E. *Shaw*/Gerard H. *Rothschild*/John F. *Strickland*, Decision processes in communication nets, in: *Journal of abnormal and social Psychology*, Vol. 54, 1957, S. 323 ff.

[297] Vgl. z. B. die unterentwickelten Transport- und Nachrichtennetze zwischen einzelnen Staaten Afrikas.

[298] Vgl. folgende Studien, die diese Asymmetrie explizit darstellen: Nils P. *Gleditsch*, Trends in World Airline Patterns, in: *Journal of Peace Research*, Vol. 4, 1967, S. 366 ff.; Einar *Ostgaard*, Factors Influencing the Flow of News, in: *Journal of Peace Research*,

Der mühsame Prozeß des nation-building[299] in den Staaten der Dritten Welt hemmt Motivationen und absorbiert Aktivitäten zur innovativen Reorganisation und Erweiterung extranationaler Kommunikation. So bleiben Interaktionen mit zweiten und dritten Zentrumsgesellschaften neben der ehemaligen Kolonialmacht relativ unbedeutend und mit anderen Peripheriegesellschaften vergleichsweise marginal[300]. Daraus resultiert eine geringe Solidarität unter den unterentwickelten Staaten. Die Zuordnungsstruktur der Kolonialära bleibt erhalten, und die Entwicklungsförderung der Industriestaaten unterliegt dem Prinzip des »one at a time«.

In seiner Analyse von Desintegrationsprozessen im »merkantilen imperialen System« nach dem Westfälischen Frieden zeigte Richard L. Merritt[301], daß die Loslösung der amerikanischen Kolonien vom Mutterland unter dem Aspekt der Reorganisation einer zentrierten Kommunikationsstruktur beschrieben werden kann. Die Entwicklung der autonomen USA war identisch mit der Kristallisation intensiver Regelkreise unter den einzelnen Kolonien selbst sowie der Aufnahme von Beziehungen zu anderen europäischen Mächten. Ein prinzipiell ähnlicher Prozeß ist unter den Staaten der Dritten Welt zu beobachten: Die Konferenzen von Bandung, Belgrad, Kairo und Lusaka oder die Trikontinentale Bewegung (OSPAAAL, Havana) sind erste Versuche einer Solidarisierung unter den Peripheriegesellschaften. Das UN-System besitzt in diesem Zusammenhang eine bedeutende Funktion. In seinem Rahmen vollziehen sich kommunikative Umstrukturierungen. In caucusing groups und UN-Organen werden Beziehungen angeknüpft und intensiviert, die oft völlig ohne Tradition sind[302]. Regionale Solidaritäten beginnen sich allmählich auch unter den Peripheriegesellschaften herauszubilden. So konnte Russett statistisch nachweisen, daß Staaten, die mit Mitgliedern ihrer Region überdurchschnittlich kommunizieren[303], in der Generalversammlung mit hoher Wahrscheinlichkeit mit der regionalen Gruppe abstimmen[304]. Hinzu kommt, daß der repräsentative Auftritt en masse, für den die UN eine Plattform bilden, motivationsfördernd wirkt, ihre Solidarität zu entwickeln. Doch besitzen die UN im Rahmen der globalen Kommunikations-Reorganisation auch eine ak-

---

Vol. 2, 1965, S. 39 ff.; Johan *Galtung*/Mari *Ruge*, The Structure of Foreign News: The Presentation of the Congo-, Cuba and Cyprus Crises in Four Norwegian Newspapers, in: *Journal of Peace Research*, Vol. 2, 1965, S. 64 ff.

[299] Auch in absehbarer Zeit werden ethnische Konflikte, Konflikte unter den Elitensektionen und Klassenkonflikte internationale Perzeptionen in den Peripheriegesellschaften stark hemmen. Vgl. typische Konfliktdimensionen in Afrika bei Peter *Pawelka*, Die Funktion der Eliten im Desintegrationsprozeß Nigerias, in: *Politische Vierteljahresschrift*, Jg. 11, 1970, S. 287 ff.

[300] Vgl. die geringen Wachstumsraten internationaler Organisationen, die nur Peripheriegesellschaften zu Mitgliedern haben. *Väyrynen* (Anm. 243).

[301] Richard L. *Merritt*, Systems and the Desintegration of Empires, in: *General Systems*, 1963, S. 91 ff.

[302] Vgl. auch das Bestreben der Entwicklungsländer, solche Interaktionen in der 2. Entwicklungsdekade zu erweitern. GA Res. 2626 (XXV) vom 24. Oktober 1970.

[303] Als Indikator wurden Handelsbeziehungen verwendet.

[304] *Russett* (Anm. 66).

tive Katalysator-Funktion. Das Sekretariat und seine Dienste stellen das know how zur Verfügung, das notwendig ist, um eine neue Kommunikationsstruktur zu schaffen. Globale UN-Organe, wie UNCTAD, und regionale UN-Organe, wie ECA, ECAFE und ECLA, sind Kristallisationskerne internationaler Kommunikationssysteme unter den Peripheriegesellschaften[305]. Die Reduktion kommunikativer Asymmetrie und die Schaffung horizontaler Kommunikationsmuster sind somit relevante Aufgaben des UN-Systems.

c) Nationalstaatliche Förderung systemischer Kommunikationsreorganisation

1. Jedes nationale Subsystem sollte sich an den Kommunikationsprozessen in den UN beteiligen, um seinen nationalen Informationsinput zu verbessern und um die Problemlösungskapazität des UN-Systems zu erhöhen. Die Komplexität und die Qualität der Kommunikation in den UN fördern breite Perzeptionsspannen und lassen politische Systeme umweltkonformer handeln. Dieser Aspekt ist besonders von solchen Staaten zu beachten, deren Außenbeziehungen in der Vergangenheit übermäßig regionalisiert waren. Ein bestimmter Grad globaler internationaler Sozialisation ist für jeden Staat unerläßlich.

2. Die besonderen Regeln der UN-Kommunikation, die mit dem Slogan der Parlamentarisierung gekennzeichnet werden können, besitzen für die Aktivitäten diplomatischer Dienste eine in die Zukunft weisende Bedeutung. Da die Techniken zwischenstaatlicher Beziehungen vom Entwicklungsstand der Kommunikation abhängen, sind sie einem permanenten Wandel unterworfen. Das Einüben neuer Interaktionstechniken beeinflußt also die Handlungskapazität eines nationalen Subsystems. In Verhandlungssituationen zeigte es sich beispielsweise, daß die Fähigkeit politischen bargainings im UN-System außerordentlich gratifizierend wirkt. Frankreich und die BRD scheinen sich aber gerade bei diesen Verhaltensmustern sehr schwer zu tun[306]. Es wäre daher überlegenswert, ob den Kommunikationskriterien in den UN nicht mehr Aufmerksamkeit geschenkt werden sollte.

Ein möglicher Weg hierbei ist die Schaffung spezifischer Ausbildungsstellen für junge Diplomaten. Diese wären weitgehend von Routineaktivitäten befreit und bekämen jeweils für ein Jahr Gelegenheit, in internationalen Organisationen sämtliche Interaktionsmuster kennenzulernen. Neben diesem Ausbildungsaspekt könnte auch eine systematische Nutzung des UN-Kommunikationspools erfolgen. Wissenschaftlich vorgebildete Beamte mit Kenntnissen in Kommunikations- und

[305] Hierbei sollte aber beachtet werden, daß Kommunikation auch als Ersatz für sozialen Aufstieg dienen kann. Vgl. H. *Kelley*, Communications in Experimentally Created Hierarchies, in: *Human Relations*, 1951, S. 39 ff.; C. *Hermann*, Some Findings on the Nature of Communication Relevant to International Organization, Northwestern University 1961 (Unpubl. paper), S. 17. Diese kompensatorische Funktion von Kommunikation ist jedoch für unseren Ansatz dysfunktional, da sie Problemlösungsprozesse geradezu hemmt.

[306] Vgl. Robert L. *Friedheim*, The »Satisfied« and the »Dissatisfied« States Negotiate International Law, in: *World Politics*, Vol. 18, 1965/66, S. 20 ff.; *Czempiel* (Anm. 107).

Organisationstheorie sowie Politikwissenschaft sollten gezielt Stellen bei westdeutschen UN-Vertretungen erhalten, um hier spezifische Fragen, die das Auswärtige Amt interessieren, zu erarbeiten. Auf diese Weise könnte die BRD in kürzester Zeit das Informations- und Kapazitäts-lag eliminieren und sich die Basis für eine aktive UN-Politik erarbeiten.

3. Für die Problemlösungskapazität des UN-Systems von Bedeutung ist die Schaffung eines globalen Kommunikationsmusters symmetrischer Kooperation. Zu diesem Zweck sollten sich Zentrumsgesellschaften darum bemühen, überdurchschnittliche bilaterale Kommunikationen zugunsten multilateraler zu reduzieren und einseitige Zentrierungen von Peripheriegesellschaften aufzulösen. Ein Industriestaat ohne koloniale Tradition wie die BRD könnte durch eine Intensivierung der Beziehungen zu manchen jungen Staaten helfen, unizentrale Zuordnungen abzubauen. Doch sollte auch die Errichtung interkontinentaler Organisationen der Peripheriegesellschaften gefördert werden. Erst die Kristallisation horizontaler Kommunikationsmuster unter den Unterprivilegierten macht die peripheren Systeme zu realen Partnern eines globalen bargainings.

IV. Nachwort

Während der Diskussion unserer fünf Variablen waren wir bestrebt, strategische Orientierungshilfen für eine problemlösungsadäquate Struktur der UN aufzuzeigen. Die Ansatzhöhe zwang uns in dem zur Verfügung stehenden Rahmen ein relativ hohes Abstraktionsniveau auf. Eine Operationalisierung unserer strukturellen Zielkategorien konnte nur angedeutet werden und blieb zudem auf den nationalstaatlichen Aktivitätskomplex der Bundesrepublik Deutschland beschränkt.

Für einen nationalen Akteur setzt eine solche UN-Strategie ein relativ reflektiertes außenpolitisches Konzept voraus, da sie 1. ein aktives Verhalten im Gegensatz zum reaktiven oder adaptiven impliziert und 2. nationale Beziehungen zum gesamten internationalen System tangiert. Insofern ist sie auch nicht mit der außenpolitischen Perzeption gegenüber einem einzelnen Staat oder einer regionalen Staatengruppe vergleichbar, sondern besitzt eine exklusive strategische Position im außenpolitischen Entscheidungsprozeß eines politischen Systems. Die vorangegangene Untersuchung hat gezeigt, daß eine solche UN-Politik nicht unverbunden mit der gesamten nationalen Außenpolitik zu planen ist. Die kognitive Organisation einer aktiven UN-Politik strukturiert die generelle Außenpolitik eines nationalen Akteurs, oder: außenpolitisches Problemlösen wird auf sich selbst bezogen. Diese Einsicht erfordert eine organisatorische Konsequenz. Da UN-Referat und UN-Vertretung des Auswärtigen Amts mit der Aufgabe einer »komprimierten« globalen Außenpolitik betraut sind und zudem einen Rückkoppelungsmechanismus für die generelle Außenpolitik der Bundesrepublik Deutschland bilden, sollten sie in einer organisationstechnisch effektiven Weise mit dem Planungsstab kurzgeschlossen werden. Diese Sonderzuordnung könnte dazu beitragen, mit ihrer spezifischen

Informations-, Sondierungs- und Handlungskapazität nichtprogrammierte Problemlösungsalternativen schneller, exakter sowie antizipierend zu finden. Eine aktive UN-Politik als reflexiver Mechanismus[307] gegenüber der Außenpolitik wäre durch diese Verknüpfung geeignet, im Kontext steigender Umweltanforderungen im außenpolitischen System der Bundesrepublik eine höhere Stufe der Komplexität zu erreichen.

[307] Vgl. Niklas *Luhmann*, Reflexive Mechanismen, in: *Soziale Welt*, Jg. 17, 1966, S. 1 ff.

DIE ORGANISATIONSSTRUKTUR DER VEREINTEN NATIONEN UND DIE MITARBEIT DER BUNDESREPUBLIK DEUTSCHLAND

Beate Lindemann

I. Einleitung

Für die Bundesrepublik Deutschland gewinnen zunehmend die organisatorischen und verfahrensmäßigen Fragen an Bedeutung, die sich im Falle ihrer Mitgliedschaft in den Vereinten Nationen stellen. Dies ist eine praktische Notwendigkeit, wenn die Bundesrepublik in den Vereinten Nationen eine aktive Rolle ausüben will. Gerade die politikwissenschaftliche Forschung der letzten Jahre hat herausgearbeitet, in welch starkem Maße die Möglichkeiten der politischen Einflußnahme durch organisatorische und verfahrensmäßige Gegebenheiten bedingt werden. Politisches Programm und Kenntnis des Spielraums hängen hier engstens zusammen. Die Bundesrepublik sieht sich aber zusätzlich in der besonderen Situation, daß sie ihre Möglichkeiten innerhalb der Vereinten Nationen mehr als andere Staaten mit politischem Augenmaß abschätzen muß, daß sie mehr als ein Vierteljahrhundert nach der Gründung der Weltorganisation Mitglied wird und daß der Beitritt gemeinsam mit dem der DDR und unter Bezugnahme auf die Fortdauer der Viermächte-Verantwortung für Deutschland als Ganzes und Berlin erfolgen wird. Diese drei Umstände werden den Rahmen für die künftige Rolle der Bundesrepublik innerhalb der Vereinten Nationen nicht unerheblich begrenzen.

In der vorliegenden Untersuchung interessiert vor allem der zweite Umstand, also die Tatsache, daß die Bundesrepublik eine Organisation vorfindet, die sich in mehr als einem Vierteljahrhundert entwickelt hat, und die in ihrer jetzigen Struktur von vielen Beteiligten – mit zum Teil konkurrierenden Zielvorstellungen – als überholt, reformbedürftig und den weltpolitischen Realitäten nicht mehr angepaßt betrachtet wird. In der Perspektive der Bundesrepublik könnte diese Organisation jedenfalls erst nach einem Beitritt und im Zusammenwirken mit anderen ähnlich interessierten Ländern in einem langsamen Prozeß innerer Evolution verändert werden. Reformen in der Organisation und Verfahrensweise der Vereinten Nationen werden Zeit brauchen. Es ist aber erforderlich, von Anfang an das Wünschenswerte zu fixieren und in Leitlinien der Politik der Bundesregierung zugrunde zu legen.

In der vorliegenden Ausarbeitung konnten zahlreiche Interviews mit nationalen und internationalen Beamten in New York ausgewertet werden. Die Verfasserin ist besonders den Angehörigen der Ständigen Beobachtermission der Bundesrepublik Deutschland bei den Vereinten Nationen und den deutschen Sekretariatsangehörigen zu Dank verpflichtet.

Die Fragestellung der vorliegenden Untersuchung ist bescheidener. Im folgenden soll im wesentlichen eine Darstellung der wichtigsten Organisationsstrukturen und Verfahrenspraktiken gegeben werden. Dabei ist grundlegend wichtig, daß die Organisationsstruktur nicht ausreichend mit der formalen Struktur darzustellen ist, wie sie in Organogrammen ausgewiesen wird. Es müssen vielmehr vor allem auch die informellen Strukturen berücksichtigt werden, die sich mit dem Wachstum der Organisation ergeben haben. Es ist zwischen zwei Bereichen zu unterscheiden: den multinationalen Organen der Weltorganisation und der internationalen Verwaltung.

Für die Vorbereitung künftiger Aktivitäten der Bundesrepublik in der Weltorganisation ist ferner eine genaue Kenntnis der Personalstruktur erforderlich. Auch hier sind die Praktiken zu berücksichtigen, die sich mit dem Wachstum der Organisation im Laufe der Jahre durch politische Übereinkunft Beteiligter ergeben haben. Das gilt sowohl für die Besetzung von Ämtern und Sitzen in multinationalen Organen, vor allem in den Gremien mit begrenzter Mitgliederzahl, wie für die Besetzung von Stellen in der Verwaltung, also vor allem im Sekretariat der Vereinten Nationen.

Die vorliegende Untersuchung soll eine Bestandsaufnahme in diesen Bereichen leisten und damit eine Beurteilungsgrundlage für künftige planerische Überlegungen bieten, die in wachsendem Maße auf seiten der Bundesrepublik politische Notwendigkeit zu werden scheinen.

II. Nationale Akteure in den Entscheidungsgremien der Vereinten Nationen

1. Nationale Repräsentation und politischer Prozeß in den Entscheidungsgremien

a) Die Organe und Ausschüsse mit begrenzter Mitgliederzahl[1]

Die Generalversammlung mit ihren sieben Hauptausschüssen ist das einzige Organ der Vereinten Nationen, in dem alle Mitgliedstaaten Sitz und Stimme haben. Daneben gibt es die Organe wie den Sicherheitsrat, den Wirtschafts- und Sozialrat, den Treuhandschaftsrat und schließlich die zahlreichen, ihnen nachgeordneten Ausschüsse, in denen nur eine begrenzte Anzahl von Mitgliedstaaten repräsentativ für die Gesamtheit vertreten ist. Die ursprüngliche Regel, daß ein Gremium nicht mehr als 15 Sitze haben sollte, um arbeits- und beschlußfähig zu bleiben, mußte mit zunehmender Mitgliederzahl der Organisation durchbrochen werden. Jede Vergrößerung bringt dann allerdings erfahrungsgemäß die Gefahr mit sich, daß bei stärkerer Politisierung die Effizienz der Arbeit nachläßt. Andererseits kann jedes Gremium nur dann funktionsgerecht arbeiten, wenn es so zusammengesetzt ist, daß in ihm die wichtigsten, in der Generalversammlung vorhandenen politisch-relevan-

[1] Siehe Falttafel des »United Nations System« gegenüber S. 289 und Anhang I, S. 289.

ten Tendenzen Ausdruck finden[2]. Der ständige Wettbewerb um Repräsentation, die sowjetische Vorstellung von einer Troika-Parität zwischen den östlichen, westlichen und neutralen Staaten, die Forderung der neuen Staaten nach Mitspracherecht und schließlich der abnehmende westliche Einfluß haben die Struktur der Organe und Ausschüsse in den vergangenen 15 Jahren geprägt.

Eine weitere, für das politische System der Vereinten Nationen wichtige Entwicklung ist darin zu sehen, daß mit zunehmender Mitgliederzahl und mit Übernahme zusätzlicher politischer und wirtschaftlicher Aufgaben durch die Organisation zahlreiche neue UN-Gremien eingesetzt worden sind, denen neben den drei Räten eine bedeutende Rolle im Entscheidungsprozeß der Vereinten Nationen zukommt. Die Charter bevollmächtigt die Generalversammlung (Artikel 22), den Sicherheitsrat (Artikel 29) und den Wirtschafts- und Sozialrat (Artikel 68), die zur Ausübung ihrer Funktionen nötigen Hilfsorgane zu schaffen. Diese Gremien mit begrenzter Mitgliederzahl, die als Kommissionen, Unterkommissionen oder Ausschüsse eingesetzt werden, dienen der intensiven, permanenten Behandlung bestimmter Probleme. Es sind in diesem Zusammenhang die Einsetzung des Council for South West Africa (1968 umbenannt in Council for Namibia) und des Eighteen Nation Committee on Disarmament (heute 25 Mitglieder ohne Frankreich und umbenannt in Conference of the Committee on Disarmament [CCD]) durch die Generalversammlung zu erwähnen. Außerdem sind für spezielle Fachgebiete Kommissionen als Expertengremien der Generalversammlung und ihrer Hauptausschüsse sowie des Wirtschafts- und Sozialrates gebildet worden, wie zum Beispiel die International Law Commission, die Population Commission und die Statistical Commission[3].

Das besondere Interesse der Staaten an Sitz und Stimme in den Gremien mit begrenzter Mitgliederzahl erklärt sich daraus, daß den Mitgliedern durch ihre Repräsentation eine größere Möglichkeit zur Einflußnahme im politischen Prozeß der Vereinten Nationen gegeben wird. Durch die ständige Beobachtung von Problemen, die Teilnahme an der Formulierung von Vorschlägen und Programmen, den Entwurf von Resolutionen und schließlich durch die Ausarbeitung von Konventionen bestimmen die Mitglieder der Ausschüsse die politische Richtung und den Verlauf der UN-Aktivitäten. Die Commission on Human Rights und hier wieder besonders ihr Unterausschuß, die Sub-Commission on the Prevention of Discrimination and Protection of Minorities, entwirft zum Beispiel die grundlegende UN-Strategie und Politik für die Behandlung der Menschenrechtsfragen, die dann vom Wirtschafts- und Sozialrat in den meisten Fällen unverändert übernommen wird.

[2] Vgl. auch Sydney D. *Bailey,* The General Assembly of the United Nations, London 1960, S. 28.

[3] Vgl. David A. *Kay,* Instruments of Influence in the United Nations Political Process, in: David A. *Kay* (Hrsg.), The United Nations Political System, New York/London/Sydney 1967, S. 102 f. Ausführlicher zu den »limited-membership organs« Catherine S. *Manno,* Problems and Trends in the Composition of Nonplenary UN Organs, in: *International Organization,* Vol. 19, 1965, S. 37 ff.

Es läßt sich ein deutlicher Willensbildungsprozeß von unten nach oben, also von der Sub-Commission über die Commission bis in den Wirtschafts- und Sozialrat verfolgen.

Das Bemühen um die Annahme bestimmter Resolutionstexte zunächst durch die Gremien der untersten Stufe, um sie dann in der nächsthöheren durchzusetzen, ist weniger eine besondere Taktik der Staatenvertreter als eine Folge der Struktur des UN-Systems. Es zeigt sich dabei jedoch die Notwendigkeit und der Vorteil möglichst früher Einflußnahme der Delegierten. Die Abneigung des jeweils höheren Gremiums, ihm zugeleitete Entwürfe sachlich oder auch nur stilistisch wesentlich zu ändern, ist eine Tatsache, die zum Beispiel von der Sowjetunion im Bereich der Menschenrechtsfragen erkannt und konsequent genutzt wird.

In den zahlreichen anderen Ausschüssen mit begrenzter Mitgliederzahl ist ein derartiger Willensbildungsprozeß von unten nach oben nicht so klar erkennbar, da sie meistens direkt dem Organ unterstehen, von dem sie eingesetzt worden sind, und lediglich ihm Bericht erstatten.

b) Geographische Gruppen als Instrument der Einflußnahme

Da die einzelnen Staaten in der Regel nur dann Aussicht auf Repräsentation in Organen und Ausschüssen mit begrenzter Mitgliederzahl haben, wenn sie die notwendige Wahlunterstützung bekommen, haben sich bereits in der 1. Sitzungsperiode der Generalversammlung Anfänge eines Systems von geographischen bzw. regionalen Gruppen herausgebildet, das sich mit zunehmender Mitgliederzahl und Erweiterung des Aufgabengebietes der Organisationen zu einem festen Bestandteil des politischen Systems der Vereinten Nationen verfestigt hat. Den Gruppen kommt heute eine quasi-offizielle Rolle in der Struktur der Vereinten Nationen zu[4].

Ihre Zusammensetzung entspricht grundsätzlich dem regionalen oder geographischen Prinzip, d. h. in ihnen haben sich überwiegend Länder zusammengefunden, die aufgrund ihrer Zugehörigkeit zu einer bestimmten Region oder ihrer geographischen Lage gleichgerichtete Interessen haben. Allerdings haben auch sonstige gemeinsame Interessen dazu geführt, daß sich einer Regionalgruppe Länder angeschlossen haben, die geographisch einer anderen Region zuzurechnen sind. Die sogenannten »geographical distribution groups« existieren auf der Grundlage von allgemeiner Konsensusbildung oder formellen Absprachen, die das Ziel einer gerechten geographischen Sitzverteilung verfolgen. Die Zahl der Vertreter der einzelnen Gruppen in den UN-Gremien mit begrenzter Mitgliederzahl und die Zahl der den Gruppen jeweils zustehenden Ämter ist hingegen entweder auf Mehrheitsentscheidung (wie zum Beispiel die Verteilung der Posten der Vizepräsidenten der Generalversammlung und der Ausschußvorsitzenden, die im Anhang von GA Res. 1990 (XVIII) vom 17. Dezember 1963 festgelegt wurde) oder auf sog. »Gentlemen's Agreements« zurückzuführen.

---

[4] Vgl. *Kay* (Anm. 3), S. 99.

Formell lassen sich vier geographische Gruppen und die Gruppe der ständigen Mitglieder des Sicherheitsrates unterscheiden:

Afro-Asiatische Gruppe[5]
(African and Asian Group – AAG) – 75 Mitglieder

Afrikanische Staaten

Algerien	Lesotho	Senegal
Äquatorial-Guinea	Liberia	Sierra Leone
Arabische Republik	Lybien	Somalia
Ägypten	Madagaskar	Südafrika[6]
Äthiopien	Malawi	Sudan
Botswana	Mali	Swasiland
Burundi	Marokko	Togo
Dahome	Mauretanien	Tschad
Elfenbeinküste	Mauritius	Tunesien
Gabun	Niger	Uganda
Gambia	Nigeria	Vereinigte Republik Tansania
Ghana	Obervolta	Volksrepublik Kongo
Guinea	Rwanda	Zaire
Kamerun	Sambia	Zentralafrikanische Republik
Kenia		

Asiatische Staaten

Afghanistan	Jemen	Oman
Bahrein	Jordanien	Pakistan
Bhutan	Katar	Philippinen
Birma	Khmer Republik	Saudi-Arabien
Fidschi-Inseln	Kuweit	Singapur
Indien	Laos	Sri Lanka
Indonesien	Libanon	Südjemen
Irak	Malaysia	Syrien
Iran	Malediven	Thailand
Israel[7]	Mongolei	Union Arabische Emirate
Japan	Nepal	Zypern[8]

[5] Die Afro-Asiatische Gruppe spielt allerdings als Ganzes in den seltensten Fällen eine Rolle. In der Praxis bestehen Abmachungen über die zahlenmäßige Aufteilung der Sitze zwischen den Afrikanern und Asiaten.

[6] Vgl. S. 223.

[7] Vgl. S. 223.

[8] Vgl. S. 223.

Osteuropäische Gruppe
(Eastern European Group – EEG) – 9 Mitglieder[9]

Albanien[10]	Polen	Ukrainische Sozialistische Sowjetrepublik
Bulgarien	Rumänien	Ungarn
Jugoslawien	Tschechoslowakei	Weißrussische Sozialistische Sowjetrepublik

Lateinamerikanische Gruppe
(Latin American Group – LAG) – 24 Mitglieder

Argentinien	Ecuador	Kuba
Barbados	El Salvador	Mexiko
Bolivien	Guatemala	Nicaragua
Brasilien	Guyana	Panama
Chile	Haiti	Paraguay
Costa Rica	Honduras	Peru
Dominikanische Republik	Jamaika	Trinidad und Tobago
	Kolumbien	Uruguay
		Venezuela

Gruppe westeuropäischer und anderer Staaten
(Western European and other States Group – WEOG) – 19 Mitglieder[11]

Australien	Italien	Österreich
Belgien	Kanada	Portugal
Dänemark	Luxemburg	Schweden
Finnland	Malta	Spanien
Griechenland	Neuseeland	Türkei
Irland	Niederlande	
Island	Norwegen	

Gruppe der fünf ständigen Mitglieder des Sicherheitsrates

China[12]	Vereinigtes Königreich von Großbritannien und Nordirland
Frankreich	Vereinigte Staaten von Amerika
Union der Sozialistischen Sowjetrepubliken	

Innerhalb der einzelnen Gruppen haben sich Untergruppen für Kandidaturfragen gebildet, wie zum Beispiel innerhalb der Afro-Asiatischen Gruppe die älteste

[9] Die DDR wird der EEG als zehntes Mitglied angehören.
[10] Vgl. S. 223.
[11] Die Bundesrepublik wird der WEOG als 20. Mitglied angehören.
[12] Bis zum 25. Oktober 1971 wurde China in den Vereinten Nationen durch Nationalchina (Taiwan) repräsentiert. Seitdem besetzt die Volksrepublik China den chinesischen UN-Sitz.

und in Wahlen besonders aktive Vereinigung der arabischen Staaten oder innerhalb der WEOG vier Interessengruppen – die Nordische, Mitteleuropäische, Mittelmeer- und Commonwealth[13]-Gruppe. Zwischen den neun Staaten der Europäischen Gemeinschaft gibt es Anfänge einer politischen Zusammenarbeit im UN-Rahmen, die sich aber noch nicht auf Kandidaturfragen erstreckt.

Im Bereich der Gruppen ergeben sich ständig Veränderungen. Die Türkei zum Beispiel, die trotz ihrer Lage im östlichen Mittelmeer als NATO-Partner der WEOG angehört, ist 1950 als Staat des Nahen Ostens und 1953 als osteuropäisches Mitglied in den Sicherheitsrat gewählt worden. Als sie 1959 für die Vizepräsidentschaft der Generalversammlung kandidierte, war es bis zum Schluß unsicher, welcher Gruppe ihre Kandidatur zuzurechnen wäre. Es lassen sich andere Beispiele aufzählen, wie etwa Zypern, das einmal als Mitglied der Afro-Asiatischen Gruppe, ein anderes Mal als westlicher Staat in Organe und Ausschüsse gewählt wird, oder wie Griechenland, das 1951 den osteuropäischen Sitz im Sicherheitsrat bekommen hat, obwohl es zur WEOG zählt.

Außerdem gibt es Fälle wie Finnland, das als Mitglied der WEOG in den Gremien vertreten ist, jedoch in den wenigsten Fällen dort die Interessen der Mehrzahl der Staaten dieser Gruppe vertritt. Oder es lassen sich Staaten anführen wie Südafrika, Israel und Albanien, die hinsichtlich ihrer geographischen Lage zwar offiziell zu Regionalgruppen zählen, jedoch im wesentlichen nie an den Gruppenaktivitäten teilgenommen haben. Als quasi nicht-gruppengebundene Staaten waren sie bisher weder im Sicherheitsrat noch im Wirtschafts- und Sozialrat vertreten und sind bisher auch nicht für UN-Ämter gewählt worden. Trotz dieser offensichtlichen Mängel bietet das System der geographischen Gruppen im Grunde jedoch die einzige Möglichkeit, die Sitzverteilung in den Gremien zu organisieren.

Es ist schließlich noch auf die Besonderheit der Gruppe der ständigen Mitglieder des Sicherheitsrates hinzuweisen. Sie ist keine »geographical distribution group« im eigentlichen Sinn, da bei ihr die gemeinsame Zielsetzung, nämlich die Regelung von Kandidaturfragen, entfällt. Jedem ihrer Mitglieder steht in jedem UN-Organ und Ausschuß ein (quasi-ständiger) Sitz zu. Außerdem besetzen sie regelmäßig verschiedene Ämter in den Vereinten Nationen. Die Gruppe läßt sich hier nur deshalb gesondert aufführen, weil ihre Mitglieder das gleiche Kennzeichen, den besonderen Status in der Organisation, haben.

Was die Teilnahme der ständigen Sicherheitsratsmitglieder an Sitzungen der einzelnen geographischen Gruppen anbetrifft, so läßt sich folgendes bemerken:

– Die Sowjetunion tagt stets zusammen mit den Ländern der Osteuropäischen Gruppe;

[13] Die Commonwealth-Gruppe innerhalb der WEOG umfaßt nur einige Mitglieder des Commonwealth, während andere der Afro-Asiatischen Gruppe angehören. Es gibt ein informelles Übereinkommen zwischen den UN-Mitgliedern, daß ständig ein Commonwealth-Staat – unabhängig davon, zu welcher Regionalgruppe er zählt – in den Gremien vertreten ist.

– Frankreich und Großbritannien nehmen regelmäßig an den Sitzungen der WEOG über Kandidaturfragen teil[14].

Neben den geographischen Verteiler-Gruppen ist ein System von Blöcken und politischen Interessengruppen (caucusing groups) als konstanter Faktor im UN-System entstanden. Während einige dieser Gruppen bereits seit der San-Francisco-Konferenz bestehen, haben sich andere erst später gebildet. Die zunehmende Mitgliederzahl und die Expansion der politischen und wirtschaftlichen Aktivitäten der Organisation haben es notwendig gemacht, daß sich Staaten mit gleichen oder ähnlichen Interessen zu informellen Gruppen zusammenschließen, um Absprachen über ihr Abstimmungsverhalten und eine mögliche Koordinierung ihrer UN-Politik zu treffen. Größe und Struktur der Interessengruppen, Dauer ihrer Existenz sowie Zusammenhalt und Loyalität ihrer Mitglieder in Debatten und Abstimmungen sind von Gruppe zu Gruppe verschieden. Grundsätzlich läßt sich sagen, daß der sowjetische Block die am besten organisierte Interessengruppe mit dem stärksten Zusammenhalt ist. Nicht nur das Abstimmungsverhalten ihrer Mitglieder ist in fast allen Fällen übereinstimmend, sondern auch das Taktieren der einzelnen nationalen Delegierten in prozeduralen und fachlichen Diskussionen ist koordiniert. Sydney Bailey geht in der Beurteilung des sowjetischen Blocks so weit, daß er ihn mit einer politischen Partei vergleicht[15].

Abschließend muß festgehalten werden, daß sich die »geographical distribution groups« und die »caucusing groups and blocs« im Hinblick auf ihre Struktur und ihre Zielsetzung grundsätzlich voneinander unterscheiden, auch wenn ihre Mitglieder in vielen Fällen identisch sind. Es gibt einige Staaten, wie zum Beispiel Österreich, Finnland, Israel, die Vereinigten Staaten von Amerika und Jugoslawien, die sich aus verschiedenen Gründen in ihrem politischen Verhalten in den Vereinten Nationen nicht binden wollen und sich keiner »caucusing group« anschließen.

c) Die Rolle der geographischen Gruppen in Wahlen

Ziele und Methoden der politischen Einflußnahme der UN-Mitglieder sind in Debatten und Abstimmungen erkennbar. Es werden jedoch allzuleicht die anderen Wege und Mittel übersehen, derer sich die Staaten im Kampf um politischen Einfluß und Macht in den Vereinten Nationen bedienen. Dazu gehören vor allem die jährliche Neubesetzung der Ämter der Generalversammlung und ihrer Hauptausschüsse, die Wahl der nicht-ständigen Mitglieder des Sicherheitsrates, der Mitglieder des Wirtschafts- und Sozialrates und der verschiedenen anderen Ausschüsse mit begrenzter Mitgliederzahl[16]. Das Interesse an den Positionen und der Wett-

[14] Zur informellen westlichen Gruppe siehe S. 249.

[15] *Bailey* (Anm. 2), S. 28.

[16] Vgl. dazu auch Norman J. *Padelford,* Elections in the United Nations General Assembly, Cambridge 1959, S. 1.

bewerb um ihre Besetzung sind jedes Jahr groß. Für den einzelnen Staat bzw. Repräsentanten bringt die Vertretung Prestige und politischen Einfluß in den Vereinten Nationen bzw. im Heimatland.

aa) Wahlen zu den Ämtern der Generalversammlung

Die Verteilung der Ämter der Generalversammlung unterliegt im wesentlichen zwei Kriterien: persönliche Befähigung der Kandidaten und geographische Gruppenzugehörigkeit des Staates. Wie die UN-Praxis zeigt, werden die Ämter heute in der Regel in erster Linie nach regionalen Gesichtspunkten besetzt. Die Generalversammlung hat der zunehmenden Bedeutung der geographischen Verteilergruppen im UN-System Rechnung getragen und in der Resolution über die Vergrößerung des General Committee[17] (Lenkungsausschuß) der Generalversammlung festgelegt, daß der Ausschuß im Sinne einer ausgewogenen geographischen Verteilung der Sitze repräsentativ sein soll. Im folgenden werden die Kriterien der angemessenen regionalen Verteilung und der persönlichen Befähigung der Kandidaten sowie die Problematik des Neben- und Gegeneinanders der beiden Kriterien näher behandelt.

Die Charter der Vereinten Nationen erwähnt im Zusammenhang mit Positionen in der Generalversammlung nur das Amt des Präsidenten. Hinweise auf die Ämter der Vizepräsidenten und der Vorsitzenden der sieben Hauptausschüsse enthält sie nicht. In Artikel 21 der Charter heißt es: »Sie (die Generalversammlung) wählt für jede Tagung ihren Präsidenten.«[18] Der Präsident wird in geheimer Wahl mit der Mehrheit der abgegebenen Stimmen der Mitglieder der Generalversammlung bestimmt. Nominierungen für die Präsidentenwahl sind nicht gestattet[19], jedoch findet diese Bestimmung in der Praxis keine Beachtung. Es gibt in der Generalversammlung nahezu immer Konsensus in bezug auf die Wahl, nachdem die für die Präsidentschaftskandidatur zuständige regionale Gruppe im Plenum gesprochen hat. Die fünf ständigen Mitglieder des Sicherheitsrates sind in der Praxis von der Präsidentschaft ausgeschlossen, obwohl die Geschäftsordnungsbestimmungen das nicht ausdrücklich festlegen.

In den 27 Jahren seit Bestehen der Organisation ist das Amt
elfmal von Staaten der Afro-Asiatischen Gruppe,
achtmal von Staaten der Gruppe westeuropäischer und anderer Staaten,
sechsmal von Staaten der Lateinamerikanischen Gruppe und
zweimal von Staaten der Osteuropäischen Gruppe
besetzt worden[20]. Die Tatsache, daß der sowjetische Block bis 1967 keinen und seitdem erst zwei Präsidenten gestellt hat, zeigt deutlich, daß bis zu diesem Jahr die Politik des Kalten Krieges, die damalige Mächtekonstellation innerhalb der Ver-

[17] Vgl. GA Res. 1990 (XVIII) vom 17. Dezember 1963.
[18] Vgl. auch Rule 31 der Rules of Procedure of the General Assembly.
[19] Rule 94 der Rules of Procedure of the General Assembly.
[20] Siehe Anhang II, S. 291 f.

einten Nationen und schließlich das Mißtrauen gegenüber einer möglicherweise parteiischen Amtsführung nicht ohne Einfluß auf die Präsidentenwahlen geblieben sind.

Der Vorstoß, das Präsidentenamt nach einem festgelegten Rotationsschema von den geographischen Gruppen besetzen zu lassen, ist vom sowjetischen Block initiiert worden. Der tschechoslowakische UN-Delegierte forderte in einem Brief vom 12. August 1959 die Aufnahme folgenden Tagesordnungspunktes in die vorläufige Agenda der 14. Sitzungsperiode der Generalversammlung: »Die Frage der konsequenten Anwendung des Prinzips der geographischen Vertretung bei den Präsidentschaftswahlen der Generalversammlung.«[21] In dem beigefügten Memorandum heißt es weiter: »... das Prinzip der gerechten geographischen Verteilung, das eins der Grundprinzipien darstellte, auf denen Struktur und Tätigkeit der Vereinten Nationen basierten, wurde bei den Wahlen zum Amt des Präsidenten der Generalversammlung nicht immer beachtet ... Eine Vereinbarung über die genaue geographische Verteilung bei der Wahl des Präsidenten ... würde die augenblicklichen Unzulänglichkeiten beseitigen und zu einer weiteren Entwicklung der Zusammenarbeit und einem stärkeren Gefühl gegenseitigen Vertrauens zwischen den Mitgliedstaaten in der Generalversammlung beitragen.«[22]

Der vom Politischen Sonderausschuß ausgearbeitete Resolutionsentwurf, der die Anwendung des Prinzips der gerechten geographischen Vertretung auch für die Wahl des Präsidenten vorschlug, wurde von der Generalversammlung mit einem Stimmenverhältnis von 40 : 36 : 6 abgelehnt[23]. Der amerikanische Vertreter begründete die negative Haltung seiner Delegation zu dem Entwurf folgendermaßen: »Unserer Ansicht nach setzt dieser Resolutionsentwurf die Frage der geographischen Herkunft auf genau die gleiche Stufe wie die persönlichen Qualifikationen ... Die Delegation ist der Ansicht, daß persönliche Qualifikationen gegenüber der geographischen Verteilung einen klaren Vorrang haben sollten, obwohl wir zugestehen, daß letztere bei der Auswahl des Präsidenten ein wichtiger und wertvoller Gesichtspunkt ist.«[24]

Wenn es auch abgelehnt wurde, für das Amt des Präsidenten eine strikte, turnusmäßige regionale Rotation einzuführen, so hat sich in der Praxis doch die geographische Komponente als bedeutendes Kriterium neben der persönlichen Qualifikation für die Auswahl der Kandidaten durchgesetzt. Innerhalb jeder Gruppe haben Persönlichkeiten, die bereits durch hervorragende Führungsfähigkeiten in der Ausschußarbeit der vergangenen Jahre, zum Beispiel als Vorsitzende von Hauptausschüssen, hervorgetreten oder die durch staatsmännische Fähigkeiten bekannt geworden sind, gute Chancen, von der Regionalgruppe als Kandidaten für die Präsidentschaft nominiert zu werden. In anderen Fällen bemühen sich Delega-

[21] GAOR, 14th Session, Annexes, Agenda item 62 (UN Doc. A/4182), S. 1.
[22] GAOR, 14th Session, Annexes, Agenda item 62 (UN Doc. A/4340), S. 2.
[23] Dafür stimmten 23 Staaten der Afro-Asiatischen Gruppe, drei Staaten der Lateinamerikanischen Gruppe und die Mitglieder der Osteuropäischen Gruppe.
[24] GAOR, 14th Session, 852nd Plenary Meeting, 10. Dezember 1959, S. 717.

tionen und Regierungen – oft aus Prestigegründen – intensiv um die Nominierung ihres Kandidaten[25].

Die Verteilung des Präsidentenpostens in den vergangenen sechs Jahren zeigt, daß eine regionale Ausgewogenheit erreicht werden konnte. Der Präsident kam

1967 aus der Osteuropäischen Gruppe (Rumänien),
1968 aus der Lateinamerikanischen Gruppe (Guatemala),
1969 aus der Afro-Asiatischen Gruppe (Liberia),
1970 aus der Gruppe westeuropäischer und anderer Staaten (Norwegen),
1971 aus der Afro-Asiatischen Gruppe (Indonesien),
1972 aus der Osteuropäischen Gruppe (Polen).

Sobald der neugewählte Präsident sein Amt angetreten hat, wählen die sieben Hauptausschüsse der Generalversammlung ihre Vorsitzenden, stellvertretenden Vorsitzenden und Berichterstatter[26]. In den Ausschüssen wird die Hauptarbeit der Generalversammlung geleistet. Das Ergebnis der Verhandlungen kommt in Form von Berichten, die meistens Resolutionsentwürfe als Empfehlungen enthalten, vor das Plenum der Versammlung. Jeder Mitgliedstaat der Vereinten Nationen kann in jedem Hauptausschuß durch einen Repräsentanten vertreten sein (»committees of the whole«)[27].

Gemäß den Geschäftsordnungsbestimmungen der Generalversammlung[28] behandeln die Hauptausschüsse spezielle Sachgebiete:

Erster Ausschuß für politische und Sicherheitsfragen einschließlich Abrüstung,
Politischer Sonderausschuß für politische Fragen, die nicht vom Ersten Ausschuß behandelt werden[29],
Zweiter Ausschuß für wirtschaftliche und finanzielle Fragen,

---

[25] Vgl. *Padelford* (Anm. 16), S. 9.

[26] »These officers shall be elected on the basis of equitable geographical distribution, experience and personal competence«, Rule 105 der Rules of Procedure of the General Assembly. Zu der Besetzung der Ämter siehe auch die Untersuchung von Robert O. *Keohane*, Institutionalization in the United Nations General Assembly, in: *International Organization*, Vol. 23, 1969, S. 877 ff.

[27] Rule 102 der Rules of Procedure of the General Assembly.

[28] Rule 101 der Rules of Procedure of the General Assembly.

[29] Während der 2. Sitzungsperiode der Generalversammlung ist ein ad hoc Political Committee für die Behandlung des Palästina-Problems eingesetzt worden. In den folgenden Jahren wurden dem Ausschuß zusätzliche dringende politische Fragen übertragen, und 1956 wurde ihm als Special Political Committee ein permanenter Status, der mit dem der Hauptausschüsse zu vergleichen ist, übertragen. Es wird angestrebt, den Ausschuß offiziell als Siebten Hauptausschuß zu deklarieren und seinen Funktionsbereich zu erweitern. Vgl. dazu »Report of the Special Committee on the Rationalization of the Procedures and Organization of the General Assembly«, GAOR, 26th Session, Suppl. No. 26 (UN Doc. A/8426), S. 24. Während der 26. Sitzungsperiode der Generalversammlung behandelte er folgende Themen:
– Problem der Palästina-Flüchtlinge
– Friedenserhaltende Aktionen
– Apartheid
– Problem der »atomic radiation«

Dritter Ausschuß für soziale, humanitäre und kulturelle Fragen,
Vierter Ausschuß für Treuhandschaftsfragen einschließlich der sich nicht selbst regierenden Gebiete,
Fünfter Ausschuß für Verwaltungs- und Haushaltsfragen,
Sechster Ausschuß für Rechtsfragen.

1963 nahm die Generalversammlung eine Resolution an, in der die regionale Verteilung der sieben Ausschußvorsitzenden folgendermaßen festgelegt wurde:
drei Vorsitzende aus afro-asiatischen Staaten,
ein Vorsitzender aus einem osteuropäischen Staat,
ein Vorsitzender aus einem lateinamerikanischen Staat,
ein Vorsitzender aus einem westeuropäischen oder anderen Staat.
Der siebte Vorsitzende wird jedes Jahr abwechselnd von einem lateinamerikanischen und einem westeuropäischen oder anderen Staat gestellt[30]. Es hat sich inzwischen eingespielt, daß immer eine Frau zu den Ausschußvorsitzenden zählt.

Die Bestimmung, daß die Vorsitzenden vor den Vizepräsidenten gewählt werden[31], unterstreicht die Bedeutung der Vorsitzenden, denen für die Arbeit der Generalversammlung eine wichtige Rolle zufällt.

Es haben sich regionale Schwerpunkte bei der Besetzung der Ämter der Ausschußvorsitzenden gebildet[32]. Besonders begehrt ist der Vorsitz im Ersten Hauptausschuß, dem aufgrund der dort behandelten politischen Fragen eine Bedeutung zukommt, die durch das Patt im Sicherheitsrat noch verstärkt worden ist. Seit Etablierung des Ausschusses ist das Amt neunmal an NATO-Mitglieder und achtmal an lateinamerikanische Staaten gefallen, während die osteuropäischen Staaten erst drei Vorsitzende gestellt haben. Von 1946 bis 1965 gelang es den westlichen Staaten, die Wahl eines osteuropäischen Kandidaten zu verhindern. Ähnlich vorteilhaft für den Westen sind die Wahlen der Vorsitzenden des Special Political Committee ausgefallen. Die wenigen Vertreter, die aus der Afro-Asiatischen Gruppe gewählt wurden, gehörten den Staaten an, die entweder durch freundschaftliche Beziehungen oder durch Bündnisse mit dem Westen verbunden waren. Die Verteilung des Vorsitzes im Zweiten Hauptausschuß für Wirtschafts- und Finanzfragen weist eine regionale Ausgeglichenheit auf, während im Dritten Hauptausschuß für Menschenrechtsprobleme und Fragen der sozialen Systeme wieder westliche Vertreter dominieren. Im Vierten Hauptausschuß für Treuhandschaftsfragen und im Fünften Hauptausschuß für administrative und Finanzfragen waren Mitglieder der Afro-Asiatischen Gruppe bisher am zahlreichsten unter den Ausschußvorsitzenden vertreten, was ihre Unterrepräsentation als Vorsitzende der beiden politischen Ausschüsse ausgleichen sollte. Die Osteuropäische Gruppe hat ihren Schwerpunkt bei dem Vorsitz im Sechsten Hauptausschuß für Rechtsfragen, allerdings fällt auf, daß das Amt bisher ausschließlich an Polen und die Tschechoslowakeit vergeben worden ist.

---

[30] GA Res. 1990 (XVIII) vom 17. Dezember 1963.
[31] Rule 31 der Rules of Procedure of the General Assembly.
[32] Siehe Anhang III, S. 293 ff.

Während der Präsident der Generalversammlung und die Ausschußvorsitzenden namentlich gewählt werden, ist für die offizielle Prozedur der Vizepräsidentenwahl die Nationalität ausschlaggebend. Für die Praxis ergibt sich daraus allerdings kein Unterschied, denn für alle Kandidaturen ist die geographische Gruppenzugehörigkeit der Staaten ein wichtiges Kriterium. Jedem der fünf ständigen Mitglieder des Sicherheitsrates steht ein Vizepräsidentenposten zu[33]. Sie sind dagegen grundsätzlich von der Präsidentenschaft und den Posten der Ausschußvorsitzenden ausgeschlossen. Die einzige Ausnahme bildete bisher China in der 2. außerordentlichen Sitzungsperiode der Generalversammlung 1948, als ein Mitglied der chinesischen Delegation zum Vorsitzenden des Ersten Hauptausschusses gewählt wurde; dafür stellte China dann keinen Vizepräsidenten[34].

Als während der 12. Sitzungsperiode der Generalversammlung 1957 die Zahl der Vizepräsidenten von acht[35] auf 13 erhöht wurde, legte die Resolution auch zum ersten Mal eine genaue regionale Verteilung der Posten fest[36]. Mit zunehmender Mitgliederzahl der Organisation wurde der Druck auf eine weitere zahlenmäßige Erhöhung der Vizepräsidentenposten stärker, und 1963 wurde die Anzahl von 13 auf 17 erweitert; die vier zusätzlichen Sitze fielen den afro-asiatischen und lateinamerikanischen Staaten zu.

Die 17 Vizepräsidenten[37] werden nach folgendem Schema zwischen den Gruppen aufgeteilt:
sieben Repräsentanten der Afro-Asiatischen Gruppe (vorher 4),
zwei Repräsentanten der Gruppe westeuropäischer und anderer Staaten (gleichgeblieben),
drei Repräsentanten der Lateinamerikanischen Gruppe (vorher 2),
ein Repräsentant der Osteuropäischen Gruppe (gleichgeblieben),
fünf ständige Mitglieder des Sicherheitsrates (gleichgeblieben).

Mit der Wahl des Präsidenten vermindert sich die Anzahl der Vizepräsidenten aus der Region, die den Präsidenten stellt, um einen[38].

Der Präsident, die sieben Vorsitzenden der Hauptausschüsse und die 17 Vizepräsidenten bilden zusammen das General Committee der Generalversammlung. Die Geschäftsordnungsbestimmungen sehen vor, daß alle 25 Mitglieder des Ausschusses unterschiedliche Nationalität haben[39]. Gemäß den Schemata für die geographische Verteilung der Ämter der Vizepräsidenten und Ausschußvorsitzenden sieht die Zusammensetzung des General Committee folgendermaßen aus:
elf Repräsentanten der Afro-Asiatischen Gruppe (einschließlich China),

[33] GA Res. 1192 (XII) vom 12. September 1957.
[34] Vgl. *Bailey* (Anm. 2), S. 62.
[35] Ursprünglich sieben Vizepräsidenten; 1956 Erhöhung auf acht, GAOR, 11th session, Annexes, Agenda items 5 and 6 (UN Doc. A/3344), S. 1.
[36] GA Res. 1192 (XII) vom 12. September 1957.
[37] Siehe Anhang IV, S. 298 ff.
[38] GA Res. 1990 (XVIII) vom 17. Dezember 1963.
[39] Rule 38 der Rules of Procedure of the General Assembly.

sechs Repräsentanten der Gruppe westeuropäischer und anderer Staaten (einschließlich Frankreich, Großbritannien und Vereinigte Staaten von Amerika),
vier Repräsentanten der Lateinamerikanischen Gruppe,
drei Repräsentanten der Osteuropäischen Gruppe (einschließlich Sowjetunion),
ein Repräsentant abwechselnd aus der Osteuropäischen und Lateinamerikanischen Gruppe.

Zusammenfassend läßt sich sagen, daß von allen Ämtern der Generalversammlung die des Präsidenten und der Vorsitzenden der Hauptausschüsse die wichtigsten und angesehensten sind. Die Vizepräsidenten haben vorwiegend repräsentative Funktionen; es zählt zu ihren Haupaufgaben, in Abwesenheit des Präsidenten den Vorsitz der Generalversammlung zu führen. Sie gewinnen allerdings dadurch, daß sie dem General Committee angehören, entscheidend an Bedeutung, denn generell sind alle Positionen, die eine Mitgliedschaft in dem Ausschuß einschließen, sehr begehrt, und sie bringen zusätzliche Verantwortung und Prestige mit sich.

Die Funktionen des General Committee sollen gemäß den Bestimmungen der Geschäftsordnung darin bestehen, die vorläufige Agenda einschließlich der Nachtragsliste für die Jahressitzung der Generalversammlung zu beraten, Empfehlungen hinsichtlich der Aufnahme oder Zurückweisung einzelner Tagesordnungspunkte an die Generalversammlung zu geben sowie die Aufnahme zusätzlicher Tagesordnungspunkte zu prüfen. Allerdings diskutiert der Ausschuß nicht den Inhalt der Tagesordnungspunkte, sondern entscheidet nur die grundsätzliche Frage, ob eine positive oder negative Empfehlung für die Aufnahme in die Agenda zu geben ist[40]. Er soll dem Präsidenten und der Generalversammlung außerdem bei der Festlegung der Tagesordnung und der Reihenfolge der einzelnen Punkte für jede Plenarsitzung assistieren[41] und den Präsidenten bei der Führung seiner Geschäfte unterstützen. Letztere Funktion wird dadurch eingeschränkt, daß der Ausschuß keine politischen Fragen entscheiden soll[42]. In der Praxis assistiert der Ausschuß nicht bei der Zusammenstellung der Tagesordnung für jede Plenarsitzung. Er tritt auch während der Sitzungszeit nicht regelmäßig zusammen, wie es in Rule 42 der Geschäftsordnung eigentlich vorgesehen ist, sondern tagt nur, wenn der Präsident oder ein anderes Mitglied des Ausschusses eine Sitzung einberuft. Zahlreiche Kompetenzen des General Committee werden informell von dem im Einzelfall betroffenen Beamten der Generalversammlung in Zusammenarbeit mit Delegationsmitgliedern und Sekretariatsangehörigen wahrgenommen[43].

Der Ausschuß beschäftigt sich also im wesentlichen mit folgenden Angelegenheiten[44]:
– Aufnahme, Ausschluß oder Zurückstellung von Tagesordnungspunkten;
– Reihenfolge der Tagesordnungspunkte;

---

[40] Rule 40 der Rules of Procedure of the General Assembly.
[41] Rule 41 der Rules of Procedure of the General Assembly.
[42] Ebd., Rule 41.
[43] Vgl. *Bailey* (Anm. 2), S. 96.
[44] Vgl. *Bailey* (Anm. 2), S. 95.

– Neuformulierung von Tagesordnungspunkten;
– Zuteilung von Tagesordnungspunkten an die Hauptausschüsse;
– Festlegung des Datums für die Beendigung der Sitzungsperiode der Generalversammlung.

Er ist ein Ausschuß von politischer und strategischer Wichtigkeit[45] geblieben und in gewissem Sinne ein lebenswichtiges Zentrum der Versammlung, da er auf die Behandlung der Probleme, die der Generalversammlung unterbreitet werden, einwirkt[46].

bb) Wahl der nicht-ständigen Mitglieder des Sicherheitsrates

Die Charter der Vereinten Nationen unterscheidet zwischen ständigen und nicht-ständigen Mitgliedern des Sicherheitsrates. In Artikel 23 Absatz 1 werden die Republik China, Frankreich, die Sowjetunion, das Vereinigte Königreich von Großbritannien und Irland und die Vereinigten Staaten von Amerika als ständige Mitglieder genannt. Die zehn nicht-ständigen Mitglieder werden von der Generalversammlung für einen Zeitraum von insgesamt zwei Jahren gewählt; jedes Jahr wird die Hälfte der nicht-ständigen Sitze neu besetzt. Artikel 23 Absatz 2 der Charter legt fest, daß ein ausscheidendes Mitglied nicht unmittelbar wiedergewählt werden kann. Durch diese Bestimmung soll vermieden werden, daß sich wie in der Völkerbundpraxis eine dritte Gruppe von quasi-ständigen Mitgliedern herausbildet. Im Vorsitz des Rates wechseln sich die dort vertretenen Mitgliedstaaten monatlich ab (englische Schreibweise ihrer Namen)[47].

Der Sicherheitsrat ist das einzige Organ der Vereinten Nationen, für das die Charter bestimmte Richtlinien hinsichtlich der Wahl seiner (nicht-ständigen) Mitglieder enthält. Gemäß Artikel 23 Absatz 1 sind in erster Linie der Beitrag der Mitglieder der Vereinten Nationen für die Aufrechterhaltung des Weltfriedens und der internationalen Sicherheit sowie für die anderen Ziele der Organisation, dann eine angemessene geographische Aufteilung zu berücksichtigen. Die Bestimmung macht deutlich, daß die Sitzverteilung nach regionalen Gesichtspunkten ursprünglich nicht als vorrangige Notwendigkeit betrachtet worden ist. Die Charter legt auch keine bestimmte Anzahl von Sicherheitsratsmitgliedern aus den verschiedenen Teilen der Welt fest.

Im Zusammenhang mit der Frage nach der Verteilung der Sitze haben die sowjetischen Delegierten in Debatten der Generalversammlung verschiedentlich auf ein »Gentlemen's Agreement« Bezug genommen, auf das sich die Mächte 1946 in

---

[45] Es sind verschiedene Reformvorschläge für eine funktionsgerechte Umstrukturierung des General Committee gemacht worden. Sie verfolgen das Ziel, den Ausschuß in stärkerem Maße als sogenannten Lenkungsausschuß (steering committee) umzufunktionieren, der die Beratungen der Generalversammlung kontrollieren soll. Vgl. dazu GAOR, 26th session, Suppl. No. 26 (UN Doc. A/8426), S. 11 ff.; Report of the President's Commission for the observance of the 25th anniversary of the United Nations, S. 68 ff.

[46] Vgl. dazu *Padelford* (Anm. 16), S. 3.

[47] Rule 18 der Rules of Procedure of the Security Council.

London geeinigt haben sollen, und das die zahlenmäßige Vertretung der fünf Regionen regelt: »Die ständigen Mitglieder des Sicherheitsrates sind übereingekommen, die Wahl derjenigen Kandidaten in den Rat zu unterstützen, die von den Ländern der fünf Hauptregionen der Welt nominiert worden sind. In Übereinstimmung mit diesem Plan wurde vereinbart, daß bei der Wahl der nicht-ständigen Mitglieder zwei Länder aus Lateinamerika unterstützt werden sollten, so daß diese Region zwei Sitze haben würde, während ein Sitz dem Britischen Commonwealth, einer dem Nahen Osten, einer Westeuropa und einer Osteuropa zugestanden werden sollte.«[48] Die Abmachung spiegelte die Mächtekonstellation in der Mitgliedschaft der Vereinten Nationen wider, wie sie in der direkten Nachkriegszeit bestand. Die Lateinamerikanische Gruppe, die 1955 39 vH aller UN-Mitglieder umfaßte, besetzte entsprechend dieser zahlenmäßigen Vormachtstellung zwei Sitze im Sicherheitsrat[49].

Bis zur Vergrößerung der Anzahl der nicht-ständigen Mitglieder wurde das sogenannte Londoner Abkommen über die geographische Aufteilung der Sitze weitgehend anerkannt. Es wurde allerdings nie offiziell bekanntgegeben und war nie frei von Kontroversen, insbesondere dann nicht, wenn es um die Besetzung des osteuropäischen Sitzes ging[50].

Das »Gentlemen's Agreement« wurde erstmals von einem unabhängig gewordenen asitatischen Staat bestritten. 1947 stellte der indische UN-Delegierte in der Generalversammlung die Kandidatur der Ukrainischen Sozialistischen Sowjetrepublik für den osteuropäischen Sitz in Frage und forderte, daß trotz der Absprache zwischen den Großmächten ein Staat aus dem Gebiet des Indischen Ozeans den Platz besetzen müßte, nachdem Australien aus dem Sicherheitsrat ausscheiden und damit diese Region ohne Vertreter sein würde[51]. Er zog seinen Antrag schließlich mit folgender Begründung zurück: »Die Zurückziehung [unseres Antrages] sollte nicht so aufgefaßt werden ..., daß wir das sogenannte Abkommen zwischen bestimmten Mächten für die Verteilung der Sitze akzeptieren. Die indische Delegation vertritt unbeirrt die Ansicht, daß der Sicherheitsrat die regionalen Gebiete angemessen repräsentieren sollte und außerdem die Machtverhältnisse widerspiegeln muß. Der eine Faktor kann nicht auf Kosten des anderen überbetont werden.«[52]

Als dann 1949 die Ukrainische Sozialistische Sowjetrepublik aus dem Sicherheitsrat ausschied, konnte Jugoslawien mit Unterstützung des Westens gegen die Stimme der Sowjetunion im zweiten Wahlgang als osteuropäischer Nachfolger gewählt werden; die Sowjetunion hatte die Kandidatur der Tschechoslowakei unterstützt. Der sowjetische Delegierte beklagte sich dann auch über die Unverantwortlichkeit, die Wahl eines »abtrünnigen kommunistischen Staates« ermöglicht zu haben, der nicht repräsentativ für die Osteuropäische Gruppe sei: Die Art und

---

[48] GAOR, 8th Session, 450 th Plenary Meeting, 5. Oktober 1953, S. 218—219.
[49] Vgl. Norman *Padelford*, Politics in United Nations Elections, Cambridge 1959, S. 16.
[50] Siehe S. 233.
[51] Vgl. auch *Padelford* (Anm. 49), S. 17.
[52] GAOR, 2nd Session, 109th Plenary Meeting, 13. November 1947, S. 750.

Weise, in der die Wahlen durchgeführt worden seien, hätte gegen den Inhalt der Charter und insbesondere gegen Artikel 23 verstoßen[53]. Es wurde deutlich, daß »geographisch« und »ideologisch« als auswechselbare Begriffe von der Sowjetunion gebraucht wurden.

Während der 6. und 8. Sitzungsperiode der Generalversammlung wurde der osteuropäische Sitz dann erneut gegen den Widerstand der Sowjetunion, aber mit Unterstützung des Westens besetzt: 1951 konnte Griechenland einen Sieg über die Weißrussische Sozialistische Sowjetrepublik erringen und 1953 die Türkei über Polen[54].

Vor allem wiesen die Vereinigten Staaten von Amerika seit 1949 den Anspruch der Sowjetunion auf automatische Zuteilung eines Sicherheitsratsitzes an den Ostblock zurück. Für ihre Haltung führten sie hauptsächlich zwei Argumente an:

- Das sogenannte Londoner Abkommen bedeute für sie im Grunde nicht mehr als eine allgemeine Absichtserklärung, die im Laufe der Jahre durch weltpolitische Ereignisse überholt worden sei; oder es sei als eine Regelung zu verstehen, die auf die UN-Wahlen von 1946 begrenzt bleiben sollte[55].
- Außerdem würden die von der Sowjetunion vorgeschlagenen Kandidaten nicht das in Artikel 23 Absatz 1 enthaltene Kriterium für die Wahl der nichtständigen Mitglieder erfüllen, nämlich die Leistung von Beiträgen für die Aufrechterhaltung des Friedens und der internationalen Sicherheit.

Die Vereinigten Staaten unterstützten deshalb die Wahl von Alternativkandidaten, wenn es um die Besetzung des osteuropäischen Sitzes ging. Dagegen stimmte die britische Delegation grundsätzlich für die in Übereinstimmung mit der Sowjetunion vorgeschlagenen Kandidaten, um den Commonwealth-Sitz, der Großbritannien im sogenannten Londoner Abkommen zugestanden war, nicht zu gefährden[56]. Die Opposition gegen die Vertretung von sozialistischen Staaten im Sicherheitsrat und in anderen Gremien mit begrenzter Mitgliederzahl fand 1955 mit der Aufnahme der Staaten der Dritten Welt und mit dem damit verbundenen Abbau der westlichen Vormachtstellung in den Vereinten Nationen ihr Ende.

Vor dem Hintergrund der zunehmenden Mitgliederzahl der Organisation zeigten die Auseinandersetzungen um die geographische Besetzung der nicht-ständigen Sitze, daß die Erweiterung der »limited membership organs« und die Einigung auf bestimmte Sitzquoten für die einzelnen Regionen der Welt notwendig wurden. Der Vorstoß kam von den neuen afrikanischen und asiatischen Staaten, die in den Gremien unterrepräsentiert waren. Er führte während der 18. Sitzungsperiode der Generalversammlung 1963, also im gleichen Jahr, in dem die Anzahl der Vizepräsidenten der Generalversammlung erhöht wurde[57], zu der ersten Charter-Änderung seit Bestehen der Organisation: Die Anzahl der nicht-ständigen Sitze des Si-

---

[53] GAOR, 4th session, 231th Plenary Meeting, 20. Oktober 1949, No. 10.
[54] Siehe auch S. 223.
[55] GAOR, 4th Session, 231th Plenary Meeting, 20. Oktober 1949, No. 10.
[56] *Goodwin* (Anm. 55), S. 241.
[57] Siehe S. 229.

cherheitsrates wurde von sechs auf zehn erhöht, und für die regionale Aufteilung der Sitze wurde folgendes Schema festgelegt[58]:
fünf Sitze an afrikanische und asiatische Staaten,
zwei Sitze an lateinamerikanische Staaten,
zwei Sitze an westeuropäische und andere Staaten,
einen Sitz an einen osteuropäischen Staat.

Am 31. August 1965, als zwei Drittel der Mitglieder der Vereinten Nationen, einschließlich der fünf ständigen Mitglieder des Sicherheitsrates, die Charter-Änderung ratifiziert hatten, trat sie in Kraft.

Es gibt erneut Bestrebungen, die Zahl der nicht-ständigen und der ständigen Sicherheitsratssitze zu erhöhen, doch wird eine diesbezügliche Charter-Änderung vorläufig noch an dem Widerstand der Großmächte scheitern. Es sollte deshalb vorerst nach anderen Möglichkeiten gesucht werden, den Sicherheitsrat in seiner Verantwortung für die Aufrechterhaltung des internationalen Friedens und der Sicherheit zu stärken[59]. Das könnte teilweise schon dadurch erreicht werden, daß die Bestimmung des Artikels 23 Absatz 1 der Charter, die in den vergangenen Jahren nur wenig Beachtung gefunden hat, neu belebt wird, indem bei der Auswahl der nicht-ständigen Mitglieder in stärkerem Umfang der Beitrag mitberücksichtigt wird, den die Staaten zur Sicherung des Friedens leisten. Die Zusammensetzung des Rates sollte die Realität der Machtverhältnisse in der Welt widerspiegeln. Die Effizienz der Sicherheitsratsbeschlüsse ist beeinträchtigt, wenn — wie zum Beispiel 1970 — mehr als die Hälfte der zehn nicht-ständigen Mitglieder aus Staaten besteht, die zusammen nicht mehr als 0,25 vH des UN-Budgets tragen.

Es wäre zum Beispiel ein möglicher Vorschlag für die Lösung des Problems, daß die Generalversammlung in Übereinstimmung mit Resolution 1991 A (XVIII) vom 17. Dezember 1963, die die regionalen Quoten festlegt, zusätzlich eine Liste der bedeutenden Staaten jeder Region aufstellt, von denen zu jeder Zeit insgesamt fünf im Sicherheitsrat vertreten sein sollten[60]. Folgende Staaten wären etwa in einer solchen Liste aufzuführen:

---

[58] GA Res. 1991 A (XVIII) vom 17. Dezember 1963.

[59] Siehe auch Generalsekretär Waldheims Äußerungen zu diesem Problem, in: Introduction to the Report of the Secretary-General on the Work of the Organization, GAOR, 27th Session, 1972 (UN Doc. A/8701/Add. 1), S. 3 f. Während einer Pressekonferenz am 12. September 1972 beantwortete Waldheim die Frage, ob die Revision des Sicherheitsrates so weit gehen sollte, daß das Vetorecht abgeschafft werde, folgendermaßen: »I said in my introduction that it did not seem possible to me to settle all international problems by the great Powers alone. I said it seemed important to me that the small and medium-seized countries should have the possibility of making their contribution to the solution of these problems.« Press Release SG/SM/1747, 12. September 1972, S. 8.

[60] Vgl. The United Nations in the 1970s, A Report of a National Policy Panel established by the United Nations Association of the United States of America, September 1971, S. 22; ferner Report of the President's Commission (Anm. 45), S. 77 f. Siehe auch die Höhe der Beitragszahlungen der Staaten in Anhang VII. Weiterreichende Vorschläge zur Reorganisierung des Sicherheitsrates generell siehe Report of the Conference on Organization and Procedures of the United Nations, New Paltz, N.Y., 6.—10. Mai 1970

für Asien: Indien, Japan, Indonesien und Pakistan;
für Afrika: Nigeria;
für den Mittleren Osten: Ägypten;
für Nordamerika: Kanada;
für Lateinamerika: Brasilien;
für Westeuropa: Italien, Norwegen, Österreich, Schweden und die Bundesrepublik Deutschland nach ihrer Aufnahme in die Vereinten Nationen;
für Osteuropa: Jugoslawien, Polen und die DDR nach ihrer Aufnahme in die Vereinten Nationen.

Die getroffene Auswahl der Staaten erscheint jedoch insofern schwierig, als Gewichtung und Definition der Kriterien umstritten sind.

cc) Wahl der Mitglieder des Wirtschafts- und Sozialrates

Gemäß Artikel 61 der Charter umfaßt der Wirtschafts- und Sozialrat 27 Mitglieder, von denen jedes Jahr neun für drei Jahre von der Generalversammlung gewählt werden. Ein ausscheidendes Mitglied kann unmittelbar wiedergewählt werden (Artikel 61 Absatz 2).

Bis 1960 gab es ein stillschweigendes Übereinkommen, daß die fünf ständigen Mitglieder des Sicherheitsrates alle drei Jahre, nach Ablauf ihrer Sitzungsperioden, regelmäßig in den Wirtschafts- und Sozialrat wiedergewählt wurden, so daß sie dort de facto einen ständigen Sitz einnahmen. In den folgenden Jahren wurde diese Regel nur insofern unterbrochen, als die Generalversammlung die Fortdauer der quasi-ständigen Repräsentation Nationalchinas (Taiwan) ablehnte und seitdem nur die Wiederwahl der drei Westmächte und der Sowjetunion unterstützte. Im November 1971 wurde die Volksrepublik China, die seit dem 25. Oktober 1971 den chinesischen UN-Sitz einnimmt, als quasi-ständiges Mitglied in den Wirtschafts- und Sozialrat gewählt.

In der zweiten Hälfte der fünfziger Jahre wurden die Forderungen der afrikanischen und asiatischen Staaten nach größerem Mitspracherecht in wirtschaftlichen und sozialen Fragen und nach Repräsentation in dem Hauptorgan der Vereinten Nationen, das zuständig ist für die Förderung der internationalen Zusammenarbeit auf wirtschaftlichem, sozialem, kulturellem, wissenschaftlichem und humanitärem Gebiet, immer deutlicher. Sie führten schließlich dazu, daß 1963 die Generalversammlung die Anzahl der Sitze im Rat von 18 auf 27 erhöhte[61]. Die Entwicklung lief parallel zu den Bestrebungen, die Mitgliederzahl des Sicherheitsrates zu erweitern. Daß die Kampagne erst 1963 Erfolg hatte, ist hauptsächlich auf die Politik der Sowjetunion zurückzuführen, die ein Junktim zwischen der Vergröße-

(sponsored by the Stanley Foundation, The Stanley Building Muscatine, Iowa), S. 25—30.

[61] GA Res. 1991 B (XVIII) vom 17. Dezember 1963.

rung des Rates und der Ersetzung Nationalchinas (Taiwan) durch die Volksrepublik China als UN-Mitglied herzustellen versuchte[62].

In der Charter-Bestimmung über die Größe des Wirtschafts- und Sozialrats wird die Verteilung der Sitze nach dem geographischen Prinzip nicht erwähnt. Mit zunehmender Herausbildung und Festigung der regionalen Gruppen in der Generalversammlung ist aber auch im Rat die Notwendigkeit für die Festlegung von Regionalquoten deutlich geworden. Es kristallisierte sich im Laufe der Jahre die Tendenz heraus, in der Mitgliedschaft des Wirtschafts- und Sozialrates einen zahlenmäßigen Ausgleich zwischen Industriestaaten und Entwicklungsländern herzustellen. Außerdem konnte in mehreren Fällen mit Erfolg die Politik durchgeführt werden, daß kleinere Staaten, die nicht in den Sicherheitsrat gewählt wurden, einen Sitz im Wirtschafts- und Sozialrat erhielten. 1963 schließlich legte die Generalversammlung in der Resolution über die Erweiterung des Wirtschafts- und Sozialrates die genaue geographische Verteilung der zusätzlichen Sitze fest und erkannte damit offiziell das System von Regionalquoten für das UN-Wirtschaftsorgan an[63]. Die Charter-Änderung (Artikel 61) konnte am 31. März 1965 in Kraft treten, nachdem sie von zwei Dritteln der Mitgliedstaaten, einschließlich der fünf ständigen Mitglieder des Sicherheitsrates, ratifiziert worden war.

Die geographische Zusammensetzung der 27 Mitglieder des Wirtschafts- und Sozialrates sieht folgendermaßen aus:
zwölf Mitglieder aus afrikanischen und asiatischen Staaten;
sieben Mitglieder aus westeuropäischen und anderen Staaten;
fünf Mitglieder aus lateinamerikanischen Staaten;
drei Mitglieder aus osteuropäischen Staaten.

Von den sieben Sitzen, die den westeuropäischen und anderen Staaten zustehen, werden drei regelmäßig von den Westmächten Frankreich, Großbritannien und den Vereinigten Staaten von Amerika besetzt, ein Sitz fällt traditionell an die Nordischen Staaten und einer an die Benelux-Staaten, so daß nur zwei Sitze zwischen den übrigen elf Mitgliedern der Gruppe westeuropäischer und anderer Staaten rotieren. Für Indien, Japan, Pakistan und die übrigen Staaten Asiens und des Mittleren Ostens stehen insgesamt nur fünf Sitze zur Verfügung und für die afrikanischen Staaten und Ägypten sieben Sitze. Zwei Sitze fallen an die Staaten Osteuropas einschließlich Jugoslawien und Albanien, während die Sowjetunion ständig den dritten Sitz, der dieser Region zusteht, einnimmt. Und schließlich wechseln sich Argentinien, Brasilien, Chile und Mexiko mit den übrigen 20 Mitgliedern der Lateinamerikanischen Gruppe in der Besetzung von fünf Sitzen ab.

Für die wichtigen Industrienationen konnte eine häufigere Wiederwahl und umfangreichere Repräsentation im UN-Wirtschaftsorgan nicht sichergestellt werden, ohne daß dadurch die weniger bedeutenderen Staaten von ihrer Vertretung ganz ausgeschlossen worden wären. Die zu erwartende Forderung nach erneuter Vergrö-

[62] Vgl. Walter R. *Sharp*, The United Nations Economic and Social Council, New York/London 1969, S. 29.

[63] GA Res. 1991 B (XVIII) vom 17. Dezember 1963.

ßerung des Rates kam wieder von den Entwicklungsländern. Aber auch unter den Industriestaaten setzte sich bald die Überzeugung durch, daß ein erweiterter Wirtschafts- und Sozialrat mit angemessenem zahlenmäßigem Ausgleich zwischen Geber- und Nehmerländern seine Rolle als Zentrum des wirtschaftlichen und sozialen Entscheidungsprozesses eher erfüllen könnte[64]. Während Frankreich, Großbritannien und die Sowjetunion einer Vergrößerung der Mitgliederzahl sehr reserviert gegenüberstanden und außerdem befürchteten, daß ihre Zustimmung die Forderung der Staaten nach zusätzlichen Sitzen im Sicherheitsrat nach sich ziehen würde, erklärten sich die Vereinigten Staaten von Amerika unter gewissen Bedingungen schließlich bereit, eine Mitgliedererweiterung zu befürworten. Am 20. Dezember 1971 konnte dann die Resolution, die eine Verdoppelung der Sitze im Wirtschafts- und Sozialrat von 27 auf 54 vorsah, von der Generalversammlung angenommen werden[65], allerdings mit den Gegenstimmen Frankreichs und Großbritanniens und bei Stimmenthaltung der Sowjetunion.

Wie die geographische Verteilung der 54 Sitze zeigt, ist das regionale Kräfteverhältnis im Rat von der Verdoppelung der Mitgliederzahl nicht berührt worden:

14 Sitze an afrikanische Staaten	(vorher 7)
13 Sitze an westeuropäische und andere Staaten	(vorher 7)
11 Sitze an asiatische Staaten	(vorher 5)
10 Sitze an lateinamerikanische Staaten	(vorher 5)
6 Sitze an sozialistische Staaten Osteuropas	(vorher 3)
54 Sitze	(vorher 27)

Die mit der Resolution verbundene Änderung des Artikels 61 der Charter tritt in Kraft, sobald sie von zwei Dritteln der Mitglieder der Vereinten Nationen, einschließlich der fünf ständigen Mitglieder des Sicherheitsrates, ratifiziert worden ist.

dd) Wahl zu den Ausschüssen mit begrenzter Mitgliederzahl[66]

Neben den drei Räten gibt es zahlreiche Fachausschüsse, die ebenfalls jährlich von der Generalversammlung besetzt werden. Für die Reihenfolge der Wahlen gilt es als ungeschriebene Regel, daß zuerst die Mitglieder des Sicherheitsrates, dann die des Wirtschafts- und Sozialrates, des Treuhandschaftsrates und schließlich die Mitglieder der Ausschüsse gewählt werden. Damit soll sichergestellt werden, daß Bewerber, die bei vorangehenden Wahlen ohne Erfolg bleiben, bei der Kandidatenaufstellung für die nachfolgenden Wahlen mitberücksichtigt werden können. Da

[64] Zur Diskussion über die Vergrößerung des Wirtschafts- und Sozialrats siehe *International Conciliation*, September 1971, No. 584 (Issues before the 26th General Assembly), S. 97—102. Weiterreichende Vorschläge zur Reform des Rates siehe Stanley Report (Anm. 61), S. 18—24.

[65] GA Res. 2847 (XXVI) vom 20. Dezember 1971.

[66] Überblick über die UN-Organe und Ausschüsse mit begrenzter Mitgliederzahl und ihre Zusammensetzung siehe Press Release ORG/713 vom 1. Mai 1972 (United Nations Bodies and their Membership 1972).

jedoch die Sitze und Ämter in den Hauptorganen und Ausschüssen nach einem festgelegten geographischen Schlüssel verteilt werden und da die regionalen Gruppen ihre Kandidaten für die Wahl meistens im voraus aufstellen, hat diese Regel an Bedeutung verloren.

Die ständigen Mitglieder des Sicherheitsrates sind grundsätzlich in allen Ausschüssen vertreten[67] und werden regelmäßig wiedergewählt, es sei denn, sie verzichten auf ihre Wiederwahl oder scheiden freiwillig aus. Letztere Möglichkeit ist 1971 von Großbritannien und den Vereinigten Staaten von Amerika mit dem Verzicht auf ihren Sitz im Committee of 24[68] demonstriert worden (Frankreich ist von Anfang an nicht in dem Ausschuß vertreten gewesen). Eine Ausnahme bilden die Ausschüsse, die aufgrund von Konventionen eingesetzt werden und in denen nur die Staaten Mitglieder werden können, die die Konvention unterzeichnet und ratifiziert haben. Sobald jedoch ein ständiges Sicherheitsratsmitglied der Konvention beitritt, wird es im Rahmen der nächsten Neubesetzungen gewählt.

Bei der Etablierung neuer Ausschüsse wird die Mitgliederzahl und ihre geographische Aufteilung nach bereits vorhandenen Schemata anderer Gremien festgelegt, um von Anfang an Unstimmigkeiten über die Größe der Gruppenquoten zu vermeiden. Es ist jedoch nicht auszuschließen, daß es trotzdem zu intra-regionalem Ungleichgewicht kommt, wie es verschiedentlich bei der Sitzverteilung zwischen den afrikanischen und asiatischen Staaten, die offiziell in einer Gruppe zusammengefaßt sind, festzustellen ist.

Der Trend zur zahlenmäßigen Erweiterung der Ausschüsse wächst naturgemäß mit zunehmender Mitgliederzahl der Organisation.

ee) Kandidatenaufstellung für die Wahlen

Die Kandidaten für Sitze und Ämter in Organen und Ausschüssen der Vereinten Nationen werden also von den geographischen Gruppen nominiert. In der Regel schlägt jede Gruppe dem Wahlgremium genau so viele Kandidaten vor, wie ihr Sitze zur Verfügung stehen. Die damit demonstrierte Einstimmigkeit ist das Ergebnis von teilweise intensiven Konsultationen und Verhandlungen zwischen den nationalen Regierungen und Delegationen einer Regionalgruppe. Personalentscheidungen, insbesondere für die Besetzung der Hauptorgane und anderer wichtiger Ausschüsse sowie der UN-Ämter, werden in den seltensten Fällen am Sitz der Vereinten Nationen getroffen. Sie werden vielmehr in den Hauptstädten der Welt vorbereitet, wo Botschafter der einzelnen Staaten in den Außenministerien vorstellig werden und um Unterstützung ihrer Kandidaten in New York bitten.

---

[67] Von 1960—1971 bildete nur Nationalchina (Taiwan) eine Ausnahme, doch seit seiner Ersetzung durch die Volksrepublik China sind die fünf ständigen Mitglieder des Sicherheitsrates grundsätzlich wieder in allen Ausschüssen vertreten.

[68] »Special Committee on the Situation with Regard to the Implementation of the Declaration on the Granting of Independence to Colonial Countries and Peoples«.

In Ausnahmefällen kommt es vor, daß sich eine Gruppe nicht auf ihre Kandidaten einigen kann, so daß das Wahlgremium die letzte Auswahl treffen muß. Das war zum Beispiel bei der Präsidentschaftswahl der Generalversammlung 1962 der Fall, als zwei Kandidaten der Afro-Asiatischen Gruppe aufgestellt waren, oder bei der Wahl der Mitglieder des Wirtschafts- und Sozialrates 1970, als Italien und die Niederlande in der WEOG beide einen Sitz beanspruchten, und die Generalversammlung schließlich den Niederlanden den Vorrang gab. Bei der Wahl der Mitglieder des Gouverneurrats des Special Fund (heute Teil des United Nations Development Programme) 1958 führte die Uneinigkeit zwischen den asiatischen Kandidaten, von denen jeder nur wenige Stimmen erhielt, sogar dazu, daß der asiatische Sitz schließlich mit einem lateinamerikanischen Kandidaten, für den die erforderliche Stimmenmehrheit abgegeben worden war, besetzt wurde[69].

Das mathematische System der Rotation und regionalen Vertretung ist zwar formal gerecht und hat auch über eine längere Zeitspanne zu einer bemerkenswert stetigen Progression in der Wahl der mittleren und kleineren Staaten geführt, jedoch stellt es nicht notwendig eine sachgerechte Lösung des Problems insgesamt dar. Die negativen Auswirkungen sind vor allem darin zu sehen, daß in zahlreichen Fällen nicht die besten und fähigsten Kandidaten gewählt werden. Außerdem benachteiligt es Staaten, die mit ihren Nachbarn derselben Region im Unfrieden leben und deren Nominierungschancen deshalb gering, wenn nicht aussichtslos sind. Auf diese Gefahr wies der chinesische UN-Delegierte bereits während der 1. Sitzungsperiode der Generalversammlung 1946 hin: Wenn geographische Verteilung so interpretiert würde, daß jede Vakanz regelmäßig von einem anderen Mitglied derselben Gruppe oder Region besetzt würde, dann blieben einige Staaten ständig von der Mitgliedschaft in den Räten ausgeschlossen[70].

Es hat sich in der Gruppe westeuropäischer und anderer Staaten durchgesetzt, daß die Sitze und Ämter, die ihr in Organen und Ausschüssen de facto zustehen, im allgemeinen zwischen den vier Untergruppen aufgeteilt werden. Das geschieht derart, daß jeweils der Nordischen, der Mitteleuropäischen, der Mittelmeer- und der Commonwealth-Gruppe entweder eine bestimmte Anzahl von quasi-ständigen Sitzen zugeteilt ist oder — für den Fall, daß von der WEOG weniger als insgesamt vier Kandidaten aufzustellen sind — die Untergruppen sich nach einem vorher festgelegten Rotationsverfahren in der Nominierung ablösen.

Schließlich ist eine besondere Taktik für die Kandidatenaufstellung zu erwähnen, die in den letzten Jahren vor allem in der WEOG zu beobachten war. Delegationen melden ihr Interesse an der Mitgliedschaft in bestimmten Gremien an, treten dann von der Bewerbung zurück, wenn ihre Aussichtslosigkeit offensichtlich geworden ist, jedoch nicht ohne vorher ihre erfolgreiche Kandidatur für eine der nächsten Wahlen sicherzustellen. Dadurch wird die Sitzverteilung in Organen und

---

[69] Vgl. dazu John *Hadwen*/Johan *Kaufmann,* How United Nations decisions are made, Leyden 1960, S. 48.

[70] GAOR, 1st Session, 1st Part, 5th Plenary Meeting, 12. Januar 1946, S. 88—89.

Ausschüssen teilweise ein Jahr oder noch länger im voraus festgelegt, was sich für ein neues Mitglied der WEOG und für einen »latecomer« in der Organisation, wie zum Beispiel für die Bundesrepublik Deutschland, nachteilig auswirken kann.

2. *Nationale Akteure: Missionen und Delegationen*

Das traditionelle Konzept von Delegationen und Missionen als Vertreter des nationalen Interesses findet auch Anwendung im Bereich der Diplomatie der Vereinten Nationen. Ständige Vertreter der Mitgliedstaaten, die bei den Vereinten Nationen akkreditiert sind, werden in der Charter der Vereinten Nationen nicht ausdrücklich erwähnt. Nur Artikel 28 Absatz 1 der Charter enthält im Hinblick auf die Mitglieder des Sicherheitsrates folgende Bestimmung: »Der Sicherheitsrat ist so einzurichten, daß er in der Lage ist, seine Funktionen ständig auszuüben. Jedes Mitglied des Sicherheitsrates hat zu diesem Zweck am Sitz der Organisation jederzeit vertreten zu sein.«

Die aktive Nachkriegsdiplomatie und die Tatsache, daß die Organisation ihren Sitz nicht in der Hauptstadt eines der Mitgliedstaaten hatte, machten sehr bald die Etablierung von diplomatischen Missionen vor allem in New York und später auch am europäischen Sitz der Vereinten Nationen in Genf notwendig[71]. Das Sekretariat des Völkerbundes hatte die Einrichtung von Ständigen Vertretungen der Mitgliedstaaten noch abgelehnt, um den direkten Kontakt zwischen den Regierungen und dem Sekretariat aufrechtzuerhalten. Für die Vereinten Nationen erwies sich jedoch eine rege Teilnahme der Mitgliedstaaten am politischen Prozeß nur dann als möglich, wenn die Vertreter der nationalen Regierungen ständig am Sitz der Organisation die Aktivitäten beobachteten. Heute unterhält die Mehrzahl der Mitgliedstaaten ihre Missionen (»Permanent Missions to the United Nations«) in New York. Kleinere Staaten verbinden sehr oft aus finanziellen wie personellen Gründen ihre Botschaft in Washington oder Ottawa in Personalunion mit ihrer Mission in New York und ernennen den Botschafter der bilateralen Auslandsvertretung zu ihrem ständigen Vertreter bei den Vereinten Nationen.

a) Funktionen der nationalen Vertretungen

Als offizielle Vertretungen von Staaten haben die Missionen in New York in ihren Funktionen vieles mit den bilateralen Botschaften gemeinsam. Diese Gemeinsamkeiten werden aber von den besonderen Aufgaben überlagert, die die Arbeit einer UN-Vertretung gerade von der einer bilateralen Botschaft unterscheiden. Die Hauptfunktionen einer Mission im Gesamtrahmen der Vereinten Nationen lassen sich in drei Hauptgruppen zusammenfassen[72]:

---

[71] Vgl. auch *Kay* (Anm. 3), S. 93. Siehe ferner die Untersuchung über die Ständigen Vertreter von *Keohane* (Anm. 26), S. 870 ff.

[72] Vgl. *Kay* (Anm. 3), S. 93.

a) Mitgestaltung der nationalen UN-Politik;
b) Ausübung der Mitgliedschaftsrechte (insbesondere: Beobachtung und Kontrolle der Arbeit der UN-Organe und Ausschüsse; Kontakte mit anderen Missionen)[73];
c) Austausch von Informationen.

Die Tätigkeit ist nicht auf die Zeit der Sitzungsperioden von Hauptorganen begrenzt, sondern auch in den dazwischenliegenden Wochen und Monaten ist die Arbeitsbelastung stark. Die Sitzungen der zahlreichen Gremien, die außerhalb der Sitzungsperiode der Generalversammlung arbeiten, müssen vorbereitet werden, und es muß ein fortlaufender Kontakt mit dem Generalsekretär und mit Beamten in Schlüsselpositionen des Sekretariats sowie mit Mitgliedern der anderen Ständigen Vertretungen unterhalten werden.

Im folgenden soll die Tätigkeit einer Mission bzw. Delegation näher untersucht werden.

a) Mitgestaltung der nationalen UN-Politik. Es ist eine der wichtigsten Aufgaben der Mitglieder jeder Ständigen Vertretung, ihre Regierung bei der Festlegung der nationalen UN-Politik zu beraten. Inwieweit die Empfehlungen aus New York oder Genf bei der endgültigen Formulierung der Politik schließlich mitberücksichtigt werden, ist kaum zu messen, da zahlreiche andere Faktoren aus dem Bereich internationaler Bindungen und Verpflichtungen sowie innenpolitische Kräfte den Inhalt der Außenpolitik beeinflussen. Es kann jedoch angenommen werden, daß jede Vertretung in einzelnen politischen Fragen Einfluß auf ihre Regierung auszuüben sucht und daß ihr Standpunkt mitberücksichtigt wird. Ein Mitglied der amerikanischen Mission bemerkte dazu: »Als Quelle der Information über die Haltung anderer Regierungen und Delegationen, als eine Regierungsvertretung, die sich hauptamtlich damit beschäftigt, die Vereinten Nationen für ihre eigene Außenpolitik in wirksamer Weise nutzbar zu machen und als eine taktische Einheit, die vielleicht vorauszusagen vermag, ob eine bestimmte Politik erfolgreich durchgeführt werden kann oder nicht, wird die Delegation wahrscheinlich bei der Erörterung jedes einzelnen Punktes wesentlichen Einfluß auf die Formulierung der Politik ausüben.«[74]

Ein besonderes Problem, mit dem fast alle Vertretungen konfrontiert sind, ist die geographische Isolation von den nationalen Hauptstädten, wo die Richtlinien der Politik festgelegt werden. Die persönliche Vorsprache, die für die Einflußnahme auf den Entscheidungsprozeß in den nationalen Regierungsinstitutionen als unumgänglich erscheint, ist oft nicht möglich. Adlai Stevenson stellte fest, daß sogar die 200 Meilen, die New York von Washington trennen, genug sind, um in der Formulierung der nationalen Politik einflußlos zu sein[75]. Wenn die mangelnde

[73] Einige dieser Funktionen ähneln denen eines Parlamentsabgeordneten. Man spricht daher auch von einer »parlamentarischen Diplomatie« (parliamentary diplomacy). Vgl. auch *Bailey* (Anm. 2), S. 8 f.

[74] Richard *Pedersen*, National Representation in the United Nations, in: *International Organization*, Vol. 15, 1961, S.. 259.

[75] Vgl. *Kay* (Anm. 3), S. 93 f.

Einflußnahme Stevensons auch teilweise andere Gründe gehabt haben mag, so deutet diese Aussage doch die Problematik an, die sich aus der geographischen Entfernung ergeben kann.

b) Der Handlungsspielraum der nationalen Vertreter bei der Ausübung der Mitgliedschaftsrechte. Der Handlungsspielraum der Ständigen Vertreter und Delegierten ist durch Weisungsgebundenheit, die ein unterschiedliches Maß an Bewegungsfreiheit und Flexibilität zuläßt, begrenzt. Viele Regierungen zeigen ihr besonderes Interesse an den Aktivitäten der Organisation im Grunde dadurch, daß sie ihre Vertreter in New York nicht selbständig entscheiden lassen, sondern daß sie ihnen Richtlinien für ihr Verhalten geben. Die Weisungsgebundenheit kann sich aber oft als ein Hindernis für rasche und effektive Entscheidungen der Staatenvertreter und damit der UN-Gremien auswirken. So mögen in der Vergangenheit viele Initiativen deshalb unterblieben sein und zahlreiche Abstimmungen deshalb verloren worden sein, weil u. a. die Staatenvertreter nicht rechtzeitig die Zustimmung ihrer Regierungen einholen konnten. Sitzungen werden schon häufig vertagt, um genügend Zeit zu weiteren Konsultationen zu lassen. Außerdem werden wichtige Vorschläge oft frühzeitig in breitem Umfange diskutiert, bevor sie in UN-Gremien behandelt werden. Damit soll ebenfalls Zeit gewonnen werden und den Delegationen die Möglichkeit gegeben werden, Instruktionen von ihren Regierungen einzuholen[76].

Die zahlreichen, für die einzelnen Staaten nicht immer in gleichem Maße bedeutenden Tagesordnungspunkte, die während eines Jahres vor das Plenum der Organisation kommen, machen es vielen Regierungen fast unmöglich, Richtlinien für die Stellungnahmen ihrer Delegationen zu allen Fragen festzulegen. Es ist zu beobachten, daß besonders den Vertretern der neuen Staaten sehr viel mehr Freiheit für die Behandlung der einzelnen, zur Diskussion stehenden Punkte gegeben ist. Sie erhalten oft nur weitgesteckte Instruktionen, und nur für einzelne, die Politik ihrer Regierung unmittelbar betreffende Probleme werden ihnen genaue Weisungen gegeben. Die Repräsentanten der neuen Staaten haben aufgrund ihrer Erfahrung aus langjähriger Praxis am Sitz der Vereinten Nationen und ihres ständigen Umgangs mit anderen Delegationen einen detaillierteren Überblick über das politische Geschehen in den Vereinten Nationen und können deren vielschichtige Problematik genauer beurteilen als die Regierungen. In vielen Fällen holen deshalb die Vertreter der neuen Staaten auch nur für wichtige Abstimmungen Weisungen ihrer Regierung ein, die selbst dann oft nur in der Form gegeben werden wie »Vote as majority« oder »If state X votes ›no‹, you abstain«. Die Instruktionen sehen auch derart aus, daß die Zustimmung, Ablehnung oder Enthaltung der Regierung von der Erfüllung bestimmter Kriterien in den Resolutionsentwürfen abhängig gemacht wird. In derartigen Fällen müssen die UN-Vertreter die Debatten und die eingebrachten Änderungsvorschläge genau verfolgen, um in den Abstimmungen die vorgeschriebene Haltung der Regierung einnehmen zu können.

[76] Vgl. Hadwen/Kaufmann (Anm. 69), S. 34.

Ist eine geringe Weisungsgebundenheit typisch für die neuen Staaten, so ist es für die Delegationen der anderen Staaten bezeichnend, daß sie bis auf wenige Ausnahmen nach strikten und komplizierten Instruktionen handeln müssen, die schnelle Entscheidungen ohne vorherige Absprache mit den Regierungen in vielen Fällen unmöglich machen. Eine weitere Schwierigkeit kann dadurch entstehen, daß viele Fragen, besonders wenn sie wirtschaftlicher Natur sind, finanzielle Implikationen mit sich bringen und daß Delegationen schon aus diesem Grund zögern, ohne Rücksprache mit der Regierung auch in weniger wichtigen Fragen zu entscheiden.

Anders sieht es aus, wenn Verfahrensfragen (»procedural issues«), die häufig politische Konseqenzen nach sich ziehen, im Laufe einer Debatte auftauchen und keine Verzögerung in der Behandlung zulassen. In derartigen Situationen müssen viele Delegationen ohne spezielle Weisungen handeln, andere wiederum versuchen, telefonisch letzte Richtlinien für ihr Abstimmungsverhalten zu bekommen. Für zahlreiche Staaten stellt dann der Zeitunterschied zwischen New York und den Hauptstädten ein zusätzliches Problem dar.

Zusammenfassend läßt sich über die Hauptfunktion der Ständigen Vertretung im politischen System der Vereinten Nationen sagen, daß sie einerseits die UN-Aktivitäten durch die nationale Politik zu beeinflussen und bestimmte nationale politische Ziele mit Hilfe der Organisation durchzusetzen suchen und daß sie andererseits ihre Regierung bei der Festlegung der nationalen UN-Politik und -Strategie beraten und beeinflussen.

Während die Regierungen die Richtlinien der Politik bestimmen und Instruktionen für die Mitarbeit in der Organisation geben, ist den Diplomaten und Delegierten in den meisten Fällen ein weiter, zumindest taktischer Spielraum bei der Realisierung der nationalen UN-Politik gelassen. Da das Hauptgewicht der Arbeit in den Gremien auf der Ausarbeitung von Resolutionen und Berichten sowie auf der Sicherung der erforderlichen Abstimmungsmehrheiten liegt, ist die Anwendung verschiedener Taktiken einer »parlamentarischen Diplomatie«, z. B. Konsensus- und Gruppenbildung, eine wichtige Voraussetzung, um Ziele nationaler Politik erfolgreich in den Vereinten Nationen durchsetzen zu können.

Es ist notwendig, daß die Delegierten ihre Verhandlungsposition flexibel gestalten und sie veränderten Situationen und Stimmverhältnissen anpassen können. Oft ist bereits die Wahl des richtigen Zeitpunktes für das Einbringen von Resolutionsentwürfen oder für die Unterrichtung anderer Delegationen oder hoher Sekretariatsbeamter von großer Wichtigkeit. Wenn Instruktionslücken, besonders bei Vertretern der neuen Staaten, erkannt werden, müssen sie oft sehr kurzfristig durch Einbringung von neuen Anträgen genutzt werden. Oder es müssen in bestimmten unvorhergesehenen Situationen prozedurale Anträge gestellt werden mit dem taktischen Ziel, Abstimmungen zu verhindern oder zu verzögern. Es ist nicht selten auf die Kunst des schnellen und geschickten Taktierens und auf genaue Kenntnis der Geschäftsordnungsbestimmungen und der »tricks of the trade« zurückzuführen, wenn kontroverse Resolutionen, die anfangs wenig Aussicht auf Erfolg hatten, schließlich, wenn auch in abgeänderter Form, angenommen werden.

c) Austausch von Informationen. Eine traditionelle Funktion jeder diplomatischen Vertretung ist der Austausch von Informationen und Nachrichten. Der Sitz der Vereinten Nationen, an dem Diplomaten aus mehr als 130 Staaten und internationale Beamte ständig formelle und informelle Kontakte pflegen, ist ein Sammelpunkt von Nachrichten und Meinungsäußerungen. Es gehört zu den Aufgaben jeder Delegation, rechtzeitig Informationen von anderen Missionen über deren mögliche politische Aktionen zu bekommen, die weltweite Reaktion auf die eigene nationale Politik zu testen oder durch ständige Fühlungnahme mit Sekretariatsangehörigen wichtige Trends im Exekutivorgan der Vereinten Nationen herauszufinden und die Regierung darüber zu unterrichten. Durch den Meinungsaustausch von Delegationen untereinander und mit UN-Beamten erhalten die nationalen Regierungen in vielen Fällen frühzeitig wichtige Nachrichten, die oft erst Tage oder Wochen später durch offizielle Quellen bekanntgegeben werden. Und was teilweise wichtiger ist: Am Sitz der Vereinten Nationen werden »background«-Informationen weitergegeben, die dem Verständnis und der Klärung politischer Verhaltensweisen dienen können.

Das frühzeitige Erkennen von zukünftigen politischen Handlungen oder möglichen Erfolgen langfristig angelegter politischer Strategien anderer Staaten oder Staatengruppen durch die Vertretung in New York sollte dazu beitragen, daß die nationale Außenpolitik gegenüber den betreffenden Staaten rechtzeitig überdacht und daß Veränderungen in die Planung einbezogen werden.

b) Organisation der nationalen Vertretungen

An der Spitze einer Mission steht der Ständige Vertreter, der den Status eines Botschafters hat. Regierungen ernennen in der Regel einen ihrer erfahrensten und angesehensten Diplomaten zum Ständigen Vertreter in New York, denn nicht nur die Bedeutung der Arbeit der Vereinten Nationen, sondern auch die zahlreichen repräsentativen Funktionen erfordern es, daß die Staatenvertreter über die nationale Regierungspolitik, ihre Intentionen und Ziele unterrichtet sind, »inside«-Informationen bekommen und vor allem auch das Vertrauen ihrer Regierung besitzen. Es ist deshalb nicht selten, daß als Folge eines nationalen Regierungswechsels der Ständige Vertreter in New York gegen einen Diplomaten, der der neuen Regierung politisch nähersteht, ausgetauscht wird. Und schließlich sollte nicht übersehen werden, daß auch die Persönlichkeit des Leiters der Mission und seine Mitarbeiter dazu beitragen können, das Ansehen und die Stellung des Staates in der internationalen Politik zu verbessern oder im negativen Sinn zu schwächen[77].

Dem Ständigen Vertreter steht ein Mitarbeiterstab zur Seite, der sich aus Auslandsbeamten in Rangordnungen wie den »Deputy Permanent Representatives

[77] Vgl. *Hadwen/Kaufmann* (Anm. 69), S. 28.

(Ministers Plenepotentiary); Ministers Counsellor; Counsellors; First, Second, Third Secretaries« und dem Verwaltungspersonal zusammensetzt. Die Größenordnung variiert bei den einzelnen Mitgliedstaaten erheblich, und oft unterhalten gerade kleinere Staaten relativ umfangreiche Vertretungen. Es ist anzunehmen, daß sich die Größe nach der Bedeutung, die die Staaten den Vereinten Nationen als Handlungsrahmen ihrer Außenpolitik beimessen, richtet. Im August 1972 hatten von 132 Mitgliedstaaten zwei Regierungen (Gambia und die Malediven) keine Ständige Vertretung bei den Vereinten Nationen; für die restlichen 130 Mitglieder lag die Durchschnittsgröße der Missionen in New York bei neun Vertretern. Neun Staaten hatten 20 und mehr Repräsentanten[78]:
Sowjetunion 71
Vereinigte Staaten von Amerika 47
China 44
Vereinigtes Königreich von Großbritannien und Nordirland 23
Ägypten 23
Kuba 23
Brasilien 20
Frankreich 20
Japan 20

Für die Zeit der Sitzungsperioden der Generalversammlung und der anderen Hauptorgane und Ausschüsse werden den Ständigen Vertretungen zur Verstärkung Sonderdelegationen zur Seite gestellt. Gemäß Rule 27 der Geschäftsordnungsbestimmungen der Generalversammlung muß das Staats- und Regierungsoberhaupt oder der Außenminister des Mitgliedstaates den Delegationsmitgliedern Beglaubigungsschreiben ausstellen, die dem Generalsekretär überreicht werden.

Die fachliche Zusammensetzung und die Größe der Delegationen weisen entsprechend den Interessen und Möglichkeiten der Staaten Unterschiede auf. Die Durchschnittsgröße der 132 Delegationen für die 27. Sitzungsperiode der Generalversammlung 1972 lag bei 17 Mitgliedern pro Staat[79]. Sieben Staaten hatten mehr als 35 Vertreter:
Vereinigte Staaten von Amerika 72
Frankreich 68
Sowjetunion 67
China 49
Kanada 48
Vereinigtes Königreich von Großbritannien und Nordirland 47
Finnland 36

Die Delegationen für die Generalversammlung umfassen in erster Linie Mitglieder der Ständigen Vertretung bei den Vereinten Nationen, Diplomaten von

[78] »Blue Book«, Permanent Missions to the United Nations, Nr. 231, August 1972 (UN Doc. ST/SG/SER. A/231).

[79] Delegations to the United Nations, 27th Session of the General Assembly, October 1972 (UN Doc. ST/SG/SER. B/26).

bilateralen Botschaften, die für die Dauer der Sitzungsperiode nach New York entsandt werden, und höhere Beamte aus Ministerien, vor allem den Außenministerien. Nur in begrenztem Umfang ernennen einige westliche Länder wie Großbritannien, die Niederlande, Schweden oder die Vereinigten Staaten von Amerika Vertreter aus den Regierungen, prominente Politiker aus den Parlamenten und Parteien sowie Vertreter aus der Wirtschaft und Persönlichkeiten des öffentlichen Lebens als Delegationsmitglieder[80]. Aus Afrika, Asien und Lateinamerika kommen dagegen häufiger Abgeordnete oder Richter. Für die Sitzungen einiger Ausschüsse werden fast schon traditionell Frauen als Repräsentanten ernannt, so zum Beispiel für den Dritten Hauptausschuß der Generalversammlung oder für die Commission on the Status of Women. Den Delegierten stehen für die vielseitige Ausschußarbeit Experten zur Seite, die in vielen Fällen kurzfristig, ausschließlich für die Behandlung von Spezialfragen, entsandt werden.

Die Delegationsleitung für die Generalversammlung übernimmt in den meisten Fällen der Außenminister oder Premierminister, sofern er nach New York kommt. In der Regel variiert die Aufenthaltsdauer der Regierungschefs oder ihrer Vertreter von einigen Tagen bis zu zwei Wochen zu Beginn jeder Sitzungsperiode, wenn als Teil der Generaldebatte die allgemeinen »policy statements« abgegeben werden.

3. Die Bundesrepublik Deutschland in den Entscheidungsgremien der Vereinten Nationen

a) Die Interessen der Bundesrepublik Deutschland

Die Mitarbeit der Bundesrepublik Deutschland in den Vereinten Nationen, ihren Sonderorganisationen, der International Atomic Energy Agency (IAEA) und in UN-Spezialorganen ist durch zum Teil wechselnde Schwerpunktbildung gekennzeichnet und muß differenziert gesehen werden. Die Bundesrepublik gehörte den Vereinten Nationen selbst bisher nicht als Mitglied an und konnte hier aus rechtlichen und praktischen Gründen nur in sehr beschränktem Umfang wirken. Sie hat hingegen in den Organisationen und Spezialorganen der UN (siehe Anhang I) als Voll-Mitglied mitgearbeitet. Der DDR fehlte dagegen bis Ende 1972 jede Möglichkeit einer unmittelbaren Mitwirkung im UN-Bereich, wenn man von informeller Mitarbeit (ECE) oder indirekter Beteiligung (IAEA) absieht.

Die Tätigkeit der Bundesrepublik läßt sich in drei Kategorien zusammenfassen:
- Funktionale bzw. sachliche Mitarbeit;
- Mitgliedschaft ohne aktive Rolle: weitgehende praktische Indifferenz oder nur nominelle Beteiligung an einzelnen Projekten bestimmter Organisationen, deren Aufwertung entweder keinem erkennbaren Ziel diente oder als Konkurrenz-

[80] Vgl. Delegations to the United Nations (Anm. 79); zu dem Verhältnis von Ständigen Vertretern und kurzfristig entsandten Delegierten siehe Peter R. *Baehr*, The Role of a National Delegation in the General Assembly, Occasional paper No. 9, Carnegie Endowment for International Peace, Dezember 1970, S. 21 ff.

entwicklung zu anderen funktionalen Organisationen gesehen wurde (z. B. ECE – EWG) oder deren Zweckmäßigkeit noch nicht ausreichend erkennbar war (z. B. IAEA vor dem Vertrag über die Nichtverbreitung von Kernwaffen);
– Mitarbeit mit dem Ziel der Verhinderung einer Aufwertung der DDR in allen Sonderorganisationen, insbesondere in der WHO, in der die Frage ihrer Aufnahme besonders akut war[81].

Das »DDR-Problem« stellte sich in den Sonderorganisationen bisher konkreter als in den Vereinten Nationen selbst, und zwar aus zwei Gründen:
– Hier ging es nicht nur um die Verhinderung einer möglichen DDR-Aufwertung oder gar Mitgliedschaft, die hier leichter geschehen konnte als in den Vereinten Nationen, sondern auch um die Sicherung des eigenen Statusvorteils, den die Bundesrepublik durch ihre alleinige Mitgliedschaft hatte.
– Bis Ende der sechziger Jahre sollte ein Einbruch der DDR in UN-Sonderorganisationen und die sich daraus ergebende Berechtigung zur Teilnahme an UN-Konferenzen verhindert werden. Die Frage ihrer Mitgliedschaft in den Vereinten Nationen stellte sich zu dem Zeitpunkt noch nicht. Seit der Regierungserklärung vom 28. Oktober 1969 und vor allem seit dem Kasseler 20-Punkte-Programm ist die Mitgliedschaft beider deutscher Staaten in den Vereinten Nationen unter bestimmten Voraussetzungen in Aussicht gestellt worden, wodurch sich die DDR-Frage zunehmend von den Sonderorganisationen in die Vereinten Nationen selbst verlagert hat. Mit der fortdauernden Ablehnung der Aufnahme der DDR in die Sonderorganisationen und hier wiederum vor allem in die WHO hat die Bundesregierung im wesentlichen nur noch das taktische Ziel eines Zeitgewinns im Rahmen einer faktischen Junktimspolitik verfolgt, die eine DDR-Mitgliedschaft von innerdeutschen Regelungen abhängig gemacht hat.

Der Aufgabenbereich der deutschen UN-Beobachtermission in New York, der bisher enger war als der der deutschen Vertretung am europäischen Sitz der Vereinten Nationen und der Sonderorganisationen in Genf, erweitert sich im Rahmen dieser Entwicklung: Zu der aktiven Beobachtung der Vorgänge in Organen und Ausschüssen der Vereinten Nationen und der Abwehr östlicher propagandistischer Vorstöße, deren Natur sich seit Ende 1969 zum Teil geändert hat, ist die zunehmende Befassung mit der DDR-Frage gekommen – nicht mehr nur im Sinne einer Verhinderung von Aufwertungseffekten, sondern mit dem Ziel der Durchsetzung der Politik der Bundesregierung, die eine enge Verknüpfung innerdeutscher Regelungen mit der Frage der UN-Mitgliedschaft beider deutschen Staaten angestrebt hat.

In bezug auf die DDR-Frage lassen sich in der Politik der Bundesregierung also drei Phasen unterscheiden:
– Bis 1969/70 die bloße Abwehr östlicher Vorstöße, die auf eine DDR-Mitgliedschaft, besonders in den Sonderorganisationen hinzielten;

[81] Die WHO ist die einzige Sonderorganisation, in die gemäß Artikel 6 der Satzung der WHO neue Mitglieder, die nicht der UN angehören, mit einem einfachen Mehrheitsbeschluß der Weltgesundheitsversammlung aufgenommen werden können.

- seit 1969 eine Politik, die innerdeutsche Regelungen und DDR-Mitgliedschaft miteinander verbunden hat;
- schließlich in Zukunft die Situation einer gleichzeitigen Mitgliedschaft zweier deutscher Staaten.

In der zweiten Phase spielte die Frage einer DDR-Mitgliedschaft in UN-Organisationen eine besondere Rolle, und zwar nicht so sehr als spezifisches UN-Problem, sondern wegen ihrer möglichen Rückwirkungen auf den Spielraum für innerdeutsche Regelungen. Für die dritte Phase wird wichtig sein, unter welchen politischen Umständen die Bundesrepublik Deutschland und die DDR in die Vereinten Nationen aufgenommen worden sind, wie die Bundesrepublik ihre Rolle im UN-Rahmen sehen wird und welche Bedeutung sie den Vereinten Nationen als Aktionsfeld im Gesamtrahmen ihrer Außenpolitik beimißt. Es gibt für die Bundesrepublik, grobgesprochen, drei Möglichkeiten:

- Eine Politik, die der Bundesrepublik politisches Gewicht in den Vereinten Nationen verschafft. Sie wäre weniger am Verhältnis zur DDR als an Problemen orientiert, die sich aus der Stellung der Groß- und Mittelmächte in den Vereinten Nationen ergeben. Beachtenswert erscheint dabei nicht zuletzt die besondere Stellung Frankreichs und Großbritanniens in den Vereinten Nationen, die unter anderem aus ihrer ständigen Mitgliedschaft im Sicherheitsrat resultiert.
- Fortdauer der Präokkupation mit dem DDR-Problem (was gerade durch die gegenwärtige Politik unterbunden werden soll: zuerst innerdeutsche Regelung, um »querelles allemandes« in den Vereinten Nationen und ihren Sonderorganisationen zu vermeiden).
- Weitgehende praktische Zurückhaltung und außenpolitische Prioritäten der Bundesrepublik in anderem Rahmen, weil die Bedeutung der Vereinten Nationen als relativ gering betrachtet wird.

Grundsätzlich sollte ein Zusammenhang bestehen zwischen den Interessen der Bundesrepublik und den Schwerpunkten ihrer UN-Politik einerseits und ihrer Repräsentation in UN-Gremien andererseits. Da die nationale Vertretung in Gremien jedoch von vielfältigen Kriterien abhängt, die gewisse Probleme für die Wahl von Vertretern der Bundesrepublik mit sich bringen werden, wird sich die Bundesregierung ihre Mitgliedschaft in Organen und Ausschüssen nicht allein nach ihrer politischen und wirtschaftlichen Interessenlage aussuchen können.

b) Verfahrensweise und Prognose für die Repräsentation der Bundesrepublik Deutschland in Entscheidungsgremien der Vereinten Nationen

Der Bundesrepublik Deutschland wird aufgrund ihrer Mitgliedschaft in den Vereinten Nationen nur in der Generalversammlung und deren sieben Hauptausschüssen als »committees of the whole« ein Sitz zustehen. Als westeuropäischer Staat wird sie ihre Repräsentation in den für sie in Frage kommenden anderen Hauptorganen und Ausschüssen nach der bisher üblichen Verfahrensweise nur mit Unterstützung der Gruppe westeuropäischer und anderer Staaten (WEOG) durchsetzen können[82].

Trotz ihrer Nicht-Mitgliedschaft in der Organisation ist die Bundesrepublik bereits jetzt bei den Sitzungen der WEOG durch ihren Ständigen Beobachter vertreten. Wenn die Teilnahme in der WEOG im gegenwärtigen Stadium auch eher passiven Charakter hat, so beteiligt sich die Bundesrepublik doch als quasi-gleichberechtigter Partner aktiv an den Zusammenkünften der »Informal Western Group«[83], die traditionell unter italienischem Vorsitz und meistens in der kanadischen UN-Vertretung stattfinden und in deren Verlauf politische Aspekte der UN-Arbeit diskutiert werden. Für die Bundesrepublik wird es eine wesentliche politische Frage sein, wie sich die »Informal Western Group« in den kommenden Jahren im UN-Rahmen entwickelt, vor allem im Hinblick auf eine anzustrebende Koordinierung der Politik westeuropäischer Länder im Rahmen der Europäischen Gemeinschaft, für die es bereits erste Ansätze gibt[84].

Sofern die Bundesrepublik Deutschland die Frage ihrer Mitgliedschaft in Organen und Ausschüssen im Rahmen der WEOG regeln will, würde die bisherige Praxis vorsehen, daß die UN-Delegation in New York bei Sitzungen der WEOG ihr Interesse an der Mitarbeit in den zu besetzenden Entscheidungsgremien anmeldet und um Wahlunterstützung bittet. Handelt es sich um wichtigere Gremien oder einflußreichere Ämter, dann wird man die Kandidaturen gleichzeitig durch Demarchen bei den westlichen Verbündeten absichern.

Es ist zu überlegen, in welchen »limited membership organs« die Bundesrepublik an einer Vertretung interessiert ist, und welche Schwierigkeiten für ihre Mitgliedschaft auftreten werden.

Diese Frage stellt sich besonders in bezug auf die Repräsentation im Sicherheitsrat als dem wichtigsten dieser Organe. Grundsätzlich gibt es hier drei Optionen:

- ständiger Sitz im Sicherheitsrat (nur nach Änderung der Charter möglich);
- ständiger Sitz ohne Veto (bisher in der Charter nicht vorgesehen und daher ebenfalls nur nach ihrer Änderung möglich);
- nicht-ständiger Sitz. Hier wäre zu untersuchen, ob sich die Bundesrepublik schon alsbald nach ihrem Beitritt um einen derartigen Sitz im Sicherheitsrat bemühen sollte.

Die Optionen, von denen zunächst nur die dritte, auf längere Sicht zumindest auch die zweite, praktische Bedeutung gewinnen könnten, werden in der Bundesrepublik noch unterschiedlich bewertet.

---

[82] Zu den Verfahrensweisen der regionalen Gruppen siehe Kapitel II 1 c, S. 224 f.

[83] Der Teilnehmerkreis an den sogenannten informellen Sitzungen der WEOG ist nicht streng definiert. An den Sitzungen nehmen zum Beispiel auch oft die Vereinigten Staaten von Amerika, Japan und kleinere Staaten wie Malta teil, je nachdem welche politischen Fragen diskutiert werden. Die neutralen skandinavischen Staaten und auch Österreich sind dagegen meistens nicht bei den Zusammenkünften anwesend.

[84] Vgl. dazu den Artikel von Berndt *von Staden*, Politische Zusammenarbeit der EG-Staaten, in: *Außenpolitik*, Jg. 23, 1972, S. 200–209.

Von einigen Beobachtern werden alle drei Möglichkeiten (in abnehmender Reihenfolge) gegenwärtig nicht nur als aussichtslos, sondern auch als sekundär oder gar uninteressant für die deutsche Politik beurteilt. Es wird dabei u. a. geltend gemacht, daß die Bundesrepublik dann oft in die unangenehme Situation gebracht würde, Stellungnahmen zu Problemen abzugeben, die nicht ihr direktes Interesse berühren. Sie sollte sich in den Vereinten Nationen vielmehr zurückhaltend bzw. anspruchslos verhalten oder ihr Augenmerk auf Bereiche konzentrieren, an denen sie unmittelbar interessiert sei, wie zum Beispiel der Wirtschafts- und Sozialrat.

Andere würden den Eintritt in die Vereinten Nationen nur unter der Bedingung befürworten, daß bestimmte Voraussetzungen für einen Sitz der Bundesrepublik im Sicherheitsrat geschaffen worden sind. Sie gehen davon aus, daß die Bundesrepublik, die in Westeuropa u. a. mit Frankreich und Großbritannien am Ausbau der Gemeinschaft mitwirkt, nun in den Vereinten Nationen einen minderen Status als die ständigen Sicherheitsratsmitglieder Frankreich und Großbritannien erhalten und dadurch auf die gleiche Stufe wie die kleineren und mittleren Staaten gestellt würde.

Die vorliegenden Reformvorschläge, vor allem die Japans und Indiens, den Sicherheitsrat um drei ständige Sitze ohne Vetorecht zu vergrößern[85], die vor einigen Jahren in Erwartung der Mitgliedschaft der Volksrepublik China und der damit auftretenden Probleme im asiatischen Raum zwischen der Kernwaffenmacht China und den kernwaffenlosen Staaten Japan und Indien gemacht worden sind und seitdem immer wiederholt werden, könnten der Bundesrepublik auf lange Sicht die Möglichkeit geben, ihren Status in der Organisation den realen Machtverhältnissen anzupassen[86]. Im sogenannten Lodge-Report wird im Hinblick auf die Mitgliedschaft der Bundesrepublik im Sicherheitsrat folgende Stellung bezogen: »Die Bundesrepublik Deutschland würde als Mitglied der Vereinten Nationen den drittgrößten Beitrag zum UN-Budget leisten. Die Aufnahme Deutschlands, zusammen mit dem ständig wachsenden Beitrag Japans zum Budget, sollte der Anlaß dazu sein, eine Neuverteilung der Sitze im Rat ernsthaft zu erwägen.«[87]

Der WEOG steht im Verhältnis zu ihrer Mitgliederzahl (19) nur eine geringe Sitzquote (2) im Sicherheitsrat zu. Von den 19 Staaten waren bisher Island, Luxemburg, Malta und Portugal nicht im Sicherheitsrat vertreten, andere Staaten

---

[85] Vgl. Donald F. *Keys*, Winds of Change in the UN?, in: *War/Peace*, März 1970, S. 8. Im Zusammenhang mit der Erweiterung des Sicherheitsrates siehe auch die Vorschläge zur Charter-Revision (insbes. die von Japan), die aufgrund von GA Res. 2697 (XXV) vom 11. Dezember 1970 beim Generalsekretär eingegangen sind, GAOR, 27th Session, 1972, Item 89 of the provisional agenda (UN Doc. A/8746); ferner die Sitzungsprotokolle des Sechsten Hauptausschusses von 1972 (Tagesordnungspunkt »Charter Review«), sowie die Stellungnahmen Japans, Indiens und Brasiliens in der UN-Generaldebatte 1970 bis 1972.

[86] Die noch ratifikationsbedürftige IAEA-Statut-Änderung, durch die die Bundesrepublik einen ständigen Gouverneurssitz in der IAEA bekommt, mag hier als aufschlußreicher Präzedenzfall gelten.

[87] Report of the President's Commission (Anm. 45), S. 44.

der WEOG hatten dagegen zwei- oder dreimal (Belgien, Kanada, Niederlande, Türkei) einen nicht-ständigen Sitz. Da das Interesse an einer Mitgliedschaft groß ist, bestehen über mehrere Jahre Wartelisten für die Kandidaturen. Besonders interessiert an einer Vertretung war in den letzten Jahren Österreich, das bereits seit 1955 UN-Mitglied ist und erst im Herbst 1972 in den Sicherheitsrat gewählt wurde. Österreich konnte jedoch schon insofern eine Aufwertung seines Status im UN-Rahmen erreichen, als der ehemalige österreichische Außenminister und UN-Botschafter, Kurt Waldheim, im Dezember 1971 zum Generalsekretär der Vereinten Nationen gewählt wurde.

Es ist beim gegenwärtigen Procedere nicht auszuschließen, daß die DDR vor der Bundesrepublik Deutschland im Sicherheitsrat vertreten sein wird. Die Osteuropäische Gruppe, der die DDR angehören wird, zählt weit weniger Staaten als die WEOG, und bis auf Albanien und Weißrußland waren alle Mitglieder im Sicherheitsrat vertreten. Eine Prognose des Zeitpunktes der DDR-Repräsentation muß in Rechnung stellen, daß in der Osteuropäischen Gruppe unter sowjetischer Führung ein starker Zusammenhalt besteht und daß es deshalb durchaus möglich erscheint, daß derjenige Staat, der 1973 als Nachfolger für das ausscheidende Jugoslawien vorgesehen ist, zugunsten der DDR zurücktreten wird, sollten zu dem Zeitpunkt bereits beide deutsche Staaten in der Organisation repräsentiert sein.

Der Interessenschwerpunkt der Bundesrepublik Deutschland in den Vereinten Nationen liegt zumindest bisher auf wirtschaftlicher und entwicklungspolitischer Zusammenarbeit. Die Bundesrepublik ist bereits Mitglied im Verwaltungsrat des United Nations Development Programme (UNDP). Ihre hohen finanziellen Leistungen im Rahmen der wirtschaftlichen UN-Spezialorgane unterstreichen nicht nur das lebhafte Interesse der Bundesrepublik in diesem Bereich, sondern rechtfertigen auch das Ziel, das sie nach ihrem Beitritt zur Organisation verfolgen sollte: ihre Mitgliedschaft im Wirtschafts- und Sozialrat. Dieses Ziel ist auch besonders im Hinblick auf eine mögliche stärkere Institutionalisierung des Rates zu beachten. Es ist vorgeschlagen worden, den Wirtschafts- und Sozialrat in Zukunft nicht mehr in Jahressitzungen tagen zu lassen, sondern ihn wie den Sicherheitsrat in ein sogenanntes Dauerorgan umzuwandeln.

Es gilt gegenwärtig als ungeschriebenes Gesetz, daß Staaten — ausgenommen sind die ständigen Mitglieder des Sicherheitsrates — möglichst nicht gleichzeitig im Sicherheitsrat und Wirtschafts- und Sozialrat vertreten sein sollten[88]. Bei Hinnahme dieses Sachverhalts könnte es als zweckmäßig erscheinen, daß die Bundesrepublik vorrangig ihre Vertretung im Wirtschafts- und Sozialrat — entsprechend ihrer Interessenlage — anstrebt. Dem kommt die Verdoppelung der Mitgliederzahl des Rates von 27 auf 54[89] entgegen. Der WEOG stehen dann insgesamt 13 Sitze zu, davon werden drei Sitze ständig von den Vereinigten Staaten von Amerika, Frankreich und Großbritannien besetzt, so daß auf die 19 (mit der Bundesrepu-

[88] Es gibt verschiedentlich Ausnahmen von dieser Regel, zum Beispiel ist Japan 1972 zugleich Mitglied des Sicherheitsrates und des Wirtschafts- und Sozialrates gewesen.

[89] Siehe S. 237.

blik 20) Vertreter der WEOG nicht mehr wie bisher vier, sondern zehn Sitze entfallen.

Sollten im Falle einer Mitgliedschaft der Bundesrepublik Deutschland in den Vereinten Nationen die zehn Sitze der westlichen Gruppe nach einem festgelegten Rotationsprinzip unter den 20 Mitgliedern der WEOG verteilt werden, so ist folgendes anzunehmen: Da jedes Jahr ein Drittel der zehn Sitze neu besetzt wird, werden theoretisch die 20 Staaten der WEOG im Abstand von zwei bis drei Jahren für jeweils drei Jahre im Wirtschafts- und Sozialrat vertreten sein. Da aber in der Praxis die Sitzverteilung nicht nach einer starren, sondern eher flexiblen Rotation vorgenommen wird, ist durchaus die Möglichkeit gegeben, daß verschiedene Staaten nach Ablauf der drei Jahre erneut von der WEOG für die Wahl vorgeschlagen werden. Artikel 61 Absatz 2 der Charter schließt eine Wiederwahl nicht aus. Da die Bundesrepublik nicht nur die stärkste Wirtschaftsmacht der 20 WEOG-Mitglieder ist, sondern darüber hinaus bereits jetzt beträchtliche finanzielle Beiträge zu den Wirtschaftsprogrammen der Vereinten Nationen leistet, die sich nach ihrer Mitgliedschaft noch steigern werden, spricht einiges für die Annahme, daß die Bundesrepublik durch Wiederwahlen einen quasi-ständigen Sitz im Wirtschafts- und Sozialrat erwerben kann.

In welchen Gremien die Bundesrepublik, abgesehen vom Sicherheitsrat und Wirtschafts- und Sozialrat, nach ihrem Beitritt tätig werden sollte, und welche Vorstellungen über ihren zukünftigen Status in der Weltorganisation sie verfolgt, wird weitgehend von der Wahl ihrer politischen Strategie in den Vereinten Nationen abhängen. Es erscheint in jedem Fall zweckmäßig, in verschiedenen Ausschüssen, die dem politischen und sachlichen Interesse der Bundesrepublik entsprechen, mitzuarbeiten. Schwerpunktmäßig würden das hauptsächlich die Ausschüsse sein,

– die für die langfristig fortschreitende Kodifizierung des internationalen Rechts und für die Ausarbeitung von Konventionen wichtig sind (International Law Commission u. a.);
– die eine effektive Nutzung von Wissenschaft und Forschung sowie eine geregelte Nutzung natürlicher Ressourcen anstreben (Committee on the Peaceful Uses of the Sea-Bed and the Ocean Floor beyond the Limits of National Jurisdiction, Committee on the Peaceful Uses of Outer Space u. a.);
– die auf längere Sicht abrüstungspolitisch wichtig werden könnten (Conference of the Committee on Disarmament [CCD]).

Dabei wird es vor allem wichtig sein, Tendenzen zur Modernisierung der bestehenden Apparatur zu beachten, wie sie vor allem in den beiden letztgenannten Bereichen zu beobachten sind. Hier ist an amerikanische Vorschläge für die Einsetzung eines »Siebten Hauptausschusses für Wissenschaft und Technologie« zu denken oder an die Möglichkeit einer Modifizierung des CCD.

Aus der speziellen Lage der Bundesrepublik ergibt sich im übrigen zusätzlich ein Interesse an den sogenannten Propaganda-Ausschüssen, d. h. den Ausschüssen für Menschenrechts- und Rassendiskriminierungsfragen.

c) Personal- und Verfahrensfragen für die Ständigen Vertretungen und Delegationen in New York und Genf

aa) Umwandlung der Ständigen Beobachtermissionen in Ständige Vertretungen

Die Bundesrepublik Deutschland unterhält seit Oktober 1952 eine Ständige Beobachtermission (»The Permanent Observer of the Federal Republic of Germany to the United Nations«) in New York[90]. An ihrer Spitze steht seit 1955 ein Botschafter der höchsten Klasse (B—9)[91], was zum Ausdruck bringt, daß der Vertretung eine besondere Bedeutung zukommt[92]. Aufgrund von amerikanischem Entgegenkommen hat der Beobachter den diplomatischen Status eines Gesandten an der Botschaft der Bundesrepublik Deutschland in Washington. Der Mitarbeiterstab des deutschen Beobachters wurde von 1956 bis heute zahlenmäßig verdoppelt und bestand im Herbst 1972 aus zehn Beamten des höheren Dienstes[93]. De jure sind sie Konsuln am Generalkonsulat in New York.

Die Beobachtermission ist nicht eine diplomatische Vertretung im förmlichen Sinn, sondern eine Vertretung sui generis. Weder in der UN-Charter noch in dem Headquarters Agreement der Vereinten Nationen mit der US-Regierung oder in der Resolution 257 (III) der Generalversammlung vom 3. Dezember 1948 über die Ständigen Missionen der Mitgliedstaaten wird die Möglichkeit der Einrichtung von Ständigen Beobachtermissionen von Nicht-Mitgliedstaaten erwähnt. Der recht-

[90] Einzelheiten über organisatorischen Aufbau der Beobachtermission bei Ernst-Otto *Czempiel,* Macht und Kompromiß. Die Beziehungen der Bundesrepublik zu den Vereinten Nationen 1956—1970, Düsseldorf 1971, S. 174. Die DDR erhielt erst im November 1972, nach Aufnahme in die UNESCO, von UN-Generalsekretär Waldheim die Genehmigung zur Einrichtung einer Beobachtermission.

[91] Insgesamt unterhält die Bundesrepublik 16 B-9-Botschaften in den Hauptstädten der Welt; die UN-Vertretung in Genf wird ebenfalls von einem B-9-Botschafter geleitet.

[92] Folgende deutsche Diplomaten waren bisher als UN-Beobachter in New York:
1952—1955 Generalkonsul (später Botschafter) Dr. Hans Riesser,
1955—1956 Botschafter Felix von Eckardt,
1956—1958 Botschafter Georg von Broich-Oppert,
1958—1960 Botschafter Dr. Werner Dankwort,
1960—1962 Botschafter Karl Heinrich Knappstein,
1962—1968 Botschafter Sigismund Frhr. von Braun,
1968—1971 Botschafter Dr. Alexander Böker,
seit 1971 Botschafter Dr. Walter Gehlhoff.

[93]

ein Gesandter (Minister Plenepotentiary)	(Ministerialdirigent)
ein Botschaftsrat (Minister Counsellor)	(Vortragender Legationsrat I. Klasse)
drei Botschaftsräte (Counsellors)	(Vortragende Legationsräte)
vier Erste Sekretäre (First Secretaries)	(drei Legationsräte I. Klasse; ein Oberregierungsrat — Bundesministerium für wirtschaftliche Zusammenarbeit)
ein Zweiter Sekretär (Second Secretary)	(Legationsrat)

liche Status der Beobachtermission ist bis heute nicht schriftlich fixiert worden, sondern die Zulassung von Ständigen Beobachtern beruht auf dem von den Vereinten Nationen geübten Gewohnheitsrecht. Danach ist dem Generalsekretär die Möglichkeit gegeben, denjenigen Nicht-Mitgliedstaaten die Legitimation zur Entsendung von Beobachtern zu geben, die von der Mehrheit der UN-Mitglieder völkerrechtlich anerkannt sind oder UN-Sonderorganisationen angehören[94].

Mit dem Beitritt der Bundesrepublik Deutschland zu den Vereinten Nationen wird die Ständige Beobachtermission formal in eine diplomatische Vertretung umgewandelt, und ihren Angehörigen werden alle traditionellen diplomatischen Vorrechte am Sitz der Organisation eingeräumt. Die Mitgliedschaft in den Vereinten Nationen macht die Einrichtung zusätzlicher Stellen vor allem in der New Yorker Vertretung und im UN-Referat des Auswärtigen Amtes in Bonn notwendig[95]. Die zahlenmäßige Stärke des Beamtenstabs wird darauf schließen lassen, für wie wichtig die deutsche Regierung ihre Mitarbeit in den Vereinten Nationen hält.

Am europäischen Sitz der Vereinten Nationen in Genf hat die Bundesrepublik 1953 eine weitere Dienststelle[96] eingerichtet, an deren Spitze wie in New York ein Botschafter der höchsten Rangordnung steht[97]. Im Verhältnis zu den Vereinten Nationen hat er den Status eines »Beobachters«, zu den UN-Sonderorganisationen den eines »Vertreters«. Die Beobachtermission wird nach dem Beitritt der Bundesrepublik zu den Vereinten Nationen ebenfalls in eine Ständige UN-Vertretung umgewandelt werden[98].

---

[94] Vgl. Heinz *Dröge*/Fritz *Münch*/Ellinor *von Puttkamer*, Die Bundesrepublik Deutschland und die Vereinten Nationen, München 1966, S. 20 f.; Hans Georg *Wieck*, Deutschland und die Vereinten Nationen, in: Jahrbuch für Auswärtige Politik, Frankfurt 1961, S. 26 f.

[95] Vgl. dazu amerikanische Vorschläge zur Reform der Vertretungen und der entsprechenden Abteilungen in den Ministerien, in: Final Report of the American Assembly on the United States and the United Nations, Arden House (Columbia University), New York 1972, S. 10 f.

[96] Die offiziellen Bezeichnungen der Vertretung in Genf weisen schon auf die vielfältigen Funktionen hin: »Vertretung der Bundesrepublik Deutschland bei den Internationalen Organisationen in Genf«, »Der Beobachter der Bundesrepublik Deutschland beim Europäischen Büro der Vereinten Nationen«, »Generalkonsulat der Bundesrepublik Deutschland in Genf«.

[97] Die Bundesrepublik wurde in Genf durch folgende Diplomaten vertreten:
1953—1956 Generalkonsul Dr. Gerd Feine,
1956—1961 Gesandter Dr. Franz Thierfelder,
1961—1964 Botschafter Hans Karl Graf von Hardenberg,
1964—1969 Botschafter Dr. Rupprecht von Keller,
1969—1973 Botschafter Dr. Swidbert Schnippenkötter,
seit 1973 Botschafter Dr. Axel Herbst.

[98] Die Vertretung in Genf setzt sich wie folgt zusammen:

ein Botschafter (Permanent Representative)	(Ministerialdirektor)
ein Gesandter (Minister Plenepotentiary, Deputy Permanent Representative)	(Ministerialdirigent)

Das Schwergewicht der Tätigkeit der Vertretung der Bundesrepublik in Genf liegt bisher

- auf der Mitarbeit in Sonderorganisationen (International Labour Organization, World Health Organization, World Meteorological Organization, International Telecommunication Union),
- auf der Mitarbeit in UN-Spezialorganen (UNCTAD, UNHCR),
- auf der Mitarbeit in den dem Wirtschafts- und Sozialrat nachgeordneten Organen (Subsidiary Organs of ECOSOC: ECE, Commission on Narcotic Drugs)
- und schließlich auf der Vertretung der Bundesrepublik in zahlreichen anderen zwischenstaatlichen Gremien.

Die Bundesrepublik gehört den verschiedenen Organisationen und Spezialorganen als Vollmitglied an, und sie hat dort die gleichen Rechte und Pflichten wie die anderen Mitglieder, so daß sich in diesem Bereich durch ihren Betritt zu den Vereinten Nationen nichts ändern wird. Der Beobachtertätigkeit in den einzelnen UN-Organen und Ausschüssen kommt in Genf eine geringere Bedeutung zu als in New York. Sie beschränkt sich hier generell auf wenige, allerdings zum Teil wichtige Gremien wie das European Office of the United Nations, die Commission on Human Rights, Commission on the Status of Women, International Law Commission, Economic and Social Council, Conference of the Committee on Disarmament, Conference on the Peaceful Uses of Outer Space, Conference on the Peaceful Uses of Atomic Energy.

Am Hauptquartier der Vereinten Nationen wird die mit der Mitgliedschaft verbundene Arbeitszunahme besonders ins Gewicht fallen. War es bisher das Privileg des Auswärtigen Amts, Beamte nach New York zu entsenden, so wird es die aktive Mitarbeit in den Fachausschüssen in Zukunft notwendig machen, daß auch einzelne Beamte anderer Ministerien in die Ständige UN-Vertretung aufgenommen werden. Bereits jetzt ist ein Beamter des Ministeriums für wirtschaftliche Zusammenarbeit in den Geschäftsbereich des Auswärtigen Amts versetzt und der Beobachtermission in New York zugeteilt worden. Eine ähnliche Entwicklung zeigt sich in der Zusammensetzung der Genfer Mission. Die Zahl der Bediensteten aus den verschiedenen Fachressorts, die nach dem UN-Beitritt in die Vertretungen aufgenommen werden, sollte sich nach den tatsächlichen Bedürfnissen richten. Es ist dabei in Betracht zu ziehen, daß die Aufgabenbereiche, die Spezialkenntnisse von Beamten aus bestimmten Fachministerien erfordern, zum Teil nicht während

---

ein Botschaftsrat I. Klasse (Minister Counsellor) — (Vortragender Legationsrat I. Klasse)
drei Botschaftsräte (Counsellors) — (Vortragende Legationsräte)
drei Erste Sekretäre (First Secretaries) — (zwei Legationsräte I. Klasse; ein Regierungsdirektor — Bundesministerium für Finanzen)
ein Zweiter Sekretär (Second Secretary) — (Regierungsrat — Bundesministerium für Arbeit)
ein Dritter Sekretär (Third Secretary) — (Legationssekretär)

des ganzen Jahres anfallen, sondern hauptsächlich während der Sitzungen einzelner Gremien.

bb) Verfahrensprobleme (Weisungsgebundenheit, Delegationsleitung)

Grundsätzlich sollte festgehalten werden, daß die Mitarbeit der Bundesrepublik in UN-Gremien unter politischen Gesichtspunkten gesehen werden muß und daß die Richtlinienkompetenz des Auswärtigen Amts in diesem Bereich erhalten bleiben muß. Es muß sichergestellt werden, daß die Auslandsbeamten an den UN-Vertretungen nach einheitlichen und übereinstimmenden Richtlinien handeln. Das schließt nicht aus, daß sich die verschiedenen Ministerien an der Diskussion um den Inhalt der Weisungen beteiligen. Wenn sich zwischen den Ministerien Schwierigkeiten bei der Abstimmung über die einzunehmende Haltung der deutschen UN-Vertreter zu gewissen Problemen ergeben sollten, müßten derartige Situationen äußerstenfalls ad hoc im Kabinett vorgetragen und dort entschieden werden.

Bestimmte Probleme treten bei der Entsendung von Sonderdelegationen zu Sitzungen der einzelnen Organe und Ausschüsse der Vereinten Nationen auf, vor allem bei Hinzuziehung von Experten[99]. Dabei ist im wesentlichen an die wichtige Frage der Delegationsleitung zu denken. Diese Frage erübrigt sich, wenn es der Gegenstand erfordert, daß die Delegationsleitung durch einen zuständigen Beamten der Zentrale, das heißt des Auswärtigen Amts übernommen wird (Beispiel: INTELSAT). Vielfach entsteht aber die Frage, ob hinzugezogene Experten oder Mitglieder der Ständigen Vertretung die Delegationsleitung übernehmen sollen. Für die Übertragung der Delegationsleitung an Mitglieder der Ständigen Vertretung sprechen in solchen Fällen deren bessere Personenkenntnis, der detaillierte Überblick über die Haltungen der Delegationen im multilateralen Bereich, die Sachkenntnis in den eigentlichen Streitfragen, die verfahrensmäßige Routine und die Weisungsgebundenheit.

Die Personenkenntnis ist besonders wichtig. Die ständigen Mitglieder der Vertretungen kennen sich untereinander, so daß Absprachen über die einzunehmende Haltung und die eventuelle Koordinierung des Abstimmungsverhaltens schneller und routinierter vonstatten gehen. Das gilt vor allem auch im Hinblick auf die Haltungen der Delegationen im multilateralen Bereich. Sehr oft sind scheinbar widersprüchliche Voten und Haltungen von Delegationen nur aufgrund ihres überwiegenden Interesses in einem anderen Sachbereich oder als Reaktion auf eine bestimmte Politik in anderen Ausschüssen zu verstehen.

[99] Hadwen und Kaufmann sehen die Problematik von kurzfristig entsandten Delegierten folgendermaßen: »Complications may arise from the fact that many delegates come only for the meetings of a particular UN body ... Sometimes these representatives are familiar with UN problems, sometimes they are able to negotiate alone on behalf of their delegations with other delegations and sometimes they are not. There are not many delegates who have had the opportunity of becoming sufficiently briefed on UN subjects to participate actively in the discussion on major points of substance. It has been said that, ›Better continous clods than occasional geniuses‹ should be the guide for choosing UN representatives.« Siehe *Hadwen/Kaufmann* (Anm. 69), S. 27 f.

Es ist in der Praxis oft sehr schwer, die eigentlichen Streitfragen zu identifizieren. So kommt es häufig vor, daß den einzelnen Tagesordnungspunkten überdeckte Streitfragen zugrunde liegen, mit deren Problematik die Sachverständigen, die ad hoc zu den Sitzungen entsandt werden, nicht vertraut sein können. Es ist zum Beispiel für die Bundesrepublik in Abstimmungen über die »All-Staaten-Formel« in der Vergangenheit von Nachteil gewesen, wenn befreundete Delegationen durch Experten vertreten waren, denen dieser Problemkreis wohl juristisch, aber in seiner politischen Auswirkung nicht ausreichend genug vertraut war.

Die verfahrensmäßige Routine ist vor allem bei komplizierten Abstimmungen wichtig, in deren Verlauf die einzelnen Parteien versuchen, das Stimmenverhältnis mit Hilfe von Verfahrenstricks und ablenkenden Unteranträgen zu ihren Gunsten zu beeinflussen. In derartigen Fällen ist es notwendig, daß die Geschäftsordnungsbestimmungen im einzelnen beherrscht werden.

Und schließlich wirft die Weisungsgebundenheit bestimmte Probleme auf. Mitglieder der Ständigen Vertretungen werden im allgemeinen größeres Verständnis für die Ausführung politisch bedingter Weisungen haben und sie notfalls dem Sinn nach schnell den veränderten Umständen anpassen können. Dagegen könnten die für eine kurze Frist entsandten Experten eher geneigt sein, das Sachinteresse dem politischen Interesse voranzustellen. So ist es in dem Zusammenhang denkbar, daß sie Kompromißformeln für wichtige Prozedurfragen eher zustimmen, wenn damit der baldige Eintritt in die Sachdebatte verbunden ist.

Auch bei Berücksichtigung dieser Punkte sollte die Frage der Delegationsleitung nicht generell entschieden, sondern in jedem einzelnen Fall geprüft werden. Es wird sich empfehlen, für die Sitzungen der Ausschüsse, in denen die sachliche Arbeit sehr stark von politischen Motivationen gelenkt wird, als Delegationsleiter formell den Ständigen UN-Repräsentanten oder seinen Vertreter anzumelden. Diese Regelung hätte den Vorteil, daß der Leiter der Mission oder eventuell sein Vertreter ohne weiteres für die Delegation sprechen könnte, wenn sich außer den Sachfragen subtilere politische Probleme ergeben sollten. In den Fachausschüssen aber, in denen Spezialwissen im Vordergrund der Verhandlungen steht, sollten die zu den Sitzungen entsandten Experten die Delegationsleitung übernehmen. Ihnen könnte ein Mitglied der Vertretung beratend zur Seite gestellt werden.

Schwierigkeiten in den Beziehungen zwischen den Ständigen Vertretern und kurzfristig entsandten Delegierten können bei beiden Alternativen hinsichtlich der Delegationsleitung auftreten. Das Delegierten-Berater-Verhältnis wird in jedem Fall von dem persönlichen Verständnis und der gegenseitigen Respektierung der Betroffenen abhängen. Eine strikt festgelegte Kompetenzverteilung wird die auftretenden Probleme nicht befriedigend lösen können.

III. Nationale Akteure im Sekretariat der Vereinten Nationen

1. Die Stellung des Sekretariats im Rahmen der Gesamtorganisation

Die Wichtigkeit, die dem UN-Sekretariat im Rahmen der Gesamtorganisation zukommt, läßt sich grundsätzlich aus dem Inhalt des Artikels 7 Absatz 1 der Charter entnehmen: Als eines der sechs Hauptorgane wird das Sekretariat nach der Generalversammlung, dem Sicherheitsrat, dem Wirtschafts- und Sozialrat, dem Treuhandschaftsrat und dem Internationalen Gerichtshof aufgezählt. Durch diese Bestimmung soll offenbar eine Gleichsetzung des Generalsekretärs mit den politischen Hauptorganen der Organisation erzielt werden, was eine Stärkung der politischen Stellung des Generalsekretärs bedeutet. Kapitel XV der Charter (Artikel 97 bis 101) beschäftigt sich dann im einzelnen mit dem Sekretariat und definiert insbesondere die Funktion des Generalsekretärs.

Gemäß dem Inhalt des Artikels 97 der Charter kommt dem Generalsekretär die administrative Zentralgewalt zu, die er mit Hilfe eines von ihm ernannten internationalen Beamtenstabs (Artikel 101) wahrnimmt. Dem Bericht der Vorbereitenden Kommission (Preparatory Commission) zufolge umfaßt das Amt des höchsten Verwaltungsbeamten allgemeine administrative und exekutive, fachliche und finanzielle Funktionen sowie die letzte Verantwortung für die Organisation und Administration des Sekretariats.

Von grundlegender Bedeutung für das Amt des Generalsekretärs ist Artikel 99 der Charter, der die politische Rolle des Generalsekretärs legitimiert. Der Artikel geht sehr viel weiter als alle Bestimmungen der Völkerbundsatzung, die eine politische Funktion des höchsten Verwaltungsbeamten nicht kannte. Artikel 99 sieht vor, daß der Generalsekretär die Aufmerksamkeit des Sicherheitsrates auf alle Angelegenheiten lenken kann, die seiner Meinung nach die Aufrechterhaltung des Weltfriedens und der internationalen Sicherheit bedrohen. Mit dieser Bestimmung lassen sich auch zahlreiche nicht ausdrücklich in der Charter erwähnte politische Funktionen begründen[100]. Es wird außerdem deutlich, daß der Generalsekretär, der mit den politischen Hauptorganen rechtlich gleichgesetzt ist und dem eine zusätzliche politische Rolle zugedacht worden ist, allein die internationale Gemeinschaft der Vereinten Nationen als Ganzes verkörpern und für sie sprechen soll[101]. Im Bericht der Vorbereitenden Kommission heißt es dazu: »... der Generalsekre-

[100] Vgl. Arthur W. *Rovine*, The First Fifty Years. The Secretary-General in World Politics 1920—1970, Leyden 1970, S. 204. Ausführlich zu Artikel 99 Leon *Gordenker*, The UN Secretary-General and the Maintenance of Peace, New York/London 1967, S. 137 ff.; ders., The Secretary-General, in: James *Barros* (Hrsg.), The United Nations: Past, Present, and Future, New York/London 1972, S. 116 ff.

[101] *Rovine* (Anm. 100), S. 204.

tär vertritt mehr als irgend jemand sonst die Vereinten Nationen als Ganzes. In den Augen der Welt wie in den Augen seiner eigenen Mitarbeiter muß er die Grundsätze und Ideale der Charter verkörpern, die die Organisation in die Tat umzusetzen sucht.«[102]

Vorschläge zur Ausweitung der politischen Rechte des Generalsekretärs etwa in der Form, daß er nicht nur den Sicherheitsrat, sondern auch die Generalversammlung auf friedensbedrohende Situationen aufmerksam machen kann, wurden während der San-Francisco-Konferenz abgelehnt. Die Begründung dafür war vor allem, daß solche Angelegenheiten ohnehin in die Kompetenz des Sicherheitsrates fallen würden. Außerdem wurde trotz des Artikels 99 die Hauptfunktion des Generalsekretärs auf administrativem Gebiet gesehen[103].

Nach Artikel 98 kann der Generalsekretär der Generalversammlung einen Jahresbericht über die Tätigkeit der Organisation erstatten und die ihm von anderen UN-Organen übertragenen Funktionen ausüben. Der Artikel ist ursprünglich als politisch weniger bedeutungsvoll betrachtet worden. Im Laufe der Jahre wurde aber der Handlungsspielraum des Generalsekretärs durch die Geschäftsordnungsbestimmungen der Generalversammlung, die sich auf Artikel 98 stützten, erweitert. Sie ermächtigen ihn, Tagesordnungspunkte auf die Agenda zu setzen (Rules 14, 18) sowie zu jeder Zeit eine schriftliche oder mündliche Stellungnahme zu internationalen Angelegenheiten verschiedenster Art vor dem Plenum abzugeben (Rule 72). Zu Beginn der 27. Sitzungsperiode der Generalversammlung 1972 erzielte Generalsekretär Kurt Waldheim einen bedeutenden Erfolg, als der von ihm vorgeschlagene Tagesordnungspunkt »Maßnahmen gegen den politischen Terrorismus« nach anfänglichem Widerstand auf die Agenda der Generalversammlung gesetzt wurde.

Den Jahresbericht an die Generalversammlung benutzt der Generalsekretär regelmäßig dazu, weltweite Probleme und Konflikte und die jeweilige Rolle der Vereinten Nationen zu analysieren und teilweise detaillierte Empfehlungen und Vorschläge zu machen.

Insbesondere während der Amtszeit von Dag Hammarskjöld wurden die Bestimmungen der Charter und der Geschäftsordnungen zu einem wirkungsvollen Instrumentarium ausgebaut. Die Generalversammlung und der Sicherheitsrat haben dem Generalsekretär in zahlreichen Fällen, insbesondere im Zusammenhang mit der Aufstellung und Unterhaltung von Friedensstreitkräften, Aufgaben übertragen, die ihn zur Schlüsselfigur im Entscheidungsprozeß machten. Auch wenn die Resolutionen, die oft nur durch politische Kompromisse zustande kommen konnten, teilweise sehr vage Formulierungen enthielten, so ließen sie dem Generalsekretär und seinem Exekutivbüro doch genügend konstitutionellen Spielraum für selbständige politische Handlungen.

Die Voraussetzungen für die Stellung des Generalsekretärs in der Gesamtorga-

---

[102] Report of the Preparatory Commission, 1945 (UN Doc. PC/20), zitiert nach *Rovine* (Anm. 100), S. 205.

[103] *Rovine* (Anm. 100), S. 205.

nisation werden also in der Charter durch Artikel 7, 98 und 99 geschaffen. Seine Einflußmöglichkeiten auf UN-Aktivitäten und die Stärkung seiner Position gegenüber den politischen Organen wuchsen darüber hinaus, und zwar vor allem, weil der Sicherheitsrat wegen der fehlenden Übereinstimmung der ständigen Mitglieder in wichtigen Fragen in seinen Wirkungsmöglichkeiten begrenzt blieb und die Generalversammlung trotz der Uniting-for-Peace-Resolution (Korea-Krieg) es nicht vermocht hat, die führende Rolle zu übernehmen. Gegenwärtig ist Waldheim bemüht, die Generalversammlung wieder aufzuwerten und dadurch auch die Einflußmöglichkeiten des Generalsekretärs zu verbessern. Es bleibt abzuwarten, ob dieser Versuch Erfolg haben wird.

2. *Formale Organisationsstruktur des Sekretariats*

Den Verhandlungen der Vorbereitenden Kommission über den strukturellen Aufbau des Sekretariats lagen zwei Grundkonzeptionen zugrunde: die »organische« und die »funktionale«. Die »organische« Konzeption sah vier Hauptorgane der Vereinten Nationen – Generalversammlung, Sicherheitsrat, Wirtschafts- und Sozialrat und Treuhandschaftsrat – vor, denen eigene Sekretariate angegliedert werden, die nur durch lose Koordinierung miteinander verbunden sind. Nach der »funktionalen« Konzeption sollte es hingegen ein einheitliches Gesamtsekretariat geben, das nach den jeweiligen Aufgabengebieten in Arbeitseinheiten aufgeteilt ist, die jeweils allen Organen zur Verfügung stehen. Die Vorbereitende Kommission gab der »funktionalen« Konzeption den Vorzug, da eine »organische« Struktur das Risiko geteilter Loyalität, unerwünschter Rivalität und schließlich erheblicher Arbeitsüberschneidungen zwischen den vier Sekretariaten enthalten hätte[104].

Die funktionale Organisationsform stand nicht in Widerspruch zu der Bestimmung des Artikels 101 Absatz 2 der Charter, nach der dem Wirtschafts- und Sozialrat, dem Treuhandschaftsrat und nötigenfalls anderen Organen der Vereinten Nationen besonderes Personal auf Dauer zugeteilt wird, die Beamten aber Teil des Gesamtsekretariats bleiben. Die einzige Ausnahme von der Regel, daß alle Abteilungen für die Arbeit jedes UN-Organs zur Verfügung stehen, bildet das Department of Political and Security Council Affairs. Da dem Sicherheitsrat, der nach der Charter die Hauptverantwortung für die Aufrechterhaltung des Weltfriedens und der internationalen Sicherheit trägt, besondere Befugnisse zur Erfüllung dieser Pflichten eingeräumt worden sind (Artikel 24 der Charter), sind im Sekretariat besondere Unterabteilungen ausschließlich für die Arbeit des Sicherheitsrates geschaffen worden[105].

Die ursprüngliche Aufteilung des Sekretariats in acht Abteilungen[106] blieb bis

[104] Vgl. First Report of the Advisory Group of Experts on Administrative, Personnel and Budgetary Questions to the Secretary-General of the United Nations submitted by the Advisory Group to the Secretary-General by a letter dated 9th March 1946, S. 4.

[105] Report of the Advisory Group (Anm. 104), S. 3; ebenso Report of the Preparatory Commission (Anm. 102), S. 88.

[106] GA Res. 13 (I) vom 13. Februar 1946.

zu seiner Neuorganisierung[107], die 1954 auf Empfehlung des Generalsekretärs durchgeführt wurde, bestehen. In den sechziger Jahren und zu Beginn der siebziger Jahre sind weitere Änderungen vorgenommen worden, so daß die Grundstruktur des Sekretariats heute folgendermaßen aussieht[108]:

Das Sekretariat, an dessen Spitze der Generalsekretär steht, ist in Büros des Generalsekretärs (Offices of the Secretary-General) und in Haupteinheiten, sog. Departments unterteilt. Sie werden von Under-Secretaries-General oder Assistant Secretaries-General geleitet, die dem Generalsekretär direkt verantwortlich sind. Die Büros und Departments sind wiederum in »divisions, services, sections, branches, units« unterteilt:

Department (or Office)
|
Division
|
Section (or Service, Unit).

Der Leiter einer »division«, der in der Regel den Rang eines Direktors hat, berichtet direkt dem Under-(Assistant)Secretary-General der Haupteinheit. An der Spitze der eigentlichen Arbeitseinheiten, den »sections«, »services« oder »units« stehen »senior staff members«. Die Anzahl der in den einzelnen Departments beschäftigten Beamten ändert sich entsprechend der Wichtigkeit und der Größe des Arbeitsgebietes, und die Qualität und Quantität der geleisteten Arbeit variiert bereits erheblich zwischen den einzelnen Unterabteilungen.

3. *Informelle Organisationsstruktur des Sekretariats*

Die informelle Organisationsstruktur des Sekretariats ist vor allem unter vier Gesichtspunkten zu sehen:

- Veränderungen im Aufgabenbereich des Sekretariats,
- Kompetenzverschiebungen zwischen den Organisationseinheiten,
- Konzentration von Entscheidungsbefugnissen,
- Kooperation zwischen Sekretariatsangehörigen und Delegationsmitgliedern.

a) Veränderungen im Aufgabenbereich des Sekretariats

Seit Gründung der Vereinten Nationen sind Änderungen im Aufgabenbereich des Sekretariats eingetreten, die aus der formalen Organisationsstruktur nicht zu ersehen sind. Eine derartige Entwicklung ist gekennzeichnet durch Erweiterung der Aufgaben des Sekretariats auf bestimmten Gebieten einerseits und durch »Austrocknen« einzelner Arbeitsgebiete andererseits. Das Ausmaß der Veränderungen

[107] GAOR, 8th Session, 1953, Annexes, Agenda item 48 (UN Doc. A/2554), S. 1.

[108] Siehe Falttafel gegenüber S. 304 und Erläuterungen dazu in Anhang V, S. 301 ff. Vorschläge zur Umstrukturierung des Sekretariats in »The Future of the Secretariat«. A Report by Prof. Richard *Gardner* on AN INTERNATIONAL CONFERENCE held in May, 1972, in New York City and Rensselaerville — co-sponsored by UNITAR and The Institute on Man and Science.

ist von der Bereitschaft der Mitgliedstaaten zu einer Zusammenarbeit im UN-Rahmen und insbesondere davon abhängig, inwieweit gemeinsame Zielsetzungen zwischen den Regierungen erarbeitet werden können.

Die Expansion der Aufgabengebiete des Sekretariats richtet sich sowohl nach den Aktivitäten des Generalsekretärs wie nach den Interessen der Staaten, gewisse soziale, wirtschaftliche und politische Ziele durch internationale Institutionen zu verfolgen[109]. Die Entwicklung ließ teilweise ein »organizational lag« erkennen. Die formale Organisationsstruktur hat sich nicht in dem gleichen Maße aufgabengerecht mitentwickelt, bzw. einzelne Arbeitsbereiche wurden eingeschränkt, und die Organisationsstruktur blieb von dieser Veränderung formal unberührt.

Da hauptsächlich in wirtschaftlichen und sozialen Fragen die Zuständigkeiten der Organisation erweitert wurden, ist das Department of Economic and Social Affairs exemplarisch für diese Entwicklung. Die administrativen und organisatorischen Möglichkeiten der Abteilung waren zuerst sehr begrenzt. Sie konnten in den Nachkriegsjahren, insbesondere mit der Ausdehnung der multilateralen UN-Hilfe, die den Entwicklungsländern auf dem Gebiet der Wirtschaft, des Sozialwesens und der öffentlichen Verwaltung zukam, nicht Schritt halten. In den sechziger und siebziger Jahren wurden dann Spezialorgane mit eigenen Sekretariaten wie UNIDO, UNCTAD, UNDP und die United Nations Conference on the Human Environment eingesetzt, in denen Arbeitsbereiche der entsprechenden Abteilungen des Sekretariats, besonders des Department of Economic and Social Affairs, größtenteils aufgingen, ohne daß sich dadurch deren formale Struktur änderte.

b) Kompetenzverschiebungen zwischen den Organisationseinheiten

Auch innerhalb des UN-Sekretariats kam es zu Kompetenzverschiebungen. Mit fortschreitender Aufgabenerweiterung im politischen Bereich wuchsen zum Beispiel dem Generalsekretär Kompetenzen zu, die seine Autonomie innerhalb der Organisation und seine Stellung gegenüber den Regierungen stärkten. Bis zum gewissen Grade trugen auch Resolutionen des Sicherheitsrates und der Generalversammlung dazu bei, den Handlungsspielraum des Generalsekretärs zu erweitern[110]. Zudem hat der Generalsekretär in gewissen Situationen Initiativmöglichkeiten, wenn keine ausdrückliche Ermächtigung durch die »policy making organs« vorliegt. Hammarskjöld sah seine Rolle in derartigen Situationen folgendermaßen: »... Ich glaube, es ist im Einklang mit dem Geist der Charter, daß vom Generalsekretär erwartet werden sollte, auch ohne eine solche Ermächtigung zu handeln, wenn es ihm zur besseren Ausfüllung eines möglichen Vakuums in den Systemen, die die Charter und die

[109] Vgl. Charles *Winchmore*, The Secretariat: Retrospect and Prospect, in: Maurice *Waters* (Hrsg.), The United Nations, New York/London 1967, S. 147.

[110] Siehe zum Beispiel GA Res. 1237 (ES-III) vom 21. August 1958: »... Requests the Secretary-General to make ... such arrangements as would adequately help in upholding the purposes and principles of the Charter«.

traditionelle Diplomatie zur Wahrung von Frieden und Sicherheit vorsehen, notwendig erscheine.«[111]

Politische Funktionen und Verantwortungen, die der Generalsekretär übernommen hatte, wurden in sehr viel geringerem Umfang als etwa Angelegenheiten in anderen Bereichen an die entsprechenden Abteilungen des Sekretariats zur Bearbeitung weitergegeben. Sie wurden zunehmend vom Generalsekretär und dessen engsten Mitarbeitern (»Cabinet«) behandelt. Im Rahmen dieser Entwicklung ist die Schaffung der beiden Posten der Under-Secretaries for Special Political Affairs without portfolio in der Hammarskjöld-Ära zu sehen, die die politische Rolle der höchsten und einflußreichsten Sekretariatsbeamten institutionalisierte[112]. Ebenfalls unter Hammarskjöld wurde das Exekutivbüro des Generalsekretärs aufgewertet und sein Kompetenzbereich über die ihm formal zugedachte Funktion hinaus erweitert.

Die vertikale Kompetenzverschiebung wirkte sich besonders nachteilig auf das Department of Political and Security Council Affairs aus. Die politische Funktion, die der Abteilung in der formalen Organisationsstruktur des Sekretariats zugedacht war, hat sie in der Praxis nicht übernehmen können. Der sowjetische Vertreter in dem 1960 eingesetzten Committee of Experts on the Review of the Activities and Organization of the Secretariat beklagte sich zum Beispiel mehrmals, daß das Department, an dessen Spitze ein sowjetischer Under-Secretary-General stände, seine eigentliche Aufgabe in der Organisation bisher nicht übernehmen konnte[113].

So haben die Spitzenbeamten im politischen Bereich weniger Möglichkeit zur Einflußnahme als auf anderen Gebieten. Im Falle des Department of Political and Security Council Affairs hat das eine zusätzliche spezifische Ursache. Seit Etablierung des Sekretariats steht an der Spitze des Department ein sowjetischer Assistant Secretary-General und seit Umstrukturierung des Sekretariats ein sowjetischer Under-Secretary-General. Wie Trygve Lie schreibt, hatten sich die Westmächte bereits 1945 in London geeinigt, diesen Schlüsselposten der Sowjetunion zu überlassen, um das Interesse der sowjetischen Regierung an einer Mitarbeit in den Vereinten Nationen zu stärken[114]. Diese Vereinbarung sollte ursprünglich nur vorübergehend Gültigkeit haben, doch ist sie bis heute eine ungebrochene Regel geblieben. Inzwischen ist das Department of Political and Security Council Affairs die einzige Abteilung des Sekretariats, in der die Mehrzahl der Beamten aus der Sowjetunion, Osteuropa und anderen sozialistischen Staaten rekrutiert ist. Der Brasilianer Hernane Tavares de Sá, der fünf Jahre als Under-Secretary-General of Public Infor-

[111] Vgl. dazu Hammerskjöld's statement, in: GAOR, 12th Session, 690th Plenary Meeting, 26. September 1957, S. 175; ebenso: Sydney D. *Bailey,* The Secretariat of the United Nations, New York 1962, S. 36 ff.

[112] *Rovine* (Anm. 100), S. 437.

[113] Vgl. Charles *Winchmore,* The Secretariat: Retrospect and Prospect, in: *International Organization,* Vol. 19, 1965, S. 634.

[114] Vgl. Trygve *Lie,* In the Cause of Peace, New York 1954, S. 54 f.

mation dem Sekretariat angehörte, sieht die Stellung der Russen folgendermaßen: »... alle Russen im Sekretariat sind isoliert außer in einem kleinen Department, an dessen Spitze ein sowjetischer Under-Secretary-General steht. In dem besonderen Fall ist es das Department selbst, das isoliert ist.«[115]

Diese Beobachtung enthält sicherlich einen gewissen Wahrheitsgehalt, doch würde ihre Verallgemeinerung einen verzerrten Eindruck von der tatsächlichen Stellung einzelner sowjetischer Beamter in gehobenen Stellungen wiedergeben. So hat Evgeny Kutovoj, der ehemalige Special Assistant to the Under-Secretary-General in der politischen Abteilung, offenbar über einige Jahre eine starke Stellung innegehabt[116].

c) Konzentration von Entscheidungsbefugnissen

Die teilweise horizontale Gewichtsverschiebung vom Sicherheitsrat und der Generalversammlung zum Generalsekretär und die vertikale Kompetenzverlagerung innerhalb des Sekretariats haben zu einer Konzentration von Entscheidungsbefugnissen auf höchster Ebene geführt, die vor allem bei der Behandlung politisch empfindlicher Fragen zur Geltung kommen kann. Der Erfolg des Generalsekretärs hängt dabei wesentlich von den Fähigkeiten seiner engsten Mitarbeiter ab. So waren zum Beispiel die Under-Secretaries-General Abraham Feller (USA) und Andrew Cordier (USA) unter Trygve Lie, Cordier und Ralph Bunche (USA) unter Hammarskjöld und schließlich Bunche und C. V. Narasimhan (Indien) unter U Thant unentbehrlich für die Konzentration des »decision-making-process« im Amt des Generalsekretärs.

Es steht außer Frage, daß Lie, Hammarskjöld und U Thant in unterschiedlichem Maße bereit waren, Verantwortung abzugeben, und daß ihre höchsten Beamten nicht die gleichen Möglichkeiten hatten, eigene Initiativen zu entwickeln. So bestanden Unterschiede in der Intensität der Machtkonzentration in der Führungsspitze des Sekretariats. Rovine charakterisiert den Führungsstil der Generalsekretäre dahingehend, daß Hammarskjöld die Administration wie nie zuvor zentralisierte und die Initiative und Verantwortung von unten einschränkte. Im Gegensatz zu Lie und U Thant war er wenig geneigt, Machtbefugnisse zu delegieren[117].

Die Verlagerung von Entscheidungsbefugnissen im Sekretariat ging im übrigen Hand in Hand mit der nachlassenden Effektivität der meisten Abteilungen. Folgende Faktoren sind dabei zu beachten:

[115] Hernane *Tavares de Sá*, The Play within the Play. The Inside Story of the UN, New York 1966, S. 184. An anderer Stelle schreibt er: »Das bekannteste Beispiel ist Georgey Arkadiev, Under-Secretary for Political and Security Council Affairs während Hammarskjölds letztem Amtsjahr, der sich überall bitter beklagte, daß er trotz seiner Stellung nichts zu tun habe und vom Generalsekretär nicht informiert werde« (ebd., S. 186).

[116] Dieser Einfluß wurde u. a. bei der Ausarbeitung des Vertrags über die Nichtverbreitung von Kernwaffen und bei U Thants Vorschlag einer Konferenz der fünf Nuklearmächte noch vor der Mitgliedschaft der Volksrepublik China erkennbar.

[117] *Rovine* (Anm. 100), S. 437.

– personelle Überbesetzung der Abteilungen,
– Qualitätsverlust der Beamten,
– Mangel an neuen Ideen in den »senior posts«,
– unangemessene Zustände im Sekretariat (zum Beispiel Praxis der Beförderung und der Einstellung von Beamten, unangemessenes Gehalt etc.).

Bei nicht-politischen Angelegenheiten bleibt die Entscheidungsgewalt meistens in den Abteilungen und wird vom Leiter weitgehend selbständig oder in Zusammenarbeit mit einem ihm nachgeordneten Beamten wahrgenommen. Das ist zum Beispiel bei der Human Rights Division mit dem Belgier Marc Schreiber als Direktor der Fall. Vielfach vollzieht sich der Willensbildungs- und Entscheidungsprozeß auch kollegial unter Heranziehung mehrerer Spitzenbeamter aus verschiedenen Abteilungen.

Eine wichtige Rolle spielt innerhalb der UN-Bürokratie und bei der Machtverteilung im Sekretariat die sogenannte Cliquen-Bildung. Ein Interview, das ein ehemaliger hoher UN-Beamter einem Journalisten gegeben hat und das aus politischen Gründen nicht veröffentlicht wurde, dessen Inhalt aber schließlich in dem Buch von Tavares de Sá wiedergegeben wird, nimmt mit frappierender Offenheit Bezug auf die nationalen Gruppen im Sekretariat und den Einfluß, den sie gelegentlich ausüben. »Tatsächlich besteht sie (die Clique) eifersüchtig auf ihrer Macht, Entscheidungen zu treffen ... Wenn im Hause eine wichtige Maßnahme beschlossen wird, haben der Under-Secretary, der sie dem Generalsekretär vorschlägt, und der Generalsekretär, der ihr zustimmt, im Grunde sehr wenig zu der eigentlichen Entscheidung beigetragen. Diese wird immer von einer kompakten, homogenen Gruppe von Veteranen getroffen, die schon lange bevor das Problem offiziell dem Under-Secretary oder dem Generalsekretär selbst vorgetragen wird, untereinander eine Übereinkunft erzielt hat.«[118]

In der Reihenfolge nach dem Wichtigkeitsgrad der Gruppen werden die Briten, Inder und schließlich die Amerikaner aufgezählt. Jede der drei Gruppen hat mindestens einen strategisch wichtigen Posten in allen Abteilungen besetzt. Die Inder, die im Sekretariat auch oft übertrieben als »Indian Mafia«[119] bezeichnet werden, haben trotz ihrer Abneigungen gegeneinander und Rivalitäten untereinander das am besten funktionierende vertikale Nachrichtensystem, durch das vertrauliche Informationen bereits in einem frühen Stadium »aufgespürt« und dann bis zum ranghöchsten indischen Sekretariatsangehörigen weitergegeben werden[120]. Die indische »Kommandokette« verläuft vertikal, von oben nach unten, die der Angelsachsen eher horizontal – zwischen ihren Beamten in »senior posts« (»old cronies«). Zwischen den Angelsachsen kommt es dabei vielfach zu einem Zusammenspiel, an dem auch die Australier und Neuseeländer beteiligt sind (»Anglo-Saxon-Clique«). Durch ein derartiges Nachrichtensystem wird eine informelle Kooperation zwischen

---

[118] *Tavares de Sá* (Anm. 115), S. 173.
[119] Vgl. dazu auch »What's wrong at the United Nations?«, in: *Saturday Review* vom 19. Juni 1971, S. 18.
[120] Ebd., S. 169.

den Organisationseinheiten möglich gemacht. Für die Briten soll der stärkste Zusammenhalt und die beste Disziplin in diesem Prozeß kennzeichnend sein.

Wenn die Bedeutung der Cliquen für den Willenbildungs- und Entscheidungsprozeß im Sekretariat von dem befragten UN-Beamten auch zweifellos überbewertet worden ist, so sollte andererseits die Beeinflussung der Macht- und Personalstruktur durch diese Gruppen nicht unterschätzt werden.

d) Kooperation zwischen Sekretariatsangehörigen und Delegationsmitgliedern

Da der Generalsekretär für die erfolgreiche Wahrnehmung der politischen und administrativen Funktionen die Unterstützung der politischen Organe (Sicherheitsrat etc.) braucht, muß er engen Kontakt zu den Ständigen Vertretungen der Mitgliedstaaten unterhalten und mit ihnen einen intensiven Meinungsaustausch zu wichtigen Fragen pflegen. Es ist bereits zu institutionalisierten Konsultationen gekommen, und zwar in der Form, daß Beratungsausschüsse aus Mitgliedern der nationalen UN-Vertretungen gebildet wurden, die unter Vorsitz des Generalsekretärs tagten. Beispiele sind in der Vergangenheit die Beratenden Komitees für die Operationen im Nahen Osten (UNEF) und im Kongo (ONUC), gegenwärtig der Beratungsausschuß für wissenschaftliche Angelegenheiten.

Vielfach ist auch ein Zusammenspiel zwischen Regierungen bzw. UN-Vertretern und UN-Beamten der gleichen Nationalität zu beobachten, das im Grunde dem Artikel 100 der Charter widerspricht. Dort heißt es u. a. in Abschnitt 1, daß das Personal bei Erfüllung seiner Pflichten keine Weisungen von irgendeiner Regierung entgegennehmen darf. Die Mißachtung dieser Bestimmung geht teilweise so weit, daß Beamte auch nach ihrem Eintritt in das Sekretariat im Dienst ihrer Regierungen bleiben und nicht nur nach ähnlichen Weisungen wie die nationalen Delegationsmitglieder handeln, sondern ihrer Vertretung auch regelmäßig über ihre Tätigkeit im Sekretariat berichten. Tavares de Sá beschreibt beispielsweise die Situation der sowjetischen Beamten folgendermaßen: »Die armen Kerle stehen zur gleichen Zeit im Dienste der zwei schlimmsten Bürokratien der Welt, doch müssen sie ihren eigenen Leuten zu Hause und hier ihrer Delegation den Vorrang geben.«[121]

Politische Einflußnahme auf die Arbeit des Sekretariats ist deshalb keine Seltenheit. So erhalten zum Beispiel Arbeitspapiere oder Berichte, die im Auftrag von UN-Organen und Ausschüssen im Sekretariat geschrieben werden, oft eine bestimmte politische Tendenz, die sich mit dem Interesse einzelner Staaten deckt. Es kommt auch vor, daß hohe Sekretariatsbeamte öffentlich ihre nationale Delegation im Verlauf von Sachdebatten unterstützen. Ein Beispiel ist nur die vielzitierte Episode aus einer wichtigen Sicherheitsratssitzung, als der damalige sowjetische Under-Secretary-General of Political and Security Council Affairs, Georgey Arkadiev, der in Sitzungen links vom Sicherheitsratspräsidenten saß, um ihn in tech-

[121] *Tavares de Sá* (Anm. 115), S. 185.

nischen Fragen zu beraten, dem sowjetischen Botschafter Zorin kleine Zettel mit taktischen Empfehlungen für die schwierige Debatte über Verfahrensfragen zuschickte[122].

Eine andere Art der Kooperation kann bewirken, daß Sitzungen von UN-Gremien vertagt werden. Empfiehlt sich eine Vertagung für die Delegation aus taktischen Gründen oder weil noch keine Weisungen von der Regierung vorliegen, dann ist es unter gegebenen Umständen möglich, daß die Beamten der gleichen Nationalität in der für die Ausschußarbeit zuständigen Abteilung des Sekretariats die Anfertigung von Papieren oder Berichten, die für die Fortführung der Ausschußberatungen erforderlich sind, verzögern und damit eine Verschiebung der Sitzung notwendig machen. Der umgekehrte Fall, daß Beamte nach Absprache mit ihrer Delegation aus taktischen Motiven besonders schnell arbeiten, kann ebenfalls vorkommen.

Durch die Weitergabe wichtiger interner Informationen an Delegationen wird vielfach auch mitbewirkt, daß geplante Aktivitäten des Sekretariats bereits zu einem frühen Zeitpunkt modifiziert werden oder ein Aktivwerden bestimmter Abteilungen ganz verhindert wird. Das kann besonders wichtig sein etwa bei der Anfertigung von Berichten zu grundlegenden politischen Problemen, die im Spannungsfeld der Ost-West-Auseinandersetzung liegen. Die Delegationschefs versuchen dann vielfach durch nachdrückliches, teilweise organisiertes Eingreifen beim Generalsekretär, die geplanten Projekte entweder scheitern oder aber sie von Beamten anderer Nationalitäten anfertigen zu lassen. Nur eine funktionierende Zusammenarbeit zwischen Beamten und nationalen Vertretern macht in derartigen Fällen die frühzeitige Kontaktaufnahme der Delegation mit dem Generalsekretär und die Einwirkung auf die Arbeit des Sekretariats möglich.

Gelegentlich bleibt dieses Zusammenspiel auch darauf beschränkt, daß Beamte auf informellem Wege Resolutionstexte vorschlagen oder von den Delegationen gebeten werden, Textentwürfe zu schreiben, da sie als Experten mit den technischen Dingen genauer vertraut sind und teilweise intensiver in die zur Diskussion stehende Materie eingearbeitet sind[123]. Wie die Praxis zeigt, können die Verbindungen zwischen Delegationsmitgliedern und internationalen Beamten auf den verschiedensten Wegen und Ebenen erreicht werden, und sie können von loser Kontaktaufnahme bis zu organisierter Zusammenarbeit reichen.

4. Formale Personalstruktur des Sekretariats

Das Sekretariatspersonal der Vereinten Nationen setzt sich zusammen aus den Beamten und Angestellten

– des Hauptquartiers der Vereinten Nationen in New York (einschließlich der Informationszentren, des United Nations Economic and Social Office in Beirut,

[122] Vgl. auch *Tavares de Sá* (Anm. 115), S. 186.
[123] Vgl. *Kaufmann* (Anm. 68), S. 21.

der New Yorker Verbindungsbüros von UNIDO, UNCTAD und UNCHE),
- des Europäischen Büros der Vereinten Nationen (einschließlich der Büros von UNCTAD und UNCHE in Genf, der Division of Narcotic Drugs und des Sekretariats des International Narcotics Control Board, des United Nations Fund for Drug Abuse Control, des Büros des United Nations Disaster Relief Co-ordinator und des CCD),
- der Economic Commissions for Europe (ECE), for Asia and the Far East (ECAFE), for Africa (ECA), for Latinamerica (ECLA),
- der UNIDO.

In die folgende Untersuchung werden nur Beamte des höheren Dienstes (Professional Category, Principal Officer and Director Category, Assistant Secretaries-General, Under-Secretaries-General) einbezogen, nicht dagegen das Personal des Verwaltungsdienstes (General Service). Am 30. Juni 1972 waren aus 117 UN-Mitgliedstaaten und fünf Nicht-Mitgliedstaaten insgesamt 3 111 Beamte des höheren Dienstes im UN-Sekretariat beschäftigt[124].

a) Dienstgrade im Sekretariat

Die Vereinten Nationen und ihre Sonderorganisationen haben für die Einstufung und Besoldung der internationalen Beamten ein einheitliches System. Danach ist der höhere Dienst in die folgenden zwei Kategorien eingeteilt[125]:

PRINCIPAL OFFICER AND DIRECTOR CATEGORY[126]
D-2 (Director)
D-1 (Principal Officer)
PROFESSIONAL CATEGORY
P-5 (Senior Officer)
P-4 (First Officer)
P-3 (Second Officer)
P-2 (Associate Officer)
P-1 (Assistant Officer)

[124] Die Summe des »Total Professional and higher level staff of the regular Secretariat« setzt sich folgendermaßen zusammen:

Staff in posts subject to geographical distribution	2 256
Staff in posts with special language requirement	704
Staff specially appointed for mission service	36
Staff having permanent residence in the United States of America	4
Staff detailed or assigned to Technical Assistance Programmes	21
Staff on leave without pay	14
Staff on secondment to UNDP and other United Nations bodies	76
	3 111

Quelle: GAOR, 27th Session, Agenda item 81 (a), (UN Doc. A/8831), S. 12.

[125] Vgl. Staff Regulation 3.1, Annex I, paragraph 4 (UN Doc. ST/SGS/Staff Rules/1/Rev. 1).

[126] Ein Vergleich mit den deutschen Dienstgraden ist aufgrund der unterschiedlichen Organisationssysteme kaum möglich. Ein Direktor (D-2) würde etwa einem Ministerialdirektor/-dirigent entsprechen.

Die Posten des Generalsekretärs und der Under- bzw. Assistant Secretaries-General (USG, ASG) werden als »hors grade« bezeichnet.

Diese Einteilung der Dienstgrade läßt sich folgender Hierarchie zuordnen:
senior level: USG, ASG, D-2, D-1, P-5
intermediate level: P-4, P-3
junior level: P-2, P-1

Generelle Voraussetzung für die Aufnahme in die Professional Category ist ein abgeschlossenes Hochschulstudium oder – in Ausnahmefällen – eine dem Hochschulabschluß vergleichbare Berufsausbildung. Für Kandidaten mit Universitätsexamen sind Länge und Qualität der anschließenden beruflichen Erfahrungen ausschlaggebend für die Einstufung in die verschiedenen Dienstgrade. Während die Direktoren (D-2) ursprünglich ernannt wurden, werden die Posten heute hauptsächlich durch Beförderungen von der D-1-Stufe besetzt. Under- und Assistant Secretaries-General werden wie bisher vom Generalsekretär berufen. Da es bei den Vereinten Nationen kein Äquivalent für den deutschen gehobenen Dienst gibt, ist es grundsätzlich nach vorherigen Verhandlungen möglich, daß Beamte des gehobenen Dienstes P-1- und P-2- und in wenigen Fällen auch P-3-Posten besetzen können. P-1- und P-2-Stellen werden heute teilweise auch schon durch Beförderung von langjährigen Angestellten aus dem General Service besetzt.

b) Dienstverhältnisse im Sekretariat

Der Generalsekretär wird auf Vorschlag des Sicherheitsrates von der Generalversammlung (Artikel 97) für fünf Jahre ernannt[127]. Nach Ablauf dieser Zeitspanne kann seine Dienstzeit um fünf weitere Jahre verlängert werden. Die Under- und Assistant Secretaries-General werden vom Generalsekretär ebenfalls für eine fünfjährige Amtszeit, die nach Beendigung verlängert oder erneuert werden kann, bestimmt[128]. Das übrige Sekretariatspersonal erhält gemäß den vom Generalsekretär bestimmten Richtlinien entweder Dauer- oder temporäre Anstellungsverträge[129].

Bei den temporären Dienstverhältnissen sind drei verschiedene Kategorien zu unterscheiden[130]:
– Dienstverhältnisse auf Probe (Probationary Appointments)
– Dienstverhältnisse auf begrenzte Zeit (Fixed-Term-Appointments)
– Dienstverhältnisse auf unbestimmte Zeit (Indefinite Appointments).

Alle Berufsbeamten (career officials) unter 50 Jahren erhalten mit ihrer Einstellung zunächst ein Dienstverhältnis auf Probe, das in der Regel zwei Jahre

[127] Die UN-Charter enthält keinen Hinweis auf die Dauer der Amtszeit. Für den ersten UN-Generalsekretär, Trygve Lie, wurde die Amtszeit von der Generalversammlung für fünf Jahre festgelegt. Ähnlich wurde bei den nachfolgenden Generalsekretären verfahren, vgl. z. B. GA Res. 2903 (XXVI) vom 22. Dezember 1971 zur Ernennung von Kurt Waldheim.

[128] Staff Regulation 4.5 (a) (UN Doc. St/SGB/Staff Regulations/Rev. 6).

[129] Vgl. Anm. 128.

[130] Vgl. Rule 104.12 der Staff Rules (UN Doc. St/SGB/Staff Rules/1/Rev. 1).

dauert und nur in Ausnahmefällen verkürzt oder verlängert wird. Nach Ablauf dieser Frist können die Beamten Dauerverträge (Permanent Appointments) bekommen[131].

Bei den Dienstverhältnissen auf begrenzte Zeit muß zwischen

- »Short-Term-Appointments«, die eine Zeitspanne von sechs Monaten nicht überschreiten sollen[132], und
- »Long-Term-Appointments«, die nicht länger als fünf Jahre dauern sollen,

unterschieden werden. Dienstverhältnisse auf begrenzte Zeit (Fixed-Term-Appointments) werden hauptsächlich an Beamte vergeben, die von nationalen Regierungen oder anderen Institutionen vorübergehend für den Dienst in den Vereinten Nationen beurlaubt werden (seconded officials). Gemäß den Staff Rules schließen sie die Möglichkeit für Verlängerung oder Übernahme in eine andere Kategorie von Dienstverhältnissen in der Regel nicht ein[133].

Dienstverhältnisse auf unbegrenzte Zeit sind vorgesehen

- bei besonderen Missionen, deren Beendigung nicht von vornherein feststeht und bei denen keine »Fixed-Term-Appointments« gewährt worden sind,
- für den Dienst des Office of the High Commissioner für Refugees,
- für einige andere Ämter und Büros der Vereinten Nationen, für die der Generalsekretär dies ausdrücklich bestimmt hat[134].

Die Charter der Vereinten Nationen enthält keinen Hinweis darauf, welcher Kategorie von Dienstverhältnis, dem »Permanent« oder »Fixed-Term-Appointment«, der Vorzug zu geben ist. Dagegen nehmen verschiedene UN-Dokumente Bezug auf diese Frage. Es heißt dort u. a.: »Die Konzeption des Berufsbeamtentums berührt den Kern der Organisation des Sekretariats. Diese Konzeption durchzieht den Bericht des Vorbereitenden Ausschusses und wurde eindeutig und klar in dem Bericht dargelegt. Die ersten Personalbestimmungen sahen, obgleich sie wohlweislich nur auf provisorischer Basis gebilligt worden waren, auch ein Berufsbeamtentum vor. Viele organisatorische Probleme traten auf, und man lernte viel aus der Erfahrung der ersten sechs oder sieben Jahre seit Bestehen des Sekretariats. Die Konzeption des Berufsbeamtentums erfuhr jedoch eine ständige Festigung und Bekräftigung.«[135]

Aus dem Text der Dokumente geht hervor, daß für die Vereinten Nationen das Konzept des Karrierebeamten positiver beurteilt wurde als das des Beamten auf begrenzte Zeit. Internationale Berufsbeamte galten quasi als Garantie für interne Loyalität und Parteilosigkeit. Das Committee of Experts on the Review of

---

[131] Rule 104.13 (a) der Staff Rules, ebd. Der Ausdruck des Berufsbeamten wird im folgenden ausschließlich für diejenigen Beamten innerhalb der UN-Organisationen gebraucht, die unbefristete Dienstverhältnisse haben.

[132] Rule 301.1 der Staff Rules (UN Doc. ST/SGB/Staff Rules/3/Rev. 2).

[133] Rule 104.12 (b) der Staff Rules (Anm. 130).

[134] Vgl. Rule 104.12 (c) der Staff Rules, ebd.

[135] GAOR, 8th Session, 1953 (Report of the Secretary-General on Personnel Policy, Paragraph 17; UN Doc. A/2364), außerdem Report of the Preparatory Commission (Anm. 102), S. 92.

the Activities and Organization of the Secretariat unterstrich in seinem Bericht von 1961 noch einmal die Notwendigkeit, daß ein Beamtentum, das seine Karriere in den Vereinten Nationen macht, den Kern des Sekretariats bilden müßte, und daß von seiner Existenz die Leistungsfähigkeit des Sekretariats abhängen würde[136].

c) Auswahlkriterien für die Personalbesetzung

Die Charter-Artikel geben wenig Auskunft über die Kriterien, die für die Auswahl der internationalen Beamten ausschlaggebend sein sollen. Es ist lediglich in Artikel 101 Absatz 3 folgende allgemeine Bestimmung zu finden: »Bei der Anstellung des Personals und bei der Festsetzung seiner Dienstverhältnisse soll die Erwägung den Ausschlag geben, daß es notwendig ist, größte Tüchtigkeit, Sachkenntnis und Ehrenhaftigkeit zu gewährleisten. Die Bedeutung einer in geographischer Hinsicht möglichst umfassenden Zusammenstellung des Personals soll entsprechend berücksichtigt werden.«[137]

Es sollte ursprünglich davon abgesehen werden, feste nationale Personalquoten für die einzelnen Mitgliedstaaten festzusetzen: »Er (der Generalsekretär) ist der Ansicht, daß die geographische Verteilung nicht zu einer bloßen Rechenaufgabe werden sollte ... Andererseits teilt er die in der Versammlung geäußerten Ansichten, daß es wichtig ist, daß die personelle Zusammensetzung die geographische Zusammensetzung der Organisation vor allem in den Spitzenpositionen des Sekretariats widerspiegelt.«[138]

Obwohl der Generalsekretär gemäß den Bestimmungen der Charter volle Autorität hat, die Under-Secretaries-General nach eigener Wahl zu bestimmen, gilt in der Praxis das von den fünf Mächten in London 1946 geschlossene Übereinkommen, nach dem jedes ständige Sicherheitsratsmitglied einen Under- bzw. Assistant Secretary-General-Posten besetzen soll[139].

5. *Die Entwicklung der Personalstruktur des Sekretariats*

Für die Entwicklung der Personalstruktur waren vor allem drei Gesichtspunkte maßgebend:

– die geographische Verteilung der Posten,

[136] Vgl. GAOR, 16th Session, 1961, Annexes, Agenda item 61, S. 16.

[137] Vgl. auch Staff Regulation 4.2 (Anm. 128).

[138] GAOR, 17th Session, 1962, Annexes, Agenda item 70, S. 2.

[139] Frankreich: Under-Secretary-General for Economic and Social Affairs;
Großbritannien besetzte bis 1972 den Posten des Under-Secretary-General for Administration and Management, der dann an Kanada fiel, und besetzt seitdem den Posten des Assistant Secretary-General im Office of the Under-Secretary-General for Special Political Affairs;
Sowjetunion: Under-Secretary-General for Political and Security Council Affairs;
Vereinigte Staaten von Amerika: Under-Secretary-General for Political and General Assembly Affairs;
Volksrepublik China: Under-Secretary-General for Political Affairs, Trusteeship and Decolonization.

- die Zusammensetzung des Personals aus Berufsbeamten und zeitweilig versetzten Beamten,
- die Praxis der Personaleinstellung.

a) Geographische Verteilung der Posten im Sekretariat[140]

Je größer das politische Ansehen einer internationalen Organisation ist, desto dringlicher wird die Forderung der Regierungen nach Entsendung nationaler Staatsangehöriger in das Verwaltungsorgan der Organisation. Mit zunehmendem Interesse an der Besetzung von Sekretariatsposten wachsen aber auch die Schwierigkeiten, mit denen sich jede internationale Behörde konfrontiert sieht. Das gilt besonders für die Vereinten Nationen, die 132 Mitgliedstaaten zählen.

Um den Forderungen der Mitglieder nach »angemessener zahlenmäßiger Nationalitätenvertretung« im Sekretariat nachzukommen, hat der Generalsekretär 1948 ein System des »desirable range« für die geographische bzw. nationale Verteilung der Posten vorgeschlagen, das bis heute nicht seine Gültigkeit verloren hat. »Desirable range« bedeutet die Bandbreite zwischen der nationalen Höchst- und Mindestquote, innerhalb deren sich die Anzahl der Mitarbeiter aus einem Staat bewegt[141]. Nach dem System des »desirable range« sollte geographische Verteilung nicht in dem Sinne interpretiert werden, daß etwa jedem Mitgliedstaat eine bestimmte Anzahl von Posten in bestimmten Dienstgraden zusteht. Es sollte vielmehr das Hauptziel einer derartigen Stellenverteilung sein, daß die internationale Verwaltung durch die Erfahrung und Kultur eines jeden Staates bereichert wird und daß umgekehrt jedem Mitgliedstaat die Möglichkeit gegeben wird, seine eigene Kultur und Grundanschauung im Sekretariat zur Geltung zu bringen[142].

Als Maßstab für die Aufteilung der Posten und die Festlegung des »desirable range« für jeden Mitgliedstaat wird die Höhe der nationalen Beitragszahlungen zu dem UN-Budget, die sich wiederum nach dem Volkseinkommen richten, genommen. Gemäß Artikel 17 Absatz 1 prüft und genehmigt die Generalversammlung das Budget der Organisation. Im Absatz 2 heißt es weiter, daß die Ausgaben der Organisation von den Mitgliedern in einem von der Generalversammlung festzusetzenden Verhältnis getragen werden[143]. Ursprünglich sollte die Höhe der Zahlungen eines jeden Staates nicht mehr als ein Drittel der jährlichen regulären Ausgaben der Vereinten Nationen betragen, und der Pro-Kopf-Beitrag eines jeden Mitglieds sollte nicht den Pro-Kopf-Beitrag des Mitgliedes übersteigen, für das der höchste absolute Beitragsanteil festgesetzt worden ist[144]. Während der 27. Sitzungsperiode

[140] Siehe dazu die *Tabelle* in Anhang VI, S. 305.

[141] Vgl. auch GA Res. 153 (II) vom 15. November 1947.

[142] Vgl. GAOR, 3rd Session, Annexes, Agenda item 40 (UN Doc. A/652), S. 157.

[143] Siehe die Tabelle zur Höhe der nationalen Beiträge einiger Staaten in Anhang VII, S. 305 f.

[144] Vgl. GA Res. 14 (I) vom 13. Februar 1946 und GA Res. 238 (III) vom 18. November 1948. In Resolution 2654 (XXV) vom 4. Dezember 1970 legte die Generalversammlung die Prozentsätze für die finanzielle Beteiligung der Mitgliedstaaten am UN-Budget

der Generalversammlung 1972 wurden die Maximal- und Minimalbeiträge zu dem UN-Budget neu festgelegt, so daß die obere Grenze jetzt bei 25 vH und die untere bei 0,02 vH liegt (GA Res. 2961 B/D (XXVII) vom 13. Dezember 1972).

Das System erhält die notwendige Flexibilität dadurch, daß eine Abweichung nach oben und unten bis zu 25 vH von der Höhe der Nationalitätenquoten möglich ist. Um zu verhindern, daß wirtschaftlich starke Staaten einen überdurchschnittlich hohen Prozentsatz des Sekretariatspersonals stellen, sollten Mitgliedstaaten, die mehr als 10 vH des Gesamtbudgets tragen (Vereinigte Staaten, Sowjetunion) ihre Personalquoten nicht überschreiten. Andererseits stehen den Staaten, deren Beitrag unter 0,14 vH des Gesamtbudgets liegt, bis zu drei Posten zu, ohne daß sie als überrepräsentiert gelten. Es wurde von der Generalversammlung in der zweiten Sitzungsperiode außerdem beschlossen, das Sprachenpersonal und den General Service nicht in die Nationalitätenverteilung einzubeziehen.

Seit Beginn der sechziger Jahre ist die geographische Verteilung der Posten im Sekretariat in den Vordergrund der Verhandlungen des Fünften Hauptausschusses der Generalversammlung für Verwaltungs- und Budgetfragen getreten sowie zum zentralen Thema in anderen Unterausschüssen geworden, die sich mit administrativen Fragen beschäftigen. Bis 1960 wurden Personalfragen vor allem unter technischen, seitdem zunehmend unter politischen Gesichtspunkten gesehen. Mit zunehmender Vertretung der neuen Staaten in den Vereinten Nationen wuchs die Kritik an der geographischen Zusammensetzung der UN-Organe und Ausschüsse sowie des Sekretariats, die eher »die Welt von 1945 als die heutige Welt« widerspiegeln würden[145]. Im Falle des Sekretariats richteten sich die Einwände gegen die Zusammensetzung der Beamtenschaft, die seit Gründung der Organisation hauptsächlich Westeuropäer, Amerikaner, Kanadier und Lateinamerikaner umfaßte[146]. Für die neuen Staaten aber, die sich gerade aus der kolonialen Abhängigkeit befreit hatten, war die Vertretung im Sekretariat eine wichtige politische und zugleich eine Prestigefrage.

Während der 15. Sitzungsperiode der Generalversammlung 1960 behandelte der Fünfte Hauptausschuß dann in elf Sitzungen das Problem einer gerechteren geographischen Verteilung der Stellen unter besonderer Berücksichtigung einer angemessenen Vertretung der afrikanischen und asiatischen Staaten. Folgende Punkte wurden an der gegenwärtigen Verteilung der Sekretariatsposten besonders kritisiert[147]:

– Nichtübereinstimmung des Systems mit dem Gleichheitsprinzip der Charter,
– überwiegende Einflußnahme einiger Staaten,
– Nichtbeachtung der unterschiedlichen Wichtigkeitsgrade der Posten,

fest. Dieser Schlüssel soll für die Jahre 1971, 1972 und 1973 gelten; das Budget wird dagegen jährlich von der Generalversammlung festgelegt (1973: $ 225.920.420; das reguläre UN-Budget beträgt etwa ein Fünftel der Kosten des gesamten UN-Systems).

[145] Vgl. GAOR, 15th Session, 880th Plenary Meeting, 30. September 1960, S. 288.

[146] Vgl. Georges *Langrot*, The International Civil Service, New York 1963, S. 186.

[147] GAOR, 16th Session, 1961, Annexes, Agenda item 61 (Report of the Committee of Experts on the Review of the Activities and Organization of the Secretariat; UN Doc. A/4776), S. 10.

– ungenügende Berücksichtigung der Bevölkerungsgröße bei der Festlegung des »desirable range«.

Der sowjetische Vertreter im Committee of Experts machte schließlich den Vorschlag, die Troika-Idee, die ursprünglich nur für das Amt des Generalsekretärs Anwendung finden sollte, auf das gesamte Sekretariatspersonal auszudehnen: »Unter den gegenwärtigen Bedingungen des internationalen Lebens wäre die wesentlichste Neuorganisation die des Amtes des Generalsekretärs, und zwar in der Weise, daß die Spitze des Exekutivorgans der Vereinten Nationen nicht aus einer Person, dem Generalsekretär, bestehen würde, sondern aus drei Personen, die die drei gegenwärtig bestehenden wichtigsten Staatengruppen repräsentieren würden, nämlich ›die sozialistischen Staaten, die neutralistischen Staaten und die Mitgliedstaaten der westlichen Militärbündnisse‹. ... der gesamte Aufbau des Sekretariats sollte nach ähnlichen Grundsätzen neu organisiert werden, so daß diese drei wichtigsten Staatengruppen nach dem Gleichheitsprinzip darin vertreten wären ...«[148]

Die sowjetische Kritik richtete sich aber nicht ausschließlich gegen die prowestliche Zusammensetzung der Beamtenschaft, sondern auch gegen den begrenzten Anwendungsbereich des geographischen Verteilerprinzips, das nur die folgenden Berufskategorien einschloß:

– in der »Professional«-Kategorie und in darüber liegenden Kategorien Dienstverträge mit einer Laufzeit von mehr als sechs Monaten (ausschließlich des Personals für besondere Missionen und des Personals mit besonderen Sprachkenntnissen),
– in der »General Service«-Kategorie Posten des höchsten Dienstgrades (G-5) am Hauptquartier der Vereinten Nationen.

Der sowjetische Delegierte schlug vor, alle »professional posts« im Sekretariat nach dem geographischen Prinzip aufzuteilen[149], einschließlich des Personals bestimmter UN-Sondermissionen, des Personals des Internationalen Gerichtshofs sowie des Direktors von UNICEF und seinen Stab, des Verwalters von TAB (heute Teil des UNDP), des Hohen Flüchtlingskommissars und seinen Stab. Die sowjetischen Vorstellungen wurden zum Teil abgelehnt, und ab 1962 wurde trotz erheblichen Protestes der Sowjetunion sogar die höchste Besoldungsstufe des General Service (G-5) nicht mehr in die Nationalitätenverteilung einbezogen[150].

Die heftige Kritik an der Unterrepräsentation einzelner Mitgliedstaaten führte schließlich zu erneuter Diskussion der Kriterien, die der Nationalitätenverteilung zugrunde liegen. Der Generalsekretär schlug in seinem Bericht an die Generalversammlung 1962 vor, die geographische Personalverteilung nicht ausschließlich an den Mitgliedsbeiträgen auszurichten, sondern zusätzlich die Kriterien der UN-Mit-

[148] Ebd., S. 6.
[149] Vgl. UN Doc. A/4776 (Anm. 147), S. 8 f.
[150] Vgl. GAOR, 17th Session, 1962, Annexes, Agenda item 70 (Report of the Secretary-General on Geographical Distribution of the staff of the Secretariat; UN Doc. A/5270), S. 18.

gliedschaft und der Bevölkerungsgröße der Staaten mit in Betracht zu ziehen. Er empfahl folgendes Verteilersystem:

- Jeder Staat sollte aufgrund seiner Mitgliedschaft ein Anrecht auf 1 bis 5 Posten haben,
- 100 Posten sollten als Ausgleich für die unterschiedlichen Bevölkerungsgrößen, die sonst nicht genügend berücksichtigt würden, vergeben werden,
- für die Verteilung der restlichen Posten sollten die finanziellen Beiträge zu dem UN-Budget als Maßstab dienen[151].

Die zwei zusätzlichen Kriterien für die geographische Personalverteilung wurden schließlich in die Resolution 1852 (XVII) der Generalversammlung vom 19. Dezember 1962 aufgenommen, doch blieben auch weiterhin die Beitragszahlungen ausschlaggebend für die Berechnung der »nationalen Bandbreiten«. Nur für die Staaten mit geringen Zahlungen (unter 1 vH) liegt der »desirable range«, gemessen an ihren finanziellen Leistungen, höher. Es wirkt sich hier die Bestimmung aus, daß jeder Staat bis zu fünf Mitarbeiter entsenden kann, ohne als überrepräsentiert zu gelten[152]. Es ist für das Verteilersystem kennzeichnend, daß die Schwankungsbreite zwischen dem Mindest- und Höchstwert des »desirable range« um so größer ist, je höher die finanziellen Beiträge der Staaten sind.

Nicht nur die Unterrepräsentation vieler Nationen, sondern auch die Gleichsetzung aller Dienstgrade, die eine unterschiedliche Gewichtung der einzelnen Posten ausschloß, erwies sich als zusätzlicher Mangel. Die Staaten hatten nicht nur generell Interesse an einer Vertretung im Sekretariat, sondern sie bevorzugten für ihre nationalen Angehörigen naturgemäß gehobene Positionen des »senior level«[153]. Um dieser Forderung gerecht zu werden, wurde 1960 das Committee of Experts von der Generalversammlung beauftragt, bei den Untersuchungen der Nationalitätenverteilung auch die relative Wichtigkeit der verschiedenen Posten mit zu berücksichtigen[154]. Das Punkt-System, das von der UNESCO von 1949 bis 1960 angewandt wurde und von der FAO 1957 in abgewandelter Form übernommen wurde und dort bis heute in Kraft geblieben ist, wurde auf seine Anwendbarkeit in den Vereinten Nationen geprüft. Danach erhalten die Posten der einzelnen Dienstgrade eine festgelegte Punktzahl, die entsprechend der Wichtigkeit und Bedeutung der Stellen – wie bei der FAO etwa zwischen einem Punkt für P-1-Posten und 15 Punkten für Deputy-Directors-General – variiert.

Ein derartiges reines Punkt-System wurde für die Vereinten Nationen abge-

---

[151] Vgl. UN Doc. A/5270 (Anm. 149), S. 10.

[152] Vgl. auch Heinrich *Getz*/Heinrich *Jüttner*, Personal in Internationalen Organisationen, Studie des Forschungsinstituts für Internationale Technisch-Wirtschaftliche Zusammenarbeit, 1971, S. 97 (hektographiert).

[153] Die prozentuale Verteilung der Posten pro Dienstgrad sieht etwa folgendermaßen aus: P-1 = 4,7 vH, P-2 = 18,3 vH, P-3 = 23,8 vH, P-4 = 24,9 vH, P-5 = 16,3 vH, D-1 = 8,1 vH, D-2 = 2,8 vH, ASG = 0,6 vH, USG = 0,5 vH. Vgl. GAOR, 26th Session, 1971, Agenda item 84 (a) (Report of the Secretary-General on the Composition of the Secretariat; UN Doc. A/8483), S. 57.

[154] Vgl. GA Res. 1559 (XV) vom 18. Dezember 1960.

lehnt, und man einigte sich statt dessen 1962 auf ein abgewandeltes System der Gewichtung von Sekretariatsstellen. Es beruht darauf, daß in bezug auf die zulässigen Schwankungsbreiten (die »desirable ranges«) die Mindest- und Höchstwerte für jeden Mitgliedstaat und für jede regionale Gruppe mit einem Faktor 15[155] multipliziert werden, um eine zulässige Gesamtpunktzahl für die einzelnen Staaten sowie für die Gruppen zu erhalten. Jede Besoldungsstufe erhält außerdem einen bestimmten Punktwert, der 1/1000 eines Bruttojahreseinkommens nach der Eingangsstufe darstellt[156]. Auf diese Weise läßt sich eine ausgewogene Stellenzuteilung innerhalb der zulässigen Schwankungsbreiten erreichen: Bei Überwiegen von Planstellen mit niedrigen Punktzahlen wird das zulässige Kontingent der Staaten nicht erreicht (obwohl die Zahl der zugeteilten Stellen u. U. erreicht worden ist). Dagegen wird es bei Überwiegen von Posten mit hohen Punktzahlen überschritten. Beide Möglichkeiten wären nach dem System zu vermeiden.

b) Ständige und nicht-ständige UN-Beamte

In den ersten Jahren nach Gründung der Vereinten Nationen folgte man der Völkerbundpraxis[157] und setzte das Sekretariat vorwiegend aus Berufsbeamten zusammen. Später gewann die zeitweilige Versetzung von Beamten aus nationalen Bürokratien in das Sekretariat zunehmend an Bedeutung. Heute ist das Verhältnis von Dauerverträgen zu zeitlich begrenzten Verträgen in allen Dienstgraden, mit Ausnahme der D-2-Stufe, etwa 70 zu 30[158].

Das Problem einer angemessenen geographischen Stellenverteilung hängt mit der Frage der Zusammensetzung des Personals bezüglich der beiden möglichen Beamtentypen zusammen. Bei einem hohen Anteil von zeitweilig entsandten Beamten wächst die Flexibilität des Systems der Regionalverteilung der Sitze. Aber

[155] Der Faktor 15 ist bezogen auf das durchschnittliche Jahresbruttogehalt und wird folgendermaßen errechnet: Die Summe der gesamten Gehälter wird durch die Anzahl der Planstellen im Sekretariat dividiert; 1/1000 davon ergibt 15. Unter Berücksichtigung weiterer Faktoren kann dieser mittlere Punktwert zwischen 12 und 16 schwanken.

[156] Punktbewertung der Besoldungsstufen bei den Vereinten Nationen

Besoldungsstufe	Punktwert	Index
P-1	7,60	1,0
P-2	9,94	1,3
P-3	12,38	1,6
P-4	15,26	2,0
P-5	19,12	2,5
D-1	21,96	2,9
D-2	26,41	3,5
ASG	32,95	4,3
USG	36,85	4,8
SG	50,00	6,6

Quelle: *Getz/Jüttner* (Anm. 126), S. 332.

[157] Erst in den dreißiger Jahren ist als Folge der politischen und wirtschaftlichen Krisen immer häufiger der Ausstellung von kurzfristigen Verträgen der Vorzug gegeben worden.

[158] Übersicht über die prozentuale Verteilung der Dienstverhältnisse:

für die Zusammensetzung des Personals bezüglich der beiden Typen von Dienstverhältnissen gibt es verschiedene Bewertungsgesichtspunkte.

Die Generalversammlung hat sich mit den Vor- und Nachteilen der einzelnen Dienstverhältnisse besonders während ihrer Sitzungsperioden 1960, 1962 und 1965 beschäftigt. Im Hinblick auf die angemessene geographische Verteilung der Posten ist die Forderung nach einer größeren Anzahl von zeitlich begrenzten Ernennungen gerechtfertigt. Sie ist vor allem von den neuen Staaten erhoben worden, aber auch von der Sowjetunion und den osteuropäischen Staaten, allerdings aus anderen Gründen. Der Westen und die lateinamerikanischen Staaten haben dagegen die »traditionelle UN-Ansicht« unterstützt, d. h. sie bevorzugen ein Berufsbeamtentum, das für sie das Rückgrat eines funktionsfähigen internationalen Sekretariats bildet, und dessen Anteil deshalb 75 vH nicht unterschreiten sollte.

Die neuen Staaten sind vor allem an einer gerechten geographischen Stellenverteilung interessiert, die durch eine stärkere Vergabe von zeitlich befristeten Verträgen erreicht werden kann. Zudem steht ihnen nur ein relativ kleiner Kader ausgebildeter Beamter zur Verfügung. Für eine begrenzte Zeit würden sie einen Teil ihres Verwaltungspersonals in den Dienst des UN-Sekretariats stellen, doch könnten sie in der nationalen Bürokratie nicht ständig darauf verzichten. Das wurde von dem nigerianischen Delegierten 1963 im Fünften Hauptausschuß der Generalversammlung deutlich ausgesprochen: »In der gegenwärtigen Entwicklungsphase, in der ein großer Einsatz zur Verbesserung der wirtschaftlichen und sozialen Bedingungen die Ausnutzung aller verfügbaren menschlichen Reserven erforderlich macht, können es sich die afrikanischen Länder kaum leisten, ihre Beamten zur Übernahme von Dauerpositionen im Sekretariat der Vereinten Nationen freizustellen.

Meine Delegation ist jedoch der Ansicht, daß ein angemessener Teil des Personals auch weiterhin auf Dauer eingestellt werden muß, wenn die Funktionsfähigkeit des Sekretariats erhalten bleiben soll. Die Delegation gibt der Hoffnung Ausdruck, daß die Zeit nicht mehr allzu fern ist, da die afrikanischen Länder ihren Staatsangehörigen die Genehmigung geben können, sich um derartige Positionen auf internationaler Ebene zu bemühen.«[159]

Grade	Probationary and Permanent Appointment	Fixed-Term Appointment
D-2	57 vH	43 vH
D-1	70 vH	30 vH
P-5	73 vH	27 vH
P-4	67 vH	33 vH
P-3	67 vH	33 vH
P-1/P-2	73 vH	27 vH
Total	70 vH	30 vH

Quelle: GAOR, 26th Session, 1971, Agenda item 84 (Report of the Joint Inspection Unit on Personnel Problems in the United Nations; UN Doc. A/8454, Part I), S. 43/44.

[159] GAOR, 18th Session, 5th Committee, zitiert nach David *Kay*, Secondment in the

Wie die Stellungnahme des Nigerianers zeigt, befürworten die neuen Staaten also prinzipiell und auf lange Sicht durchaus ein Berufsbeamtentum. Es ist auch darauf hinzuweisen, daß bereits einige afrikanische Regierungen in den vergangenen Jahren die Anzahl ihrer Staatsangehörigen, die auf der Basis von Dauerverträgen eingestellt wurden, erhöht haben.

Die Abneigung der Sowjetunion und der osteuropäischen Staaten gegen Dauerverträge ist grundsätzlicherer Natur. Bis in die fünfziger Jahre zeigten die sozialistischen Regierungen nur wenig Interesse an einer Vertretung ihrer nationalen Angehörigen im Sekretariat. Seitdem wenden sie sich entschieden gegen die »vom Westen dominierte« Zusammensetzung des UN-Personals sowie gegen die Kontrolle des Verwaltungsorgans durch Karrierebeamte. Der sowjetische Delegierte schlug 1963 im Fünften Hauptausschuß der Generalversammlung vor, daß künftig 25 vH des Personals Dauerverträge und 75 vH zeitlich begrenzte Verträge erhalten sollten[160], was eine Umkehrung des tatsächlichen Verhältnisses bedeuten würde. Da das Sekretariat die Machtkonstellation in der Welt widerspiegeln müßte, könnte nur ein System der zeitlich begrenzten Dienstverträge dem Wandel, dem die internationalen politischen Verhältnisse ständig unterworfen seien, gerecht werden. Tatsächlich hatten 1971 von den 124 sowjetischen Sekretariatsbeamten 123 zeitlich begrenzte Dienstverträge, und nur ein D-1-Beamter im Sekretariat von UNCTAD (Division for Conference Affairs and External Relations) war als Berufsbamter angestellt.

Die sowjetische Seite vertritt das sozialistische Konzept einer internationalen Bürokratie als politischem Organ, in dem es keine unparteiischen, neutralen Beamten geben kann[161]. In der Praxis bleiben sie unter der Kontrolle der Regierungen, wenn sie für eine Zeitspanne von sechs Monaten bis zu fünf Jahren in den Dienst der Organisation gestellt werden. Die Konsequenz, die sich daraus ergeben kann, wird im folgenden deutlich: »Es müßte jemand schon außergewöhnlich gewissenhaft und unbeeinflußbar sein, um mit der Objektivität zu handeln, die von dem idealen internationalen Beamten verlangt wird, wenn er weiß, daß seine künftige Laufbahn in seinem Heimatland möglicherweise keine günstige Aussicht hat, wenn er seiner Regierung während einer zwei- oder dreijährigen Tätigkeit in den Vereinten Nationen unangenehm auffällt.«[162]

Trotz der Opposition der sozialistischen Staaten wird sich das Sekretariat der Vereinten Nationen auch in Zukunft hauptsächlich aus Berufsbeamten zusammensetzen, und nur ein Teil des Personals wird wie bisher zeitlich begrenzte Dienstverträge erhalten. Die Vorteile eines Berufsbeamtentums können jedoch nicht über

---

United Nations Secretariat: An Alternative View, in: Robert W. *Gregg*/Michael *Barkun* (Hrsg.), The United Nations System and its Functions, Princeton, N. J./Toronto/London/Melbourne 1968, S. 230.

[160] Vgl. GAOR, 18th Session, 5th Committee, 1038th Meeting, 12. November 1963, S. 168.

[161] Vgl. Dag *Hammarskjöld,* The International Civil Servant in Law and in Fact, in: *Kay* (Anm. 3), S. 215.

[162] *Saturday Review* (Anm. 119), S. 13.

einige der negativen Auswirkungen hinwegtäuschen, die dieses Dienstverhältnis für eine weltweite Behörde haben kann. Bei einer zu langen Tätigkeit der Beamten kann die Effektivität der Sekretariatsarbeit zunehmend durch fehlende Verbindung zur Realität, geistige Unbeweglichkeit, Routine der Arbeit, Mangel an neuen Ideen, Selbstsucht und Ehrgeiz oder durch Vorteile gegenüber anderen Nationalitäten beeinträchtigt werden. Eine gewisse Personalfluktuation bleibt wünschenswert, und es ist deshalb eine systematischere und intensivere Zusammenarbeit zwischen den Regierungen und der Organisation in bezug auf zeitweilige Entsendungen anzustreben, die die Wirksamkeit der Vereinten Nationen prinzipiell erhöht[163].

Schließlich sollte auch berücksichtigt werden, daß zahlreiche qualifizierte Beamte weder gewillt sind noch die Erlaubnis von ihren Regierungen bekommen, Dauerverträge anzunehmen. Unter günstigen Voraussetzungen wären sie jedoch geneigt, vorübergehend im UN-Sekretariat zu arbeiten, und nicht nur die UN-Verwaltung, sondern auch die nationalen Verwaltungs- und Staatsdienste würden von einem derartigen Austausch, der den Bürokratien neue Erfahrungen und Ideen zuführt, profitieren. Generelle Voraussetzung für die Effektivität eines derartigen Systems muß es allerdings sein, daß die Laufzeit der kurzfristigen Verträge mindestens drei bis fünf Jahre beträgt und daß die Staaten künftig davon absehen, weniger fähige Beamte für eine zeitweilige Beurlaubung abzustellen[164] oder das Dienstverhältnis als Sinekure für Beamte im Ruhestand anzusehen.

Einige Gründe für die zurückhaltende Personalpolitik der nationalen Behörden sind offensichtlich:

- Die eigenen Bürokratien können auf die kompetentesten Beamten nicht verzichten;
- in einigen Staaten behindert eine zeitweilige Versetzung die Karriere im nationalen Staatsdienst, so daß zahlreiche und insbesondere die qualifizierteren Beamten den Dienst in internationalen Organisationen ablehnen;
- einige Regierungen ziehen es vor, zum Teil weniger befähigte Beamte zu ernennen, die generell weniger Schwierigkeiten bei einer Zusammenarbeit machen und zu stärkerer Loyalität gegenüber den nationalen Behörden bereit sind.

c) Praxis der Personaleinstellung

Da die Mitgliedstaaten an der Erfüllung ihrer Personalquoten interessiert sind, versuchen sie in zahlreichen Fällen, die Entscheidungen über die Beamteneinstellung zu beeinflussen. In der Regel üben die nationalen Vertretungen erst dann intensiven politischen Druck auf die für die Rekrutierung zuständigen Stellen im Sekretariat aus, wenn es um die Besetzung der höheren Posten geht, die eine gewisse Einflußnahme im Entscheidungsprozeß gewährleisten. Hierunter fallen vor

[163] Vgl. UN Doc. A/8454 (Anm. 158) S. 30.

[164] Auf diesen Punkt ist von Sekretariatsbeamten in Gesprächen besonders hingewiesen worden. Siehe dazu auch *Goodwin* (Anm. 55), S. 398.

allem die P-4- und die darüberliegenden Stellen, deren Besetzung einer politischen Ernennung gleichkommt. Aber selbst bei der Kandidatenauswahl für die unteren Stellen ist es teilweise schon zu beobachten, daß einzelne Bewerber nur mit Unterstützung ihrer Vertretungen die Bewerbungen erfolgreich durchbringen können. Das trifft u. a. für Positionen in den Abteilungen zu, in denen Beamte einer Staatengruppe bereits zahlenmäßig vorherrschen und den Kandidaten von verbündeten Regierungen den Vorzug geben.

Außerdem fallen einige Stellen im Sekretariat traditionell an bestimmte Staaten, und ausscheidende Beamte werden fast schon traditionell durch Angehörige der gleichen Nationalität ersetzt (sog. Erbhöfe). Und schließlich gibt es über die Verteilung wichtiger Sekretariatsposten zusätzliche informelle Absprachen zwischen den Vereinigten Staaten von Amerika und der Sowjetunion.

In der Praxis sieht die Einflußnahme auf die Beamtenernennung etwa derart aus, daß Mitglieder der nationalen Vertretungen im Office of Recruitment, beim Under-Secretary-General oder einem anderen höheren Beamten des Department, in dem die Stelle zu besetzen ist, vorstellig werden. Handelt es sich um eine bedeutendere Position, die für den einzelnen Staat von besonderem Interesse ist, dann nimmt der Ständige Vertreter in dieser Angelegenheit direkte Kontakte mit dem Chef de Cabinet oder äußerstenfalls mit dem Generalsekretär auf. Das finanzielle Druckmittel, von dem allerdings nur die wirtschaftlich bedeutenderen Staaten Gebrauch machen, kann in dem Prozeß der Einflußnahme auf die Personaleinstellung eine Rolle spielen.

Seit 1966 wird in Verbindung mit der Zusammensetzung des Sekretariatspersonals ein zusätzliches Kriterium für die Einstellung der Beamten diskutiert: die Sprachenfrage. In den Abteilungen des Sekretariats sind Englisch und Französisch die offiziellen Arbeitssprachen, dazu kommt Russisch im Sekretariat der Economic Commission for Europe und Spanisch im Sekretariat der Economic Commission for Latin American[165]. Englisch ist die am häufigsten gebrauchte Sprache im UN-Sekretariat und in der Kommunikation mit Delegationen und Regierungen. Um das sprachliche Ungleichgewicht jedoch zu beheben, soll die Beherrschung von mehr als nur einer Arbeitssprache zu einer zusätzlichen Voraussetzung für die

[165] Gemäß den Geschäftsordnungsbestimmungen gelten in den einzelnen UN-Organen folgende Arbeitssprachen:

Generalversammlung	Englisch, Französisch, Russisch, Spanisch
Wirtschafts- und Sozialrat	Englisch, Französisch, Spanisch
Sicherheitsrat	Englisch, Französisch, Russisch, Spanisch
Treuhandschaftsrat	Englisch, Französisch

In der Praxis verliert die Unterscheidung zwischen Arbeitssprache und offizieller UN-Sprache immer mehr an Bedeutung. Der strikte Gebrauch der offiziellen Arbeitssprachen beschränkt sich heute ausschließlich auf folgende Gebiete:

a) konsekutive Übersetzung
b) Sitzungsprotokolle
c) »Journal of the United Nations« während der Sitzungsperiode der Generalversammlung.

Einstellung und Beförderung des Personals gemacht werden. Die Generalversammlung forderte in ihrer Resolution 2480 B (XXIII) vom 21. Dezember 1968 den Generalsekretär auf, im Hinblick auf die Gewährleistung eines sprachlichen Gleichgewichts folgende Schritte zu unternehmen:

1. Ab 1. Januar 1970 soll die Beherrschung von mindestens einer der Arbeitssprachen zur Minimalforderung für die Rekrutierung von Beamten gemacht werden («Ability to use one of the working languages«);
2. Ab 1. Januar 1972 sollen alle Beförderungen von P-1- bis zu einschließlich D-2-Posten von der Kenntnis einer zweiten Arbeitssprache abhängig gemacht werden (»confirmed knowledge of a second language«).

Diese Bestimmung kann sich auf lange Sicht als eine Benachteiligung für die Rekrutierung von Beamten derjenigen Nationalitäten auswirken, deren Muttersprache nicht zu den Arbeitssprachen des Sekretariats zählt.

6. Die Bundesrepublik Deutschland im Sekretariat der Vereinten Nationen

Nach der Darstellung der für die Bundesrepublik wichtigen organisatorischen und verfahrensmäßigen Gegebenheiten in den politischen Organen der Vereinten Nationen soll im folgenden die Mitwirkung deutschen Personals im Verwaltungsorgan der Vereinten Nationen behandelt werden.

a) Ausgangssituation am Tage x

Ein Überblick über die gegenwärtige personelle Vertretung der Bundesrepublik Deutschland in Sonderorganisationen und Spezialorganen der Vereinten Nationen zeigt generell die Nichterfüllung der ihr zustehenden Personalquote. Trotz hoher finanzieller Beitragszahlungen, die sie als Vollmitglied dieser Organisationen leistet, blieb ihre quantitative Repräsentanz insgesamt unzureichend, auch wenn die Zahl deutscher Mitarbeiter in den letzten Jahren in einigen Organisationen erheblich erhöht worden ist. Ebenso ist es der Regierung bisher nicht gelungen, eine angemessene Vertretung deutscher Staatsangehöriger in den »senior posts« durchzusetzen. Nur in UNICEF ist die Bundesrepublik seit zwei Jahren personell etwas stärker als finanziell beteiligt, und deutsche Beamte besetzen dort durchschnittlich gute Positionen. Von 202 Beamten in der »Professional Category« sind 13 deutsche Staatsangehörige = 7 vH; sie besetzen 1 D-2-, 4 P-5-, 3 P-4- und 5 P-3/P-2-Stellen.

In der FAO, ILO, ITU und der IAEA stellt die Bundesrepublik einen nahezu angemessenen Personalanteil, während sie in den übrigen Sonderorganisationen und Spezialorganen unterrepräsentiert ist. Als besonderes Beispiel ist UNDP anzuführen, in dem die Bundesrepublik trotz hoher Beitragszahlungen (1971: 48 000 000 DM[166]) bisher keine bedeutende Stelle im New Yorker Sekretariat be-

[166] Vgl. Überblick über Beitragszahlungen der Bundesrepublik, in: *Vereinte Nationen*, Jg. 20, 1972, S. 36 f.

setzen konnte. Auch im UN-Sekretariat erfüllt sie ihre Personalquote nicht, die ausschließlich aufgrund ihrer finanziellen Beiträge in der ECE, in UNCTAD, UNIDO und in der Commission of Narcotic Drugs berechnet wird. Gemessen an ihren dortigen Beitragszahlungen, die 1972 etwa 7,01 vH betrugen, stehen der Bundesrepublik 21–27 Stellen im UN-Sekretariat zu, die bei einer Gewichtung etwa 315–405 Punkten entsprechen[167]. Tatsächlich besetzen deutsche Beamte aber nur 19 Stellen, die sich auf folgende Dienstgrade verteilen:

2 D-1-Posten (in UNCTAD und UNIDO)
1 P-5-Posten (in UNIDO)
7 P-4-Posten (2 in ECE, 5 in UNIDO)
6 P-3-Posten (1 in UNCTAD, 5 in UNIDO)
2 P-2-Posten (in ECE und UNIDO)
1 P-1-Posten (in ECLA).
19

Deutsche Beamte in den Sonderorganisationen und Spezialorganen sowie im UN-Sekretariat hatten bisher besondere Schwierigkeiten, Dienstverträge mit unbegrenzter Laufzeit zu bekommen. Von den 19 im UN-Sekretariat beschäftigten Deutschen des höheren Dienstes konnte zum Beispiel nur einer einen Dauervertrag bekommen (P-1 Posten in ECLA), ein Dienstverhältnis auf Probe wurde vergeben, und die übrigen 17 Dienstverträge sind nur für eine begrenzte Zeit ausgestellt worden. Der Grund für die rechtliche und politische Benachteiligung, die sich daraus für die deutschen Beamten ergibt, liegt in erster Linie in der Nicht-Mitgliedschaft der Bundesrepublik in den Vereinten Nationen. Die zeitlich begrenzten Verträge sind in der Regel allerdings ständig verlängert worden[168]. Mit dem UN-Beitritt der Bundesrepublik wird sich die Lage für deutsche Beamte in internationalen Organisationen dann normalisieren.

Als Hauptursache für die gegenwärtige Unterrepräsentation deutschen Personals im UN-Sekretariat und in den Sonderorganisationen werden von offizieller deutscher Seite ebenfalls die Nicht-Mitgliedschaft in den Vereinten Nationen und die besondere politische Situation der Bundesrepublik angeführt. Tatsächlich aber ist die Nichterfüllung der Personalquoten zum großen Teil von folgenden Faktoren bestimmt worden:

- ungenügende zentrale Personalplanung;
- fehlende Koordinierung bei der Erfassung, Auswahl, Vermittlung und Förderung von deutschen Bewerbern;
- mangelnde Organisierung eines Systems der zeitweiligen Entsendung von Beamten;
- mangelnde deutsche Einflußnahme im Prozeß der Personaleinstellungen;

[167] Schreiben des UN-Sekretariats an den Beobachter der Bundesrepublik Deutschland bei den Vereinten Nationen (5. Mai 1970).
[168] Vgl. auch *Getz/Jüttner* (Anm. 152), S. 92.

– unzureichende Unterstützung der Bewerbungen durch offizielle deutsche Stellen (im In- und Ausland);
– ungenügende Kompetenzübertagung an die ständigen deutschen Auslandsvertretungen durch das Auswärtige Amt.

Neben diesen spezifischen Problemen der deutschen Personalpolitik gibt es zahlreiche Mängel in der Organisationsstruktur und Personalpolitik der Vereinten Nationen und ihren Sonderorganisationen, die eine Nichterfüllung der nationalen Personalquoten zum Teil bedingen und den Dienst als internationale Beamte unattraktiv machen.

Die Unterrepräsentation deutschen Personals in internationalen Organisationen ist in den letzten Jahren zum Anlaß großer und kleiner Bundestagsanfragen gemacht worden. Die Bundesregierung ist aufgefordert worden, Vorschläge »zur Abschaffung des fühlbaren Mangels« zu unterbreiten, und zwar in zweierlei Hinsicht:
– »wie der deutsche Einfluß auf die Stellenbesetzung verbessert und
– wie die Arbeit in internationalen Organisationen für deutsche Fachkräfte attraktiver gemacht werden kann«[169].

Diese Fragen werden mit dem UN-Beitritt der Bundesrepublik besonders aktuell, und die Bundesregierung wird vorrangig bemüht sein müssen, Maßnahmen für die Durchsetzung einer angemessenen personellen Mitarbeit in den Sekretariaten der Vereinten Nationen und der Sonderorganisationen zu ergreifen.

Als UN-Mitglied wird der Bundesrepublik Deutschland etwa wie Frankreich und Großbritannien eine Personalquote von ungefähr 85–115 Stellen im UN-Sekretariat zustehen, die insgesamt 1400–2000 Punkten entsprechen. Die zukünftige Personalquote schließt die 19 Posten mit ein, die die Bundesrepublik bereits jetzt in der ECE, ECLA, UNCTAD und UNIDO besetzt. Es kann damit gerechnet werden, daß bei weitsichtiger und gezielter Personalplanung und Durchsetzung der deutschen Forderungen die Quote im Laufe der nächsten 4 bis 5 Jahre erfüllt wird. Der Berechnung des »desirable range« wird hauptsächlich die Höhe der Beitragszahlungen der Bundesrepublik, die nach dem Beitritt etwa 6,8 vH des UN-Budgets (ca. 50 Mill. DM) betragen werden[170], zugrunde gelegt. Es ist anzunehmen, daß die DDR, die etwa in die Größenordnung von Belgien und den Niederlanden einzuordnen ist, ca. 2,2 vH des UN-Budgets tragen wird und daß für sie eine nationale Bandbreite von ungefähr 21–26 Posten errechnet wird.

---

[169] Bundestagsdrucksache V/3029 B.

[170] Die Bundesrepublik würde nach dem gegenwärtigen Stand mit einem Beitrag von 6,8 vH an dritter Stelle der Hauptzahler der UN liegen, nach den Vereinigten Staaten von Amerika mit 31,5 vH (bzw. 25 vH ab 1974) und der Sowjetunion mit 14,2 vH. Es wird allerdings erwartet, daß die Volksrepublik China in Zukunft mehr als 4 vH (Beitrag Nationalchinas) zum UN-Budget leisten wird, möglicherweise sogar etwa 7–8 vH.

b) Personalpolitische Probleme der Bundesrepublik Deutschland

Die Bundesrepublik sollte gemessen an ihrer zukünftigen Stellung in den Vereinten Nationen daran interessiert sein, gute Positionen im Sekretariat auszuhandeln, die ihr eine politische Einflußnahme im Verwaltungsorgan ermöglichen. Die Schwierigkeiten, die für sie als »latecomer« auftreten werden, sind erheblich und erfordern eine konzentrierte Personalplanung und -politik, die nicht nur auf UN-Stellenausschreibungen reagiert, sondern der gezielte Ansprüche zugrunde liegen. Entsprechend der Planstellenstruktur im Sekretariat könnte die Bundesrepublik bei Zugrundelegung des Mittelwertes ihrer Personalquote (110 Stellen bzw. 1650 Punkte) etwa folgende Positionen beanspruchen[171]:

10 P-1 (1)[172]
20 P-2 (2)
20 P-3 (6)
25 P-4 (7)
20 P-5 (1)
10 D-1 (2)
4 D-2
1 ASG

Das Kernstück einer effektiven deutschen Personalpolitik, die auf eine Verbesserung der Quantität und Qualität der internationalen Beamten abzielt, muß ihre Koordinierung und Zentralisierung im nationalen Bereich sein. Voraussetzung für deren Organisation ist es, daß

- die Bundesregierung das politische Interesse an einer zahlenmäßig starken Vertretung von qualifiziertem Personal aus der Bundesrepublik in den Sekretariaten anerkennt und
- die verschiedenen Ministerien und innerdeutschen Stellen, die sich mit der Auswahl und Vermittlung deutscher Mitarbeiter befassen, die notwendige Bereitschaft zur Übertragung ihrer Kompetenzen an eine Zentralstelle zeigen.

Bereits 1967 befaßte sich der Bundestag mit der organisatorischen Zusammenfassung der Vermittlung deutschen Personals im internationalen Bereich[173], ohne daß es zu einer Regelung kam. Auch die Kabinettsvorlage vom 14. April 1969 scheiterte an Kompetenzstreitigkeiten zwischen den Ministerien. 1968 wurde während einer Tagung deutscher Beamter bei internationalen Organisationen besonders auf die Notwendigkeit der Einrichtung einer Zentralstelle für die Personalvermittlung hingewiesen: »Die Funktionen dieser Stelle sollten so gefaßt werden, daß sowohl das gesteigerte Angebot qualifizierter Kräfte für den internationalen Dienst und deren Betreuung in den Organisationen als auch ihre spätere Einglie-

[171] Vgl. *Getz/Jüttner* (Anm. 152), S. 333.
[172] Siehe auch Anm. 156. Die Zahlen in den Klammern beziehen sich auf den gegenwärtigen deutschen Personalanteil.
[173] Bundestagsdrucksache V/2349.

derung oder Rückführung in das deutsche Berufsleben zu den Aufgaben gehört.«[174]

Aufgrund des Bundestagsbeschlusses vom 2. Juli 1969[175] und der Kabinettsvorlage des Bundesministers des Auswärtigen vom 26. Oktober 1970[176] kam es am 1. April 1971 schließlich zu der Konstituierung des »Interministeriellen Ausschusses für die deutsche personelle Beteiligung an internationalen Organisationen« und zu der Bildung von interministeriellen Arbeitsgruppen. Die mit internationalen Organisationen befaßten Bundesministerien sowie das Bundespresseamt und die Zentralstelle für Arbeitsvermittlung beteiligten sich an der Sitzung. Mit der Einsetzung des Ausschusses, in dem das Auswärtige Amt federführend ist, sind erste organisatorische Voraussetzungen für eine »stärkere Straffung und Koordinierung des Benennungsverfahrens, für die Bekanntmachung der Ausschreibungen und die Auswahl der Kandidaten« geschaffen worden[177].

Die Kabinettsvorlage vom 26. Oktober 1970 sah außerdem folgende Maßnahmen vor:

»c) Beauftragung der Zentralstelle für Arbeitsvermittlung (ZAV), Frankfurt, mit der systematischen Auffindung und Erfassung aller am internationalen Dienst interessierten Kräfte, um den zuständigen Nominierungsstellen Hinweise über die geeignetsten Kandidaten für freie Dienstposten zu geben. Außerdem obliegt ihr die Erfassung aller im internationalen Dienst tätigen Deutschen.«[178]

Aufgrund von Vereinbarungen hat das »Büro Führungskräfte zu internationalen Organisationen« (BFIO) der Zentralstelle für Arbeitsvermittlung am 1. Oktober 1971 seine Arbeit aufgenommen[179]. Durch die zentrale Erfassung und Bearbeitung sowohl der internationalen Stellenausschreibungen als auch der deutschen Bewerbungen bieten sich zweifellos bessere Möglichkeiten, geeignete deutsche Kandidaten für den Dienst in internationalen Organisationen zu finden und das Reservoir an qualifizierten Kräften zu vergrößern. Die letzte Entscheidung über die Auswahl der Kandidaten sowie die Weiterleitung der Bewerbungen an die in Frage kommenden internationalen Stellen liegt allerdings weiterhin bei den verschiedenen Fachressorts. Die bisher verwirklichten Maßnahmen der Bundesregierung können zwar die Koordinierung der Personalvermittlung verbessern, sofern die Ministerien zu einer Zusammenarbeit bereit sind, aber das neugeschaffe-

---

[174] »Erfahrungsaustausch mit deutschen Beamten bei internationalen Organisationen« (Tagung der Deutschen Stiftung für Entwicklungsländer vom 28. bis 31. Oktober 1968); hrsg. von der Deutschen Stiftung für Entwicklungsländer, Dok. 445 DT 77/68, S. 7 (hektographiert).

[175] Bundestagsdrucksache V/4484.

[176] Bundestagsdrucksache VI/1465.

[177] Bundestagsdrucksache VI/2999. An der Mitarbeit in dem Ausschuß sind seit Anfang 1972 auch Vertreter der Verwaltung des Bundestages und des Bundesrates beteiligt, und der Ausschuß heißt seitdem »Ausschuß für die deutsche personelle Beteiligung an internationalen Organisationen«. Das Bundesverfassungsgericht ist ebenfalls zu einer Mitarbeit aufgefordert worden, doch läßt es seine Belange weiter vom Bundesministerium der Justiz wahrnehmen.

[178] Bundestagsdrucksache VI/1465.

[179] Bundestagsdrucksache VI/2999.

ne Instrumentarium reicht noch nicht aus, um die notwendige zentrale Personalplanung sicherzustellen[180].

Reformbedürftig erscheint auch die Zusammenarbeit des interministeriellen Ausschusses mit den verschiedenen Wirtschafts- und Wissenschaftsgremien in der Bundesrepublik. Wie die UN-Stellenausschreibungen und die getroffene Beamtenauswahl zeigen, wird den Experten der verschiedensten Fachgebiete vielfach der Vorzug vor den vielseitig einsetzbaren Verwaltungsbeamten gegeben. Eine wichtige Voraussetzung für die Erfüllung der deutschen Personalquote muß es deshalb sein, daß die Bundesregierung ihre Kandidaten gezielt vorschlägt. Das heißt vor allem, daß die qualitativen Voraussetzungen der Bewerber den Anforderungen der ausgeschriebenen Stellen entsprechen.

Durch eine verbesserte Kooperation zwischen dem interministeriellen Ausschuß und den verschiedenen Wirtschafts- und Wissenschaftsgremien sollte vor allem

– das Interesse fachlich spezialisierter Experten gestärkt werden und
– die Bereitschaft der Verwaltungsorganisationen der Wirtschaft und Wissenschaft erhöht werden, in größerem Umfang qualifizierte Fachkräfte für die Arbeit in internationalen Organisationen zur Verfügung zu stellen.

Schließlich gehört es zu einer erfolgreichen Personalpolitik, daß die Auslandsvertretungen der Bundesrepublik am Sitz der Organisationen eine intensivere Einflußnahme auf die Stellenbesetzungen und Dienstgradbeförderungen deutscher Staatsangehöriger ausüben. Es ist in der Vergangenheit in einzelnen Fällen die Erfahrung gemacht worden, daß die Bewerbungen fähiger Kandidaten aus der Bundesrepublik nicht genügend Unterstützung durch die Vertretungen der Bundesrepublik erhielten. Die größere Einflußnahme auf Personalangelegenheiten in internationalen Organisationen wird eine zusätzliche Arbeitsbelastung mit sich bringen, die vom Auswärtigen Amt anerkannt und durch eine organisatorische Umstrukturierung oder durch personelle Erweiterungen der Vertretungen kompensiert werden muß. Änderungen könnten etwa derart aussehen, daß ein Auslandsbeamter einen Teil seiner Dienstzeit mit der Regelung von Personalangelegenheiten der Beamten im internationalen Dienst verbringt oder daß den Vertretungen am Sitz der wichtigsten Organisationen ein hauptamtlicher Personalreferent zugeteilt wird[181].

Ein wahres Problem der deutschen Personalplanung in bezug auf internationale Organisationen ist der Austausch zwischen nationaler und internationaler Verwaltung. Ein verbesserter Austausch würde besondere Maßnahmen der Bundesregierung erfordern, die die zeitweilige Abstellung der Beamten erleichtern und die Bereitschaft der Ministerien und anderer Behörden zu einer Zusammenarbeit mit internationalen Institutionen erhöhen. Und schließlich kann das Interesse der Bundesbediensteten nur dann wirksam gefördert werden, wenn ihnen durch die zeitweilige Beurlaubung keine beruflichen Nachteile entstehen. Durch einige der

---

[180] Vgl. *Getz/Jüttner* (Anm. 152), S. 481.

[181] In der Vertretung der Bundesrepublik in Genf gibt es seit 1972 einen Personalreferenten.

Vorkehrungen wird allerdings potentiell auch die Abhängigkeit der internationalen Beamten von der nationalen Regierung gestärkt, wie zum Beispiel durch Sicherung der Laufbahn oder durch finanzielle Vergünstigungen.

Da die Verdienstmöglichkeiten in einigen internationalen Organisationen für verschiedene Nationalitäten nicht mehr attraktiv genug sind[182], haben die betreffenden Regierungen Maßnahmen ergriffen, um den relativen Rückgang der internationalen Gehälter auszugleichen. Die amerikanische Regierung zahlt ihren ehemaligen Bundesbediensteten zum Beispiel ein Aufgeld zu dem Verdienst in den Organisationen, um dadurch das Interesse an der Mitarbeit in den Sekretariaten wieder zu beleben[183]. Gemäß der Beamtenverordnung der Vereinten Nationen bedarf eine derartige Regelung für UN-Beamte der vorherigen Zustimmung des Generalsekretärs (Regulation 1.6). Die deutsche Bundesregierung wird mit einem ähnlichen Problem konfrontiert werden und sollte deshalb frühzeitig eine finanzielle Gleichstellung ihrer zukünftigen UN-Bediensteten mit den deutschen Auslandsbeamten anstreben, etwa in der Art, daß Kaufkraftzuschläge und Ortszulagen gezahlt werden. Die mögliche Gefahr des Mißbrauchs einer derartigen Abhängigkeit kann dabei allerdings nicht übersehen werden.

Zusammenfassend erscheinen folgende Maßnahmen und Vorkehrungen der Bundesregierung und der nationalen Behörden zweckmäßig:

- Seminare zur Vorbereitung auf den internationalen Dienst,
- Intensivierung der Sprachförderungsmaßnahmen,
- Erleichterung von Beurlaubungen,
- Förderung der Bewerbungen,
- Schaffung von Leerstellen,
- Laufbahnplanung: Beförderung auf Leerstellen, Sicherung von Planstellen nach Rückkehr,
- Absicherung gegen Rechtsverluste und Rechtsnachteile (zum Beispiel auf dem Gebiet der Sozialversicherung),
- Anpassung der Gehälter,
- Kontaktpflege zwischen den internationalen Beamten und der Bundesregierung bzw. den deutschen Behörden,
- Seminare zur Fortbildung.

Spezielle Probleme werden sich für die Bundesregierung daraus ergeben, daß sowohl die Besetzung der Posten als auch die Beförderung ab P-5, sofern die Stellen politische und nicht technische Bedeutung haben, ein Politikum darstellen. Diese

---

[182] Auf Vorschlag eines UN-Sonderausschusses soll bis 1975 ein Gehaltsstop für UN-Beamte eingeführt werden. Die UN-Gehälter liegen gegenwärtig bereits höher als die Gehälter in anderen internationalen Organisationen.

[183] Es ist von UN-Beamten verschiedentlich darauf hingewiesen worden, daß die Sowjetunion etwa den umgekehrten Fall praktiziert. Da die internationalen Bezüge höher liegen als die Gehälter im sowjetischen auswärtigen Dienst, müssen die UN-Beamten ihren Verdienst angeblich an die Regierung abführen und werden von ihr direkt bezahlt, und zwar in der gleichen Höhe wie die sowjetischen Auslandsbeamten an der UN-Vertretung in New York.

Tatsache erklärt auch, daß die zu besetzenden Positionen ab D-1 in den meisten Fällen nicht in den Stellenausschreibungen angegeben werden und daß Beförderungen von D-1 zu D-2 nicht im Sekretariat bekanntgemacht werden. Besonderes Interesse besteht naturgemäß an den Positionen der Assistant und Under-Secretaries-General. In erster Linie werden die politischen Positionen durch direkte Kontaktaufnahme zwischen den Mitgliedstaaten und dem Sekretariat vergeben.

Den deutschen Vertretungen am Sitz der Vereinten Nationen fällt die besondere Aufgabe zu, die Personalsituation auf der Stufe der höchsten Dienstgrade ständig zu beobachten, vor allem im Hinblick auf die mögliche Einrichtung neuer Stellen und auf freiwerdende Positionen durch Pensionierungen oder Beendigung der zeitlich begrenzten Dienstverhältnisse. Hier ist vor allem die Kooperation zwischen Sekretariatsangehörigen und Mitgliedern der Vertretungen wichtig.

Die Bundesrepublik sollte sich langfristig auf die Besetzung eines Under-Secretary-General-Postens und auf Stellen in anderen höheren Dienstgraden konzentrieren und hier gewisse Schwerpunkte in bezug auf Abteilungen in den Sekretariaten der Vereinten Nationen und der Sonderorganisationen setzen. Als voraussichtlich dritthöchster Beitragszahler sollte sie auf bestimmte Stellen Anspruch erheben und auf lange Sicht auch nicht zögern, zur Durchsetzung ihrer Forderungen notfalls politischen und finanziellen Druck auszuüben, und damit dem Beispiel anderer Staaten folgen.

Für die Bundesrepublik kann die spezielle Situation eintreten, daß der Generalsekretär mit Ansprüchen auf wichtige Positionen seitens beider deutscher Staaten konfrontiert wird und dann versuchen wird, innerdeutsche Unstimmigkeiten durch symmetrische Lösungen zu vermeiden. Das könnte – wie anfangs etwa im Fall Indien/Pakistan – bedeuten, daß »senior posts« ausschließlich nur dann an einen deutschen Staat vergeben werden, wenn eine andere entsprechende Stelle im Sekretariat für den zweiten deutschen Staat frei ist. Eine derartige Symmetrisierung sollte nicht im Interesse der Bundesrepublik Deutschland liegen.

Bei der Auswahl der Bewerber für den internationalen Dienst sollte im übrigen berücksichtigt werden, daß das UN-Sekretariat eine Verwaltungsbehörde mit über 120 Nationalitäten ist, in der sowohl der Arbeitsstil als auch die Einstellung zur Arbeit und die Disziplin des einzelnen bedeutende Unterschiede im Vergleich zu einer deutschen Behörde aufweisen.

Anhang

Anhang I

SPECIAL BODIES OF THE UNITED NATIONS (UN-Spezialorgane)*

UNICEF – United Nations Children's Fund
Headquarters: New York
UNHCR – Office of the United Nations High Commissioner for Refugees
Headquarters: Geneva
UNRWA – United Nations Relief and Works Agency for Palestine Refugees in the Near East
Headquarters: Beirut
UNCTAD – United Nations Conference on Trade and Development
Headquarters: Geneva
UNDP – United Nations Development Programme
Headquarters: New York
UNITAR – United Nations Institute for Training and Research
Headquarters: New York
UNIDO – United Nations Industrial Development Organization
Headquarters: Vienna
UNCDF – United Nations Capital Development Fund
Headquarters: New York
UNCHE – United Nations Conference on the Human Environment
Headquarters: Nairobi

INTER-GOVERNMENTAL AGENCIES

Specialized Agencies (UN-Sonderorganisationen)**

ILO – International Labor Organization
Headquarters: Geneva
FAO – Food and Agriculture Organization
Headquarters: Rome
UNESCO – United Nations Educational, Scientific and Cultural Organization
Headquarters: Paris

WHO – World Health Organization
Headquarters: Geneva
IBRD – International Bank for Reconstruction and Development
Headquarters: Washington, D. C.
IFC – International Finance Corporation
Headquarters: Washington, D. C.
IDA – International Development Association
Headquarters: Washington, D. C.
IMF – International Monetary Fund
Headquarters: Washington, D. C.
ICAO – International Civil Aviation Organization
Headquarters: Montreal
UPU – Universal Postal Union
Headquarters: Berne
ITU – International Telecommunication Union
Headquarters: Geneva
WMO – World Meteorological Organization
Headquarters: Geneva
IMCO – Intergovernmental Maritime Consultative Organization
Headquarters: London

Other Agencies

IAEA – International Atomic Energy Agency
Headquarters: Vienna
GATT – General Agreement on Tariffs and Trade
Headquarters: Geneva

* Zusätzlich zu den UN-Hauptorganen gibt es die von ihnen nach Artikel 7 Absatz 2 und Artikel 22, 29 und 68 der Charter eingesetzten Hilfsorgane (subsidiary organs). Als UN-Spezialorgane werden hier ausschließlich die von der Generalversammlung eingesetzten halb-autonomen Gremien bezeichnet.

** Als UN-Sonderorganisationen werden die Organisationen bezeichnet, die durch besondere Abkommen mit den Vereinten Nationen in Verbindung gebracht worden sind (vgl. Artikel 57–60, 63, 64, 66, 70 der Charter).

Anhang II

Präsidenten der Generalversammlung 1946—72

1st Regular Session: 1946	Paul-Henri Spaak: Belgien (WEOG)
1st Special Session: 1947	Oswaldo Aranha: Brasilien (LAG)
2nd Regular Session: 1947	Oswaldo Aranha: Brasilien (LAG)
2nd Special Session: 1948	Jose Arce: Argentinien (LAG)
3rd Regular Session: 1948—49	H. V. Evatt: Australien (WEOG)
4th Regular Session: 1949	Brigadier-General Carlos P. Romulo: Philippinen (AAG)
5th Regular Session: 1950—51	Nasrollah Entezam: Iran (AAG)
6th Regular Session: 1951—52	Luis Padilla Nervo: Mexiko (LAG)
7th Regular Session: 1952—53	Lester B. Pearson: Kanada (WEOG)
8th Regular Session: 1953	Mrs. Vijaya Lakshmi Pandit: Indien (AAG)
9th Regular Session: 1954	Eelco N. Van Kleffens: Niederlande (WEOG)
10th Regular Session: 1955	Jose Maza: Chile (LAG)
1st Emergency Special Session: 1956	Rudecindo Ortega: Chile (LAG)
2nd Emergency Special Session: 1956	Rudecindo Ortega: Chile (LAG)
11th Regular Session: 1956—57	Prince Wan Waithayakon: Thailand (AAG)
12th Regular Session: 1957	Sir Leslie Munro: Neuseeland (WEOG)
3rd Emergency Special Session: 1958	Sir Leslie Munro: Neuseeland (WEOG)
13th Regular Session: 1958	Dr. Charles Malik: Libanon (AAG)
14th Regular Session: 1959	Dr. V. A. Belande: Peru (LAG)
4th Emergency Special Session: 1960	Dr. V. A. Belande: Peru (LAG)
15th Regular Session: 1960—61	Frederick Boland: Irland (WEOG)
3rd Special Session: 1961	Frederick Boland: Irland (WEOG)
16th Regular Session: 1961—62	Mongi Slim: Tunesien (AAG)
17th Regular Session: 1962	Sir Muhammed Zafrulla Khan: Pakistan (AAG)
4th Special Session: 1963	Sir Muhammed Zafrulla Khan: Pakistan (AAG)
18th Regular Session: 1963	Carlos Sosa Rodriguez: Venezuela (LAG)
19th Regular Session: 1964—65	Alex Quaison-Sackey: Ghana (AAG)
20th Regular Session: 1965	Amintore Fanfani: Italien (WEOG)
21st Regular Session: 1966	Abdul Rahman Pazhwak: Afghanistan (AAG)

5th Special Session: 1967	Abdul Rahman Pazhwak: Afghanistan (AAG)
5th Emergency Special Session: 1967	Abdul Rahman Pazhwak: Afghanistan (AAG)
22nd Regular Session: 1967	Corneliu Manescu: Rumänien (EEG)
22nd Resumed Regular Session: 1968	Corneliu Manescu: Rumänien (EEG)
23rd Regular Session: 1968	Emilio Arenales*: Guatemala (LAG)
24th Regular Session: 1969	Miss Angie Brooks: Liberia (AAG)
25th Regular Session: 1970	Edvard Hambro: Norwegen (WEOG)
26th Regular Session: 1971	Adam Malik: Indonesien (AAG)
27th Regular Session: 1972	Stanislaw Trepczynski: Polen (EEG)

* Mr. Arenales starb am 17. April 1969 und wurde durch Mr. Alberto Fuentes Mohr (Guatemala) ersetzt.

Quelle: The United Nations and Related Agencies, Handbook, 1973 (Ministry of Foreign Affairs, Wellington, New Zealand), S. 10 f.

Anhang III

Vorsitzende der Hauptausschüsse der Generalversammlung 1946–1972

Vorsitzende des Ersten Hauptausschusses

Die Afro-Asiatische Gruppe stellte 6 Vorsitzende

Afrikanische Staaten stellten keinen Vorsitzenden

Asiatische Staaten stellten 4 Vorsitzende:

Iran	1957
Mauritius	1972
Pakistan	1969
Sri Lanka	1961/62

Arabische Staaten stellten 2 Vorsitzende:

Algerien	1967/68
Sudan	1962

Die Osteuropäische Gruppe stellte 3 Vorsitzende:

Bulgarien	1971
Ukraine	1946
Ungarn	1965

Die Lateinamerikanische Gruppe stellte 8 Vorsitzende:

Argentinien	1961/62
Brasilien	1952
Ecuador	1966
El Salvador	1958/59
Kolumbien	1950, 1954
Peru	1956/57
Venezuela	1970

Die Gruppe westeuropäischer und anderer Staaten stellte 9 Vorsitzende:

Belgien	1948/49, 1953
Italien	1968
Kanada	1949
Luxemburg	1947
Neuseeland	1955
Niederlande	1963
Norwegen	1951/52
Österreich	1959

Vorsitzende des Special Political Committee (Polit. Sonderausschuß)
(bis zur elften Sitzungsperiode *ad hoc* Political Committee)

Die Afro-Asiatische Gruppe stellte 7 Vorsitzende

Afrikanische Staaten stellten 3 Vorsitzende:

Guinea	1972
Liberia	1959
Somalia	1968

Asiatische Staaten stellten 4 Vorsitzende:

Afghanistan	1970
Iran	1949
Philippinen	1948/49
Thailand	1955

Arabische Staaten stellten keinen Vorsitzenden

Die Osteuropäische Gruppe stellte 4 Vorsitzende:

Bulgarien	1961/62
Polen	1969
Rumänien	1958/59, 1963

Die Lateinamerikanische Gruppe stellte 7 Vorsitzende:

Ecuador	1962
El Salvador	1953
Guatemala	1957
Haiti	1960/61, 1965
Honduras	1967/68
Peru	1950

Die Gruppe westeuropäischer und anderer Staaten stellte 6 Vorsitzende:

Finnland	1966
Griechenland	1952
Irland	1971
Island	1954
Türkei	1951/52, 1956/57

Vorsitzende des Zweiten Hauptausschusses

Die Afro-Asiatische Gruppe stellte 7 Vorsitzende

Afrikanische Staaten stellten 1 Vorsitzenden:

Ghana	1968

Asiatische Staaten stellten 5 Vorsitzende:

Indonesien	1963
Japan	1958/59
Pakistan	1956/57
Philippinen	1971
Thailand	1951/52

Arabische Staaten stellten 1 Vorsitzenden:

Jordanien	1966

Die Osteuropäische Gruppe stellte 6 Vorsitzende:

Jugoslawien	1953, 1960/61
Polen	1946, 1962
Tschechoslowakei	1952, 1957

Die Lateinamerikanische Gruppe stellte 8 Vorsitzende:

Bolivien	1959, 1970
Chile	1947, 1948/49, 1949
Haiti	1955
Kuba	1950
Peru	1967/68

Die Gruppe westeuropäischer und anderer Staaten stellte 5 Vorsitzende:

Australien	1954
Belgien	1965
Griechenland	1969
Italien	1961/62
Kanada	1972

Vorsitzende des Dritten Hauptausschusses

Die Afro-Asiatische Gruppe stellte 7 Vorsitzende

Afrikanische Staaten stellten 1 Vorsitzenden:

Mauretanien	1969

Asiatische Staaten stellten 3 Vorsitzende:

Indien	1962
Pakistan	1952
Philippinen	1961/62

Arabische Staaten stellten 3 Vorsitzende:

Libanon	1948/49
Marokko	1966
Verein. Arab. Republik	1955

Die Osteuropäische Gruppe stellte 5 Vorsitzende:

Jugoslawien	1967/68
Polen	1947
Rumänien	1960/61, 1970
Tschechoslowakei	1954

Die Lateinamerikanische Gruppe stellte 5 Vorsitzende:

Chile	1951/52, 1963
Mexiko	1965
Uruguay	1972
Venezuela	1949

Die Gruppe westeuropäischer und anderer Staaten stellte 9 Vorsitzende:

Belgien	1959
Dänemark	1956/57
Finnland	1971
Griechenland	1958/59
Kanada	1953
Neuseeland	1946
Niederlande	1950
Norwegen	1957
Österreich	1968

Vorsitzende des Vierten Hauptausschusses

Die Afro-Asiatische Gruppe stellte 13 Vorsitzende

Afrikanische Staaten stellten 4 Vorsitzende:

Guinea	1963
Liberia	1961/62
Sambia	1970
Zaire	1969

Asiatische Staaten stellten 5 Vorsitzende:

Indonesien	1959
Iran	1948/49, 1965
Thailand	1950, 1957

Arabische Staaten stellten 4 Vorsitzende:

Irak	1960/61
Sudan	1966
Syrien	1954, 1967/68

Die Osteuropäische Gruppe stellte 1 Vorsitzenden:

Tschechoslowakei	1972

Die Lateinamerikanische Gruppe stellte 9 Vorsitzende:

Argentinien	1952
Dominikanische Republik	1951/52, 1956/57
Guatemala	1962
Jamaika	1971
Mexiko	1955
Trinidad/Tobago	1968
Uruguay	1946
Venezuela	1953

Die Gruppe westeuropäischer und anderer Staaten stellte 3 Vorsitzende:

Dänemark	1949
Irland	1958/59
Neuseeland	1947

Vorsitzende des Fünften Hauptausschusses

Die Afro-Asiatische Gruppe stellte 12 Vorsitzende

Afrikanische Staaten stellten 2 Vorsitzende:

Madagaskar	1967/68
Nigeria	1971

Asiatische Staaten stellten 6 Vorsitzende:

Indien	1947, 1950
Japan	1972
Philippinen	1952
Sri Lanka	1958/59
Thailand	1954

Arabische Staaten stellten 4 Vorsitzende:

Irak	1953
Syrien	1946
Tunesien	1965
Verein. Arab. Republik	1956/57

Die Osteuropäische Gruppe stellte 2 Vorsitzende:

Tschechoslowakei	1959
Weißrußland	1968

Die Lateinamerikanische Gruppe stellte 1 Vorsitzenden:

Brasilien	1968

Die Gruppe westeuropäischer und anderer Staaten stellte 11 Vorsitzende:

Dänemark	1961/62
Griechenland	1949
Italien	1960/61
Kanada	1948/49, 1951/52, 1970
Niederlande	1957, 1962, 1963
Norwegen	1955
Türkei	1966

Vorsitzende des Sechsten Hauptausschusses

Die Afro-Asiatische Gruppe stellte 6 Vorsitzende

Afrikanische Staaten stellten 1 Vorsitzenden:

Kamerun	1970

Asiatische Staaten stellten 3 Vorsitzende:

Indien	1968
Thailand	1952
Zypern	1971

Arabische Staaten stellten 2 Vorsitzende:

Syrien	1947
Verein. Arab. Republik	1965

Die Osteuropäische Gruppe stellte 7 Vorsitzende:

Polen	1949, 1951/52. 1953, 1955
Tschechoslowakei	1950, 1956/57, 1966

Die Lateinamerikanische Gruppe stellte 10 Vorsitzende:

Argentinien	1963
Costa Rica	1960/61
Ecuador	1969
Guatemala	1959
Kuba	1954
Mexiko	1958/59
Panama	1946, 1948/49, 1961/62
Venezuela	1957

Die Gruppe westeuropäischer und anderer Staaten stellte 3 Vorsitzende:

Belgien	1972
Griechenland	1962
Norwegen	1967/68

Anhang IV

Vizepräsidenten der Generalversammlung 1946—1972

Die Afro-Asiatische Gruppe (einschließlich China) stellte 111 Vizepräsidenten

Afrikanische Staaten:

Äthiopien	1955, 1972
Burundi	1965, 1971
Dahome	1967/68
Gabun	1966
Ghana	1961/62, 1969
Guinea	1962, 1968
Kamerun	1963
Kenia	1970
Lybien	1972
Madagaskar	1962
Malawi	1969
Mauretanien	1968, 1972
Mauritius	1970
Niger	1961/62
Nigeria	1969
Rwanda	1966, 1972
Sambia	1971
Senegal	1966, 1970

Sierra Leone	1965, 1971	
Somalia	1963	
Südafrika	1946, 1959	
Tschad	1970	
Togo	1968	
Uganda	1968	
Ver. Republik Tansania	1967/68	
Zaire	1966	
Zentralafrikan. Republik	1965	= 36 Vizepräsidenten

Asiatische Staaten:

Birma	1954, 1959	
Indien	1956/57	
Indonesien	1958/59, 1969	
Iran	1968	
Israel	1953	
Japan	1960/61, 1971	
Laos	1965, 1967/68	
Malaysia	1965	
Mongolei	1969	
Nepal	1958/59, 1967/68, 1970	
Pakistan	1949, 1958/59, 1960/61	
Philippinen	1959, 1968, 1970, 1972	
Sri Lanka	1957	
Thailand	1948/49	
Zypern	1961/62, 1963, 1966, 1972	
		= 29 Vizepräsidenten
China (Nationalchina)	1946, 1947, 1949–1970	
China (Volksrepublik)	1971, 1972	= 26 Vizepräsidenten

Arabische Staaten:

Irak	1951/52, 1966, 1970	
Jordanien	1962, 1967/68, 1969	
Kuweit	1965	
Libanon	1968	
Libyen	1960/61, 1967/68	
Marokko	1959, 1965	
Sudan	1960/61, 1967/68, 1971	
Südjemen	1971	
Syrien	1963, 1972	
Tunesien	1957	
Verein. Arab. Republik	1952	= 20 Vizepräsidenten

Die Osteuropäische Gruppe (einschließlich Sowjetunion) stellte 42 Vizepräsidenten:

Bulgarien	1960/61, 1963, 1968
Jugoslawien	1951/52, 1969

Polen	1965	
Rumänien	1959, 1962	
Tschechoslowakei	1948/49, 1958/59, 1961/62	
Ungarn	1966, 1971	
Ukraine	1948/49, 1970	
Weißrußland	1948/49	= 16 Vizepräsidenten
Sowjetunion	1946, 1947, 1949–1972	= 26 Vizepräsidenten

Die Lateinamerikanische Gruppe stellte 45 Vizepräsidenten:

Barbados	1969
Bolivien	1948/49, 1966
Brasilien	1949, 1959, 1970
Chile	1965, 1969
Costa Rica	1961/62, 1966, 1971
Dominikan. Republik	1967/68
Ecuador	1954, 1958/59, 1967/68, 1970
El Salvador	1956/57, 1963
Guatemala	1965
Guayana	1968
Haiti	1962, 1972
Honduras	1952
Jamaika	1970
Kolumbien	1962, 1972
Kuba	1947
Mexiko	1947, 1953, 1961/62
Nicaragua	1967/68
Panama	1960/61, 1969
Paraguay	1948/49, 1957, 1965, 1972
Peru	1968, 1971
Trinidad/Tobago	1966
Uruguay	1958/59
Venezuela	1946, 1950, 1960/61, 1971

Die Gruppe westeuropäischer und anderer Staaten (einschließlich Frankreich, Großbritannien und Vereinigte Staaten von Amerika) stellte 108 Vizepräsidenten:

Australien	1950, 1958/59, 1962, 1967/68
Belgien	1962, 1971
Dänemark	1948/49, 1969
Griechenland	1961/62, 1966, 1971
Island	1963, 1967/68, 1972
Italien	1956/57
Kanada	1960/61, 1968
Luxemburg	1955, 1969
Malta	1970

Neuseeland	1972	
Niederlande	1958/59, 1961/62	
Österreich	1966	
Schweden	1959, 1968	
Spanien	1957, 1965	
Türkei	1959, 1963	= 30 Vizepräsidenten
Frankreich	1946, 1947, 1949—1972	= 26 Vizepräsidenten
Großbritannien	1946, 1947, 1949—1972	= 26 Vizepräsidenten
Ver. Staaten v. Amerika	1946, 1947, 1949—1972	= 26 Vizepräsidenten

---

Anhang V

Überblick über die Büros und Abteilungen im UN-Sekretariat

A) Büros des Generalsekretärs
(Offices of the Secretary-General)

Executive Office of the Secretary-General
(Under-Secretary-General, Chef de Cabinet: C. V. Narasimhan, Indien)

Das Exekutivbüro unterstützt den Generalsekretär bei der Koordinierung der Arbeit des Sekretariats, bei der Durchführung besonderer politischer Missionen sowie bei der Unterhaltung von Kontakten zu den Regierungen, Delegationen, Sonderorganisationen, der Presse und der Öffentlichkeit.

Office of the Under-Secretary-General for Special Political Affairs
(Under-Secretary-General: Roberto E. Guyer, Argentinien
Assistant Secretary-General: Brian E. Urquhart, Großbritannien)

Während der Amtszeit Hammarskjölds sind zur Unterstützung des Generalsekretärs zwei Posten der Under-Secretaries without portfolio mit primär politischen Funktionen eingerichtet worden. Unter Waldheim ist einer der Posten einer anderen Abteilung zugeordnet worden.

Das Sekretariat des Scientific Committee on the Effects of Atomic Radiation, das dem Büro des Under-Secretary-General für besondere politische Angelegenheiten untergeordnet ist, führt unter der fachlichen Leitung des Ausschusses Berechnungen und Analysen durch und arbeitet wissenschaftliches Material für die Ausschußsitzungen auf.

Office of the Under-Secretary-General for Political and General Assembly Affairs
(Under-Secretary-General: F. Bradford Morse, Vereinigte Staaten von Amerika)

Das Büro ist 1972 unter Waldheim umgebildet worden und ist in erster Linie für die Arbeit der Generalversammlung zuständig. Das ehemalige General Assembly Affairs Office war Teil des Exekutivbüros des Generalsekretärs.

Der Under-Secretary-General behandelt neben Fragen, die mit der Organisation und der Arbeit der Generalversammlung zusammenhängen, besondere politische Angelegenheiten, die ihm vom Generalsekretär übertragen werden.

Die Menschenrechtsabteilung arbeitet hauptsächlich für den Dritten Hauptausschuß der Generalversammlung, den Wirtschafts- und Sozialrat, die Menschenrechtskommission, für die Commission on the Status of Women, die Sub-Commission on the Prevention of Discrimination and Protection of Minorities sowie für die diesen Gremien nachgeordneten Ausschüsse.

Office of Legal Affairs
(Under-Secretary-General: C. A. Stavropoulos, Griechenland)

Das Büro ist für die Auslegung der Charter-Bestimmungen, die Beratung aller UN-Organe und Gremien in rechtlichen Fragen sowie für den Entwurf von internationalen Abkommen und Verträgen zuständig.

Office of the Under-Secretary-General for Administration and Management
(Under-Secretary-General: George F. Davidson, Kanada)

Das Büro steht vor allem für die Arbeit des Fünften Hauptausschusses der Generalversammlung und der anderen Ausschüsse, die sich mit administrativen Problemen beschäftigen, zur Verfügung.

Office of the Controller
(Assistant Secretary-General, Controller: Bruce R. Turner, Neuseeland)

Das Büro verwaltet die Finanzen der Organisation einschließlich des UN-Budgets, formuliert die Finanzpolitik und arbeitet mit den UN-Sonderorganisationen zusammen mit dem Ziel der Entwicklung einer gemeinsamen Verwaltungs- und Finanzpolitik. Es berät den Fünften Hauptausschuß der Generalversammlung sowie die verschiedenen UN-Ausschüsse für Finanzfragen.

Office of Personnel
(Assistant Secretary-General, Director of Personnel: Mohammed Habib Gherab, Tunesien)

Das Büro ist für alle Personalangelegenheiten einschließlich der Rekrutierung und Beförderung von Beamten und Angestellten zuständig, für die Formulierung der Personalpolitik, ihre Durchführung und ihre Koordinierung mit der Personalpolitik der UN-Sonderorganisationen.

The Special Adviser on African Questions
(Under-Secretary-General: Issoufou S. Djermakoye, Niger)

Der Posten ist 1972 unter Waldheim für die Beratung des Generalsekretärs in allen Afrika betreffenden Fragen eingerichtet worden.

Office for Inter-Agency Affairs
(Assistant Secretary-General: Ismat T. Kittani, Irak)

Der Assistant Secretary-General mit seinem Mitarbeiterstab unterstützt den Generalsekretär in Fragen, die die Beziehungen der Vereinten Nationen zu den Sonderorganisationen, der IAEA und zu anderen internationalen Organisationen und Behörden betreffen. Außerdem koordiniert er die Zusammenarbeit der Generalversammlung, des Wirtschafts- und Sozialrates und der ihnen nachgeordneten Gremien mit den verschiedenen Organisationen. Das Büro unterstützt außerdem das Department of Economic and Social Affairs in der Erfüllung seiner Verantwortung in wirtschaftlichen und sozialen Angelegenheiten vis-à-vis den UN-Spezialorganen und Organisationen.

B) Andere Abteilungen und Büros

Department of Political and Security Council Affairs
(Under-Secretary-General: Leonid N. Kutakov, Sowjetunion)

Die Abteilung steht für die Arbeit des Sicherheitsrates, der beiden Politischen Hauptausschüsse der Generalversammlung und für die anderen der Generalversammlung und dem Sicherheitsrat untergeordneten Gremien zur Verfügung, die Angelegenheiten des internationalen Friedens, der Sicherheit, der Abrüstung und des Weltraums behandeln. Es ist ferner vorgesehen, daß der Under-Secretary-General den Generalsekretär bei der Wahrnehmung seiner politischen Funktionen, die ihm die Charter und die verschiedenen Resolutionen der UN-Organe übertragen, unterstützt.

Department of Economic and Social Affairs
(Under-Secretary-General: Philippe de Seynes, Frankreich)

Die Abteilung arbeitet in erster Linie mit dem Wirtschafts- und Sozialrat und den ihm nachstehenden regionalen Wirtschaftsorganen (ECE, ECA, ECLA, ECAFE) und ihren Sekretariaten sowie mit dem Zweiten und Dritten Hauptausschuß der Generalversammlung und den übrigen Ausschüssen, die sich mit wirtschaftlichen und sozialen Fragen sowie mit Fragen der Wissenschaft, Technologie und der Entwicklungsplanung beschäftigen, zusammen.

Generalsekretär Waldheim hat zusätzlich den Posten des »Assistant Secretary-General dealing with social and humanitarian matters« eingerichtet und Mrs. Helvi Sipila, Finnland, mit der Wahrnehmung des Amtes betraut. Mrs. Sipila ist damit die erste Frau, die diesen Rang in den Vereinten Nationen hält.

Department of Political Affairs, Trusteeship and Decolonization
(Under-Secretary-General: Tang Ming-chao, Volksrepublik China)

Die Abteilung ist 1972 unter Waldheim aus dem bisherigen Department of Trusteeship and Non-Self-Governing Territories entstanden. Sie ist hauptsächlich für die Arbeit des Treuhandschaftsrates, des Vierten Hauptausschusses der Generalversammlung und der übrigen Ausschüsse, die sich mit Fragen der Dekolonisierung und Problemen der Kolonialgebiete befassen, zuständig.

Office of Public Information
(Assistant Secretary-General: Genichi Akatani, Japan)

Es gehört zu den Aufgaben des Informationsbüros, die Weltöffentlichkeit über die Arbeit der Vereinten Nationen zu unterrichten. Informationszentren in allen Teilen der Welt werden zu diesem Zweck unterhalten, Besucherprogramme, Informationslehrgänge etc. durchgeführt.

Office of Conference Services
(Under-Secretary-General: Bohdan Lewandowski, Polen)

Der Konferenzdienst ist zuständig für die Bereitstellung des notwendigen Personals wie Dolmetscher, Protokollanten und Konferenzhilfskräfte aller Art für Sitzungen der UN-Gremien, für die Übersetzung von Dokumenten in die UN-Arbeitssprachen und schließlich für die Redaktion der UN-Dokumente und sonstigen UN-Veröffentlichungen.

Office of General Services
(Assistant Secretary-General: Robert J. Ryan, Vereinigte Staaten von Amerika)

Die Funktionen dieser Abteilung sind vielfältig und umfassen u. a. die Verwaltung der UN-Gebäude, die Überwachung der Transport- und Kommunikationsdienste, die Verwaltung des United Nations Field Service.

Schließlich ist noch das
Europäische Büro der Vereinten Nationen in Genf
zu erwähnen, das ebenfalls dem UN-Generalsekretär untersteht. Der Generaldirektor des Europäischen Büros, Vittorio Winspeare Guicciardi (Italien), der den Rang eines Under-Secretary-General hat, ist der Vertreter des Generalsekretärs in Europa. Das Europäische Büro mit seinen Unterabteilungen steht für die Arbeit der in Genf tagenden UN-Organe und Ausschüsse zur Verfügung. Es fungiert außerdem als Kontaktstelle zu den UN-Sonderorganisationen mit dem Sitz in Europa, zu der IAEA sowie zu den regionalen europäischen Organisationen und Behörden.

Siehe auch UN Doc. ST/SGB/131 and Amendments (Organization of the Secretariat).

Anhang VI

Staff in posts subject to geographical distribution
(as at 30 June 1972)

Region	USG	ASG	D-2	D-1	P-5	P-4	P-3	P-2	P-1	Total
Africa	2	2	4	13	40	42	67	52	15	237
Asia and the Far East	2	3	7	27	65	87	70	62	20	344
Europe (Eastern)	2	1	14	19	37	102	59	19	1	254
Europe (Western)	4	2	8	45	107	117	99	95	27	514
Latin America	2	1	3	17	30	45	62	34	12	206
Middle East	1	1	2	8	17	28	25	14	7	103
North America and the Caribbean	2	1	11	45	70	105	141	145	19	539
Others				7	6	12	16	15	3	59
Total	15	11	59	182	372	538	539	436	104	2256

Quelle: GAOR, 27th Session, 1972, Agenda item 81 (a) (UN Doc. A/8831), S. 10.

Anhang VII

Assessed or voluntary contributions paid by the Member States to the regular budget of the United Nations for the financial years 1969 and 1970

Member States	Year	UN Budget $	Scale of Assessments, per cent
Austria	1969	670.000	0.55
	1970	843.972	
Belgium	1969	1.374.652	1.05
	1970	1.398.683	
Brasilien	1969	1.112.218	0.80
	1970	500.000	
Canada	1969	3.774.997	3.08
	1970	4.248.075	
France	1969	6.776.098	6.00
	1970	7.984.176	
Indien	1969	2.174.449	1.55
	1970	2.447.153	
Indonesia	1969	372.994	0.28
	1970	424.893	

Member States	Year	UN-Budget $	Scale of Assessments per cent
Italy	1969	4.859.298	3.54
	1970	4.337.349	
Japan	1969	4.723.802	5.40
	1970	5.316.227	
Mexico	1969	1.087.225	0.88
	1970	1.262.951	
Netherlands	1969	1.449.633	1.18
	1970	1.631.435	
Nigeria	1969	324.777	0.12
	1970	196.898	
Norway	1969	557.659	0.43
	1970	604.756	
Pakistan	1969	462.383	0.34
	1970	520.372	
Poland	1969	1.716.991	1.41
	1970	2.589.159	
Sweden	1969	1.562.104	1.25
	1970	1.758.012	
Union of Soviet Socialist	1969	15.937.234	14.18
Republics*	1970	18.213.627	
United Kingdom of Great Bri-	1969	8.272.902	5.90
tain and Northern Ireland	1970	9.310.430	
United States of America**	1969	34.220.264	31.52
	1970	58.878.797	
Yugoslavia	1969	499.874	0.38
	1970	562.565	

* Die Sowjetunion zahlt zusätzlich für technische Hilfe $ 1.942.763 (in Rubel) für 1969 und 1970. Zu berücksichtigen ist ferner, daß die Ukrainische und die Weißrussische Sozialistische Sowjetrepublik eigene Beiträge zum UN-Budget in Höhe von $ 2.105.332 und $ 556.329 für 1969 und $ 2.656.044 und $ 635.794 für 1970 aufbringen (plus Zahlungen für technische Hilfe in Höhe von $ 132.140 und $ 67.818 [in Rubel]).

** Aufgrund von GA Res. 2961 B (XXVII) vom 13. Dezember 1972 wird der amerikanische Beitrag zum regulären UN-Budget ab 1974 auf 25 vH reduziert.

Quelle: GAOR, 26th Session, 1971, Suppl. No. 11, Addendum (UN Doc. A/8411/Add. 2) vom 6. Oktober 1971, S. 1 ff.; GA Res. 2654 (XXV) vom 4. Dezember 1970. Siehe auch *Vereinte Nationen,* Jg. 4, 1971, S. 119.

SONDERPROBLEME EINER DEUTSCHEN MITGLIEDSCHAFT IN DEN VEREINTEN NATIONEN

Wilhelm Kewenig

I. Einleitung und Übersicht

In jeder internationalen Organisation gibt es eine Reihe bedeutsamer Sachprobleme, die über Jahre hinweg die Tagesordnung und die Arbeit der Organisation insgesamt nachhaltig bestimmen. Jeder Mitgliedstaat einer internationalen Organisation hat sich mit diesen Fragen auseinanderzusetzen, einen eigenen Standpunkt zu erarbeiten und ihn mit befreundeten Mitgliedern abzustimmen.

Wenn die Bundesrepublik Deutschland sich anschickt, einen Antrag auf Aufnahme in die Vereinten Nationen zu stellen, so hat sie sich schon vorher Gedanken zu machen über ihre zukünftige Stellung in der Weltorganisation, und sie hat sich im voraus Gedanken darüber zu machen, welche Haltung sie zu den wichtigsten Sachproblemen dieser Organisation einnehmen wird. Insofern unterscheidet sich die Situation der Bundesrepublik allerdings kaum von der jedes anderen präsumtiven Aufnahmekandidaten. Es gibt jedoch einige Probleme, die zwar durchaus einen speziellen Bezug zu den Vereinten Nationen haben, trotzdem jedoch ureigene Probleme der Bundesrepublik Deutschland sind. Mit diesen »deutschen« Problemen beschäftigt sich das folgende Kapitel. Natürlich können nicht alle deutschen Fragen mit UN-Bezug behandelt werden. Bei der Auswahl dürften jedoch einige der wichtigsten Fragen herausgegriffen worden sein. Besondere Aufmerksamkeit verdient zunächst der Komplex der sog. Feindstaaten-Klauseln. Es wird vor allem darauf ankommen, die unterschiedliche Bewertung herauszuarbeiten, die diese Klauseln in den Beziehungen der Bundesrepublik nach Ost und West erfahren, sowie der Frage nachzugehen, welche Veränderung in der Einschätzung der Klauseln und in ihrer Gewichtigkeit die letzten 25 Jahre gebracht haben. Der zweite, bedeutsame Sachkomplex ist die Viermächte-Verantwortung für Gesamtdeutschland. Es wird zu fragen sein, ob durch die gleichzeitige Aufnahme zweier deutscher Staaten in die Vereinten Nationen dieser Viermächte-Status für Gesamtdeutschland verändert, und wenn ja, in welcher Weise er verändert wird. Ähnlich bedeutsam ist die Frage, welche Konsequenzen der Beitritt zweier deut-

---

Der Beitrag ist im Juli 1972 abgeschlossen worden. Die spätere Entwicklung — insbesondere des innerdeutschen Verhältnisses — konnte nicht mehr berücksichtigt werden. Der Autor behandelt sie — zumindest teilweise — in seinem Artikel „Die Bedeutung des Grundvertrages für das Verhältnis der beiden deutschen Staaten", in: *Europa-Archiv,* Jg. 28, Heft 2, Januar 1973, S. 37—46.

scher Staaten für Berlin hat. Im Vordergrund steht hier die Frage nach der Auswirkung des doppelten Beitritts auf die Außenvertretung Berlins. Als letzter besonders wichtiger Komplex bleiben die innerdeutschen Beziehungen. Wie stellen sich diese Beziehungen nach der Aufnahme beider deutscher Staaten in die Vereinten Nationen dar? Zu erörtern ist vor allem, ob es auch nach der Aufnahme noch möglich sein wird, den jetzigen Intentionen der Bundesregierung entsprechend diese Beziehungen als Sonderbeziehungen zu qualifizieren und daran festzuhalten, daß die DDR für die BRD – und umgekehrt die BRD für die DDR – nicht »Ausland« sind.

II. Die Bedeutung der Artikel 53 und 107 der UN-Charter vor und nach dem Beitritt von BRD und DDR zu den Vereinten Nationen

Es ist hier nicht der Ort, um die vielfältigen rechtlichen und politischen Probleme der sog. Feindstaaten-Klauseln der UN-Charter in voller Breite aufzurollen. Die Intensität, mit der die Sowjetunion bei ihren Kontakten und in ihren Verhandlungen mit der Bundesrepublik seit 1967 auf die Existenz dieser – vorher weitgehend in Vergessenheit geratenen – Klauseln der UN-Charter hinweist, hat auch die wissenschaftliche Bemühung um diesen Komplex wieder ganz erheblich verstärkt. Auf die Ergebnisse dieser Bemühungen kann nur hingewiesen werden[1]. Hier kommt es vor allem darauf an, die Frage zu beantworten, was im Hinblick auf die Artikel 53 und 107 von der Bundesrepublik anläßlich ihrer Aufnahme in die Vereinten Nationen sinnvoll zu unternehmen ist. Um wirklich eine Antwort geben zu können, sind vorweg einige Bemerkungen zu einzelnen Aspekten dieser Problematik notwendig: Zum rechtlichen Gehalt der Klauseln, zur Rolle der Klauseln in der Praxis der Vereinten Nationen und vor allem zu den Veränderungen, die bezüglich der Klauseln im Verhältnis zwischen den Westmächten und der Bundesrepublik auf der einen und – nach der Ratifizierung des Moskauer Vertrages – im Verhältnis zwischen der UdSSR und der Bundesrepublik auf der anderen Seite eingetreten sind. Nur wenn auf diese Weise das gegenwärtige rechtliche und politische Gewicht der Feindstaaten-Klauseln deutlich geworden ist, lassen sich sinnvoll Überlegungen darüber anstellen, was man im Hinblick auf sie bei der Aufnahme in die Vereinten Nationen tun sollte.

[1] Vgl. etwa Armin *Albano-Müller*, Die Deutschland-Artikel in der Satzung der Vereinten Nationen, Stuttgart 1967; Dieter *Blumenwitz*, Feindstaatenklauseln. Die Friedenswahrung der Sieger, München 1972; Dieter *Frenzke*, Jens *Hacker* und Alexander *Uschakow*, Die Feindstaatenartikel und das Problem des Gewaltverzichts der Sowjetunion im Vertrag vom 12.8.1970, Berlin 1970; Hannes C. *Schneider*, Die Charta der Vereinten Nationen und das Sonderrecht für die im Zweiten Weltkrieg unterlegenen Nationen (Artikel 53 und 107), Bonn 1967.

1. Zum rechtlichen Gehalt der Artikel 53 und 107 der UN-Charter und den unterschiedlichen Positionen der Westmächte und der Sowjetunion hierzu

Artikel 53 Absatz 1 Satz 2 und Artikel 107 fallen erkennbar aus dem Rahmen der sonstigen Bestimmungen der Charter. Sie stellen Sonderrecht dar, und zwar Sonderrecht zu Lasten derjenigen Staaten, die, wie Artikel 53 Absatz 2 formuliert, während des Zweiten Weltkrieges Feind eines der Signatare der UN-Satzung gewesen sind. Artikel 107 stellt die Siegermächte des Zweiten Weltkrieges von der Beachtung der Bestimmungen der Charter frei, wenn sie »as a result of that war« Maßnahmen gegen die ehemaligen Feindstaaten ergreifen. Artikel 107 selbst ist also keine Kompetenznorm, keine Ermächtigungsgrundlage für die Sieger zur gewaltsamen Intervention bei den Besiegten, sondern sie entbindet die Sieger bei ihrem Vorgehen gegen die Besiegten nur von der Beachtung gewisser Schranken, die die UN-Charter für die Beziehungen der Staaten untereinander aufrichtet. Besonders gewichtig ist der Dispens hinsichtlich des Gewaltverbotes des Artikels 2 Absatz 4. Ähnliches gilt für Artikel 53 Absatz 1 Satz 2. Auch hier wird ein Dispens erteilt, und zwar von der Regel, daß auch im Rahmen regionaler Abkommen Zwangsmaßnahmen nur im Falle der Selbstverteidigung oder aber aufgrund ausdrücklicher vorheriger Ermächtigung durch den Sicherheitsrat ergriffen werden dürfen: Richten sich solche Zwangsmaßnahmen gegen ehemalige Feindstaaten, so ist nach dem ausdrücklichen Wortlaut der Vorschrift ein vorheriges Einverständnis des Sicherheitsrates – bzw. das Vorliegen einer Notwehrsituation – nicht erforderlich. Auch hier also keine Ermächtigung, sondern nur eine Ausnahme von der Regel. Immerhin, das Gewicht dieser Ausnahmeregelungen, dieses Sonderrechtes für die Unterlegenen des Zweiten Weltkrieges, das, wie Steinberger[2] zutreffend formuliert, eine Art »Vogelfreiheit« in moderner Auflage begründet, wird deutlich.

Diese wenigen Striche müssen genügen, um den – zumindest im Ansatz auch von der Sowjetunion nicht bestrittenen – Kern des materiellen Gehalts der Feindstaaten-Klauseln zu umschreiben. Alles andere ist streitig. Der Streit beginnt etwa bei der Frage, wer sich heute noch mit Recht auf den Dispens des Artikels 107 berufen kann, ob also dieser Dispens, soweit er für Deutschland bzw. für BRD und DDR gilt, nur kollektive Maßnahmen der vier Siegermächte oder auch unilaterale Interventionen abdeckt, und endet bei Fragen wie der, ob das Potsdamer Abkommen eine auch der Bundesrepublik gegenüber wirksame Ermächtigungsgrundlage für Interventionen der Siegermächte hergibt, wie weit das Besatzungsrecht überhaupt – auch heute noch – die durch Artikel 53 und 107 geschaffenen Freiräume für die Siegermächte ausfüllt, oder ob Artikel 53 Absatz 1 Satz 2 auch

[2] Helmut *Steinberger*, Völkerrechtliche Aspekte des deutsch-sowjetischen Vertragswerks vom 12. August 1970, in: *Zeitschrift für ausländisches öffentliches Recht und Völkerrecht*, Bd. 3, 1971, S. 90, Anm. 52.

Eingriffe regionaler Sicherheitsbündnisse gegenüber Nichtmitgliedern dieses Bündnisses zuläßt, die Bundesrepublik also etwa eine durch Artikel 53 Absatz 1 Satz 1 abgedeckte Intervention eines regionalen Bündnisses gegenwärtigen muß, auch ohne dessen Mitglied zu sein.

Wichtiger als diese letztlich doch mehr oder weniger theoretischen Streitfragen zu den Feindstaaten-Klauseln dürfte es jedoch sein, einmal festzustellen, welche Bedeutung die Klauseln in der politischen Praxis der Nachkriegszeit gehabt und welche konkreten Konsequenzen sich bisher aus ihrer Existenz für die Sicherheit und Unabhängigkeit der Bundesrepublik Deutschland ergeben haben.

2. *Die Feindstaaten-Klauseln in der UN-Praxis*

Ein Blick in die Sitzungsprotokolle der Generalversammlung und des Sicherheitsrates in den letzten 25 Jahren zeigt, daß die Feindstaaten-Klauseln in der bisherigen UN-Praxis keine große Rolle gespielt haben. Während Artikel 53 Absatz 1 Satz 2 — soweit ersichtlich — kein einziges Mal in den Diskussionen auch nur aufgetaucht ist, hat Artikel 107 zwar wiederholt Erwähnung gefunden, den Ausgang der Diskussionen aber in keinem einzigen Fall entscheidend beeinflußt[3]. Erwähnenswert sind, soweit Deutschland in Frage steht — Artikel 107 hat eine Rolle auch bei der Erörterung gewisser Nachkriegsprobleme anderer Feindstaaten gespielt, etwa Italiens, Koreas, Bulgariens, Rumäniens, Ungarns und Österreichs[4] —, eigentlich nur zwei Fälle: die Diskussion im Sicherheitsrat über die Berlin-Blockade von 1948[5] und die Debatte in der Generalversammlung vor dem von ihr gefaßten Beschluß, eine Untersuchungskommission zur Prüfung der Voraussetzungen für die Abhaltung gesamtdeutscher freier und geheimer Wahlen im Jahre 1951 einzusetzen[6].

In beiden Fällen wurde die Angelegenheit von den drei Westmächten vor das jeweilige UN-Gremium gebracht. In beiden Fällen widersprach die Sowjetunion — unterstützt von allen anderen Ostblockstaaten — schon der Aufnahme der Angelegenheit in die Tagesordnung. Zur Begründung vertrat sie die Auffassung, Artikel 107 entziehe den Vereinten Nationen ein für alle Mal die Kompetenz zur Behandlung aller Fragen, die im Zusammenhang mit der Liquidierung der Folgen des Zweiten Weltkrieges entstünden. Aus diesem Grunde seien alle Organe der Vereinten Nationen gehindert, zu den entsprechenden Fragen Beschlüsse zu fassen, ja die Fragen auch nur zu diskutieren. Es wurde immer wieder auf die angeblich ausschließliche Kompetenz der vier Siegermächte bzw. der von ihnen eingesetzten internationalen Organe hingewiesen[7].

[3] Vgl. Übersicht der »Anwendungsfälle«, in: *Repertory of Practice of United Nations Organs,* Vol. V, New York 1955, S. 383 ff.

[4] Dazu etwa *Albano-Müller* (Anm. 1), S. 22 ff. und *Schneider* (Anm. 1), S. 101 ff.

[5] Nachweise etwa bei *Albano-Müller* (Anm. 1), S. 27 f.

[6] Nachweise etwa bei *Schneider* (Anm. 1), S. 110 ff.

[7] So etwa die Argumentation Wyschinskis, des sowjetischen Vertreters im Sicherheitsrat, siehe: SCOR, 3rd year, 1948, 361st and 362nd Meeting.

Die Sowjetunion konnte sich jedoch weder in den beiden Deutschland betreffenden noch in allen anderen Fällen, in denen Artikel 107 der UN-Charter eine Rolle spielte, mit dieser ihrer ständig und unverändert vorgetragenen Auffassung durchsetzen. Die Mehrheit schloß sich vielmehr stets der von allen drei Westmächten vertretenen Auffassung an, nach der diese Bestimmung nur verhindern sollte, daß sich die ehemaligen Feindstaaten wegen interventionistischer Maßnahmen der Siegermächte bei den Vereinten Nationen mit Erfolg beschweren, d. h. deren Organe sich tatsächlich unter Verweis auf eine Verletzung des Gewaltverbots des Artikels 2 Absatz 4 der UN-Charter in die Auseinandersetzung zwischen Siegern und Besiegten einschalten würden. Artikel 107 steht nach dieser — richtigen — Auffassung dagegen nicht der Befassung der Vereinten Nationen mit einer solchen Angelegenheit durch eine oder mehrere der Siegermächte selbst im Wege. Außerdem wiesen die Westmächte darauf hin, daß es sich weder bei der Berlin-Blockade noch bei der Frage der freien Wahlen in Deutschland um »Maßnahmen« der Sieger im Sinne des Artikel 107 handele, sondern um eine Auseinandersetzung zwischen ihnen auf der einen und der Sowjetunion auf der anderen Seite[8].

Hinsichtlich der UN-Praxis gilt es also festzuhalten, daß in dem einen wie dem anderen Fall der Versuch der Sowjetunion, die generelle Kompetenz der Vereinten Nationen zur Behandlung deutscher Probleme zu bestreiten, außerhalb des Ostblocks keine nennenswerte Unterstützung fand. Festzuhalten ist allerdings auch, daß in beiden Fällen die Haltung der Sowjetunion einen materiellen Beitrag der Vereinten Nationen zur Lösung des anstehenden Problems verhinderte: Das sog. Jessup-Malik-Abkommen vom 4. Mai 1949[9] kam zwar in den Wandelgängen der Vereinten Nationen zustande, jedoch ohne die Beteiligung eines ihrer Organe. Und die von der Generalversammlung eingesetzte Untersuchungskommission[10] mußte sich sehr bald auf unbestimmte Zeit vertagen, da ihr die Einreise in die sowjetische Besatzungszone verwehrt wurde.

3. Die Feindstaaten-Klauseln in der Beziehung der BRD zu den drei westlichen Alliierten

Im Verhältnis der Bundesrepublik Deutschland zu den drei Westmächten haben die Feindstaaten-Klauseln der UN-Charter ebenfalls keine nennenswerte Rolle gespielt. Ein Fall, in dem die drei Westmächte etwa einzeln oder gemeinsam auf Artikel 107 der UN-Charter zur Rechtfertigung ihres Verhaltens gegenüber der Bundesrepublik hingewiesen hätten, ist nicht bekannt. Die einzige Gelegenheit, bei

---

[8] So vor allem der Vertreter der USA, Jessup, siehe: SCOR, 3rd year, 1948, 361st Meeting.

[9] Text in: Dokumente zur Berlin-Frage 1944—1962, 2. Aufl., München 1962.

[10] Text der GA Res. 510 (VI) vom 20. Dezember 1951 und Entstehungsgeschichte dieser Entschließung, in: Yearbook of the United Nations 1951, S. 316 ff. Zum abschließenden — ergebnislosen — Bericht der Kommission vom 5. August 1952 (UN Doc. A/2122/Add. 2), vgl. Yearbook of the United Nations 1952, S. 311 f.

der zumindest indirekt auf die Feindstaaten-Klauseln Bezug genommen wurde, sind die Pariser Verträge von 1954. Frankreich, Großbritannien und die Vereinigten Staaten von Amerika haben aus diesem Anlaß in der Londoner Schlußakte vom 3. Oktober 1954 u. a. erklärt, daß »sie sich in ihren Beziehungen mit der Bundesrepublik an die in Artikel 2 der Satzung der Vereinten Nationen niedergelegten Grundsätze halten werden«[11].

Unstreitige Konsequenz dieser Erklärung ist es, daß die drei Westmächte »in ihren Beziehungen zu der Bundesrepublik« auf die Inanspruchnahme des Dispenses der Artikel 53 Absatz 1 Satz 2 und 107 der UN-Charter verzichtet haben. Für die jeweiligen Beziehungen zwischen Frankreich, Großbritannien oder den Vereinigten Staaten von Amerika auf der einen und der Bundesrepublik Deutschland auf der anderen Seite gelten damit die in Artikel 2 der UN-Satzung niedergelegten Grundsätze uneingeschränkt.

Trotzdem ist bis heute umstritten, ob mit dieser Erklärung das Sonderrecht der Feindstaaten-Klauseln im Verhältnis zwischen der Bundesrepublik und den drei Westmächten tatsächlich voll ausgeräumt ist. Zweifel bestehen hier vor allem hinsichtlich des Artikels 107. Schließt man sich der zumindest in der westlichen Völkerrechtslehre vielfach vertretenen Auffassung[12] an, daß Artikel 107 nur Kollektivmaßnahmen aller vier für das Schicksal Gesamtdeutschlands verantwortlichen Siegermächte von den einschränkenden Verpflichtungen der Charter dispensiert, so wird man die zitierte Erklärung der Westmächte nur als eine der Bundesrepublik gegenüber abgegebene Verpflichtung interpretieren können, sich an deratigen Kollektiv-Aktionen der Vier Mächte in das Gebiet der Bundesrepublik in Zukunft unter keinen Umständen mehr zu beteiligen – und sie damit insgesamt unmöglich zu machen. Ist man dagegen der Auffassung, daß Artikel 107 u. U. auch einseitige Interventionen einer Siegermacht abdeckt, so läßt sich durchaus der Standpunkt einnehmen, daß die drei Westmächte – jede für sich – nur auf ihr einseitiges, nicht dagegen auf das gemeinsam mit der Sowjetunion auszuübende kollektive Interventionsrecht verzichtet haben. Die bestehenden Interpretationsschwierigkeiten werden auch durch eine Erklärung wie die, die von den drei Außenministern der Westmächte anläßlich der Unterzeichnung des Kernwaffen-Sperrvertrages am 28. November 1969 abgegeben worden ist, nicht ausgeräumt. In dieser Erklärung heißt es: »Frieden zu stiften ist, wie wir alle wissen, ein internationales Unterfangen, das nur gelingen kann, wenn die Völker sich verpflichten, die Rechte ihrer Nachbarn zu achten. In dieser Hinsicht ist klar, daß die Artikel 53 und 107 der Charta der UN kein Recht gewähren, einseitig mit Gewalt in der Bundesrepublik Deutschland zu intervenieren. Die drei Mächte, die Vereinigten Staaten, Großbritannien und Frankreich, haben ihrerseits förmlich er-

[11] Text der Erklärung bei Ingo *von Münch,* Dokumente des geteilten Deutschlands, Stuttgart 1968, S. 246 f. Die Bundesrepublik hat sich in einer Erklärung vom gleichen Tage gegenüber den Westmächten ebenfalls zu den Verpflichtungen des Artikels 2 der UN-Charter bekannt.

[12] Nachweis etwa bei *Albano-Müller* (Anm. 1), S. 82 ff.

klärt, daß sie sich in ihren Beziehungen mit der Bundesrepublik von den Grundsätzen des Artikels 2 der Charta der UN leiten lassen werden.«[13]

Auch diese Erklärung ist unterschiedlicher Interpretation zugänglich. Sie kann verstanden werden ganz einfach als eine Wiederholung des auch in den Vereinten Nationen von den Westmächten immer wieder betonten Standpunktes, daß die Feindstaaten-Klauseln keiner der Siegermächte ein Interventionsrecht einräumen – sondern allenfalls von gewissen Beschränkungen der Charter dispensieren. Bei dieser Interpretation enthält sie keinerlei konkrete Aussage über den Umfang des eigenen Verzichts. Legt man die Betonung hingegen auf den Hinweis, ein Recht zur einzeitigen Intervention werde durch Artikel 53 oder Artikel 107 nicht begründet, so läßt sich diese Stellungnahme auch dahin auslegen, daß die Westmächte ebenfalls der Auffassung sind, einer kollektiven gewaltsamen Intervention aller vier Siegermächte stünde Artikel 2 Absatz 4 der Charter wegen Artikel 107 auch heute noch nicht entgegen[14].

Aber selbst wenn man zu dem Ergebnis kommt, daß im Verhältnis zwischen der Bundesrepublik und den Westmächten als »kollektiv« oder als Teil eines »Kollektivs« die Berufung auf die Feindstaaten-Klauseln rechtlich noch nicht mit letzter Sicherheit ausgeschlossen ist, so wird man doch eines mit allem Nachdruck festhalten können: Eine irgendwie greifbare, die Sicherheit oder Unabhängigkeit der Bundesrepublik bedrohende politische Bedeutung kommt den Feindstaaten-Klauseln in dieser Beziehung heute nicht mehr zu.

4. Die Feindstaaten-Klauseln in den Beziehungen der BRD zur Sowjetunion

In den bilateralen Beziehungen zwischen der Bundesrepublik und der Sowjetunion haben die Feindstaaten-Klauseln bis in die zweite Hälfte der sechziger Jahre ebenfalls keine erkennbare Rolle gespielt. Erst 1967, als die Regierung der großen Koalition in konkrete Verhandlungen über den Abschluß eines Gewaltverzicht-Abkommens mit der Sowjetunion eintrat, tauchten die Artikel 53 und 107 in der Diskussion plötzlich auf. Das Angebot der Bundesrepublik Deutschland, die Prinzipien des Artikel 2 der Charter der Vereinten Nationen zur Grundlage der beiderseitigen Beziehungen zu machen, beantwortete die Sowjetregierung in Ziffer 6 des Memorandums vom 21. November 1967 wie folgt: »6. Im Entwurf der Erklärung der BRD über die Nichtanwendung von Gewalt, der von der west-

---

[13] So der Wortlaut der Erklärung des US-Außenministers, vgl. *Europa-Archiv,* Jg. 25, 1970, S. D 21 f. Ebd. auch die insoweit vergleichbaren Erklärungen der Außenminister der beiden anderen Westmächte.

[14] Allerdings berücksichtigt diese letzte Interpretation nicht, daß die Erklärungen der Westmächte jeweils die Reaktion auf die Behauptung der Sowjetunion von einem ihr zustehenden *einseitigen* Interventionsrecht waren. Auf dem Hintergrund dieses Erlasses wird man auch die Meinung vertreten können, die Erklärungen bestätigten noch einmal, daß die Westmächte auch nach ihrer eigenen Rechtsauffassung auf jede Berufung auf die Feindstaatenklauseln verzichtet hätten. In diesem Sinne etwa *Steinberger* (Anm. 2), S. 99 f.

deutschen Seite übergeben wurde, heißt es, daß die Bundesrepublik Deutschland ›ausgehend von der beiderseitigen Absicht, zur Schaffung einer festen Grundlage zur Gewährleistung des Friedens und der Sicherheit in Europa beizutragen, die Verpflichtung bekräftigt, ihre Politik entsprechend den Prinzipien der Charta der Vereinten Nationen, insbesondere ihres Artikels 2‹, zu verfolgen.

Die Sowjetregierung kennt diese offiziellen Erklärungen, die von der Regierung der BRD auch schon früher abgegeben wurden. Sie entsprechen einer unabdingbaren Forderung des modernen Völkerrechts und sind daher ganz natürlich.

Die Charta der Vereinten Nationen enthält außerdem eine Reihe von Bestimmungen, die sich speziell auf die Rechte und Pflichten der Staaten der ehemaligen Anti-Hitler-Koalition beziehen. So enthält Artikel 107 der Charta den speziellen Vorbehalt, daß die UN-Charta ›keine ... Maßnahmen ungültig oder unanwendbar macht, die gegen irgendeinen Staat, der während des Zweiten Weltkriegs der Feind irgendeines der Signatare der vorliegenden Charta gewesen ist, als Folge dieses Krieges von den Regierungen ergriffen oder gestattet werden, welche die Verantwortung für solche Maßnahmen haben‹.

Außerdem heißt es in Punkt 1, Artikel 53 der UN-Charta, der die Anwendung von Zwangsmaßnahmen für die Erhaltung des Friedens durch den Sicherheitsrat betrifft, daß die in der UN-Charta festgelegte Regelung ›Maßnahmen gegen irgendeinen Feindstaat, ... wie sie in Artikel 107 oder in regionalen, gegen die Wiederaufnahme der Angriffspolitik seitens irgendeines solchen Staates gerichteten Abkommen vorgesehen sind‹, nicht berührt.

Somit behalten auch gemäß der UN-Charta die von den Ländern der Anti-Hitler-Koalition unternommenen Handlungen und die von ihnen getroffenen Vereinbarungen im gegebenen Falle ihre volle Gültigkeit. Gegen die Wiederaufnahme der aggressiven Politik seitens eines ehemaligen feindlichen Staates können folglich entsprechende Maßnahmen getroffen werden.«[15]

Mit dieser Erklärung machte die Sowjetunion unmißverständlich klar, daß sie nach ihrer Rechtsauffassung auch nach Abschluß eines auf Artikel 2 der UN-Charter bezugnehmenden Gewaltverzicht-Abkommens mit der Bundesrepublik ihre angeblichen Interventionsrechte aus Artikel 53 und 107 uneingeschränkt behalte. Nach ihrer Auffassung kann Artikel 2 der Satzung nicht isoliert, sondern nur im Zusammenhang mit den übrigen Bestimmungen der Charter, also auch mit Artikel 53 und 107, gesehen und interpretiert werden. Das bedeutet, daß jedes Bekenntnis der Sowjetunion zu den Prinzipien des Artikels 2 gegenüber der Bundesrepublik ohne weiteres mit dem zugunsten der Sowjetunion wirkenden Dispens der Artikel 53 und 107 belastet ist.

Es fragt sich nun, ob die Sowjetunion von diesem ihrem wiederholt vorgetragenen Rechtsstandpunkt im Moskauer Vertrag abgegangen ist. Ist dies der Fall, so wäre die in dem bilateralen Verhältnis Bundesrepublik/Sowjetunion bisher zumindest problematische Rechtsfrage heute entschärft.

---

[15] Text der sowjetischen Erklärung in: *Europa-Archiv*, Jg. 23, 1968, S. D 364 ff.

Es ist hier nicht der Ort, den Versuch einer eigenen Interpretation der einschlägigen Bestimmungen des Moskauer Vertrages zu unternehmen. Es kann hier nur das Ergebnis der zahlreichen Äußerungen der deutschen Staats- und Völkerrechtswissenschaft referiert werden, soweit dieses Ergebnis das Verhältnis der Feindstaaten-Klauseln auf der einen und des Moskauer Vertrages auf der anderen Seite betrifft[16]. Man wird es knapp aber bündig dahin zusammenfassen können, daß nach überwiegender Auffassung ein rechtlich eindeutig formulierter Verzicht der Sowjetunion, sich in ihrem Verhältnis zur Bundesrepublik auf die Feindstaaten-Klausel zu berufen, nicht vorliegt. Zwar heißt es in Artikel 2 u. a.:

»Demgemäß werden sie ihre Streitfragen ausschließlich mit friedlichen Mitteln lösen und übernehmen die Verpflichtung, sich in Fragen, die die Sicherheit in Europa und die internationale Sicherheit berühren, sowie in ihren gegenseitigen Beziehungen gemäß Artikel 2 der Charta der Vereinten Nationen der Drohung mit Gewalt oder der Anwendung von Gewalt zu enthalten.«

Aber das tatsächliche Gewicht dieser Verpflichtung steht, soweit es die Sowjetunion betrifft, nicht außer Zweifel. Es kann hier dahinstehen, ob man als Grund für die fortbestehenden Zweifel die »Vorbehaltsklausel« des Artikels 4 oder aber die schon erwähnte Rechtsauffassung der Sowjetunion ansieht, das Gewaltverbot des Artikels 2 Absatz 4 sei »selbstverständlich« im Lichte der sonstigen Bestimmungen der Charter, also auch unter Berücksichtigung der Artikel 53 und 107, zu interpretieren. Entscheidend ist, daß auch nach der Ratifizierung des Moskauer Vertrages die geäußerten Zweifel hinsichtlich der Rechtsposition der Sowjetunion nicht mit der Eindeutigkeit und Klarheit ausgeräumt sind, wie dies etwa für das Verhältnis der Sowjetunion zu Japan in der »Gemeinsamen Deklaration der UdSSR und Japans« vom 19. Oktober 1956 gelungen ist[17]. Auch die Äußerung des sowjetischen Außenministers zur Frage eines Interventionsanspruches in den Moskauer Verhandlungen am 29. Juli 1970, die die Bundesregierung im Ausschnitt zu Beginn der parlamentarischen Ratifikationsdebatte vorgelegt hat[18], ver-

---

[16] Hierzu etwa *Blumenwitz* (Anm. 1), S. 114 ff.; Jens *Hacker,* Zur Frage der Befreiung von den Feindstaaten-Klauseln der UN-Satzung, in: *Vereinte Nationen,* Jg. 19, 1971, S. 41 ff.; sowie *Steinberger* (Anm. 2), S. 83 ff.

[17] Text in: *Archiv der Gegenwart,* Jg. 26, 1956, S. 6032. In der Erklärung heißt es u. a.: »Die UdSSR und Japan erklären, daß sie sich in ihren Beziehungen von den Prinzipien der UNO-Charta und im besonderen von den nachstehenden in Artikel 2 dieser Charta dargelegten Prinzipien leiten lassen werden: ... b) in ihren internationalen Beziehungen Drohungen mit Gewalt wie Gewaltanwendung gegen die territoriale Integrität oder politische Unabhängigkeit eines anderen Staates sowie alles andere zu vermeiden, was mit der Satzung der Organisation der Vereinten Nationen unvereinbar ist ...«

[18] Die Äußerung Gromykos hat folgenden Wortlaut: »Die zweite prinzipielle Frage, in der wir Ihnen entgegengekommen sind, ist der Gewaltverzicht unter Berücksichtigung der UNO-Satzung. Wir verstehen Ihr Interesse an dieser Frage. Die Geschichte kann man nicht widerrufen. Aus ihr folgte eine Bestimmung der UNO-Satzung. Wir haben uns trotzdem entschlossen, mit Ihnen einen Gewaltverzicht abzuschließen, d. h. die Verpflichtung zu übernehmen und sie zu ratifizieren. In dem von uns angenommenen Text steht das Wort »ausschließlich« (mit friedlichen Mitteln). Wir haben keinerlei Ausnahmen vor-

mag die angesichts der bisherigen Haltung der Sowjetunion angebrachten Zweifel nicht restlos zu beseitigen. Zwar wird in ihr nachdrücklich hervorgehoben, daß sich die Vertragsparteien doch in Artikel 2 des Moskauer Vertrages verpflichtet hätten, ihre Streitfragen ausschließlich mit friedlichen Mitteln zu lösen. Aber einmal wird diese Ausschließlichkeitsverpflichtung im gleichen Satz des Vertrages qualifiziert durch den Hinweis auf Artikel 2 der Charter, so daß das schon angedeutete Auslegungsproblem doch wieder auftaucht. Außerdem gibt es das vielzitierte Falin-Interview vom 17. März 1971[19], in dem der designierte sowjetische Botschafter in der Bundesrepublik u. a. gesagt haben soll, die Feindstaaten-Klauseln würden im Verhältnis zur BRD vom Moskauer Vertrag »überlagert«, behielten aber im übrigen und vor allem auch für den Fall einer Verletzung oder Nichterfüllung des Vertrages ihre Bedeutung.

5. Insgesamt: Die rechtliche und politische Situation im Hinblick auf die Feindstaaten-Klauseln vor Aufnahme der BRD in die Vereinten Nationen

Versucht man, die Situation im Hinblick auf die Feindstaaten-Klauseln der UN-Charter vor Eintritt der Bundesrepublik in die Vereinten Nationen kurz zusammenzufassen, so wird man die rechtliche und die politische Ebene zu unterscheiden haben.

Auf der rechtlichen Ebene sieht es so aus, daß nach der ganz überwiegenden Auffassung in der westlichen Völkerrechtswissenschaft[20] die Feindstaaten-Klauseln, gleichgültig, welche Bedeutung ihnen in der unmittelbaren Nachkriegszeit zukam, infolge der Entwicklung des allgemeinen Völkerrechts auch gegenüber der Bundesrepublik nicht mehr anwendbar sind. Denn heute ist das generelle Gewaltverbot Bestandteil des Völkergewohnheitsrechts. Von diesem Gewaltverbot kann aber auch ein sehr umfassender multilateraler Vertrag wie die Charter der Vereinten Nationen nicht zu Lasten von Nicht-Mitgliedern Freizeichnungen vornehmen. Kein Mitglied der Vereinten Nationen vermag sich deshalb heute noch in seinen Beziehungen zur Bundesrepublik Deutschland mit Erfolg auf die Artikel 53 und 107 der UN-Charter zu berufen. Das gilt ausnahmslos auch für die ehemaligen Supermächte. Diese Rechtsauffassung hat sich auch die Bundesregierung zu eigen gemacht[21]. Inwieweit sie von den Westmächten geteilt wird, ist, wie erörtert, nicht mit letzter Sicherheit zu beantworten. Aber selbst wenn man den Klauseln auch

---

gesehen. Das ist unsere Antwort auf Ihre innenpolitische Diskussion. Ich betone erneut das Wort »ausschließlich«. Glauben Sie, daß das für uns nur ein Fetzen Papier ist? Das ist es nicht.« Text in: *Bulletin des Presse- und Informationsamtes der Bundesregierung* vom 15. Dezember 1971, S. 2017.

[19] Vgl. etwa den Bericht in der *Frankfurter Allgemeinen* vom 19. März 1971.

[20] Nachweise bei *Albano-Müller* (Anm. 1), S. 35 ff.; vgl. auch *Schneider* (Anm. 1), S. 90 ff. und 158 ff.

[21] Dazu *Steinberger* (Anm. 2), S. 90, Anm. 53. Undeutlich dagegen die Äußerung des UN-Generalsekretärs U Thant vom 23. September 1968, in Übersetzung wiedergegeben bei *Frenzke/Hacker/Uschakow* (Anm. 1), S. 152.

heute noch rechtliches Gewicht zuerkennt, so haben jedenfalls die Westmächte zweifelfrei auf die Inanspruchnahme dieser Klauseln verzichtet, soweit eine einseitige Intervention in Frage steht. Hinsichtlich der kollektiven Intervention ist dagegen die rechtliche Situation auch im Verhältnis zwischen der Bundesrepublik und den Westmächten nicht ganz so eindeutig. Was die Sowjetunion angeht, so geht ihr Verzicht in jedem Falle nicht weiter als der der Westmächte. Das bedeutet hinsichtlich der kollektiven Intervention auch hier zumindest eine unklare Rechtslage. An Klarheit fehlt es im Verhältnis zwischen der Bundesrepublik Deutschland und der Sowjetunion aber auch hinsichtlich des behaupteten einseitigen Interventionsanspruchs. Die Ratifizierung des Moskauer Vertrages hat insofern die Rechtslage nicht mit ausreichender Eindeutigkeit zugunsten der Bundesrepublik verändert. Nur eine eindeutige Formulierung aber hätte die Gefahr der mißbräuchlichen Interpretation und ihrer möglichen Folgen auf der politischen Ebene tatsächlich gebannt.

Was die politische Bewertung der Situation angeht, so ist eine kollektive Intervention aller vier Siegermächte in der Bundesrepublik keine allzu reale Alternative zukünftiger Entwicklung. Eine Intervention der Westmächte allein dürfte ebenfalls kaum zu erwarten sein. Was schließlich eine einseitige Intervention der Sowjetunion in der Bundesrepublik angeht, so dürfte auch sie keine wirklich bedrohliche politische Gefahr in der Zukunft darstellen, solange das westliche Bündnis das Risiko einer solchen Intervention für die Sowjetunion unkalkulierbar macht. Gerade diese politische Bewertung der Situation macht deutlich, daß es sich bei dem Thema der Feindstaaten-Klauseln letztlich um eine Frage von zweitrangigem Gewicht handelt.

6. Die Feindstaaten-Klauseln und die Aufnahme der BRD in die Vereinten Nationen

Es bleibt die Frage, was im Hinblick auf die Feindstaaten-Klauseln bei einer Aufnahme der Bundesrepublik in die Vereinten Nationen zu tun ist.

Um diese Frage beantworten zu können, ist zunächst festzustellen, ob die Aufnahme der beiden deutschen Staaten etwa automatische Folgen für das weitere Schicksal der Feindstaaten-Klauseln hat. Zu denken ist an die Möglichkeit des Eintritts zweier sehr unterschiedlicher Konsequenzen. Da ist einmal die in der westlichen Völkerrechtslehre wohl herrschende, aber auch in der östlichen Lehre weitverbreitete Auffassung[22], daß die Feindstaaten-Klauseln durch die Aufnahme des ehemaligen Feindstaates in die Vereinten Nationen in bezug auf diesen Staat automatisch hinfällig würden. Eine ebenfalls automatische, allerdings in eine andere Richtung gehende Konsequenz ist aber auch die, daß die Bundesrepublik nach

[22] Nachweise bei *Albano-Müller* (Anm. 1), S. 63 ff.; Dieter *Frenzke*, Einige Aspekte der Artikel 53 und 107 der VN-Satzung aus östlicher Sicht, in: *Recht in Ost und West*, Jg. 13, 1969, S. 165; *Frenzke/Hacker/Uschakow* (Anm. 1), S. 53 ff.; *Schneider* (Anm. 1), S. 171 f., 176.

einer Aufnahme in die Vereinten Nationen nicht mehr den Rechtsstandpunkt vertreten kann, auf die Artikel 53 und 107 vermöge sich ihr gegenüber niemand mehr zu berufen, da es sich hierbei um Bestimmungen aus einem ihr fremden Vertrag handle, dessen Partner sie nicht sei und der ihr deshalb auch keine Pflichten auferlegen könne.

Die Argumentation, die Aufnahme eines ehemaligen Feindstaates in die Vereinten Nationen beseitige die Feindstaatenqualität und mache deshalb die Artikel 53 und 107 auf ihn unanwendbar, hat zweifellos erhebliches Gewicht. Der vor allem in Artikel 2 Absatz 1 formulierte Grundsatz von der souveränen Gleichheit aller Mitgliedstaaten gilt unbestritten als einer der wichtigsten Aussagen der UN-Charter überhaupt. Eine bestimmte Mitgliedstaaten diskriminierende »Mitgliedschaft zweiter Klasse« scheint durch ihn von vornherein ausgeschlossen. Hinzu kommt, daß nach Artikel 4 Absatz 1 der Charter nur friedliebende Staaten Aufnahme in die Weltorganisation finden können. Bescheinigen die ständigen Mitglieder des Sicherheitsrates, die gleichzeitig die Haupt-Siegermächte des Zweiten Weltkrieges sind, durch ihr positives Votum zum Aufnahmeantrag dem Antragsteller diese Friedensliebe, so erscheint eine spätere Berufung auf Artikel 53 und 107 ausgeschlossen, wollen sich diese Staaten nicht dem Vorwurf des »venire contra factum proprium« aussetzen. Die bisherige Aufnahmepraxis scheint diese Argumentation zu unterstützen. Es gibt keinen einzigen Fall, in dem ein ehemaliger Feindstaat bei seiner Aufnahme in die Vereinten Nationen es für nötig erachtet hätte, hinsichtlich der Artikel 53 und 107 einen ausdrücklichen Vorbehalt zu machen. Vielmehr sind all diese Staaten – einschließlich Japan und Italien – offenbar stillschweigend davon ausgegangen, daß mit ihrer Aufnahme in die Organisation die Feindstaaten-Klauseln jede Bedeutung für sie verlieren. Andererseits kann nicht übersehen werden, daß die Sowjetunion sich diese Rechtsauffassung bisher nicht zu eigen gemacht hat. Nur so ist zu erklären, daß etwa in dem schon zitierten Falin-Interview gesagt werden konnte, die Artikel 53 und 107 stellten keine Diskriminierung der Bundesrepublik dar, da sie auch für alle übrigen früheren Feindstaaten noch gelten würden, also z. B. für Ungarn und Rumänien[23]. Angesichts solcher Erklärungen erscheint es politisch zumindest fragwürdig, sich auf den angedeuteten Automatismus zu verlassen. Würde die Sowjetunion zu einem späteren Zeitpunkt in den Vereinten Nationen die These von der Fortgeltung der Klauseln im Hinblick auf die Bundesrepublik vertreten, so wäre – auch bei rechtlicher Unhaltbarkeit dieser Position – ein politischer Schaden nicht auszuschließen.

Was den zweiten Automatismus angeht, so sollte man ihn sehen, seine Gefährlichkeit allerdings auch nicht überschätzen. Einerseits steht außer Frage, daß nach der Aufnahme der Bundesrepublik Deutschland der Hinweis auf den völkerrechtlichen Grundsatz »pacta tertiis nec nocent nec prosunt« nicht mehr so wie vorher zur Verfügung steht. Auf der anderen Seite aber darf man nicht die sich der Bundesrepublik bietende Möglichkeit übersehen, bei der Aufnahme darauf hinzuwei-

[23] Vgl. den schon zitierten Bericht der *Frankfurter Allgemeinen* vom 19. März 1971.

sen, daß nach der auch von ihr vertretenen Auffassung spätestens mit der Aufnahme in die Vereinten Nationen die Feindstaaten-Klauseln ihre Anwendbarkeit auf die Bundesrepublik verlieren. Nutzt die Bundesrepublik diese Möglichkeit, so wird man in ihrem Beitritt sicher nicht gleichzeitig eine stillschweigende Hinnahme der Belastungen der Artikel 53 und 107 sehen können.

Angesichts dieser mehr oder minder zweifelhaften Automatismen bietet sich an, daß die Bundesrepublik bei ihrer Aufnahme in die Vereinten Nationen ausdrücklich einen Vorbehalt hinsichtlich der weiteren Anwendbarkeit der Artikel 53 und 107 auf sie macht. Nach dem bisher Gesagten dürften die Argumente für ein solches Vorgehen auf der Hand liegen. Es gibt allerdings auch gewisse Überlegungen, die gegen ein solches Vorgehen sprechen. Zwei seien hier kurz angesprochen: Die erste setzt bei dem einfachen Gedanken ein, daß die Bundesrepublik durch einen ausdrücklichen Vorbehalt die Aufmerksamkeit der Weltöffentlichkeit auf einige für sie nachteilige Bestimmungen der Charter lenken würde, denen von dem weitaus größten Teil eben dieser Öffentlichkeit seit langem jede politische und rechtliche Relevanz abgesprochen wird. Gewichtiger als diese erste aber dürfte eine zweite mit der Deutschland-Politik der jetzigen Regierung zusammenhängende Überlegung sein. Im Zuge ihrer Bemühungen, die Beziehungen zwischen BRD und DDR als Sonderbeziehungen von »zwei Staaten in Deutschland« einzuordnen, unterstreicht die Regierung bei jeder sich ihr bietenden Gelegenheit den Fortbestand der Viermächte-Verantwortung für Gesamtdeutschland und Berlin als eines der sichtbarsten Zeichen für die auch heute noch vorhandenen gemeinsamen Bande zwischen den beiden deutschen Staaten. Gewinnt der Fortbestand der Viermächte-Verantwortung aber eine so große Bedeutung für die Deutschland-Politik, so muß es der diese Politik verfolgenden Regierung darauf ankommen, die wenigen vertraglichen Fixierungen und direkten oder indirekten Bezugnahmen auf die Viermächte-Verantwortung möglichst ungeschmälert zu erhalten. In die Reihe der Verträge, in denen die besondere Verantwortung der Siegermächte für das Deutschland-Problem deutlich angesprochen wird, gehört aber zweifellos auch die UN-Charter mit ihren Feindstaaten-Klauseln. Eine Politik, die diese Klauseln allzu laut als völlig obsolet bezeichnet, gerät leicht in den Verdacht, den Fortbestand der Viermächte-Verantwortung generell als Anachronismus zu negieren oder aber zumindest für seinen alsbaldigen und totalen Abbau einzutreten.

Nimmt man hinzu, daß, wie erörtert, die Feindstaaten-Klauseln kaum eine reale politische Gefahr für die weitere Entwicklung der Bundesrepublik darstellen, so wird man zumindest die Frage ernsthaft erörtern müssen, ob die Bundesrepublik Deutschland nicht tatsächlich bei ihrer Aufnahme dem Beispiel Italiens oder Japans folgen und die Existenz der Feindstaaten-Klauseln stillschweigend übergehen soll. Andererseits ist nicht zu übersehen, daß die Bundesrepublik ein ganz besonderes politisches Interesse daran hat, zumindest ihren eigenen Rechtsstandpunkt hinsichtlich der Feindstaaten-Klauseln so deutlich und eindeutig darzulegen, daß jedenfalls insoweit Mißdeutungen ausgeschlossen sind. Sie wird deshalb nicht umhin können, zumindest in dem Vertragsgesetz, das im konkreten

Fall dem eigentlichen Aufnahmeantrag wohl vorangehen und die Form eines »Ermächtigungsgesetzes« annehmen wird, ihre Auffassung zu den Feindstaaten-Klauseln zu fixieren. Eine solche Festschreibung dürfte einerseits ausreichen, um den erwünschten Erfolg zu sichern. Andererseits werden die Siegermächte während des Aufnahmeverfahrens im Sicherheitsrat oder durch den Aufnahmeantrag begleitende Erklärungen schon dafür Sorge tragen, daß die Viermächte-Verantwortung trotz Aufnahme beider deutscher Staaten in die Vereinten Nationen nicht in Vergessenheit gerät. Damit aber dürfte dem deutschen Interesse an dieser Stelle in ausreichender Form Genüge getan sein.

III. Die UN-Mitgliedschaft beider deutscher Staaten und der Fortbestand der Viermächte-Verantwortung für Gesamtdeutschland

Eine zweite — soeben schon angesprochene — Besonderheit, die den Fall der Aufnahme beider deutschen Staaten in die Vereinten Nationen von vergleichbaren Fällen unterscheidet, sind die auch heute noch fortbestehenden Souveränitätsbeschränkungen, die beide deutsche Staaten in vergleichbarem Umfange belasten. Bei einer Aufnahme in die Vereinten Nationen ergeben sich insoweit vor allem drei Fragen: Stehen diese Beschränkungen einer Vollmitgliedschaft beider deutschen Staaten in den Vereinten Nationen entgegen? Wenn das nicht der Fall ist, hat die Tatsache der Mitgliedschaft von BRD und DDR in den Vereinten Nationen ihrerseits irgendwelche Rückwirkungen auf den Fortbestand dieser Souveränitätsbeschränkungen, und zwar insbesondere im Hinblick auf den Fortbestand der Viermächte-Verantwortung für Gesamtdeutschland? Und schließlich: Was ergibt sich aus den festgestellten Souveränitätsbeschränkungen für die Aufnahmeprozedur als solche, für die Antragsberechtigung, für die Modalitäten dieses Antrages?

1. Zu den Rechtsgrundlagen der Souveränitätsbeschränkungen von BRD und DDR: Die Viermächte-Verantwortung für Gesamtdeutschland

Bevor sinnvoll von den Konsequenzen für die fortbestehenden Souveranitätsbeschränkungen der BRD und der DDR gesprochen werden kann, ist ein Blick auf die Rechtsgrundlagen und den Umfang dieser Beschränkungen notwendig. Grundlage und Umfang dieser Beschränkungen lassen sich mit verhältnismäßig wenig Worten umschreiben.

Basis und Ausgangspunkt aller noch heute bestehenden Souveränitätsbeschränkungen in beiden Teilen Deutschlands ist die Niederwerfung des Deutschen Reiches, seine bedingungslose Kapitulation und die den Siegermächten originär zuwachsenden Besatzungsrechte in ganz Deutschland. Ausdruck gefunden hat diese Rechtslage in der sogenannten Berliner Erklärung der Vier Mächte vom 5. Juni 1945, mit der diese u. a. die oberste Regierungsgewalt in Deutschland übernommen haben[24]. Ergänzt – aber nicht ersetzt – wird die Erklärung vom 5. Juni 1945 durch eine Reihe vertraglicher Absprachen der Siegermächte. Während die Sowjetunion sich zusätzlich vor allem auf das Potsdamer Abkommen – wegen der ihrer Auffassung nach in diesem Abkommen vorgenommenen territorialen Verfügungen – stützt, werden diese Ergänzungen etwa von den Vereinigten Staaten von Amerika umschrieben als »die Rechte und Verantwortlichkeiten der vier Mächte in bezug auf Berlin und Deutschland als Ganzes, die sich aus dem Ergebnis des zweiten Weltkrieges herleiten und die im Londoner Übereinkommen vom 14. November 1944, in der Vierer-Erklärung vom 5. Juni 1945 sowie in anderen Kriegs- und Nachkriegsübereinkünften ihren Niederschlag gefunden haben«[25].

Diese Rechte und Verantwortlichkeiten bestehen nach der Auffassung aller Vier Mächte auch heute noch. Zwar sind, was den Umfang der Rechte angeht, gewisse Veränderungen eingetreten. Zu erwähnen sind hier, soweit die Bundesrepublik, also das eigentliche ehemalige Besatzungsgebiet der drei Westmächte, in Frage steht, insbesondere der Deutschland-Vertrag von 1954[26] sowie die Erklärung der drei Westmächte vom 27. Mai 1968 zu den Konsequenzen der verabschiedeten Notstandsverfassung für ihre Rechtsstellung in der Bundesrepublik[27]. Soweit die DDR, also die ehemalige sowjetische Besatzungszone, in Frage steht, ergeben sich die Veränderungen insbesondere aus dem Vertrag über die Beziehungen zwischen der DDR und der Sowjetunion vom 20. September 1955 und den ihn begleitenden Dokumenten[28], sowie aus dem Freundschaftsvertrag der gleichen Partner vom 12. Juni 1964[29]. Diese vertraglichen Absprachen zwischen den Siegermächten und den unmittelbar Betroffenen schränken den Umfang gewisser originärer Rechte ein, beseitigen insbesondere im Hinblick auf das Territorium der Bundesrepublik und der DDR die besatzungsrechtlichen Kompetenzen. Aber sie stellen gleichzeitig mit mehr oder minder vergleichbaren Formulierungen immer wieder fest, daß sich die Siegermächte – davon abgesehen – »die bisher von ihnen ausgeübten oder innegehabten Rechte und Verantwortlichkeiten in bezug auf Berlin und auf Deutschland als Ganzes einschließlich der Wiedervereinigung Deutschlands und einer friedensvertraglichen Regelung«[30] vorbehalten. In diesen Verträgen werden die originären Rechte der Siegermächte nach richtiger und ganz herrschender Mei-

[24] Text in: *von Münch* (Anm. 11), S. 19 ff.

[25] Text der Note der US-Regierung an die deutsche Bundesregierung vom 11. August 1970, in: *Europa-Archiv,* Jg. 25, 1970, S. D 397. Vgl. ebenda, S. D 396, auch eine dieser Erklärung vorausgehende Note der Bundesregierung an die Regierungen der drei Westmächte vom 7. August 1970, in der die übereinstimmende Auffassung der beiden Vertragspartner des Moskauer Vertrages dahin festgestellt wird, daß dieser Vertrag in keinem Zusammenhang steht mit den fortbestehenden Rechten der Vier Mächte.

[26] Text in: Bundesgesetzblatt, 1955 II, S. 305 ff. Einschlägig sind vor allem Artikel 1 Absatz 2 auf der einen und Artikel 2 auf der anderen Seite.

[27] Text in: Bundesgesetzblatt, 1968 I, S. 714 f.

[28] Text in: Dietrich *Rauschning,* Die Gesamtverfassung Deutschlands, Frankfurt 1962, S. 139 ff.

[29] Text in: *von Münch* (Anm. 11), S. 450 ff.

[30] So die Formulierung von Artikel 2 des Deutschland-Vertrages.

nung deshalb nicht etwa ganz oder teilweise in vertragliche Rechtspositionen umgewandelt: Es handelt sich vielmehr um echte Vorbehalte, die die Viermächte-Verantwortung in dem näher bezeichneten Umfang unberührt lassen[31]. Daraus folgt, daß es sich auch heute noch um echte Souveränitätsbeschränkungen von BRD und DDR handelt, die beide Staaten nicht überschreiten können, ohne »ultra vires« zu handeln. Allerdings wird man gleich hinzusetzen, daß, wie vor allem die Staatenpraxis der letzten Jahre gezeigt hat, die Schwelle für einen tatsächlich als »ultra vires« zu bezeichnenden außenpolitischen Akt der Bundesrepublik sehr hoch angesetzt worden ist. Mit anderen Worten, es müssen schon dispositive Akte mit spürbarer Wirkung auf Deutschland als Ganzes vorliegen, bevor der Vorwurf »ultra vires« erhoben werden kann.

2. *Zur Vereinbarkeit von Souveränitätsbeschränkungen und UN-Vollmitgliedschaft*

Nach diesem Exkurs über die Rechtsgrundlagen der Viermächte-Verantwortung läßt sich die erste der zu Beginn dieses Abschnittes aufgeworfenen Fragen, also die, ob fortbestehende Souveränitätsbeschränkungen für BRD und DDR ihrer vollen Mitgliedschaft in den Vereinten Nationen entgegenstehen, eindeutig beantworten: Eine Unvereinbarkeit von beschränkter Souveränität und Vollmitgliedschaft in den Vereinten Nationen gibt es nicht. Dazu ist einmal hervorzuheben, daß die Souveränitätsbeschränkungen nicht hinsichtlich der »normalen« außen- und innenpolitischen Bewegungsfreiheit der beiden deutschen Teilstaaten, sondern nur im Hinblick auf das ungelöste Problem Gesamtdeutschlands und auf Berlin bestehen. Der Grad der tatsächlichen Minderung der Souveränität ist also verhältnismäßig gering. Hinzuweisen ist jedoch vor allem darauf, daß nach der, insoweit zumindest im Ergebnis eindeutigen, Praxis der Vereinten Nationen mehr oder minder umfangreiche Souveränitätsbeschränkungen, gleichgültig, ob sie vertraglicher – man denke etwa an die Mitgliedstaaten des Commonwealth – oder »originärer« Natur sind – man denke nur an die Ukraine und Weißrußland – eine Vollmitgliedschaft in den Vereinten Nationen nicht ausschließen[32]. Das verhindert freilich nicht, daß in gewissen Situationen die Position der beiden deutschen Staaten schwieriger sein wird als die anderer Mitglieder. Soweit Berlin in Frage steht, wird das noch ausführlicher zu erörtern sein. Soweit es dagegen um gesamtdeutsche Probleme geht, läßt sich an dieser Stelle nur festhalten, daß sich bei einer einschlägigen Dis-

[31] Zum Stand der Diskussion Nachweise bei Wilhelm *Kewenig*, Grenzen der Souveränität, in: Außenpolitische Perspektiven des westdeutschen Staates, Bd. 1: Das Ende des Provisoriums, München 1971, S. 145.

[32] Die Frage hat unter dem Stichwort »Staat i. S. des Artikel 4 der VN-Satzung« insbesondere im Hinblick auf rechtlich zwar souveräne, in der politischen Wirklichkeit aber völlig von der einen oder anderen Großmacht abhängige Staaten der Dritten Welt eine gewisse Rolle gespielt. Vgl. etwa Leland M. *Goodrich*/Edvard *Hambro*/Anne Patricia *Simons*, Charter of the United Nations, 3. Aufl., New York 1969, S. 88 f. Die Frage ist letztlich immer zugunsten der Antragsteller entschieden worden.

kussion in den Vereinten Nationen die BRD und die DDR nur dann zu einem besonders vorsichtigen Verhalten verpflichtet sehen werden, wenn tatsächlich Grundfragen Gesamtdeutschlands zur Erörterung stehen. In diesen — leider nur seltenen — Fällen liegt die internationale Zuständigkeit zweifellos auch heute noch bei den Vier Mächten, so daß BRD und DDR höchstens subsidiär eine aus der unmittelbaren Betroffenheit abzuleitende Kompetenz geltend machen können[33]. Im »Normalfall« werden dagegen beide deutsche Staaten unangefochten ihre Stimmen erhalten und die »deutschen« Interessen vertreten können.

3. Die Konsequenzen einer UN-Mitgliedschaft von BRD und DDR für die Viermächte-Verantwortung

Auch die zweite Frage, also die nach den Konsequenzen einer Aufnahme beider deutscher Staaten für den Fortbestand der Viermächte-Verantwortung, läßt sich verhältnismäßig knapp und eindeutig beantworten. Es steht nämlich außer Frage, daß weder Bundesrepublik noch DDR durch ihren Beitritt diese Souveränitätsbeschränkungen abstreifen können, die sie unabhängig von ihrem Willen und ohne ihr Zutun als Folgen der Kriegs- und Nachkriegsentwicklung auch heute noch belasten. Auch hier gilt der Grundsatz der res inter alios acta: Diese Rechtspositionen sind in positivem wie in negativem Sinne dem Zugriff von BRD und DDR entzogen.

Es gilt in diesem Zusammenhang allerdings zwei zusätzliche Überlegungen anzustellen. Die erste setzt bei der Frage ein, ob man nicht möglicherweise in der Zustimmung der vier Siegermächte, die diese als ständige Mitglieder des Sicherheitsrates im Hinblick auf den Aufnahmeantrag beider deutscher Staaten erklären müssen, einen stillschweigenden Verzicht auf die ihnen verbliebenen Rechte zu sehen hat. Man wird auch diese Frage ohne große Schwierigkeiten verneinen können. Daß der Fortbestand dieser Rechte mit einer Mitgliedschaft vereinbar ist, wurde schon festgestellt. Wenn das aber so ist, so ist keinerlei Grund ersichtlich, warum die Siegermächte bei der Aufnahme beider deutscher Staaten in die Vereinten Nationen »stillschweigend« auf ihre Rechtspositionen verzichten sollten. Auch ihrer ausdrücklichen Zustimmung zu der Aufnahme kann ein solcher stillschweigender Verzicht jedenfalls nicht entnommen werden. Eine Vermutung in dieser Richtung wäre höchstens dann zulässig und auch geboten, wenn das eine — der Verlust der Rechte — eine mehr oder minder zwangsläufige Konsequenz des anderen — der Mitgliedschaft — wäre. Das aber ist nicht der Fall. Im übrigen wird man davon ausgehen können, daß sowohl die Westmächte wie die Sowjetunion — gemeinsam oder getrennt — bei der Aufnahme der beiden deutschen Staaten Erklärungen abgeben werden, die ihre Rechtspositionen ausdrücklich wah-

[33] Daß eine solche »secondary responsibility« besteht, zeigt für die BRD etwa die Formulierung von Artikel 7 Absatz 2 des Deutschland-Vertrages: »Bis zum Abschluß der friedensvertraglichen Regelung werden die Unterzeichnerstaaten zusammenwirken, um mit friedlichen Mitteln ihr gemeinsames Ziel zu verwirklichen ...«

ren und damit jede Mißinterpretation ihrer Zustimmung im Sicherheitsrat von vornherein ausschließen.

Eine zweite in diesem Zusammenhang anzustellende Überlegung gilt nicht der Vermutung eines stillschweigenden Verzichts, sondern der Frage nach einer möglichen tatsächlichen Aushöhlung der de jure zweifellos fortbestehenden Viermächte-Verantwortung. Diese Überlegung kann nicht erst bei der Aufnahme beider deutscher Staaten in die Vereinten Nationen einsetzen, sondern hat vor allem auch die dieser Aufnahme vorausgehende Entwicklung einzubeziehen. Angesprochen sind damit die Verträge von Moskau und Warschau sowie das Berlin-Abkommen. Einerseits steht außer Frage, daß der Moskauer und Warschauer Vertrag rechtlich gesehen den Fortbestand der Viermächte-Verantwortung ebensowenig tangieren wie die Aufnahme beider deutscher Staaten in die Vereinten Nationen[34]. Das Berlin-Abkommen ist darüber hinaus geradezu eine Bestätigung des Fortbestandes dieser Verantwortung hinsichtlich Berlins. Andererseits läßt sich nicht übersehen, daß die drei genannten Abkommen ebenso wie die Aufnahme beider deutscher Staaten in die Vereinten Nationen den gegenwärtigen Status quo in einer auf Dauer angelegten Weise fixieren und damit die deutsche Frage zwar nicht endgültig lösen, sie jedoch — unter Vorbehalt eines Friedensvertrages, dessen Zustandekommen zumindest sehr zweifelhaft erscheint — einer höchstens in sehr ferner Zukunft noch einmal in Frage gestellten Regelung zuführen. Aus einer Regelung, die für die unmittelbare Nachkriegszeit konzipiert war und der niemand trotz des verhältnismäßig großen Zeitablaufs den Charakter der Vorläufigkeit absprechen konnte, entsteht damit eine neue Ordnung, der trotz mancher gegenteiliger Beteuerungen der Charakter weitgehender Endgültigkeit von Anfang an nicht bestritten werden kann. Reichen angesichts dieser Entwicklung die Verbindungslinien, die zwischen der Vorstellung von einer deutschen Nation, von einem Gesamtdeutschland und der hierfür fortbestehenden Viermächte-Verantwortung auf der einen und der politischen Realität auf der anderen Seite bestehen, noch aus, um diesen Vorstellungen und der angesprochenen Verantwortung den auch für sie notwendigen realistischen Kern zu belassen?

Die Frage kann hier nicht beantwortet werden. Sie dürfte nur deutlich machen, wie wichtig es ist, daß alle Beteiligten, soweit sie am Fortbestand der Viermächte-Verantwortung tatsächlich interessiert sind, den Fortbestand dieser Verantwortung in rechtlicher Hinsicht außer Zweifel stellen und die noch bestehenden Verbindungslinien zur politischen Realität möglichst pflegen.

[34] Zum Beleg sei etwa verwiesen auf den Wortlaut der schon zitierten Noten der Bundesregierung an die Regierungen der drei Westmächte auf der einen und der US-Regierung an die Bundesregierung auf der anderen Seite vom August 1970 (Fundstelle Anm. 25).

4. Verfahrensfragen

Als Folgerungen aus dem Vorhergesagten für die Prozedur der Aufnahme von BRD und DDR in die Vereinten Nationen wird man insbesondere zweierlei festhalten:

a) Es steht außer Frage, daß trotz fortbestehender Souveränitätsbeschränkungen der Aufnahmeantrag von BRD und DDR jeweils selbst gestellt werden kann. Zwar hat, wie erörtert, die Aufnahme beider deutscher Staaten in die Vereinten Nationen Rückwirkungen auf die Entwicklung des Deutschland-Problems insgesamt, also auch auf den mit »Deutschland als Ganzes« beschriebenen Inhalt des Kompetenzvorbehaltes der Siegermächte. Andererseits aber sind diese Rückwirkungen nicht so, daß man die Aufnahmeanträge selber deshalb als in die Kompetenz der Siegermächte fallend bezeichnen müßte – wenn sich diese These auch durchaus vertreten läßt, da die Aufnahme von zwei deutschen Staaten in die UN zweifellos zumindest indirekte Auswirkungen auf die Lage Gesamtdeutschlands hat. Um in den Kategorien des Deutschland-Vertrages zu sprechen: Hier liegt ein Fall vor, der wohl überwiegend unter Artikel 1 Absatz 2 und nicht unter den Vorbehalt des Artikels 2 fällt. Auf der anderen Seite wird man eine vorherige Konsultationsverpflichtung der Bundesrepublik mit den drei Westmächten auf jeden Fall bejahen: Für die Bundesrepublik dürfte sie sich aus Artikel 7 Absatz 2 des Deutschland-Vertrages ergeben, der von einem Zusammenwirken der Vertragspartner bei der Verwirklichung der gemeinsamen Ziele ihrer Deutschland-Politik spricht.

b) Als zweite Schlußfolgerung wird man festhalten können, daß sowohl die beiden deutschen Staaten wie die vier Mächte getrennt oder gemeinsam Erklärungen dahin abgeben sollten, daß der Fortbestand der Viermächte-Verantwortung durch die Mitgliedschaft nicht tangiert wird. Solche Erklärungen sind, wie erörtert, sicher rechtlich nicht unbedingt notwendig. Sie dürften jedoch zumindest aus politischen Gründen dringend zu empfehlen sein und auch durchaus in der Linie des bisherigen Vorgehens der Westmächte liegen. Eine Erklärung der drei Westmächte ist dabei in jedem Fall ausreichend, um den jetzigen Rechtszustand hinsichtlich der Viermächte-Verantwortung insgesamt voll aufrechtzuerhalten.

IV. Die Aussenvertretung Berlins

Eines der gleichermaßen bedeutsamsten und schwierigsten Probleme, das sich bei einer Vorbereitung der Aufnahme beider deutscher Staaten in die Vereinten Nationen mit Dringlichkeit stellt, ist die Frage nach der Vertretung Berlins in den Vereinten Nationen. Repräsentieren die Vier Mächte gemeinsam »Groß Berlin« in der Weltorganisation? Oder die drei Westmächte West-Berlin, die Sowjetunion Ost-Berlin? Oder ist West-Berlin, wie es in der innerdeutschen Diskussion immer wieder behauptet wird, tatsächlich schon so sehr in die Bundesrepublik Deutschland integriert, daß diese ohne weiteres seine Interessen in den Vereinten Nationen wahrnehmen kann? Wird umgekehrt Ost-Berlin durch die DDR repräsentiert?

Um diese und vergleichbare Fragen beantworten zu können, ist zunächst wiederum die Rechtslage hinsichtlich der Außenvertretung Berlins vor dem Berlin-Abkommen kurz zu umreißen. In einem zweiten Abschnitt gilt es dann, die Veränderungen aufzuzeigen, die durch das Berlin-Abkommen hinsichtlich dieser Rechtslage tatsächlich eingetreten sind.

1. Die Rechtslage hinsichtlich der Außenvertretung Berlins vor dem Berlin-Abkommen

Es gibt wenige Dinge, die zwischen den unmittelbar Beteiligten vor dem Berlin-Abkommen so kontrovers waren wie die Rechtslage Berlins. Mit Recht hat deshalb Menzel von vier unterschiedlichen Grundauffassungen über die gegenwärtige völker- und staatsrechtliche Stellung Berlins gesprochen und die Positionen der BRD, der DDR, der Westmächte und der Sowjetunion unterschieden[35]. Es ist hier nicht der Ort, um diese Positionen im einzelnen nachzuweisen und zu diskutieren. Es sei nur versucht, die wenigen das Grundsätzliche betreffenden Gemeinsamkeiten hervorzuheben, die in diesen unterschiedlichen Rechtsstandpunkten erkennbar waren.

Der Status Berlins hat seine Wurzel in originären Besatzungsrechten aller Vier Mächte, die vorweggenommen und fixiert sind in dem Protokoll vom 12. September und dem Abkommen vom 14. November 1944, durch die eine Viermächte-Verwaltung für ganz Berlin festgelegt wurde[36]. Dieser Viermächte-Status von Berlin gilt im Grundsatz gemäß dem immer wieder ausdrücklich bestätigten Willen der vier Siegermächte auch heute noch, wenn er auch durch die Teilung der Stadt und die sonstigen faktischen Entwicklungen auf eine hohe »Abstraktionsebene« zurückgedrängt worden ist: Tatsächlich üben die drei Westmächte die aus diesem Sonderstatus folgenden Hoheitsrechte in West-Berlin, die Sowjetunion diese Rechte dagegen in Ost-Berlin aus. Eine weitere Veränderung ist insofern im Laufe der Jahre eingetreten, als die Westmächte eine immer enger werdende tatsächliche Verbindung zwischen West-Berlin und der Bundesrepublik Deutschland geduldet, ja zum Teil ausgesprochen unterstützt haben. Andererseits aber haben sie eine rechtliche Eingliederung immer wieder mit Nachdruck als unvereinbar mit dem Rechtsstatus von Berlin bezeichnet und gegen entsprechende Versuche der Bundesrepublik Protest eingelegt. Ganz im Gegensatz dazu hat die Sowjetunion nicht

[35] Die vier Grundauffassungen über die gegenwärtige völker- und staatsrechtliche Stellung Berlins, in: Ostverträge — Berlin-Status — Münchener Abkommen — Beziehungen zwischen der BRD und der DDR, Vorträge und Diskussionen eines Symposiums, Hamburg 1971, S. 207 ff.

[36] Texte in: Dokumente zur Berlin-Frage (Anm. 9), S. 3 ff.

nur eine tatsächliche, sondern auch eine weitgehend rechtliche Einbeziehung Ost-Berlins in die DDR — unter eindeutiger Verletzung des im Grundsatz unverändert fortbestehenden Viermächte-Status für ganz Berlin, der einseitig nicht abänderbar ist — weitgehend toleriert[37]. Damit aber stellt sich die rechtliche Stellung Berlins heute mehrschichtig dar: Unterhalb eines nach der übereinstimmenden Überzeugung der Westmächte und der Sowjetunion fortbestehenden »Daches« der Viermächte-Verantwortung für ganz Berlin reduziert sich im praktisch-politischen Bereich dieses Viermächte-Dach für West-Berlin auf eine auch tatsächlich gehandhabte Dreimächte-Verantwortung, während sie sich für Ost-Berlin zunächst auf eine »Einmächte-Verantwortung« reduziert hat und dann in zunehmend weitem Umfang zugunsten der DDR aufgegeben worden ist.

Daß das hier angedeutete Bild auch in etwa der Vorstellung der Vier Mächte von der augenblicklichen Rechtslage Berlins entspricht, läßt sich ablesen aus der Präambel des Viermächte-Abkommens über Berlin vom 3. September 1971, in der es unter anderem heißt: »... handelnd auf der Grundlage ihrer Viermächte-Rechte und -Verantwortlichkeiten und der entsprechenden Vereinbarungen und Beschlüsse der Vier Mächte aus der Kriegs- und Nachkriegszeit, die nicht berührt werden, unter Berücksichtigung der bestehenden Lage in dem betreffenden Gebiet, von dem Wunsch geleitet, zu praktischen Verbesserungen der Lage beizutragen, unbeschadet ihrer Rechtspositionen, ...«[38].

Was nun speziell die Außenvertretung West-Berlins angeht, so sah die Situation vor dem Berlin-Abkommen folgendermaßen aus: Die außenpolitische Vertretungsmacht lag als Ausfluß der Vier- bzw. Dreimächte-Hoheit in West-Berlin dem Grunde nach bei den westlichen Besatzungsmächten. Die Westmächte hatten jedoch den Berliner Senat ausdrücklich ermächtigt, die Außenvertretung Berlins, soweit es um eine Einbeziehung in internationale Verträge und Verpflichtungen ging, der Bundesrepublik Deutschland zu übertragen. Das ist geschehen[39]. Es liegt

---

[37] Ein kurzer aber trefflicher Überblick über die Entwicklung des Rechtsstatus von West- und Ost-Berlin findet sich in: Das Viermächte-Abkommen über Berlin vom 3. September 1971, hrsg. Presse- und Informationsamt der Bundesregierung. Unrichtig ist dagegen der Ausgangspunkt der Argumentation von Karl *Doehring* und Georg *Ress,* Staats- und Völkerrechtliche Aspekte der Berlin-Regelung, Frankfurt 1972, S. 5 ff. und 38 ff. Beide Autoren gehen davon aus, daß sich die Viermächte-Verantwortung für ganz Berlin schon vor dem Berlin-Abkommen auf eine Dreimächte-Verantwortung für West-Berlin und eine Einmacht-Verantwortung für Ost-Berlin reduziert hat. Die Autoren verwechseln offenbar die Begriffe Verantwortung und Verwaltung. Auch wenn im Laufe der Zeit die jeweils zuständigen Besatzungsmächte die Verwaltung in »ihren« Zonen weitgehend — aber auch nur weitgehend — selbständig übernommen haben, so ändert das nichts daran, daß über dieser verwaltungsmäßigen Selbständigkeit sich unverändert das »Dach« der Viermächte-Verantwortung wölbt, ein Dach, das auch durch noch so intensive Bemühung von einer der beteiligten Mächte nicht wirksam eingerissen werden kann.

[38] Text des Abkommens in: *Europa-Archiv,* Jg. 26, 1971, S. D 443 ff.

[39] Text der »Ermächtigung« in Form einer Erklärung der Alliierten Kommandantur vom 21. Mai 1952 sowie des ausfüllenden Briefwechsels zwischen dem Regierenden Bürgermeister von Berlin und dem Bundeskanzler, in: Dokumente zur Berlin-Frage (Anm. 9),

hier eine Art auflösend bedingter Bevollmächtigung der Bundesrepublik durch die Westmächte direkt bzw. über den Berliner Senat vor. Wenn damit die Außenbeziehungen West-Berlins auch grundsätzlich von der Bundesregierung wahrgenommen wurden, so stand doch immer außer Frage, daß diese Vertretung nur in dem Rahmen erfolgen kann, den die Westmächte für sie setzen. Die letzte souveräne Entscheidung lag in jedem einzelnen Fall unstreitig bei den westlichen Alliierten. Sie wurde höchstens von »oben« her durch die im Prinzip fortbestehende Viermächte-Verantwortung für ganz Berlin rechtswirksam eingeschränkt und nicht dagegen, auch nicht gewohnheitsrechtlich, von »unten« her zugunsten einer eigenständigen »Vertretungsmacht« der Bundesrepublik Deutschland.

Das Verfahren der normalen Außenvertretung West-Berlins durch die Bundesregierung sah dabei folgendermaßen aus: Basierend auf der generell erteilten Zustimmung der Westmächte und der Vereinbarung zwischen Berliner Senat und Bundesregierung über die Einbeziehung Berlins in die internationalen Verträge und Verpflichtungen der Bundesrepublik Deutschland ist eine Art Automatismus der Vertretung Berlins durch die Bundesrepublik – vergleichbar dem Automatismus in Gesetzgebung und Rechtsprechung – entwickelt worden, der mit Hilfe der sog. Berlin-Klausel zu einer fast vollständigen Einbeziehung West-Berlins in die außenpolitischen Bindungen der Bundesrepublik geführt hat. Aber weder Automatismus noch tatsächlicher Intensitätsgrad der Einbeziehung haben etwas daran geändert, daß es sich bei dieser Vertretung jeweils um eine »Ermächtigung« unter dem Vorbehalt der Zustimmung der Westmächte handelt. Die übliche Formulierung der Berlin-Klausel zeigt das mit aller Deutlichkeit:

»Dieser Vertrag gilt auch für das Land Berlin, sofern nicht die Regierung der Bundesrepublik Deutschland gegenüber dem Vertragspartner innerhalb von drei Monaten nach Inkrafttreten dieses Vertrages eine gegenteilige Erklärung abgibt.«[40]

Die Schwierigkeiten, die sich bei dem Versuch der Einfügung einer derartigen Berlin-Klausel auch in bi- oder multilaterale Verträge mit Staaten des Ostblocks und der dritten Welt immer wieder ergeben haben, deuten allerdings an, daß diese Praxis nicht überall und ohne weiteres akzeptiert worden ist.

Was dagegen die Außenvertretung Ost-Berlins angeht, so stellte sich die Situation schon lange vor dem Berlin-Abkommen sehr viel einfacher dar. Wenn es hinsichtlich des rechtlichen Status von Ost-Berlin immer noch zweifellos gewisse Besonderheiten gab, die den rechtlichen Sonderstatus auch dieses Teiles der Stadt innerhalb der DDR durchschimmern ließen, so wird doch seit geraumer Zeit kaum mehr ernsthaft in Frage gestellt – und auch von den westlichen Alliierten zumin-

S. 174 ff., 179 ff. Vgl. außerdem das Schreiben der drei Hohen Kommissare an den Bundeskanzler betreffend die Ausübung des von den Drei Mächten vorbehaltenen Rechts in bezug auf Berlin vom 26. Mai 1952 (in der Fassung des Schreibens Nr. 2 vom 23. Oktober 1954), Text in: Bundesgesetzblatt, 1955 II, S. 500.

[40] Als Beispiel zitiert sei Artikel 12 des Kapitalschutz-Vertrages vom 20. Dezember 1963 zwischen der Bundesrepublik Deutschland und Tunesien. Text des Vertrages in: Bundesgesetzblatt, 1965 II, S. 1378 ff.

dest ausdrücklich nicht bestritten –, daß die außenpolitische Vertretung Ost-Berlins im Normalfall der DDR obliegt[41].

2. *Das Berlin-Abkommen und die Außenvertretung Berlins*

Es ist nunmehr zu fragen, inwieweit sich die oben skizzierte Rechtslage durch das Berlin-Abkommen vom 3. September 1971 geändert hat. Dazu ist zunächst festzuhalten, daß sich hinsichtlich des Status von Ost-Berlin eine Änderung durch dieses Abkommen eindeutig nicht ergibt. Veränderungen sind also nur möglich hinsichtlich der Außenvertretung West-Berlins.

Ausschlaggebend für die Beantwortung der Ausgangsfrage ist Annex IV des Viermächte-Abkommens. Die entscheidenden Absätze haben folgenden Wortlaut:

»1. Die Regierungen der Französischen Republik, des Vereinigten Königreichs und der Vereinigten Staaten von Amerika behalten ihre Rechte und Verantwortlichkeiten hinsichtlich der Vertretung im Ausland der Interessen der Westsektoren Berlins und der Personen mit ständigem Wohnsitz in den Westsektoren einschließlich der Rechte und Verantwortlichkeiten, die Angelegenheiten der Sicherheit und des Status betreffen, sowohl in internationalen Organisationen als auch in Beziehungen zu anderen Ländern bei.

2. Unbeschadet des Vorstehenden und unter der Voraussetzung, daß Angelegenheiten der Sicherheit und des Status nicht berührt werden, haben sie sich einverstanden erklärt, daß

a) die Bundesrepublik Deutschland die konsularische Betreuung für Personen mit ständigem Wohnsitz in den Westsektoren Berlins ausüben kann;
b) in Übereinstimmung mit den festgelegten Verfahren völkerrechtliche Vereinbarungen und Abmachungen, die die Bundesrepublik Deutschland schließt, auf die Westsektoren Berlins ausgedehnt werden können, vorausgesetzt, daß die Ausdehnung solcher Vereinbarungen und Abmachungen jeweils ausdrücklich erwähnt wird;
c) die Bundesrepublik Deutschland die Interessen der Westsektoren Berlins in internationalen Organisationen und auf internationalen Konferenzen vertreten kann.«[42]

Ziffer 1 des wiedergegebenen Annexes bestätigt ausdrücklich – vorbehaltlich der in der Präambel als fortbestehend vorausgesetzten Viermächte-Verantwortung –, daß die Außenvertretung West-Berlins hinsichtlich aller Fragen und gegenüber allen denkbaren Partnern bei den Westmächten liegt. Ziffer 2 bringt zunächst eine interessante Unterscheidung zwischen »Angelegenheiten betreffend Sicherheit und Status« auf der einen und sonstigen Angelegenheiten auf der anderen Seite. Soweit es um Angelegenheiten betreffend Sicherheit und Status geht, behalten sich gemäß Ziffer 2 die Westmächte die Vertretung der Interessen Berlins selbst vor.

[41] Vgl. etwa Eberhard *Menzel*, Wie souverän ist die Bundesrepublik?, in: *Zeitschrift für Rechtspolitik*, Jg. 4, 1971, S. 183.

[42] Text in: *Europa-Archiv*, Jg. 26, 1971, S. D 450 f.

Andererseits übertragen sie in Ziffer 2a der Bundesrepublik Deutschland die konsularische Betreuung der Bewohner West-Berlins. In Ziffer 2b wird darüber hinaus die bisherige Praxis der Einbeziehung West-Berlins in Verträge der Bundesrepublik ausdrücklich, und zwar von allen Vier Mächten, bestätigt. In Ziffer 2c schließlich wird der Bundesrepublik Deutschland ein Recht zur Vertretung West-Berlins in internationalen Organisationen und Konferenzen zugebilligt, ein Recht, das allein unter dem Vorbehalt der »Angelegenheiten der Sicherheit und des Status« steht.

Versucht man, das Ergebnis dieser Vereinbarung der Vier Mächte mit dem vorherigen Rechtsstatus in bezug auf die Außenvertretung West-Berlins zu vergleichen, so wird man als erstes festzuhalten haben, daß sich im Grundsätzlichen an der bisherigen Rechtslage nichts Entscheidendes geändert hat. Vor allem bleibt die bisherige Zuordnung der Souveränitätsrechte unverändert erhalten. Auch nach dem Berlin-Abkommen ist West-Berlin kein Land der Bundesrepublik Deutschland. Auch nach dem Berlin-Abkommen liegen die außenpolitischen Souveränitätsrechte weiterhin bei den Westmächten. Auch weiterhin handelt die Bundesrepublik Deutschland, wenn sie im außenpolitischen Bereich für West-Berlin auftritt, aufgrund einer Ermächtigung der drei Westmächte. Desungeachtet bringt die Berlin-Regelung in dem hier allein interessierenden Bereich der Außenvertretung allerdings insofern eine erhebliche Verbesserung, als die Sowjetunion zum ersten Mal nicht nur den Automatismus der Ermächtigung der Bundesrepublik Deutschland, sondern auch ihre sehr weitgehende Vertretungsberechtigung — beschränkt allein in einem engen Bereich genau bezeichneter Angelegenheiten — ausdrücklich anerkennt.

3. Konsequenzen für die Vertretung Berlins in den Vereinten Nationen

Fragt man sich, was sich aus dem Vorhergehenden für die Vertretung der Interessen Berlins in den Vereinten Nationen ergibt, so wird man hinsichtlich West-Berlins folgende Konsequenzen festhalten können:

a) West-Berlin tritt nicht selbst in den Vereinten Nationen auf. Die Vorstellungen von einer »selbständigen politischen Einheit West-Berlin« haben sich nicht durchgesetzt.

b) West-Berlin wird in den Vereinten Nationen grundsätzlich von der Bundesrepublik Deutschland vertreten. Das bedeutet, daß die Bundesrepublik die Interessen Berlins im Normalfall als eigene ansehen und entsprechend agieren kann. Eine Ausnahme hinsichtlich der Vertretungsberechtigung der Bundesrepublik gilt nur hinsichtlich der sogenannten Sicherheits- und Statusfragen. Im Hinblick auf diese beiden Fragenkomplexe werden die Interessen West-Berlins auch in den Vereinten Nationen unmittelbar durch die drei Westmächte repräsentiert.

c) Die Vertretung der Interessen West-Berlins durch die Bundesrepublik Deutschland beruht nicht auf eigenem Recht der Bundesrepublik, sondern auf einer entsprechenden Ermächtigung durch die Inhaber der außenpolitischen Vertretungsmacht für West-Berlin, also durch die drei Westmächte, die diese Vertretungsmacht im Rahmen der Viermächte-Verantwortung für ganz Berlin wahrnehmen.

d) Der entscheidende Vorteil des Berlin-Abkommens hinsichtlich der generellen außenpolitischen Vertretung Berlins durch die Bundesrepublik Deutschland ist der, daß deren Vertretungsberechtigung zum ersten Mal ausdrücklich von der Sowjetunion — und damit zumindest im Ansatz auch von allen Ostblockstaaten — anerkannt wird. Wenn die Parteien sich vertragsgemäß verhalten, so dürfte damit der bisherige diplomatische Grabenkrieg um die Anerkennung einer entsprechenden Vertretungsberechtigung der Bundesrepublik beendet sein, ein Umstand, der auch die Arbeit der Delegation der Bundesrepublik Deutschland in den Vereinten Nationen ganz erheblich erleichtern wird[43].

Was die Vertretung Ost-Berlins in den Vereinten Nationen angeht, so wird sie mehr oder minder unangefochten von der DDR wahrgenommen. Das liegt nur in der Konsequenz der bisherigen Entwicklung, die von den Westmächten hingenommen worden ist. Auch diese Hinnahme ändert jedoch nichts daran, daß die Vertretung Ost-Berlins durch die DDR — ähnlich wie die West-Berlins durch die Bundesrepublik Deutschland — auf der völkerrechtlichen Ebene einer doppelten Belastung ausgesetzt ist: einmal den unmittelbaren Rechten und Verantwortlichkeiten der Sowjetunion als der für diesen Teil Berlins zuständigen Siegermacht; zum anderen der für ganz Berlin fortbestehenden Viermächte-Verantwortung. Daß es sich hierbei — im Gegensatz zu den sehr greifbaren Einschränkungen hinsichtlich West-Berlins — um auf der politischen Ebene kaum spürbare Belastungen handelt, steht außer Frage.

4. *Verfahrensfragen*

Es sei zum Abschluß auf zwei Verfahrensprobleme dieses Komplexes aufmerksam gemacht. Das eine betrifft die Frage, in welcher Weise Berlin im Aufnahmeantrag der Bundesrepublik Deutschland erwähnt wird. Die Schwierigkeit besteht vor allem darin, daß Berlin ja nicht territorialer Bestandteil der Bundesrepublik ist und diese auch keine Berechtigung besitzt, West-Berlin in allen Angelegenheiten zu vertreten. Diese Schwierigkeit dürfte am besten dadurch überwunden werden, daß der Aufnahmeantrag der Bundesrepublik Deutschland seinerseits eine »Berlin-Klausel« enthält, die sich einerseits an die übliche Formel anlehnt, die andererseits aber ausdrücklich Bezug nimmt auf das Berlin-Abkommen. Auf diese Weise vermeidet man, die Vertretungsberechtigung der Bundesrepublik für West-

[43] Bedenklich sind in diesem Zusammenhang allerdings Zeitungsmeldungen, nach denen etwa bei den Verhandlungen um ein deutsch-rumänisches Kulturabkommen Rumänien sich geweigert hat, die Frage der Vertretung West-Berlins durch die BRD als durch das Berlin-Abkommen erledigt anzusehen: Nach Ansicht Rumäniens ist die völkerrechtliche Lage West-Berlins insoweit immer noch offen, und es bedarf immer noch der Verhandlungen über eine Berlin-Klausel. Vgl. hierzu etwa *Frankfurter Allgemeine* vom 24. Juli 1972, S. 1.

Berlin im Aufnahmeantrag selbst positiv oder negativ umschreiben zu müssen und dabei notwendig in Schwierigkeiten der »Definition« zu geraten.

Die zweite Frage betrifft nicht das Verfahren der Aufnahme selbst, sondern die Regelung der Vertretung West-Berlins nach der Aufnahme der Bundesrepublik Deutschland im normalen Geschäftsablauf der Vereinten Nationen. Da West-Berlin — im Hinblick auf die fortbestehende Viermächte-Verantwortung sogar »mindestens« — zweifach repräsentiert ist, nämlich durch die drei Westmächte hinsichtlich aller Sicherheits- und Statusfragen, durch die Bundesrepublik Deutschland hinsichtlich aller sonstigen Angelegenheiten, ist eine möglichst praktikable Verfahrensweise für diese »Doppelvertretung« West-Berlins zu konzipieren. Dabei wird man davon ausgehen können, daß die Vertretung durch die Bundesrepublik der Normalfall sein wird: Status- und Sicherheitsfragen werden hinsichtlich West-Berlins in den Vereinten Nationen sicher nur im Ausnahmefall zur Diskussion stehen. Diese Überlegung ist ein starkes Argument für eine sehr pragmatische Handhabung des Problems etwa im Sinne, daß man keinerlei generelle Regelung trifft, sondern für den Ausnahmefall der Diskussion von Status- oder Sicherheitsfragen eine frühzeitige Konsultation und Abstimmung zwischen der Bundesrepublik und den Westmächten hinsichtlich des einzuschlagenden Verfahrens vereinbart. Die andere Möglichkeit wäre die, von vornherein in bestimmten Gremien, also etwa im Sicherheitsrat, generell eine Vertretung West-Berlins durch die drei Westmächte, in anderen Gremien dagegen, etwa im Wirtschafts- und Sozialrat, eine generelle Vertretung durch die Bundesrepublik vorzusehen. Abgesehen von der offensichtlichen Problematik einer solchen generellen »Aufteilung« — was passiert, wenn der Wirtschafts- und Sozialrat eine Statusfrage, der Sicherheitsrat dagegen eine »sonstige« Frage erörtert? — spricht gegen ein solches Verfahren schon der Umstand, daß es nicht nur die Generalversammlung, sondern auch viele andere Gremien innerhalb der Vereinten Nationen gibt, die keine spezifische Sachzuständigkeit haben und bei denen deshalb eine generelle Zuweisung der Vertretung an den einen oder den anderen Repräsentanten weder sinnvoll noch möglich erscheint.

V. Die gleichzeitige Mitgliedschaft von BRD und DDR in den Vereinten Nationen und die innerdeutschen Beziehungen

Anzusprechen ist schließlich die Frage, welche Rückwirkungen eine gleichzeitige Mitgliedschaft von BRD und DDR in den Vereinten Nationen auf die Entwicklung der innerdeutschen Beziehungen haben wird. Interessant ist diese Frage, weil es ein erklärtes Ziel der jetzigen Bundesregierung ist, zu besonderen Beziehungen zwischen beiden deutschen Staaten zu kommen bzw. solche Sonderbeziehungen zu erhalten und zu intensivieren.

»Auch wenn zwei Staaten in Deutschland existieren, sind sie doch füreinander nicht Ausland; ihre Beziehungen zueinander können nur von besonderer Art sein.«[44]

Ist man aber nicht bereit, die DDR als »Ausland« anzuerkennen, also eine völkerrechtliche Anerkennung vorzunehmen und damit das Band zwischen den beiden Staaten in Deutschland demonstrativ zu durchschneiden, so bedarf es sorgfältiger Beobachtung, ob es nicht doch ungewollte, »automatische« Konsequenzen einer Aufnahme von BRD und DDR in die Vereinten Nationen gibt, die der erklärten Intention der Deutschland-Politik der sozialliberalen Koalition zuwiderlaufen.

Es sind hier vor allem zwei Fragen, die beantwortet werden müssen. Die erste ist die, was denn eigentlich Sonderbeziehungen sind, ob solche Sonderbeziehungen heute schon zwischen BRD und DDR bestehen und ob es eine Chance für die Begründung oder Intensivierung dieser Beziehungen gibt. Die zweite Frage ist die nach den Auswirkungen einer gleichzeitigen Aufnahme beider deutscher Staaten auf die Chancen dieser Sonderbeziehungen.

1. Zum innerdeutschen Verhältnis als Sonderbeziehung

Der Begriff der Sonderbeziehungen kennzeichnet eine Mischform. Werden Beziehungen zwischen zwei Staaten als Sonderbeziehungen qualifiziert, so bedeutet das, daß sie weder mit den Kategorien des Völkerrechts noch mit denen des Staatsrechts voll erfaßt werden können. Es handelt sich bei diesen Beziehungen weder um innerstaatliche — wie etwa zwischen den Gliedstaaten eines Bundesstaates — noch um rein zwischenstaatliche Bindungen — wie zwischen zwei sich fremd gegenüberstehenden, unabhängigen Völkerrechtssubjekten —. Die Beziehungen dieser Staaten weisen vielmehr sowohl völkerrechtliche wie staatsrechtliche Elemente auf, wobei im Zweifelsfall allerdings die völkerrechtlichen Elemente überwiegen. In politischen Kategorien gesprochen bedeutet dies, daß sich die durch Sonderbeziehungen verbundenen Staaten näherstehen, daß sie engere, intensivere Beziehungen miteinander haben als mit allen anderen dritten Staaten. Dieser »Sonderfall« zwischenstaatlicher Beziehungen kommt in der Praxis immer da vor, wo sich zwei oder mehrere, ursprünglich eine Einheit bildende, Staaten bewußt und gewollt nur langsam auseinanderbewegen oder aber im umgekehrten Fall zunächst voneinander unabhängige Staaten sich langsam in eine mit rein staatsrechtlichen Kategorien faßbare Einheit hineinbewegen wollen — wobei der erste Fall sicher der häufigere ist. Beispiele für den ersten Fall sind etwa die Beziehungen der Commonwealth-Länder untereinander, als Beispiel für den zweiten Fall lassen sich in den Beziehungen der EWG-Staaten zueinander zumindest erste Ansätze erkennen[45].

---

[44] So die Regierungserklärung von Bundeskanzler Brandt vom 22. Oktober 1969, Text in: *Europa-Archiv*, Jg. 24, 1969, S. D 499 ff.

[45] Allgemeine Hinweise auf die Voraussetzungen von Sonderbeziehungen gibt Hans H. *Mahnke*, Der besondere Charakter der innerdeutschen Beziehungen, in: *Deutschland-*

Gekennzeichnet ist die Mischform der Sonderbeziehungen vor allem durch drei Elemente: Einmal – auf der rechtlichen Ebene – dadurch, daß für einen mehr oder minder großen Ausschnitt der Beziehungen – man denke etwa an das Staatsangehörigkeitsrecht, an die Ausgestaltung der diplomatischen Beziehungen und die Formen, in denen sich der wirtschaftliche Verkehr abwickelt – nicht das Völkerrecht und die sonstigen Regeln zwischenstaatlicher Beziehungen, sondern Staatsrecht, innerstaatliches Recht, oder zumindest ein dieser Kategorie verwandtes Recht Anwendung findet. Auf der politischen Ebene bedeuten Sonderbeziehungen insbesondere, daß die durch sie verbundenen Staaten eine das normale Maß übersteigende, intensivere Beziehung zueinander pflegen, eine Beziehung, die in jedem Fall »besser« und nicht »schlechter« als das Normalmaß ist. Kennzeichnend für die Sonderbeziehungen ist schließlich ein subjektives Element, nämlich der bei den beteiligten Staaten bestehende Wunsch – und die Bereitschaft –, über den normalerweise im zwischenstaatlichen Bereich beachteten Grundsatz der Gleichheit und der aus ihr folgenden Verpflichtung zur Nichtdiskriminierung hinaus einen Zustand der engeren Kooperation und gegenseitigen Privilegierung herbeizuführen.

Fragt man sich nun, ob die bisherigen Beziehungen zwischen der BRD und der DDR als Sonderbeziehungen der angedeuteten Art bezeichnet werden können, so wird man diese Frage im Ergebnis wohl verneinen müssen. Ganz sicher waren die Beziehungen bisher alles andere als normale zwischenstaatliche Beziehungen; ganz sicher waren diese Beziehungen auch von den objektiven Bedingungen her qualifiziert, als Sonderbeziehungen in dem dargestellten Sinne anerkannt zu werden, da sie sich zumindest noch eine ganze Weile nach Kriegsende – eine zwangsläufige Konsequenz der gemeinsamen Vergangenheit – in einem nur staatsrechtlich einzuordnendem Verhältnis befanden. Schließlich gibt es eine Vielzahl von Belegen aus der Nachkriegszeit dafür, daß diese Beziehungen auch von dritten Staaten noch als etwas »Besonderes« angesehen worden sind: Als Beleg sei nur auf das EWG-Protokoll vom 25. März 1957 über den innerdeutschen Handel verwiesen[46]. Trotzdem würde eine rechtliche Kategorisierung dieser Beziehungen als Sonderbeziehungen deshalb fehlgehen, weil die Politik der Bundesrepublik Deutschland – aus welchen Gründen auch immer – praktisch bis 1969 dahin ging, die Existenz der DDR als Staat zu leugnen, auf den Zusammenbruch des tatsächlich nicht zu übersehenden »Phänomens« zu warten und in der Zwischenzeit Nichtbeziehungen als die beste Form der Beziehungen anzusehen.

Die Regierung Brandt/Scheel hat nicht nur in der Ostpolitik allgemein, sondern gerade auch hinsichtlich des Verhältnisses von BRD und DDR eine grundlegend veränderte Haltung eingenommen. Sie ist bereit, die Existenz eines zweiten Staates in Deutschland anzuerkennen und keine Einwände gegen eine volle völkerrechtliche Anerkennung der DDR durch Drittstaaten zu erheben, wenn die DDR ihrerseits Bereitschaft zeigt, Sonderbeziehungen zwischen BRD und DDR

Archiv, Jg. 3, 1970, S. 267 ff.

[46] Text in: Bundesgesetzblatt, 1957 II, S. 984.

herzustellen. Dabei steht außer Frage, daß diese Sonderbeziehungen keinen diskriminierenden, sondern einen privilegierenden Charakter haben sollen. Nur eine völkerrechtliche Anerkennung der DDR durch die BRD erscheint der jetzigen Regierung ausgeschlossen.

Abgesehen von diesen vielfach wiederholten und belegten Intentionen der Bundesregierung[47] gibt es eine Reihe von Fakten auf der rechtlichen, vor allem aber auch auf der politischen Ebene, die dem Bestreben der jetzigen Bundesregierung zweifellos entgegenkommen. Da ist zunächst die unstreitig fortbestehende Viermächte-Verantwortung für Gesamtdeutschland. Sie stellt einen rechtlich und auch politisch greifbaren Rahmen dar, in den beide deutsche Staaten unzweifelhaft gehören und der sie in bezug auf ganz entscheidende Zukunftsperspektiven beider Staaten aufeinander verweist. Es gibt weiter die im rechtlichen Bereich herrschende und auch im politischen Bereich durchaus noch überwiegend vertretene These von dem Fortbestand des Deutschen Reiches über das Jahr 1945 hinaus, gleich, ob man diesen Fortbestand nun im Wege der Dach-, der Rumpfstaat- oder der Identitäts-Theorie konkretisiert[48]. Schließlich ist nicht zu übersehen, daß der Gedanke einer fortbestehenden einheitlichen deutschen Nation auf beiden Seiten der innerdeutschen Grenze noch heute eine sehr große Zahl von Anhängern und Verfechtern hat, gleichgültig, ob diese Vorstellung von der jeweiligen Regierung nun gerade geteilt wird oder nicht. Gemeinsame Sprache und gemeinsames geschichtliches Schicksal lassen sich nicht einfach wegdekretieren.

Aber alle diese Umstände können doch nicht darüber hinwegtäuschen, daß die DDR jedenfalls seit 1967 statt der bis dahin gerade von ihr betonten Gemeinsamkeiten nur noch die beide deutsche Staaten voneinander abhebenden Merkmale betont und den Gedanken einer innerdeutschen Sonderbeziehung mit Nachdruck ablehnt. Sie fordert seither immer wieder und mit Nachdruck »normale« völkerrechtliche Beziehungen, wie sie zwischen zwei beliebigen Mitgliedern der Völkerrechtsgemeinschaft bestehen[49]. Nur so glaubt sie offenbar auf die Dauer Eigengewicht und Eigenständigkeit gegenüber der BRD entwickeln zu können.

Sperrt sich aber einer der beiden Beteiligten gegen das Bekenntnis zu und die Begründung von Sonderbeziehungen – wobei hier dahingestellt bleiben kann, ob diese Sonderbeziehungen tatsächlich völlig neu zu begründen oder nur zu reaktivieren wären –, so wird sich das innerdeutsche Verhältnis schwerlich als Sonderbeziehung etablieren und festigen lassen. Auch die eine einseitige Forderung nach Sonderbeziehungen unterstützenden »objektiven« Ansätze in dieser Richtung, die in der deutschen Situation noch vorhanden sind, werden auf die Dauer kaum ver-

---

[47] Vgl. hierzu etwa die immer noch als Diskussionsgrundlage dienenden sog. 20 Punkte von Kassel, in: *Bulletin des Presse- und Informationsamtes der Bundesregierung* vom 23. Mai 1970, S. 682 f.

[48] Eine Übersicht über die verschiedenen Theorien findet sich etwa bei Siegrid *Krülle*, Die völkerrechtlichen Aspekte des Oder-Neiße-Problems, Berlin 1970.

[49] Vgl. etwa die Grundsatzerklärung des DDR-Ministerratsvorsitzenden Stoph in Kassel am 21. Mai 1970, in: Texte zur Deutschlandpolitik, Bd. V, Bonn 1970, S. 108 ff.

hindern können, daß sich — wenn überhaupt — normale völkerrechtliche Beziehungen zwischen den beiden betroffenen Staaten entwickeln.

2. *Der Einfluß der gleichzeitigen Mitgliedschaft von BRD und DDR auf die Entwicklung von Sonderbeziehungen in Deutschland*

Konkret fragt sich nun, welchen Einfluß die Aufnahme beider deutscher Staaten in die Vereinten Nationen auf das soeben beschriebene innerdeutsche Verhältnis hat. Dazu ist zunächst festzuhalten, daß es auch insoweit keinerlei Automatismus der Konsequenzen gibt. Es ist vor allem hervorzuheben, daß auch eine gleichzeitige Aufnahme von BRD und DDR in die Vereinten Nationen nicht zwangsläufig die völkerrechtliche Anerkennung des einen durch den anderen Staat bedeutet. Das ist sowohl im rechtlichen wie im politischen Bereich heute ganz herrschende Meinung[50]. Das Nebeneinander von Israel und den arabischen Staaten in den Vereinten Nationen ohne gegenseitige völkerrechtliche Anerkennung mag als Beleg genügen. Andererseits steht außer Zweifel, daß die gleichzeitige Aufnahme und das Nebeneinander zweier deutscher Staaten in den Vereinten Nationen ein Faktum bildet, das im internationalen Bereich auf die Dauer nicht für die Anerkennung von Sonderbeziehungen, sondern in die gegenteilige Richtung arbeitet, denn es entsteht zweifellos mehr und mehr der Eindruck, BRD und DDR lebten wie zwei »normale« Staaten mit unterschiedlichen Gesellschaftsystemen nebeneinander. Allein schon dieser Hinweis aber dürfte eines deutlich machen: Wenn der Bundesregierung, wie es allen Anschein hat, tatsächlich so sehr daran gelegen ist, die Beziehungen zwischen BRD und DDR im Einverständnis mit der DDR als Sonderbeziehungen zu etablieren, so ist unter allen Umständen zu versuchen, diesen Komplex in Verhandlungen mit der DDR vor einer Aufnahme in die Vereinten Nationen zu ordnen. Denn nach einer Aufnahme beider deutscher Staaten in die Vereinten Nationen wird nicht nur die Bereitschaft der DDR, entsprechend zu verfahren — soweit sie überhaupt vorhanden ist —, ganz rapide schwinden, auch die Bereitschaft aller anderen Staaten, die interne deutsche Beziehung als eine Beziehung besonderer Art anzuerkennen und in der Alltagspraxis zu respektieren, wird entscheidend abnehmen. Sonderbeziehungen setzen aber, um lebensfähig zu sein, nicht nur die Bereitschaft der Beteiligten, sich entsprechend zu verhalten, sondern in einem gewissen Umfang auch die Bereitschaft dritter Staaten voraus, diese Sonderbeziehungen als solche anzuerkennen. Man denke nur an das schon zitierte EWG-Protokoll über den innerdeutschen Handel: Die Aufnahme beider deutscher Staaten in die Vereinten Nationen wird sich — auch ohne daß sie die gegenseitige völkerrechtliche Anerkennung beinhaltet — ganz sicher nicht gerade positiv auf die Diskussion um die Berechtigung der Sonderbehandlung des innerdeutschen Handels auswirken.

Insgesamt ist deshalb festzuhalten: Die Aufnahme von BRD und DDR in die

[50] Nachweise etwa bei Jens *Hacker*, Zur Aufnahme Deutschlands in die Vereinten Nationen, in: *Vereinte Nationen*, Jg. 18, 1970, S. 101 ff., 121 ff.

Vereinten Nationen ist zweifellos kein rechtliches Hindernis für die Begründung bzw. Erneuerung besonderer Beziehungen zwischen den beiden Staaten in Deutschland. Ebenso zweifellos aber ist sie ein Element der Beschleunigung in dem trotz gegenteiliger Bemühungen der Bundesrepublik feststellbaren Prozeß der Entfremdung beider deutscher Staaten. Man wird sogar soweit gehen müssen, in der gleichzeitigen Aufnahme von BRD und DDR in die Vereinten Nationen eine nicht zu übersehende Bestätigung der Teilung Deutschlands zu erkennen – es sei denn, es gelänge der Bundesrepublik vorher, den Widerstand der DDR gegen Sonderbeziehungen auszuräumen und diese Sonderbeziehungen durch den Abschluß eines Generalvertrages oder auch einer Reihe von Sachabkommen in einer für alle Welt einsichtigen Weise gegen jede Erosion abzusichern. Der enge Zusammenhang zwischen der Aufnahme beider deutscher Staaten in die Vereinten Nationen auf der einen und der Entwicklung eines Sonderstatus zwischen den beiden Staaten in Deutschland auf der anderen Seite dürfte jedenfalls auf der Hand liegen.

3. Verfahrensfragen

Zum Verfahren ist nur ein Hinweis zu machen. Gelingt es, das Problem der Sonderbeziehungen zwischen BRD und DDR im positiven Sinne zu lösen, bevor ein entsprechender Aufnahmeantrag gestellt wird, so erscheint es angebracht, die Existenz dieser Sonderbeziehungen und ihre rechtlichen Grundlagen in dem Aufnahmeantrag der Bundesrepublik – und der DDR – ausdrücklich zu erwähnen. Auf diese Weise wird der Eindruck vermieden, durch die Aufnahme beider deutscher Staaten in die Vereinten Nationen sollten die soeben neu begründeten Sonderbeziehungen überlagert werden in dem Sinne, daß auf die Dauer doch normale völkerrechtliche Beziehungen angestrebt werden.

VI. Einzelprobleme

Zum Abschluß der Überlegungen sei noch kurz eine Frage erörtert, die sich im Hinblick auf die Formulierung des Aufnahmeantrags der Bundesrepublik stellt. Die Frage geht dahin, mit welchem Namen die Bundesrepublik offiziell um ihre Aufnahme nachsuchen soll: Als »Federal Republic of Germany« oder als »Germany, Federal Republic of«? Der Bundesrepublik steht es rechtlich frei, sich sowohl für die eine wie für die andere »Bezeichnung« zu entscheiden.

Die zunächst ziemlich belanglos erscheinende Frage der offiziellen Bezeichnung gewinnt eine politische Dimension, wenn man berücksichtigt, daß z. B. die Sitzordnung in der Generalversammlung und in den anderen Gremien der Vereinten Nationen grundsätzlich nach dem – englischen – Alphabet geregelt ist. Das bedeutet, daß die Bundesrepublik mit der ersten Bezeichnung zwischen Äthiopien und den Fidschi-Inseln, im anderen Falle dagegen zwischen der DDR (German Democratic Republic) und Ghana ihren Sitz hätte.

Die gewichtigste Konsequenz der Entscheidung der Namensfrage aber ist damit ohne weiteres einsichtig: Sitzen die beiden deutschen Staaten in den Vereinten Nationen nebeneinander, so führt dies zwangsläufig dazu, die Verbindung beider Mitglieder vor den Augen aller Delegationen tagtäglich zu betonen. Sitzen die beiden deutschen Staaten dagegen völlig getrennt, so fehlt der ständige äußerliche Anstoß, über die Gemeinsamkeiten beider Mitglieder nachzudenken, und die Selbständigkeit beider Staaten und die Unabhängigkeit ihrer Delegationen wird unterstrichen. Ob das eine oder das andere als Vorteil anzusehen ist, hängt entscheidend von den Zielen der von der Bundesrepublik betriebenen Deutschland-Politik ab. Ist das wichtigste und erklärteste dieser Ziele, die Verbindungen zwischen beiden Staaten in Deutschland möglichst zu stärken, so wird man in jedem Falle für die zweite Bezeichnung und damit für das Nebeneinander votieren. Das umgekehrte Vorgehen würde dagegen zweifellos den augenblicklichen Intentionen der DDR eher entsprechen.

Das Nebeneinander- bzw. Getrenntvoneinander-Sitzen hat aber nicht nur Auswirkungen auf die Vorstellungen der anderen Mitgliedstaaten und ihrer Delegationen in den Vereinten Nationen, es hat zweifellos auch Konsequenzen für das Verhältnis der beiden deutschen Delegationen zueinander. Sitzen diese nebeneinander und stellen fest, daß sie sich in ihrer Muttersprache mühelos verständigen können, so wird auf die Dauer auch ein gewisser Prozeß der Kommunikation unter den Mitgliedern der Delegationen mit den dann unvermeidbaren Auswirkungen auf das gegenseitige Verstehen stattfinden. Dieser Prozeß dürfte seinerseits auf die Dauer nicht ohne Konsequenz auf die Beziehungen der Regierungen der beiden Staaten zueinander sein.

DIE AUTOREN

Delbrück, Jost, Dr. jur., Professor des öffentlichen Rechts und Direktor des Instituts für Politische Wissenschaft und Allgemeine Staatslehre an der Universität Göttingen

Frowein, Jochen Abr., Dr. jur., Professor des öffentlichen Rechts an der Universität Bielefeld

Kewenig, Wilhelm, Dr. jur., Professor des öffentlichen Rechts und Direktor des Instituts für Internationales Recht an der Universität Kiel

Lindemann, Beate, Diplom-Politologin, wissenschaftliche Mitarbeiterin im Forschungsinstitut der Deutschen Gesellschaft für Auswärtige Politik e. V., Bonn

Partsch, Karl Josef, Dr. jur., Professor des öffentlichen Rechts und Direktor des Instituts für Völkerrecht an der Universität Bonn

Pawelka, Peter, Dr. phil., Privatdozent am Institut für Politikwissenschaft, Universität Tübingen

Scheuner, Ulrich, Dr. jur., Professor des öffentlichen Rechts an der Universität Bonn